D0475902
D SALE

Jon Lee Anderson

DIE VERWUNDETE STADT

Begegnungen in Bagdad

Aus dem Englischen
von Antoinette Gittinger und Norbert Juraschitz

ROGNER & BERNHARD
BEI ZWEITAUSENDEINS

1. Auflage, April 2005

THE FALL OF BAGHDAD

Die Originalausgabe erschien 2004 unter dem Titel *The Fall of Baghdad*
bei The Penguin Press, Penguin Group (USA) Inc.

ISBN 3-8077-1003-5
www.rogner-bernhard.de

Umschlag: Philippa Walz, Stuttgart.
Herstellung und Gestaltung: Eberhard Delius, Berlin.
Satz: Offizin Götz Gorissen, Berlin.
Gesetzt aus der Minion.
Druck und Einband: Kösel, Krugzell.
Printed in Germany.

Dieses Buch gibt es nur bei Zweitausendeins im Versand,
Postfach, D-60381 Frankfurt am Main,
Telefon 069-420 80 00, Fax 069-41 50 03.
Internet www.Zweitausendeins.de, E-Mail info@Zweitausendeins.de.
Oder in den Zweitausendeins-Läden in Berlin, Düsseldorf, Essen, Frankfurt am Main, Freiburg, 2 x in Hamburg, in Hannover, Köln, Mannheim, München, Nürnberg, Stuttgart.

In der Schweiz über buch 2000
Postfach 89, CH-8910 Affoltern a. A.

Für Erica, Bella, Rosie und Máximo

PROLOG

Der Grund für meine ersten Reisen in den Irak war das Phänomen Saddam Hussein. Saddam gehörte gewissermaßen ins Reich der Mythologie, in die Zeit des Herodes, in der kriegerische Könige wie Halbgötter herrschten, heimtückisch und großzügig zugleich, ebenso fähig zu den abscheulichsten Grausamkeiten wie zu den verschwenderischsten Gunstbezeugungen. Doch zu Beginn des 21. Jahrhunderts war Saddam ein Staatsoberhaupt, unbestreitbar ein Kriegsverbrecher, ein international gesuchter Flüchtling, der sich in seinem eigenen Land versteckte und an der Macht hielt – nicht zuletzt dank des Terrors, mit dem er sein Volk unterdrückte. Es gab kaum etwas, das man Saddam nicht glaubhaft hätte unterstellen können.

Ich wollte Saddams Terrorherrschaft unmittelbar erleben und begreifen, wie sie funktionierte. Außerdem war ich mir sicher, dass ein neuer Krieg zwischen den Vereinigten Staaten und dem Irak unvermeidlich war. Er war seit dem Golfkrieg vorauszusehen, als Saddam trotz seiner Niederlage an der Macht blieb. Als George W. Bush dann im Januar 2001 seinen Amtseid leistete, wurde offensichtlich, dass die Sanktionen, mit denen die Vereinten Nationen Saddam ein Jahrzehnt lang in Schach gehalten hatten, nicht mehr wirkten und dass eine neue Verhandlungsbasis mit ihm gefunden werden musste. Wie wir heute wissen, hatte Bush bereits entschieden, dass es das Beste wäre, in den Krieg zu ziehen, um Saddam Hussein loszuwerden.

Dieses Buch ist mein Bericht über diesen Krieg, über seine Ursachen und über die Ereignisse, die folgten. Natürlich ist die Geschichte des Irak längst nicht abgeschlossen – nur ist sie inzwischen zugleich eine amerikanische Geschichte geworden. Als die Vereinigten Staaten in den Irak einfielen und das Land besetzten, verknüpften sie ihr Schicksal bis auf weiteres mit dem Schicksal des Irak. Niemand von uns kann voraussehen, welche Form diese Beziehung annehmen und wie lange sie dauern wird.

Dieses Buch handelt in erster Linie von einigen Menschen, die ich noch im alten Bagdad kennen gelernt habe, als die Stadt eine der unruhigsten und entscheidendsten Zeiten ihrer langen Geschichte erlebte. Als ich ihre Bekanntschaft machte, waren sie Bürger in Saddams Irak, und die meisten hatten sich über Wasser gehalten, indem sie auf die eine oder andere Weise mit dem Regime zusammengearbeitet hatten. Die perverse Eigenart von Saddams Tyrannei bestand darin, die Iraker zu zwingen, ein Teil des Systems zu werden, das sie unterdrückte. Die meisten beruhigten ihr Gewissen, indem sie sich einredeten, keine Alternative zu haben, da sie Familien hatten, für die sie sorgen und die sie beschützen mussten. Wer Widerstand leistete, ging ins Exil, ins Gefängnis oder sogar in den Tod. Einige Iraker, die ich kennen lernte, waren diesen Weg des Widerstands gegangen. Für sie alle bedeuteten die drastischen Veränderungen, die der Krieg und Saddams Sturz mit sich brachten, ein jähes Ende ihres bisherigen Lebens. Für einige war das ein Neuanfang, für andere jedoch eine Sackgasse. Ihre Geschichten habe ich hier versammelt. In dem anhaltenden Trauma, das der Irak nach Saddams Sturz erlebt, entsteht ein neues Land, und jeder Tag ist ein Neuanfang, nicht nur für die Iraker, sondern auch für die Amerikaner.

KAPITEL EINS

Nasser al-Sadun lebte mit seiner Frau Tamara, seinen beiden Deutschen Schäferhunden und Daphne, dem Hausmädchen aus Sri Lanka, in einer abgelegenen Kalksteinvilla außerhalb der jordanischen Hauptstadt Amman. Sein Haus bot einen weitreichenden Blick nach Westen auf ein Panorama sanft ansteigender Hügel, die mit niedrigen Kiefern und Olivenbäumen bewachsen sind. Hinter dem letzten dieser Hügel fällt das Land steil ab in den tiefen Graben des Jordan-Tales, wo der Fluss und das Tote Meer die Grenze zu Israel bilden. Als ich Nasser Anfang November 2002, ein paar Monate vor dem Beginn des Irak-Kriegs, zum ersten Mal besuchte, zeigte er mir stolz sein Wohnzimmer, das mit alten Musketen, Schwertern, Streitäxten und anderen Familienerbstücken geschmückt war. Er deutete auf seine beiden kostbarsten Schätze: zwei mit Stacheln versehene Bronzehelme aus den islamischen Kriegen des siebten Jahrhunderts, die auf die Verkündigung des Islams durch den Propheten Mohammed im Jahre 610 folgten. Auf einer Anrichte stand eine Fotografie des unglückseligen letzten irakischen Königs Faisal II., die ihn auf Wasserskiern, hemdsärmelig und lächelnd zeigte. Die Aufnahme stammte aus der Zeit kurz vor der Revolution von 1958, in der er und die meisten seiner Familienmitglieder ermordet worden waren. An den Wänden hingen gerahmte Porträts anderer berühmter Vorfahren – Scheichs und Paschas und Offiziere der königlichen Garde, alle mit Bart und herrlichen Uniformen und Dolchen – aus dem späten 19. und frühen 20. Jahrhundert, als der Irak noch Mesopotamien hieß.

Nasser, ein gut aussehender Mann mit silbergrauen Haaren, Ende sechzig, stammt aus einem legendären Sunni-Muslim-

Clan, der einst ein eigenes Scheichtum besaß, das Muntafik, das vier Jahrhunderte lang über den größten Teil des südlichen Irak herrschte. Einer seiner Großonkel bekleidete Anfang des 20. Jahrhunderts viermal hintereinander den Posten des irakischen Premierministers, und sein aus Dagestan stammender Großvater befehligte einst die königliche Armee. Nasser ist auch ein direkter Nachfahre des Propheten Mohammed – der sechsunddreißigste in direkter Linie. Spöttisch bemerkte er, dass der verstorbene König Hussein von Jordanien, einer seiner entfernten Verwandten, »lediglich der dreiundvierzigste war«. Mit schwarzem Humor kommentierte Nasser den Niedergang seiner Familie, den er ihrer bedauerlichen Neigung zuschrieb, stets die falschen Entscheidungen zu treffen: »Im Süden des Irak herrschten wir über ein Gebiet, das größer als England und Wales zusammen war, aber wir begingen den Fehler, uns mit den Türken gegen die Briten zu verbünden. So verloren wir unser Land und unsere Macht, und unser Land wurde unter anderen Stämmen aufgeteilt ... Einer meiner Großväter nahm Kuwait ein, blieb wenige Tage dort und brach dann wieder auf. Er meinte: ›Es lohnt sich nicht, hier zu verweilen.‹ Das war ein paar Jahre bevor das Öl entdeckt wurde.« Nasser gluckste und hob resigniert, aber ohne das geringste Zeichen von Bitterkeit die Hände.

Als Saddam Hussein in den frühen 70er Jahren an die Macht kam, zogen Nasser und seine Frau Tamara Dagestani, die seine Cousine ersten Grades ist, auf Einladung von Kronprinz Hassan nach Jordanien und kehrten nie wieder zurück. Tamara wurde schwanger und gebar einen Sohn, und Nasser, der als Ingenieur in Bagdad beim zentralen Elektrizitätswerk Al Dura gearbeitet hatte, fand eine Anstellung beim jordanischen Stromversorger und wechselte später als Berater zur Arab Potash Company, bei der er bis zu seinem Ruhestand arbeitete. Das war ein paar Jahre bevor ich ihn kennen lernte. Nasser war jedoch weiterhin aktiv, saß im Aufsichtsrat der Firma und fuhr auch immer noch seinen

Dienst-Mercedes. Er war nicht reich, aber wohlhabend und schien mit seinem Leben recht zufrieden zu sein. Einmal im Jahr reiste er mit Tamara nach London, um Freunde und Verwandte zu besuchen, die dort lebten. Nasser liebte es, in den Londoner Antiquariaten alte, längst vergriffene Bücher über den Irak zu kaufen.

Ich war gerade aus dem Irak zurückgekehrt und erzählte Nasser von meinem Besuch. Ich hatte Saddams so genanntes »Loyalitäts-Referendum« beobachtet. Millionen von Irakern waren im ganzen Land in Wahllokale zitiert worden und mussten auf Stimmzetteln ihr Ja oder Nein geben, um Saddam weitere sieben Jahre im Amt zu bestätigen. Ich hatte den Wahltag in Saddams Heimatstadt Tikrit verbracht und erlebt, wie Männer Freudentänze aufführten und dabei riefen: »Ja, ja, ja, ja zu Saddam!« und wie sie mit Rasierklingen ihre Daumen aufschnitten, um ihr Ja mit Blut zu besiegeln. Ich fragte einen Wahlhelfer, wie viele wohl mit Ja stimmen würden. Zuversichtlich erwiderte er: »Alle.« »Warum?«, fragte ich ihn. »Weil die Menschen Saddam Hussein lieben«, erklärte er. »Saddam Hussein ist unser Geist, unser Herz und die Luft, die wir atmen. Wenn die Luft ausgeht, werden wir alle sterben.«

Am selben Abend gab Saddams Informationsminister überschwänglich die Wahlergebnisse bekannt: Der Diktator hatte überwältigende 100 Prozent erhalten. Ein oder zwei Tage später bedankte sich Saddam beim irakischen Volk für seine Treue und verkündete die sofortige Freilassung aller Gefangenen im ganzen Land – mit Ausnahme derer, die angeklagt waren, für die Vereinigten Staaten oder das »zionistische Gebilde« Israel spioniert zu haben. Ich fuhr zum Abu Ghraib, Iraks größtem und bekanntesten Gefängnis, das sich in der Nähe der Stadt Falludschah befindet, und sah, wie Tausende verwirrter Insassen, die zum Teil jahrelang inhaftiert gewesen waren, zögerlich aus dem grauenhaften Gebäude stolperten und von lärmenden und weinenden Menschen empfangen wurden, die fieberhaft nach ihren Verwandten suchten.

Als ich ankam, waren die Gefängnistore noch geschlossen, und davor lungerten ein paar Wärter herum, die offensichtlich nicht wussten, was sie tun sollten. Am Haupteingang prangte an einer großen Betonmauer das riesige Porträt eines ernsten Saddam Hussein mit Fedora, der mit einer Hand ein Gewehr abfeuert. Innerhalb kürzester Zeit versammelte sich jedoch eine Menge irakischer Zivilisten – Angehörige der Gefangenen – auf der Straße vor dem Eingang. Im Laufe einer Stunde wuchs ihre Zahl auf mehrere Hunderte. Die meisten brüllten aufgeregt durcheinander, hüpften auf und ab und sangen Loblieder auf Saddam Hussein. Eine weißhaarige Frau erklärte mir in fließendem Englisch, dass sie auf ihren Mann warte. Er habe sechs Monate einer insgesamt 30-jährigen Gefängnisstrafe abgesessen, erklärte sie, wollte aber nicht verraten, wofür er verurteilt worden war. Wie stand sie zu Saddam Hussein? »Wir lieben ihn, weil er seinem Volk vergeben kann«, erklärte sie, schaute sich besorgt um und lief davon. »Saddam, Saddam, wir geben unser Blut und unser Leben für dich«, rief die Menge und reckte die Fäuste in die Luft. Einige Männer trommelten dabei. Währenddessen fuhr ein riesiger Tieflader langsam an uns vorbei. Auf der Ladefläche lag ein langes zylindrisches, mit grüner Armeefarbe angestrichenes Rohr von der Größe einer Scud-Rakete. Niemand schien es zu bemerken. Aus einem Verwaltungsgebäude trat ein Mann und stellte sich den Reportern als Richter vor und als Vorsitzender des »Gefangenenentlassungskomitees«. Jemand erkundigte sich, welche Gefahr der Gesellschaft durch eine so große Zahl freigelassener Verbrecher drohe, und er erwiderte: »Der Staat ist wie ein Vater und wird dieses Problem lösen.« In seiner Nähe schoss ein Mann in einem Dishdasha-Gewand wiederholt mit einer Kalaschnikow in die Luft.

Dann überrannte der Mob der Verwandten die Wärter, die

versucht hatten, die Tore zu bewachen, und strömte in das Gefängnis. Ich ließ mich mitziehen. Drinnen sah ich in der Ferne die Zellenblöcke – mehrere hundert Meter hinter einer riesigen Fläche, trostlos und wüstenartig, die mit Erdhügeln und Löchern übersät war. Die Verwandten stürmten über diesen Platz, liefen in alle Richtungen, schrien und brüllten durcheinander. Über ihnen kreisten Möwen am Himmel. Ein widerlicher Gestank hing in der Luft. Ich schloss mich einer Gruppe an, die auf ein Gebäude zusteuerte, das sich direkt gegenüber vom Haupttor befand. Als ich näher kam, wurde der Gestank noch intensiver. Hier und da sah ich ausgemergelte Gefangene in Dishdashas, die sich mit Kleiderbündeln in den Armen zu den Toren schleppten. Einige wurden von gesund aussehenden Menschen – vermutlich ihren Verwandten – begleitet. Dabei umarmten und küssten sie sich unter Tränen. Ein Mann ging an mir vorbei. Er trug einen abgezehrten jungen Mann, vielleicht seinen Bruder, der dem Tode nahe zu sein schien. Ein paar alte Männer schlurften mit verlorenem Blick und orientierungslos an mir vorbei und zogen ihre gebündelte Habe an Seilen auf dem Boden hinter sich her.

Am Ende des weitläufigen Geländes gelangte ich mit der Menge an eine hohe Mauer mit einem gewölbten, tunnelartigen Zufahrtsweg, den wir passierten, um auf die andere Seite zu gelangen. Nun befand ich mich in einer rechteckigen trostlosen Öde, umgeben von Mauern und vergitterten Eingängen, die an allen Seiten zu Zellenblöcken führten. An einer Seite entdeckte ich die Ursache des Gestanks: einen riesigen Müllhaufen. Ich schätzte, dass er ungefähr so hoch wie ein großes Mehrfamilienhaus war. Er sah aus, als sei er über Jahre angehäuft worden. Der Gestank drehte einem den Magen um.

Um mich herum herrschte völlige Anarchie. Junge und alte Männer rannten über den Hof, kletterten auf die Dächer der Zellenblöcke, bogen den Stacheldraht zur Seite, um sich Einlass zu verschaffen, und schrien dabei aus vollem Halse. Gruppen von Männern und Frauen liefen hin und her, ein paar Wärter rannten ebenfalls herum, gestikulierten wild und brüllten irgendetwas auf Arabisch. Es war kaum auszumachen, ob die Männer auf den Dächern Gefangene oder deren Angehörige waren. Ich sah flüchtig einige Insassen, die in den oberen Stockwerken des Zellenblocks durch die Gitter starrten. Menschlicher Kot hing in Dreckkrusten an dem Stacheldraht, der außen vor den vergitterten Fenstern angebracht worden war. Während ich all das beobachtete, kam Giovanna Botteri, eine attraktive blonde Reporterin vom italienischen Fernsehen, auf mich zu. Sie trug eine hautenge weiße Armani-Jeans und ein weißes Hemd. Ihr Kameramann steckte irgendwo in der Menge fest, und sie wurde von den Männern begrapscht. Sie bat mich, ihr zu helfen. Ein irakischer Agent in Zivil näherte sich und befahl mir höchst erbost über Giovannas Anwesenheit, sie von hier wegzubringen. Gruppen aufgeregter junger Männer hatten sich wie Wölfe um uns geschart, machten Bemerkungen über Giovanna, lachten und zeigten mit den Fingern auf sie. Sie klammerte sich mit einer Hand an meinen Gürtel, und wir bahnten uns einen Weg durch die Menge. Der Agent ging uns voran, zeigte uns, wo wir durchschlüpfen konnten, und brüllte die Männer um uns herum an. Ab und zu wurden einige aufdringlich, und ich spürte, wie Giovanna zurückwich oder schrie, wenn sie nach ihr grapschten. »Ich glaube, es war keine gute Idee, heute Armani zu tragen«, sagte sie.

Wir gelangten wieder an die tunnelartige Öffnung in der Mauer. Sie wurde von einer Menschenmenge blockiert. Der hilfsbereite Agent in Zivil war verschwunden. Einige Wärter prügelten auf die Männer ein, damit sie den Zufahrtsweg freigaben, und sie begannen sich zu zerstreuen. Als wir näher kamen, begann ein Wärter mich zu schubsen. Ich stieß ihn zurück und brüllte ihn an, und er schubste mich erneut. Ein Pick-up mit Soldaten auf der Ladefläche tauchte auf, und ich kämpfte mich mit Giovanna im Schlepptau zu ihm durch. Der Pick-up beschleunigte seine Fahrt und fuhr mit quietschenden Reifen durch den Tunnel. Auf der anderen Seite der Mauer zwang uns einer der Soldaten auszusteigen. Ein paar Minuten später, nach weiteren Handgreiflichkeiten, entkamen wir dem Mob und erreichten das weitläufige offene Gelände, auf dem Hunderte von Gefangenen auf die offenen Eingangstore zusteuerten. Wir schlossen uns ihnen an.

Ein paar Tage später versammelte sich vor dem Informationsministerium, wo die für ausländische Journalisten zuständige Stelle untergebracht war, eine Gruppe von Irakern, die erklärten, sie seien die Verwandten von vermissten Gefangenen. Sie waren zuvor durch die Straßen Bagdads gezogen und hatten Saddam hochleben lassen, doch als sie in die Reichweite von Journalisten gelangten, äußerten sie ihre Besorgnis darüber, dass sich ihre Angehörigen nicht unter den Freigelassenen befanden. Ein solcher Protest war in Saddams Irak ein beispielloses Ereignis. Doch bevor die Journalisten irgendjemanden interviewen konnten, stellten die Beamten des Ministeriums bewaffnete Posten auf, um die Menge zu zerstreuen. Am nächsten Tag wurden rund um das Ministerium Wachen postiert, und die höheren Beamten des Ministeriums waren allesamt übel gelaunt. Ihre Wut richtete sich vor allem gegen den Sender CNN, der den Protest live übertragen hatte. Wenige Tage später wurde Jane Arraf, die Irak-Korrespondentin des Senders, ausgewiesen.

Als ich ein oder zwei Abende später Iraks stellvertretenden Premierminister Tariq Asis interviewte, fragte ich nach dem Sinn der plötzlichen Entlassung so vieler Gefangener, einschließlich Tausender gewöhnlicher Verbrecher. Asis, der gelassen eine kubanische Zigarre paffte, erwiderte aalglatt: »Wissen Sie, die Familien jener Gefangenen hatten ihre Loyalität dem Präsidenten gegenüber bewiesen, also mussten wir ihre Treue belohnen. Der Präsident hat ihre Familien gebeten, diese Männer zu maßregeln, und ich bin davon überzeugt, dass viele von ihnen ihn unterstützen und für ihn kämpfen werden. Ein Präsident wie Saddam Hussein würde keine Zehntausende von Gefangenen freilassen, wenn er sich von ihnen bedroht fühlte. Wenn wir vor den Gefangenen Angst hätten, könnten wir das Gefängnis auch mit Panzern umstellen und alle niedermetzeln. Aber das haben wir nicht getan. Wir glauben an Gott. Wir sind wie Jesus Christus, der den Menschen vergab, die ihn ans Kreuz schlugen.«

Währenddessen wurde der Truppenaufmarsch der Amerikaner und Briten immer massiver. Ich hatte Bagdad verlassen, um Nasser al-Sadun zu besuchen, und überlegte, was ich von all dem halten sollte. Nachdem er mir zugehört hatte, kicherte er und sagte, dass ich mich darüber nicht zu wundern brauche. Die Episoden, die ich erlebt hatte, meinte er, seien lediglich die jüngsten Beispiele des politischen Theaters, das Saddam inszenierte, um der Welt zu beweisen, dass er ein beliebtes Staatsoberhaupt sei, während er zu Hause seine Macht ausbaute. Es sei außerdem unmöglich herauszufinden, was die Iraker wirklich dachten, solange Saddam an der Macht bliebe. Alle hatten einfach zu viel Angst, ihre Meinung zu äußern.

Nasser prophezeite, dass ein von Amerika geführter Krieg gegen den Irak unvermeidlich sei und dass Saddam ihn verlieren würde, aber er warnte zugleich: »Wissen Sie, die Amerikaner sollten die Dinge nicht selbst in die Hand nehmen, weil die Iraker Ausländer nicht leiden können. Eines sollte man über die Iraker wissen: Man kann sie ziemlich schnell für sich gewinnen, aber man kann sie genauso schnell wieder verlieren. Einzeln sind sie sehr nett, aber als Gruppe sind sie unberechenbar. Wenn die Amerikaner kommen, sollten sie auf keinen Fall bleiben und versuchen, die Iraker zu beherrschen und Entscheidungen für sie zu treffen. Sie sollten irgendeine Regierung einsetzen und sich dann aus dem Land zurückziehen.«

Nasser erzählte die Geschichte seines Großonkels. Abdul Mohsen al-Sadun, einer der ersten Premierminister des Irak, beging 1929 Selbstmord, weil es ihm nicht gelungen war, den Briten mehr Souveränität abzutrotzen. Die Briten hatten dem Irak 1920 die Unabhängigkeit gewährt, aber neokoloniale Vertragsbefugnisse für sich behalten. »Großbritannien hatte ihm die uneingeschränkte Unabhängigkeit versprochen«, sagte Nasser, »und als dies nicht geschah, wurde er im Parlament des Verrats bezichtigt. So ging er nach Hause und nahm sich das Leben. Wissen Sie, die Iraker sind sehr stolz auf ihre Verantwortung, aber wenn ein anderer sie übernimmt, kümmern sie sich um nichts mehr. Also muss man den Irakern Verantwortung übertragen.«

In den folgenden Monaten musste ich immer wieder an Nasser al-Saduns warnende Worte denken, die sich schon bald als Prophezeiungen erwiesen. Tatsächlich wurde die Kriegsgefahr immer größer. Zog man die Bemerkungen hoher US-Beamter in Betracht, musste man mit einer militärischen Besetzung des Irak nach dem Krieg rechnen. Mich als Amerikaner, der in den traumatischen Jahren des Vietnamkriegs und mit der daraus resultierenden »Nie wieder«-Philosophie erwachsen geworden war, beunruhigte die Aussicht, dass die amerikanische Armee unerwünscht in ein fremdes Land einfiel und es besetzte.

Wie jeder andere Besucher des Irak unter Saddam Hussein wusste ich, dass er ein Ort des Schreckens geworden war. Saddams Regime war ohne jeden Zweifel die entsetzlichste Tyrannei, die ich je erlebt hatte. Zwar kannte ich seine Verbrechen nur aus Büchern, Zeitungsartikeln und Berichten von Menschenrechtsorganisationen, doch stieß ich im Irak immer wieder auf eine viel sagende Mauer des Schweigens, weil niemand es je wagte, etwas gegen Saddam zu sagen. Ich begriff, dass ein solches Schweigen nur die Folge unbeschreiblicher Angst sein konnte. Nur bei wenigen Gelegenheiten konnte ich für kurze Augenblicke die wahren Gefühle der Menschen erkennen.

Als ich einmal allein über Bagdads Markt schlenderte, auf dem Kuriositäten, alte Münzen und geschmuggelte CDs verkauft wurden, bat mich ein junger Verkäufer von Mitte zwanzig, in seinen kleinen Laden zu kommen, Platz zu nehmen und Tee mit ihm zu trinken. Nachdem er mehrere Gaffer verjagt hatte, fragte er mich, woher ich komme, und als ich ihm antwortete, strahlte er und streckte die Daumen nach oben. »Amerika ist prima!«, sagte er. Dann bemerkte er, dass ich eine Armbanduhr mit Che Guevaras Konterfei trug, und fragte neugierig: »Hat Che Guevara die Vereinigten Staaten nicht bekämpft? Bekommen Sie keinen Ärger mit den amerikanischen Behörden, wenn Sie diese Uhr tragen?« Ich erklärte dem Ladeninhaber, dass so etwas in den Vereinigten Staaten nicht als Verbrechen galt. Wenn ich wollte, fuhr ich fort, könne ich sogar laut auf der Straße verkünden, dass Saddam gut und Clinton schlecht sei, und die Polizei könne mir nichts anhaben. Er riss erstaunt die Augen auf. Dann grinste er breit und witzelte: »Dann ist also das amerikanische System das gleiche wie das irakische!« Er runzelte theatralisch die Stirn. »Hier im Irak ...« Er schwieg, streckte die Hände aus und legte die Handgelenke übereinander, als ob er Handschellen trage, und fuchtelte wild mit einem Arm herum, als teile er Schläge aus. Dann beugte er sich zu mir herüber und flüsterte mir ins Ohr: »Muchabarat« – der alles beherrschende irakische Geheimdienst – und lehnte sich wieder in seinen Stuhl zurück. Ein wenig unbeholfen erwiderte ich: »Inschallah, so Gott will, werden sich die Dinge ändern.«

»Nein«, entgegnete er leise. »Vielleicht ändern sich die Dinge in Amerika, aber nicht im Nahen Osten. Nie wird sich im Nahen Osten etwas ändern.«

Dem Zynismus des jungen Ladeninhabers hatte ich nichts entgegenzusetzen. Solange er lebte, hatte sich nichts verändert, zumindest nicht im Irak. Der Irak hatte nie eine Demokratie erlebt – trotz seines Rufs als »Wiege der Zivilisation« und trotz (oder auch wegen) seines enormen Ölreichtums und seiner strategischen Bedeutung als Pufferstaat des Nahen Ostens. Als sich die britischen Kolonialherren 1932 aus dem heiklen Gebiet zurückzogen, das sie 16 Jahre zuvor den Osmanen entrissen hatten, die es vier Jahrhunderte lang beherrscht hatten, hinterließen sie eine handverlesene haschemitische Monarchie, die ihre Interessen wahrte, wozu auch die Kontrolle über die noch junge irakische Ölindustrie gehörte. Nationalistische Offiziere zettelten 1958 eine gegen den Westen gerichtete Revolution an, wobei auch die Königsfamilie niedergemetzelt wurde. Die Regierung, die sie einsetzten, wurde 1968 von der Arabischen Sozialistischen Baath-Partei, dem irakischen Ableger der ultranationalistischen panarabischen Baath-Partei, die 1940 in Syrien gegründet worden war, gewaltsam gestürzt. Der 31-jährige Saddam Hussein al-Tikriti, ein verdienter Baathist, der sich mit einem fehlgeschlagenen Attentat auf den Premierminister empfohlen hatte, wurde Vizepräsident des Irak und diente unter seinem Cousin Hassan al-Bakr. Schon bald war Saddam der eigentliche Machthaber. 1979 überwarf er sich endgültig mit seinem Cousin und übernahm die alleinige Herrschaft. Unmittelbar danach inszenierte Saddam eine blutige Säuberungsaktion und entfernte alle seine potenziellen Feinde aus der Baath-Partei. Er erwies sich als einer der rücksichtslosesten und gerissensten politischen Überlebenskünstler der Welt. Saddam hat den Irak nach seinen eigenen Wünschen umgestaltet – und das Ergebnis ist wirklich haarsträubend.

Bagdad ist eine eintönig lehmfarbene Stadt, deren monotoner Anblick lediglich durch das Pfauenblau und Gold der Moscheenkuppeln, die in der Sonne funkeln, aufgelockert wird. Staubige Eukalyptusbäume und Dattelpalmen scheinen überall zu wachsen und säumen den Horizont mit einem federleichten graugrünen Gürtel. Dabei gibt es in Bagdad wenig weiche Linien; es überwiegt die strenge modernistische Geometrie erdbrauner Quadrate, Rechtecke und Turmspitzen aus Beton. In den 70er und 80er Jahren hatte Saddam im Zuge einer Modernisierungskampagne, die der von Ceausescu in Rumänien ähnelte, einige der ältesten Stadtviertel – alte Lehm- und Steinhäuser mit Bogenportalen und Fenstern aus Holz und hängenden Balkonen – abreißen und durch gleichförmige Häuserblocks ersetzen lassen, deren Stil man in Bagdad »neuislamisch« nennt. Diese Art von Architektur ist gekennzeichnet durch ein Übermaß an stilisierten Torbögen, Säulen und Minaretten, die aus rohen Betonplatten gehauen und im besten Fall mit Faszes aus elfenbeinfarbenem Kalkstein verziert sind.

Das graugrüne Wasser des Tigris, der sich zwischen betonierten Ufern dahinschlängelt, fließt in einer großen, sich windenden Schleife mitten durch Bagdad in Richtung Süden. Am Ostufer des Flusses liegt das Handelszentrum der Stadt mit seinen hektischen Basaren und Suks, während sich im Westen eine weite Parklandschaft mit Regierungsgebäuden, Präsidentenpalästen und mehreren großen Denkmälern erstreckt, die Saddam im Laufe der Jahre hatte errichten lassen. Es handelt sich um monumentale Bauwerke von riesigen Ausmaßen, denen ein rachsüchtiger, nekromantischer Geist innewohnt, da die meisten in der einen oder anderen Form dem Tod huldigen. Als ich Bagdad zum ersten Mal sah, ging mir die Vorstellung durch den Kopf, Saddam würde als Amerikaner wiedergeboren werden und in Washington herrschen: Die Gräber des Arlington-Friedhofs würden vermutlich exhumiert und in die Mall verlegt werden, die Bäume dort abgeholzt, um neuen Prachtstraßen für Militärparaden Platz zu machen; dann würde eine fünf Kilometer lange Strecke vom Potomac, sagen wir mal vom Ronald Reagan National Aiport bis Georgetown, mit Sicherheitsabsperrungen versehen und von Männern mit Gewehren bewacht werden, die den Befehl hätten, jeden Eindringling zu erschießen. Und schließlich würde das Washington Monument in »Der glorreiche Sieg über Vietnam« umgetauft und auf dem Boden an seinem Sockel würden Tausende von Strohhüten vietnamesischer Kulis kunstvoll verstreut werden, damit die Besucher darauf herumtrampeln könnten.

Saddams Grab des Unbekannten Soldaten war eine künstliche Anhöhe aus Beton, über der ein halb offener Deckel lag, der wie eine fliegende Untertasse aussah, aber an einen Soldatenhelm erinnern sollte. Nachts wurde das Grab von Hunderten fluoreszierender Neonröhren beleuchtet, die das Weiß, Rot und Grün der irakischen Nationalflagge zeigten und meilenweit sichtbar waren. Unterhalb des großen Helms befand sich in einer Grabkammer ein Sarg mit dem Leichnam eines anonymen irakischen Soldaten und eine unterirdische Ausstellung, in der die Besucher die Uniformen gefallener Soldaten und ein Arsenal von Waffen besichtigen konnten, die irakische Krieger im Laufe der Jahrhunderte benutzt hatten, von den Morgensternen und Schwertern der islamischen Kreuzfahrer im 7. Jahrhundert bis zu den Maschinengewehren, mit denen Saddam Hussein 1959 vergeblich versucht hatte, Premierminister Abdul Karim Kassim zu töten.

Jenseits der Parkanlage hinter dem Grab befand sich Saddams so genanntes Siegesdenkmal, eine Paradestrecke von etwa eineinhalb Kilometern, die an beiden Enden von zwei riesigen Bronzearmen bewacht wurde, die nach einem Abdruck von Saddams eigenen Armen hergestellt worden waren. Die Arme hielten gekreuzte Schwerter in die Höhe, die Triumphbögen bildeten. An jedem dieser riesigen Arme baumelten Netze, gefüllt mit Hunderten echter iranischer Soldatenhelme, die vielfach von Kugeln durchlöchert waren. Andere waren in die Straße einbetoniert worden und bildeten glänzende Metallbuckel, die im

Sonnenlicht funkelten und überfahren und zertrampelt werden sollten.

Eines der jüngsten Bauwerke Saddams war das Museum zum Ruhm des irakischen Führers, das nach dem Golfkrieg vollendet wurde. Es befand sich unter Bagdads neuem Glockenturm, der sich samowarförmig als hohe Spitze über den Parkanlagen in der Nähe des Siegesdenkmals erhob. Im Innern des hohlen Glockenturms schwang ein mit vier vergoldeten Kalaschnikows geschmücktes Pendel langsam über einem Marmorfußboden hin und her. Sieben lange Gänge am Fuß des Turmes beherbergten die bunte Sammlung von Geschenken, die Saddam im Laufe der Jahre von Freunden, Bewunderern und ausländischen Staatsoberhäuptern erhalten hatte. Als ich im Jahre 2000 das Museum zum ersten Mal besuchte, enthielt die Ausstellung ein Paar dekorative Sporen, die Saddam laut Museumsangaben 1986 von Ronald Reagan geschenkt bekommen hatte, eine Kollektion Guabayera-Hemden von Fidel Castro, ein Paar massiver Elefantenstoßzähne vom ehemaligen Diktator Hissène Habré aus dem Tschad, eine goldene, mit Diamanten und Rubinen verzierte Patek-Philippe-Uhr vom Sultan von Bahrein; Zeremonienschwerter von Jacques Chirac und Wladimir Schirinowski. Ebenfalls fand ich hier ein Paar vergoldete Handgranaten und eine dazu passende 45er Automatikpistole von Moammar Gadhafi und eine prächtige Doppelflinte mit Zielfernrohr vom Chef des russischen Geheimdienstes.

Der Konservator zeigte mir ganz aufgeregt ein besonderes Prachtstück: ein altes doppelläufiges Schlagbolzengewehr, mit dem seinen Worten nach »der berühmte britische Spion Leachman« getötet wurde. Colonel Gerard Leachman war Nachrichtenoffizier beim britischen Militär, ein Kollege von T. E. Lawrence und Gertrude Bell. In der 1920 von irakischen Stammesangehörigen angezettelten Revolution gegen die Kolonialherren hatte der Sohn eines Scheichs Leachman in den Rücken geschossen und getötet. Die Familie des Mörders hatte die Tatwaffe viele Jahre lang aufbewahrt, berichtete mir der Konservator, und erst vor kurzem Saddam zum Geschenk gemacht. Aus dem ehrfürchtigen Ton des Konservators schloss ich, dass die Waffe einen gewissen Ehrenplatz in Saddams Sammlung einnahm. Mein persönlicher Favorit war jedoch ein weinender Porzellanelefant, wie man ihn in ländlichen amerikanischen Souvenirshops bekommt. Neben ihm lag der handgeschriebene Brief an Saddam, den eine gewisse Ruth Lee Roy 1997 auf Englisch verfasst hatte: »Das ist zwar ein weinender Elefant, aber wir wollen, dass Sie glücklich sind.«

In der Ausstellung zur »Um Al-Marik« – der »Mutter aller Schlachten«, wie Saddam den Golfkrieg nannte – hing eine elektronische Landkarte des Nahen Ostens an der Wand. Wenn sie in Betrieb war, zeigten rote Lichter all jene Orte an, die während des Golfkriegs von irakischen Scud-Raketen getroffen worden waren, und darunter stand die jeweilige Trefferzahl. Wie der Konservator mir freundlich erklärte, hätten laut Saddams Berechnungen 50 Raketen die alliierten Streitkräfte in Saudi-Arabien getroffen, und weitere 43 seien in Israel gelandet. In einem Glasschrank lagen Briefe, in denen Iraker ihre Loyalität gegenüber Saddam beteuerten. Jeder dieser Briefe war mit dem Blut des Autors geschrieben worden. An einer Marmorwand der abschließenden Ausstellung, die nach einer irakischen ballistischen Rakete »Al Abid« hieß, stand in blattgoldenen Buchstaben ein ins Englische übersetzter Ausspruch von Saddam Hussein: »Die Uhr schlägt unablässig, um die Erinnerung an Männer und Frauen zu bewahren, von denen manche die Spuren großer und erhabener Seelen hinterlassen, andere dagegen nur die Überreste wurmzerfressener Knochen ... Die Märtyrer jedoch leben im Paradies, auf ewig unsterblich an der Seite Gottes. Kein Erbe ist wertvoller oder erhabener als ihres.«

Auf solche Weise und über viele Jahre hinweg hatte Saddam

sein Vermächtnis buchstäblich zementiert. Doch erst nach dem Golfkrieg hatte ihn die Leidenschaft gepackt, Paläste in sagenhaft monumentalen Ausmaßen zu bauen. In den 90er Jahren hatte er Dutzende davon im ganzen Land errichten lassen. Diese Paläste hatten etwas Surreales, da sie überall und unweigerlich gigantisch herumstanden, aber von den Menschen gar nicht wahrgenommen wurden. Als ich 2000 nach Bagdad kam, hatte mir das Informationsministerium, wie es für alle ausländischen Journalisten vorgeschrieben war, einen »Führer« und Dolmetscher zugewiesen, der mich danach praktisch überallhin begleitete. Mein Führer war ein 30-jähriger Kurde namens Salaar Mustafa, ein schlanker, intelligenter, kettenrauchender Mann mit einem Englisch-Diplom der Universität Bagdad. Salaar war eigentlich redselig, bewahrte aber jedes Mal Schweigen, wenn wir an einem von Saddams Palästen vorbeifuhren, was häufig der Fall war. Für gewöhnlich stellte er sich taub, wenn ich fragte, was das für ein Gebäude sei. Wenn ich nicht lockerließ, erwiderte er schroff: »Ein Gästehaus.«

Die Iraker hielten sich eisern an eine Hand voll Regeln, die bestimmten, was über den Präsidenten und seine Familie gesagt werden durfte und was nicht. Einige Regeln hatten sie sich selbst auferlegt, andere jedoch waren offiziell verkündet worden. Die Beschimpfung des Präsidenten war zum Beispiel ein Verbrechen, das mit dem Tode bestraft wurde. Diese Art von Bestrafung hatte begreiflicherweise eine lähmende Wirkung auf jede auch nur mögliche Unterhaltung über Saddam, und seine Paläste galten unabänderlich als Tabuthema. Wie im Märchen von des Kaisers neuen Kleidern führte das dazu, dass die Paläste sehr wohl sichtbar waren, aber dennoch ignoriert wurden. Man sprach einfach nicht darüber, zumindest nicht laut oder gar mit Leuten, denen man nicht vorbehaltlos vertraute.

Der äußere Anblick von Saddams Palästen war ungeheuerlich und abschreckend. Wie seine Denkmäler ließen sie gewöhnliche Sterbliche ameisengleich und bedeutungslos erscheinen. Die meisten Paläste wurden von hohen Mauern aus gleichförmigen Betonplatten abgeschirmt, auf die Saddams Initialen in arabischer Schrift eingraviert waren. Sie wurden von Soldaten mit Maschinengewehren bewacht, die sich in Nestern aus Sandsäcken, auf massiven Wachtürmen und vor verbarrikadierten Toren postierten. Auf einem der Paläste in Bagdad thronte eine prächtige Kalksteinkuppel, unter der steinerne Brüstungen mit horizontalem Sternenmuster hervorragten. An den Spitzen jedes Sterns befanden sich identische vergoldete Bronzebüsten von Saddam, die wachsam auf die darunter liegende Stadt blickten und – so schien es – geflügelte Helme trugen. In Wirklichkeit aber sollten die Helme den Felsendom von Jerusalem darstellen. Im Hauptkomplex des Palasts der Republik, der mehrere Paläste umfasste, wurde ein Gebäude auf ganz ähnliche Weise von zahlreichen gewaltigen Büsten Saddams bewacht. Nur blickten diese Bildnisse nach innen und kehrten der Außenwelt den Rücken zu.

Eines Tages saß ich als einziger Gast in einem Fischrestaurant am Ostufer des Tigris, gegenüber dem Komplex des Palasts der Republik, und der Besitzer gab mir ein stummes Zeichen, ihm zur Hintertür seines Hauses zu folgen. Er öffnete die Tür weit und deutete auf einen hohen Maschendrahtzaun, der fast bis an die Rückseite des Hauses reichte und es vom Flussufer trennte. Er wies über den Zaun hinweg auf die andere Seite des Flusses, wo ich die Minarette und Kuppeln mehrerer imposanter Paläste erblickte. »All das gehört Saddam«, sagte er und machte eine ausladende Geste, die den Fluss und seine beiden Ufer umspannte. Er erklärte mir, dass sich der Palast-Komplex über mehrere Kilometer erstreckte und dass niemand sich auch nur in der Nähe der beiden Ufer aufhalten durfte. Ich bemerkte, dass sein Garten vernachlässigt und mit Unkraut überwuchert war, und fragte ihn, ob er sich je bis an die knapp 10 Meter entfernte Umzäunung begebe. Er zog erstaunt die Augenbrauen hoch und rief: »Nein! Nie!« Mittels einer improvisierten Pantomime führte er mir vor, wie er einen Mann brutal auf die Knie zwang und in den Hinterkopf schoss. Dann wandte er sich theatralisch um, schlug die Tür zum Garten wieder zu und schob mich ins Lokal zurück. Als ich später die Straße am Fluss entlangfuhr, entdeckte ich, dass der Parkabschnitt zwischen der Straße und dem Flussufer gegenüber von Saddams Grundstück meilenweit ungepflegt und menschenleer war. An einer Stelle verschwand eine Skulptur, die im Kreis tanzende Mädchen darstellte, beinahe in einem Dickicht aus hohem gelbem Unkraut. Einigen Mädchen fehlten Arme, eines hatte keinen Kopf mehr.

Ein anderes Mal besuchte ich mit meinem Führer Salaar eine Galerie am anderen Ende der Stadt und bemerkte mehrere Kräne, die in den Himmel ragten. Sie standen um ein riesiges unvollendetes Betongebäude mit mehreren Kuppeln herum. Ich erkannte, dass es sich um den Standort für eine von Saddams neuen Moscheen handelte. Er ließ gerade zwei Moscheen errichten, die zusammen das gigantischste Bauvorhaben darstellten, das er je in Angriff genommen hatte. Die größere der beiden Moscheen sollte, wenn sie fertig gestellt war, die größte des Nahen Ostens werden – abgesehen von der Großen Moschee in Mekka –, während die zweite alle anderen im Irak übertreffen würde. Das Gebäude, das ich betrachtete, war das kleinere von beiden und erhob sich an der Stelle der ehemaligen Trabrennbahn von Bagdad, die Saddam ein paar Jahre zuvor dem Erdboden hatte gleichmachen lassen. Als ich Salaar fragte, ob ich den Platz fotografieren dürfe, sagte er, das sei gegen die Vorschriften. Niemand dürfe die Moschee fotografieren, erklärte er, bevor sie fertig gestellt sei – man dürfe nicht einmal darüber diskutieren. »Bitte, bestehen Sie nicht darauf«, bat er mich. Ungläubig erwiderte ich: »Wollen Sie damit sagen, dass wir beide sie sehen können, aber so tun müssen, als sei sie nicht da?«

Salaar nickte heftig, und aus seiner angespannten Miene schloss ich, dass er es vollkommen ernst meinte.

Die Zeit seit der Niederlage des Irak im Golfkrieg wird im Irak offiziell als »Ära Saddam Hussein« bezeichnet. In dieser Zeit wurde Saddam als öffentliche Person unsichtbar, und sein Volk sah lediglich abends im Fernsehen, wie er sich mit den Mitgliedern seines Revolutionären Kommandorates in anonymen fensterlosen Räumen traf oder wie er Besucher in einem seiner Paläste begrüßte. Er trat kaum noch in der Öffentlichkeit auf, und wenn überhaupt, dann kam er unangekündigt. Er tauchte auf und verschwand – wie eine göttliche Erscheinung. Trotzdem war Saddam überall präsent. Auf der Straße, die vom Internationalen Flughafen Saddam in die Stadtmitte von Bagdad führte, begrüßte ein Schild die Besucher: »Willkommen in der Hauptstadt des arabischen Saddam.« Es gab einen Saddam-Fluss, einen Saddam-Staudamm und eine Saddam-City. Sein Konterfei zierte die Zifferblätter von Armbanduhren, Radioweckern und Wanduhren. An den Fassaden jedes öffentlichen Gebäudes, im Innern jedes Geschäfts und jedes Hauses, das ich betrat, hingen Porträts von Saddam. Im ganzen Land gab es Tausende überlebensgroßer Darstellungen von Saddam: gemalt auf riesige Werbetafeln oder in Öl auf gigantische Leinwände, aus glasierten Mosaikfliesen zusammengesetzt und in Betonplatten eingelassen, als granitene, bronzene und vergoldete Büsten und Statuen. Man sah ihn aufrecht stehen, den rechten Arm gebieterisch erhoben, gläubig betend, mit erhobenem Schwert auf tänzelnden Hengsten reitend. Er lächelte, runzelte die Stirn, schoss mit Gewehren, rauchte Zigarren, trug einen schwarzen Lederüberzieher und den dazu passenden Schlapphut, Militäruniformen und arabische Roben, einen dreiteiligen westlichen Anzug – ja sogar eine alpine Kletterausrüstung. Auf einigen Abbildungen war Saddam hager oder beeindruckend muskulös, auf anderen dick, mit aufgeschwemmtem Gesicht und Doppelkinn. Man sah ihn auch in einer Richterrobe mit der Waage in der Hand, wie er ganz wie ein biblischer Patriarch Hof hielt und Männer, Frauen und Kinder bei seinem Anblick in Ohnmacht fielen. Oder er trug einen Arztkittel, schaukelte liebevoll kleine Kinder auf den Knien, beugte sich mit blutigem Schwert über eine zerstückelte Schlange, deren Schwanz sich in eine amerikanische Cruise-Missile verwandelte. Auf einer Fassade prangten acht lächelnde identische Saddams, dem Marilyn-Diptychon von Warhol nicht unähnlich.

Mochaled Muchtar, ein Mann in mittleren Jahren, dessen krauses Haar an Einstein erinnerte, galt als Kunstpapst des Irak. Im Jahr 2000 erzählte er mir stolz, dass er als Direktor des Saddam-Kunstzentrums zwölf Stunden pro Tag beschäftigt sei. Er arbeitete in einem riesigen grauen Betongebäude im neuislamischen Stil, das zu einem ausgedehnten Komplex ähnlicher, im Zentrum des alten Bagdad errichteter Bauten gehörte. In Muchtars großem, mit Kunst ausgestattetem Büro zählte ich sechs verschiedene Porträts von Saddam. Er berichtete mir, dass er seine Arbeit als offizieller Leiter der irakischen Künstler wirklich sehr mochte und dass er bei dieser Aufgabe die volle Unterstützung des Präsidenten Saddam Hussein genoss. »Als der Präsident an die Macht kam, sagte er, dass die Künstler wie die Politiker seien: Beide tragen dazu bei, die Gesellschaft zu nähren und zu fördern«, sagte Muchtar. »Wenn eine Gesellschaft keine Künstler hat, kann sie auch keine weisen Politiker haben. Dank der direkten Unterstützung durch den Präsidenten floriert die Kunst im Irak.« Als ich ihn auf das Übermaß an öffentlicher Kunst ansprach, die überwiegend Saddam gewidmet war, sagte Muchtar, dass die irakischen Künstler den Präsidenten gern malten, weil er »das nationale Symbol« darstellte. Als Kind habe er andere Helden seiner Fantasie gemalt, fuhr Muchtar fort und erwähnte Burt Lancaster und Clark Gable, aber jetzt sei Saddam an ihre

Stelle getreten. »Heute hat sich diese Liebe und diese Fantasie so weit entwickelt, dass wir unsere Liebe zu unserem Präsidenten ausdrücken können.«

Muchtar begann, einige Errungenschaften Saddams aufzuzählen, die er offensichtlich für kleine Wunder hielt. Zum Beispiel hätte es, als er noch klein war, in der Nordprovinz Ninive, wo er aufwuchs, nur zwei weiterführende Schulen gegeben, heute aber 200. Zu jener Zeit, fuhr er fort, hätte die Bevölkerung des Irak lediglich sieben Millionen Menschen betragen. »Aber heute sind es 22 Millionen, sogar nach 20 Jahren des Tötens! Wie kann man sich das erklären? Gibt es irgendjemanden, der das symbolisiert?« Muchtar deutete auf eine Staffelei in der Nähe seines Schreibtisches. Darauf stand ein Porträt von Saddam, das sich von einem kunstvollen Hintergrund aus alten sumerischen Keilschriftzeichen abhob. Er sagte, es handele sich um eines seiner eigenen Gemälde. »Wenn Sie vor der Revolution hier gewesen wären, wären Sie auf Saddam genauso stolz, wie ich es jetzt bin.«

Ein paar Abende später besuchte ich den Maler Kassim Mussin Hassan. Sein Wohnzimmer war mit seinen Werken geschmückt, zumeist Ölgemälden, die tänzelnde Araberhengste und verschleierte Frauen mit irdenen Wasserkrügen oder dahingleitende Boote in den südlichen Sümpfen zeigten. Er erklärte, dass er mit seinem Stil der »realistischen Schule« der irakischen Kunst angehöre. Hassan zeigte mir ein Album mit den Fotos seiner übrigen Werke, darunter das große Ölgemälde eines dicken Saddam im Kaftan. Es war sein größtes Bild. Hassan sagte, die Leinwand sei achtzehn Fuß lang und zwölf Fuß breit, und er habe dieses Bild im Auftrag der Zentrale der Baath-Partei einer westirakischen Stadt gemalt und drei Wochen dafür benötigt. Er hatte es auf dem Flachdach seines Hauses gemalt, und als er es vollendet hatte, wurde es mit einem Kran auf einen Lastwagen heruntergeladen. Als ich ein gerahmtes Foto entdeckte, auf dem Hassan neben einem strahlenden Saddam stand, der ihm eine Hand auf die Schulter legte, wollte ich wissen, wie es zu dieser Begegnung gekommen war. Er sagte, er sei zu Saddam bestellt worden, nachdem er ihm 1996 eines seiner Gemälde – eine Frau, die im Sumpf Schilfgras schnitt, ein Hengst im Hintergrund – gesandt hatte, um ihm zu seinem neunundfünfzigsten Geburtstag zu gratulieren. »Saddam sprach mich mit Namen an«, sagte Hassan. »Und er erzählte mir, er habe meine Entwicklung von Anfang an verfolgt. Ich stand ihm gegenüber und verspürte das Bedürfnis, ihn zu umarmen, aber ich konnte das nicht. Er hat einen sehr strengen Blick. Sie haben das Gefühl, dass sich in seinen Augen der Kampf um die arabische Heimat abspielt und dass er hellsehen und Ihre Gedanken lesen kann. Er verbreitet Selbstvertrauen, und das führt dazu, dass Sie sich so stark fühlen wie er.«

Für die meisten Iraker war Saddam eine allsehende, allwissende und allmächtige Eminenz, die unter ihnen lebte und ihnen dennoch unendlich überlegen war. Wie die Untertanen eines zornigen Gottes erwiesen sie ihm Ehrerbietung, um seine Aufmerksamkeit, sein Mitleid und seine Gnade zu erwecken. Ein irakischer Schriftsteller, der seine Worte sorgfältig wählte, riet mir, einen Blick auf das alte Mesopotamien zu werfen, um den Saddam-Kult zu verstehen. »Menschen, die aus dem Westen kommen, wo die Wirklichkeit heute und morgen bedeutet und die Vergangenheit irrelevant oder kaum vorhanden ist, liegen falsch, wenn sie den Irak mit dem gleichen Maßstab messen. Hier hat die Vergangenheit die Gegenwart hervorgebracht und ist weiterhin ein Teil von ihr. Hier wurden die ersten Götter mit menschlichen Gesichtern geschaffen. Hier gab es Götter für das Wasser, für die Landwirtschaft und so weiter. Ich betrachte sie als Saddams Minister. Diese Götter bildeten die Verbindung zwischen Himmel und Erde, und sie führten die Tradition ein, Könige als Götter zu behandeln. Göttlichkeit besteht in der Vermischung von Himmel und Erde. Vielleicht ist das eine Möglichkeit, die Dinge zu erklären, die Sie im Irak sehen.«

Der Irak besitzt eine sehr alte Kultur; seine archäologisch bezeugte Geschichte reicht mehrere zehntausend Jahre zurück. Wie die Ruinen von Ur, Ninive und Babylon bezeugen, war der Irak der Sitz sumerischer, assyrischer und abassidischer Dynastien – und lange davor sogar der ersten menschlichen Siedlungen. Die alten Iraker erfanden das Rad und die erste bekannte Handschrift der Welt – das Keilschrift-Alphabet. Sie verfassten das erste geschriebene Epos, »Gilgamesch«, und den ersten erhaltenen Gesetzeskodex, in dem Hammurabis Auffassung vom Grundsatz »Auge um Auge« für die Ewigkeit festgelegt wurde. Alexander der Große starb im Irak, genauso wie der Schwiegersohn des Propheten Mohammed, Imam Ali, ein Schiite, und dessen sunnitischer Sohn Hussein. Im Irak wurde Nebukadnezar geboren, Saladin der Eroberer und der jüdische biblische Patriarch Abraham. Dass sich die Iraker nach einer solchen Geschichte ausgerechnet Saddam Hussein auslieferten, ist wirklich eine grausame Ironie des Schicksals.

Lediglich Saddams furchtlosesten Apparatschiks trauten sich, offen über ihn zu reden, und auch ihnen fiel es schwer, seine Brutalität kategorisch zu leugnen. Sie drückten sich beschönigend aus, nannten ihn »hart« und »streng«, während sie seine Tyrannei kriecherisch als ideale Form einer Regierung »mit strenger Liebe« priesen. »Der Irak braucht einen starken Herrscher«, erklärte mir einst mein Aufpasser Salaar. »Dieses Land ist wie ein wildes Pferd und braucht einen strengen Dompteur. Selbst wenn er einige Fehler gemacht hat, ist es besser, einen starken Mann wie Saddam zu haben als einen schwachen.«

Schon bald begriff ich, dass Salaars Bemerkung ein von den Lakaien des Regimes gern verwendeter Aphorismus war. »Das irakische Volk liebt Saddam Hussein«, versicherte mir Tariq Asis, als ich den Irak zum ersten Mal besuchte. »Saddam Hussein ist hart, wenn Härte erforderlich ist, und freundlich, wenn Freundlichkeit angebracht ist. Er scherzt, er hört Ihnen zu, und das ist wichtig für einen Führer.« Asis erklärte mir, wie Saddam es geschafft hatte, an der Macht zu bleiben. »Schon in Babylon haben die Iraker die Führer gestürzt, die sie nicht mochten, und auch in diesem Jahrhundert haben sie es getan. Saddam Hussein ist seit 32 Jahren das Staatsoberhaupt des Irak, und das Volk kennt ihn. Die Menschen ertragen alle widrigen Umstände, weil sie ihren Führer lieben und unterstützen. Manche behaupten, sie tun es, weil er über eine Republikanische Garde und einen Muchabarat verfügt, aber die Geschichte lehrt uns, dass ihn eben diese Organisationen auch stürzen könnten.«

Geschickt umging Asis die Frage nach den häufigen Säuberungsaktionen bei den Sicherheitskräften und im Geheimdienst sowie die Tatsache, dass alle wirklich wichtigen, hohen Posten mit Saddams Blutsverwandten besetzt waren. Er fuhr fort, begeistert von zahlreichen Verschwörungen, Ermordungen und militärischen Staatsstreichen in der Geschichte des Irak zu berichten. Als er seinen Exkurs beendet hatte, fragte er mich keck: »Wie also kann dieser Mann für Ordnung im Land sorgen, wenn er nicht auf die Unterstützung seiner Garden und der Armee zählen kann? Weil er sich von der Macht nicht einschränken lässt, er reist herum, er führt den Vorsitz in der Regierung, und das Volk liebt ihn dafür. Wissen Sie, mehr als die Hälfte aller Iraker sind Schiiten, und jahrelang wollte der Iran sie dazu bringen, Saddam zu stürzen, was sie als Beleidigung auffassten. Und ich bin davon überzeugt, dass die Iraker den Amerikanern gegenüber, die ihnen einreden wollen, ihren Präsidenten zu stürzen, dasselbe empfinden. Und außerdem ist Saddam bei den Muslimen als arabischer Führer beliebt und bei den Völkern in der ganzen Dritten Welt, da spielt es keine Rolle, dass er in Chicago und an der Côte d'Azur unpopulär ist. Wussten Sie, dass Hunderte von Nigerianern ihre Kinder Saddam getauft haben, obwohl sie nicht einmal wissen, was der Name bedeutet?« Asis legte eine theatralische Pause ein und beugte sich zu mir vor. »Ich sage es Ihnen, er bedeutet Heldentum.« Aus reiner Neugier recherchierte ich später selbst, was Saddam bedeutete. Die meisten Hinweise, die ich fand, übersetzten den Namen mit: »derjenige, der konfrontiert.« Ziemlich gut getroffen.

Andere Iraker erzählten mir persönliche Geschichten, um zu beweisen, dass Saddam auch mal Gnade walten ließ. Eine dieser Geschichten hörte ich von Behedschet Shakir, der Ende der 50er Jahre bereits als Generalsekretär der irakischen Baath-Partei amtierte, als Saddam noch ein junges Parteimitglied war. Als ich Shakir im August 2000 traf, war er ein 72-jähriger weißhaariger Mann, der friedlich im Ruhestand lebte. Er wohnte mit seiner Familie in einem Apartment in Mansur, einem feinen Viertel Bagdads. Offensichtlich besaß er jedoch wenig Geld. Seine Wohnung war spartanisch möbliert, die Wände waren ungestrichen und schmutzig. In einer Ecke stand ein alter Schwarzweiß-Fernseher. Ich fragte Shakir, wie Saddam früher gewesen war. Shakir berichtete mir bereitwillig, dass Saddam außer seiner »Tapferkeit und Entschlossenheit« auch Bildung besaß und mit Vorliebe Bücher über Politik und Geschichte verschlang. »Er war immer begierig, sein Wissen zu erweitern«, sagte Shakir. Er erinnerte sich an eine Gelegenheit, bei der er sich mit Tariq Asis über Psychologie unterhielt und Saddam, der ihnen zugehört hatte, sie bat, ihm einige Bücher zu diesem Thema zu empfehlen. »Ein paar Tage später«, fuhr Shakir voll staunender Bewunderung fort, »diskutierte Saddam mit uns, als ob er ein Psychologieprofessor sei!« Ich fragte Shakir, ob er glaube, dass Saddam sich seit jener Zeit verändert habe. Er erwiderte, Saddam habe sich überhaupt nicht verändert, mit der einzigen Ausnahme, dass er vielleicht noch »weiser« geworden sei. Und er fügte hinzu: »Es ist wichtig zu erwähnen, dass er sehr streng und hart ist, wenn er

Gerechtigkeit walten lässt. Aber wenn er es tut, entdecke ich Tränen in seinen Augen, weil das menschliche Drama ihn rührt.«

Ich fragte Shakir, was er damit meinte, und er erzählte mir eine verworrene Geschichte. Ein Freund war Jahre zuvor während einer von Saddams Säuberungsaktionen des Verrats verdächtigt worden und suchte in seinem Haus Zuflucht. Davon erfuhr der Muchabarat, der Geheimdienst. Shakir befand sich in einem schrecklichen Dilemma, denn er wollte weder seinen Freund, an dessen Unschuld er glaubte, verraten, indem er ihn des Hauses verwies, noch wollte er das Ansehen seiner Baath-Partei oder seinen Ruf als Patriot aufs Spiel setzen. Also suchte er Saddam auf und erklärte ihm die Notlage. Nachdem Saddam ihn angehört hatte, beruhigte er ihn und versicherte ihm, solange sich der Freund in seinem Hause aufhalte, werde er ihn nicht durch den Muchabarat festnehmen lassen. Und auch wenn der Freund sich ergeben sollte, würde er nicht gefoltert werden, versprach Saddam. Schließlich, sagte Shakir, habe der Freund »freiwillig« sein Haus verlassen und sich ergeben, und nachdem sich später seine Unschuld erwiesen habe, sei er freigelassen worden. Diese Episode war gut ausgegangen. Für Shakir war sie der deutliche Beweis für Saddams Humanität.

Nachdem ich mich auf meiner ersten Irak-Reise wochenlang mit Dutzenden von Irakern unterhalten hatte, kam ich zu dem Schluss, dass es für alle einen gemeinsamen Nenner gab: Sie schienen entsetzliche Angst vor Saddam Hussein und dem grauenhaften Schicksal zu haben, das ihnen drohte, wenn sie sich über ihn äußerten. Ein Iraker, der eine hohe Stellung in Saddams Umgebung einnahm und den ich über einen Mittelsmann kontaktiert hatte, spielte mehrere Tage mit dem Gedanken, mit mir zu reden. Schließlich war er doch nicht dazu bereit und ließ mir ausrichten, er habe beschlossen, nicht mit mir zu reden, da er fürchte, dass er »ein paar Stufen hinunterfallen könnte«, wenn er es täte. Als ich den Irak verließ, hegte ich keinerlei Zweifel mehr an Saddams größenwahnsinnigem Despotismus und an seiner ungewöhnlichen Grausamkeit.

Wie die meisten Menschen glaubte ich auch, dass Saddam immer noch über verborgene chemische und biologische Waffen verfügte und dass er durchaus fähig war, sie einzusetzen, wenn er sich bedroht fühlte. Ich wusste auch, dass die UN-Sanktionen, die nach dem Golfkrieg über den Irak verhängt worden waren, ihre Wirkung so gut wie verloren hatten und dass Saddam vermutlich wieder versuchen würde, sich militärisch hervorzutun, sobald die internationale Gemeinschaft ihn nicht mehr in Schach hielt. In dem Interview, das ich 2000 mit Tariq Asis führte, erklärte mir der stellvertretende Premierminister ohne Reue, dass er die irakische Invasion in Kuwait für richtig hielt, und deutete an, dass es noch einmal geschehen könnte. »Wir hätten es in den 70er oder 80er Jahren tun sollen«, witzelte er. »Damals wäre es einfacher gewesen.« Er lachte. »Wissen Sie, wir sind keine Dummköpfe. Wir hatten nicht die Absicht, Kuwait zu besetzen, wir wollten lediglich eine Situation schaffen, die besser für uns und für Kuwait ist ... Wir wollten Kuwaits Öl nicht, wir haben selber genug! Wir wollten nur eine breitere Küste.« Asis gab zu, dass der Irak nach dem Golfkrieg Kuwaits Souveränität offiziell anerkannt hatte, wenn auch unter Zwang, aber er sagte auch, dass er darin keinen Dauerzustand sehe. »Wir werden die Verpflichtung einhalten, die uns auferlegt wurde, als wir die UN-Waffenstillstands-Resolution unterschrieben, aber schon die nächste Generation wird sie vielleicht außer Kraft setzen. Es war ein großer Fehler von Kuwait, dies zu verlangen. Doch wir werden uns an unsere Verpflichtung halten, sofern sie es auch tun.«

Was die Differenzen zwischen dem Irak und den Vereinigten Staaten anging, so war Asis mehr als selbstsicher. »Wir sind bereit, einen substanziellen Dialog aufzunehmen, um unsere Beziehung zu den Vereinigten Staaten zu verbessern«, sagte er.

»Aber die USA scheuen sich, einen substanziellen Dialog mit uns aufzunehmen. Wenn sie uns nämlich vorwerfen, dass wir Massenvernichtungswaffen haben, können wir beweisen, dass sie übertreiben.« Asis hielt inne und lächelte, und ich dachte darüber nach, warum er »übertreiben« anstelle von »Unrecht haben« verwendet hatte. Asis schien anzudeuten, dass der Irak noch immer gefährliche Waffen versteckt hielt. »Sind wir eine Bedrohung?«, lautete seine rhetorische Frage. »Auch dieses Problem kann gelöst werden, indem man sich zusammensetzt und einen Dialog führt und über alles redet.« Asis meinte, es sei an der Zeit, dass die Vereinigten Staaten ihre Beziehung zum Irak wieder aufnähmen. Jeder andere hätte das bereits getan. In den letzten 10 Jahren habe sich die Situation verändert, und jetzt seien die Vereinigten Staaten und nicht der Irak isoliert. »Die Sanktionen«, so schloss er triumphierend, »haben ihre Wirkung verfehlt.«

Derart überheblich verhielt sich Bagdad vor den Ereignissen des 11. September. Seitdem der amerikanische »Krieg gegen den Terror« begonnen hatte und der Irak erneut unter Druck geraten war, den Vorwurf der Massenvernichtungswaffen zu widerlegen, hatte sich der Ton von Tariq Asis verändert. Wie jeder bedeutende irakische Regierungsvertreter leugnete er jetzt entschieden, dass der Irak noch über derartige Waffen verfüge, und wies verächtlich alle Anschuldigungen zurück. Doch wie auch immer es sich mit Saddams illegalem Waffenbesitz verhielt, konnten mich die neuen Argumente der Bush-Administration – dass Saddam in Verbindung zu al-Qaida stehe und dass ein militärischer Einsatz gegen sein Regime als Teil des Kriegs gegen den Terror gerechtfertigt sei – nicht überzeugen. Ich glaubte auch, dass die moralische Rechtfertigung eines Vorgehens gegen Saddam nicht mehr gegeben war. Ich erinnerte mich noch an das tiefe Schamgefühl, das ich als Amerikaner empfunden hatte, als der erste Präsident Bush nach der Niederlage des Irak im Golfkrieg nichts unternahm, um die Abschlachtung Zehntausender von Schiiten zu verhindern, die Saddam als Vergeltungsmaßnahme für ihren Aufstand veranlasst hatte. Wenn es je eine Situation gegeben hatte, in der ein humanitäres Eingreifen im Irak gerechtfertigt gewesen wäre, dann diese. Oder auch jene ein paar Jahre früher, als Saddam die Kurden mit Giftgas töten ließ.

Danach hatte sich die amerikanische Irak-Politik mit einer Strategie aggressiver Eindämmung begnügt. Amerikanische und britische Kampfflugzeuge flogen täglich Einsätze und bombardierten gelegentlich Ziele in beiden Flugverbotszonen. Aber der Westen hatte währenddessen keinen sichtbaren positiven Einfluss auf den Irak, und dieses Vakuum wurde von Saddams ungebremster Propagandamaschinerie ausgenutzt. Am 8. August 2000 zum Beispiel, am zwölften Jahrestag des Endes des Krieges zwischen dem Iran und dem Irak, trat Saddam im irakischen Fernsehen auf und erinnerte seine Untertanen an ihren »großen Sieg« über »jene, die unserem Volk das Schlechteste wünschten und unserer Nation schaden wollten, unterstützt vom internationalen Zionismus, vom Imperialismus und von den elenden Juden im besetzten Land«. Dann richtete Saddam seinen Zorn gegen Saudi-Arabien und die anderen Golfstaaten, die den amerikanischen und britischen Kampflugzeugen Stützpunkte für ihre Kontrollflüge in den Flugverbotszonen zur Verfügung stellten. »Die Flugzeuge der Aggressoren starten von ihrem Land und von ihren Gewässern aus, um das Bollwerk der Araber und die Wiege Abrahams zu bombardieren, um das Eigentum der Iraker zu zerstören und sie alle zu töten – Männer, Frauen und Kinder! Gibt es eine andere Möglichkeit, Verrat und Schmach zu beschreiben? Möge ihnen Böses widerfahren, denn was sie tun, ist wahrlich böse!«

Wie ich bald begriff, wurden Saddams Äußerungen auf der Stelle zur offiziellen Lehre, und die Ideologen seiner Baath-Partei verbreiteten sie in allen Gesellschaftsschichten. Nasra al-

Sadun gehörte zu diesen Ideologen. Sie war eine Frau von Ende fünfzig mit kurz geschnittenen Haaren und die Herausgeberin der staatlichen englischen Tageszeitung *Iraq Daily*, ein schlecht übersetztes Schmierblatt mit einem täglichen kleinen Kästchen auf der Titelseite, das Worte der Weisheit von Saddam enthielt. Ein Ausspruch Saddams vom 8. August 2000 wurde besonders populär, und ich las ihn in der Vorkriegszeit viele Male: »Reize keine Schlange, bevor du nicht deinen Entschluss gefasst hast und imstande bist, ihr den Kopf abzuschlagen. Denn wenn sie dich überraschend angreift, ist es sinnlos zu beteuern, dass du ihr nichts getan hast. Triff die für jeden Fall erforderlichen Vorbereitungen und vertraue auf Gott.«

Als ich Nasra al-Sadun bei meiner ersten Irak-Reise besuchte, begrüßte sie mich mit einer 40 Minuten langen Tirade über die Auswirkungen der UN-Sanktionen und schob den Vereinigten Staaten und Großbritannien die Schuld dafür zu. »Eine Million irakischer Kinder sind umgekommen!«, schrie sie. »Was für Menschen sind die Amerikaner? Sind wir Rothäute, die abgeschlachtet werden müssen? Das ist Völkermord! Nicht einmal Hitler hat so etwas getan! Vermutlich liegt es daran, dass wir nicht für menschliche Wesen gehalten werden. Wenn in den USA eine Million Katzen oder Hunde umkommen würden, gäbe es einen Riesenaufstand, davon bin ich überzeugt, aber niemand schert sich um uns, weil wir Iraker sind! Das ist ein Verbrechen, das ist ganz einfach Völkermord, ein amerikanischer Völkermord.« Abschließend bemerkte sie bitter: »Wissen Sie, ich habe den Begriff Demokratie hassen gelernt, denn die USA behaupten, sie bringen uns Demokratie und Menschenrechte, indem sie uns bombardieren und unsere Kinder töten. Wenn das ihre Vorstellung von Demokratie ist, dann wollen wir keine Demokratie! Vielleicht haben die Amerikaner mehr Flugzeuge und Raketen als wir, aber wir sind ein fortschrittliches Volk. Tatsächlich ist unser Volk zivilisierter als die Amerikaner.«

Nasra al-Saduns Schmährede deprimierte mich. Sie führte mir vor Augen, dass eine ganze Generation junger Iraker praktisch nur das über den Westen wusste, was sie von Ideologen wie ihr oder von Saddam selbst hörten oder in seinen Schulen lernten – und das war alles mehr oder weniger das Gleiche. Am Vorabend von Saddams Loyalitäts-Referendum besuchte ich eines der besseren Gymnasien von Bagdad, die Al-Mansur-Schule für Jungen, deren Direktor mich liebenswürdig empfing. Herr Jawad bat mich in sein Büro, in dem ein riesiges Porträt von Saddam die gesamte Wand hinter seinem Schreibtisch einnahm. Ich musste sofort an Orwell denken. Herr Jawad hatte einige seiner Lehrer, die gut Englisch sprachen, zusammengerufen, und ich fragte sie, wie sie die moderne Geschichte unterrichteten. Einer Lehrer namens Schamzedin ging gleich in die Defensive und sagte: »Sie brauchen nicht zu denken, dass wir unseren Schülern beibringen, den Westen zu verachten. Wir wissen, dass die Menschen in den westlichen Ländern human sind, und wir versuchen, unseren Schülern beizubringen, ebenfalls human zu sein.« Ich bat ihn, mir zu berichten, was er seinen Schülern über die Geschichte »der Mutter aller Schlachten« und über die Beziehung zu den Vereinigten Staaten vermittele. Schamzedin fühlte sich sichtlich unbehaglich. Er sagte: »Diese Dinge sind nicht in unseren Lehrbüchern enthalten, die nur alle 30 Jahre erneuert werden. Aber wir behandeln solche Themen im vorletzten und letzten Jahr. Es begann damit, dass Kuwait und andere Golfstaaten versuchten, unser Öl mit diesen oder jenen Verschwörungen zu kontrollieren, und unser Führer sie warnte, derlei Dinge nicht zu tun. Doch die Regierung in Kuwait setzte ihre aggressiven Pläne fort, und Sie wissen ja, was danach kam. Wir erklären die Tatsachen.«

Schamzedin blickte Hilfe suchend zu seinem Kollegen Maruf. Dieser äußerte freiheraus: »Wir alle wissen – und es ist dem ganzen Volk klar –, dass die amerikanische Regierung gegen die

Araber im Allgemeinen und gegen den Irak im Besonderen ist. Wir wissen das, weil infolge des UNO-Embargos eine Million irakischer Kinder umgekommen sind. Wir halten es nicht für nötig, unser Volk an die Tatsachen zu erinnern. Wir alle wissen diese Dinge. Wir alle wissen, dass das amerikanische Volk keine Möglichkeit hat, etwas an dem zu ändern, was seine Regierung tut. Deshalb hassen wir das amerikanische Volk nicht, aber wir alle hassen Kriege. Die Iraker wollen keinen Krieg. Aber wenn Amerika den Irak angreift, was soll das irakische Volk dann tun? Wir werden uns ganz entschieden verteidigen.«

Was auch immer diese Lehrer wirklich denken mochten, sie hatten mir die gängige Geschichtsversion der Baath-Partei dargeboten, und unter den gegebenen Umständen erwartete ich auch nichts anderes von ihnen. Ich begriff, dass den irakischen Schulkindern seit Jahren die Geschichte ausschließlich in dieser Version beigebracht worden war. Und mir wurde klar, dass die Vereinigten Staaten im Falle einer Invasion eine Unmenge an Öffentlichkeitsarbeit zu leisten hätten. Nicht nur bei Saddams Speichelleckern, sondern auch bei den meisten gewöhnlichen Bürgern erlebte ich einen resignierten Zynismus gegenüber den USA – wie auch gegenüber dem Leben im Großen und Ganzen.

Ein paar Tage nach Saddams großer Amnestie holte ich die Erlaubnis ein, nach Basra in den Süden des Irak zu fahren. Basra liegt in der südlichen Flugverbotszone, 50 Kilometer von der Grenze zu Kuwait entfernt, und die Atmosphäre glich der einer Frontstadt. Wenige Tage vor meiner Ankunft hatten britische und amerikanische Kampfflugzeuge die Radareinrichtungen des Flughafens von Basra bombardiert, und an meinem ersten Tag heulte eine Luftangriffssirene und ließ die ganze Stadt mehrere Minuten rhythmisch vibrieren. Doch niemand reagierte darauf, und am Himmel waren keine Flugzeuge zu sehen. Ahmed, mein offizieller Aufpasser und Dolmetscher für diesen Aufenthalt, erklärte, dass die Sirenen immer losheulten, wenn etwas in den irakischen Luftraum eindrang. Wir reisten mit einem Muchabarat-Agenten, der uns zugewiesen worden war, um uns auf Schritt und Tritt zu begleiten. Es handelte sich um einen dunkelhäutigen, muskulösen Beduinen, der mir mit seinem begrenzten englischen Vokabular erklärte, ich möge ihn »Löwe« nennen. Wir fanden einen Englisch sprechenden Fahrer, einen schlanken, scharfsinnigen Mann namens Abu Hikmet, der einst für eine österreichische Firma mit Niederlassungen in Basra gearbeitet hatte und nun Taxi fuhr, um seinen Lebensunterhalt zu bestreiten.

Ich hatte um Erlaubnis gebeten, einige Orte in der Umgebung von Basra zu besichtigen, doch als wir in Abu Hikmets Wagen saßen, erklärte mir Ahmed, dass wir als Erstes ein örtliches Krankenhaus besuchen würden. Ich hatte das gleiche Ritual zuvor in Bagdad erlebt und erhob keine Einwände. Der Besuch von Krankenhäusern war eine Pflichtveranstaltung für alle Journalisten, die den Irak besuchten. Dort trafen wir gewöhnlich auf Kinder, die an Krebs oder Leukämie litten, und auf Ärzte, die uns belehrten, dass diese Krankheiten von den Strahlungen übrig gebliebener Raketen und Panzerfäuste mit Uransprengköpfen herrührten, die das amerikanische Militär im Golfkrieg hinterlassen hatte. In dem blitzsauberen Saddam-Lehrkrankenhaus empfing uns der Direktor, Dr. Jawad El-Ali, ein kleiner, leise sprechender Mann, dessen fließendes Englisch einen britischen Akzent verriet. Er berichtete, dass er vier Jahre lang am Charing Cross Hospital und am Royal Northern Onkologie studiert habe. Er war Mitglied des Royal College of Physicians von London, Glasgow und Edinburgh geworden und 1984 nach Basra zurückgekehrt. Wie ich erwartet hatte, sprach Dr. Jawad mit mir über die wachsende Zahl von Krebspatienten in seinem Krankenhaus. »Wir befinden uns in einer schlimmen Lage«, begann er leise. »Wir stellen einen steilen Anstieg der Krebsrate fest, haben die Jahre vor und nach der Aggression verglichen«, sagte er und verwendete damit einen weiteren offiziellen Begriff für den Golfkrieg. »1988 hatten wir 116 Krebspatienten in diesem Krankenhaus, und 1998 waren es 428.«

Dr. Jawad schrieb die zunehmende Zahl der Krebsfälle den 140 000 Tonnen Sprengstoff zu, die – so sagte er – von den Amerikanern und ihren Verbündeten über diesem Gebiet abgeworfen worden waren. Ich fragte, ob es nicht möglich sei, dass einige Krebsfälle von den chemischen Waffen herrührten, die das irakische Militär im Krieg gegen den Iran eingesetzt hatte. Er warf mir einen scharfen Blick zu und erwiderte: »Davon weiß ich nichts. Ich glaube, es fand ein amerikanischer Angriff auf ein irakisches Lager chemischer Waffen statt, der meines Erachtens geplant war, obwohl die Amerikaner später behaupteten, es täte ihnen Leid. Und selbst wenn einige Krebserkrankungen vielleicht durch Chemikalien verursacht wurden, weisen die meisten doch Strahlenschäden auf, die auf den Uranmüll zurückgehen.«

Die Stimme des Arztes verriet dabei keinerlei Rechthaberei. Er erklärte, dass er immer häufiger ungewöhnliche Krebsfälle erlebe, Patienten mit mehrfacher Krebserkrankung sowie Familien, in denen mehrere Mitglieder an unterschiedlichen Arten von Krebs erkrankten. Das sei anormal und vor dem Golfkrieg nicht vorgekommen, meinte er. »Ich habe über 30 Jahre in Basra gelebt«, sagte Dr. Jawad. »Und Krebspatienten waren hier immer selten. Inzwischen hat hier jeder Arzt mindestens einen Krebspatienten auf seiner Operationsliste.« Er hatte eine höhere Krebsrate bei den Bauern festgestellt, die westlich der Stadt, näher Richtung Kuwait lebten, wo eine besonders große Menge von verseuchtem Kriegsmaterial zurückgelassen worden war. Er nahm an, es ließe sich damit erklären, dass die Bauern vielleicht Rauch eingeatmet hätten oder in Berührung mit den uranhaltigen Sprengköpfen gekommen seien. Ich fragte ihn, warum die

Regierung keine gründliche Säuberung veranlasse. Dr. Jawad lächelte: »Nicht einmal die amerikanische Armee könnte das tun. Man müsste auf einer Fläche von 1000 Quadratkilometern die oberen 50 Zentimeter Erde abtragen und 100 Meter tief vergraben. Um das zu bezahlen, benötigte die irakische Regierung den Etat von 100 Jahren. Das ganze Gebiet ist von der Strahlung verseucht.« Ich sagte, dass er eine Art Schatten-Atomkrieg beschrieben habe. Sah er die Bombardierung des Irak durch die USA tatsächlich wirklich so? »Ja«, erwiderte er ruhig. »Und die Verseuchung wird Milliarden von Jahren anhalten.«

Danach fuhren wir aus Basra hinaus, um das Gebiet zu besichtigen, das Dr. Jawad zufolge das höchste Strahlungsniveau aufwies. Nach einer halben Stunde Fahrt in westlicher Richtung gelangten wir in das kleine Dorf Safwan, das an der geschlossenen irakischen Grenze zu Kuwait lag. Als wir uns dem Ort näherten, kamen wir an einem mit Sandsäcken dicht verbarrikadierten UNO-Beobachtungsposten am Straßenrand vorbei, und Löwe erklärte mir, dass von dieser Stelle bis zur Grenze kein irakischer Soldat Waffen tragen dürfe. Am Eingang zu Safwan hing ein bemaltes Plakat mit einem großen Porträt von Saddam und ein weiteres mit arabischen Schriftzeichen, neben denen in haarsträubend falschem Englisch stand: BALESTINE IS ARABIAN FROM THE SEA FILL THE OCEAN (etwa: Palästina ist Teil der arabischen Welt, die vom Mittelmeer bis zum Indischen Ozean reicht). Die Häuser in Safwan waren heruntergekommen, und viele zeigten noch die Pockennarben des Krieges, die Einschusslöcher der Kugeln. Löwe bat Abu Hikmet, etwa 100 Meter ins Dorf hineinzufahren, doch als am Ende der Straße eine Reihe von Betonbarrikaden auftauchte, ließ er ihn wieder umkehren.

Wir fuhren auf derselben Straße zurück, am UNO-Posten vorbei und bogen in einen Weg, der zu einem flachen Gelände führte, auf dem verlassene, von der Sonne geschwärzte Fahrzeugwracks standen – Autos, Panzer und gepanzerte Mannschaftstransporter –, die zumeist nur noch Trümmerhaufen waren. Wir stiegen aus und betraten das Gelände; Löwe ging wachsam voraus und warnte uns, nicht vom Weg abzuweichen, da überall Blindgänger herumlägen. Diese geschwärzten Wracks waren alles, was von den vielen Hundert Fahrzeugen übrig geblieben war, mit denen die irakischen Soldaten zu fliehen versuchten, die 1991 bei der als »Highway des Todes« bezeichneten amerikanischen Militäraktion getötet wurden. Fliegen belästigten uns. Abu Hikmet missachtete Löwes Warnung, blieb stehen und hob einen Sprengkopf auf, der vor uns auf dem Boden lag. Löwe schnauzte ihn an, und er ließ ihn wieder fallen. Er deutete auf eine nicht explodierte Granate, die ein paar Meter entfernt neben einem umgekippten Jeep lag. »Uran«, erklärte er auf Englisch und lächelte wie zur Erinnerung an das Gespräch, das wir mit Dr. Jawad geführt hatten. Löwe sagte etwas auf Arabisch, und Ahmed übersetzte. »Er sagt, die Strahlung, die dieser Panzer abgibt, ist tausendmal stärker als normal.« Löwe machte einen Rundgang, betrachtete die Wracks, schüttelte den Kopf, pfiff ab und zu anerkennend durch die Zähne, äußerte mir gegenüber jedoch seine Enttäuschung darüber, dass nur so wenig Kriegsmüll herumlag. Über Ahmed ließ er erklären, dass es früher sehr viel mehr Fahrzeuge gewesen seien, aber die Menschen hätten alles abtransportiert, was irgendwie zu verschrotten gewesen sei. Ob das nicht gefährlich sei, fragte ich, das sei doch alles mit Uran verseucht? Löwe und Ahmed nickten und zuckten mit den Schultern.

Als wir die Straße nach Basra zurückfuhren, hielten wir bei einer kleinen Hütte am Straßenrand, in der einige mit Kaftanen bekleidete Männer kalte Pepsis verkauften. Einer von ihnen war ein ortsansässiger Bauer namens Behlul Salman. Er sagte mir, er sei 49, stamme aus Basra und sei nach dem Golfkrieg hierher gezogen, da sich hier gute Möglichkeiten für die Landwirtschaft bieten würden. »Es gefällt mir hier. Das Land ist billig, und wir bauen Unmengen von Tomaten, Zwiebeln und Wassermelonen an.« Ich war schockiert. Aber was ist mit der Uranverseuchung in dieser Gegend, fragte ich. Ahmed zuckte die Achseln, und Löwe grinste verlegen. Was ist mit den Minen, fragte ich. »Nein, keine Minen«, erwiderte Salman. Was ist mit der Gefahr aus der Luft – die amerikanischen Angriffe im Tiefflug oder Bombardierungen?

»Nein, kein Problem«, erwiderte Salman.

»Ist keines Ihrer Kinder krank?«

»Nein«, entgegnete Salman. »Alle Kinder sind gesund.«

Ich wandte mich Ahmed zu und sagte, es scheine gewisse Diskrepanzen zwischen der offiziellen Propaganda und der Wirklichkeit zu geben. Nach allem, was ich gehört habe, sagte ich, werde dieses Gebiet ständig von britischen und amerikanischen Kampffliegern bedroht, sei vollkommen vermint, beherberge Millionen Tonnen von radioaktivem Kriegsmüll, und alle hätten Krebs. Was ist die Wahrheit? Ahmed wirkte sichtlich unbehaglich und übersetzte. Ein Soldat, der unsere Unterhaltung aus der Nähe mitgehört hatte, ergriff das Wort. Er deutete auf einen großen Hügel in der Ferne, weit hinter der Grenze zu Kuwait. »Dort gibt es sehr viel Uran«, meinte er, »auf diesem Hügel«, und sichtlich bemüht, hilfreich zu sein, fügte er hinzu, er habe von Wissenschaftlern gehört, dass die Tomaten, die dort angebaut würden, »voller Strahlen« seien.

Nachdem ich das gehört hatte, wandte ich mich an Salman, den Bauern, und sagte: »Was also tun Sie hier?«

Er murmelte etwas, und Abu Hikmet, der ein paar Brocken Englisch beherrschte, versuchte zu übersetzen. »Er sagt, dass er hier bleibt, auch wenn seine Kinder sterben. Es gefällt ihm hier.«

»Aber erklären Sie ihm, dass er Gift anpflanzt«, erwiderte ich gereizt.

Abu Hikmet übersetzte. Alle nickten. Salman erwiderte: »Nun, was sollen wir tun? Wir müssen ja essen. Und wir wollen essen und sterben. Die Iraker sterben gern.«

Alle lachten über Salmans Bemerkung, die eigentlich gar nicht witzig gemeint war. Sie zeugte bloß vom starrköpfigen Stolz eines armen Mannes. Ich schüttelte verärgert den Kopf und verspürte eine plötzliche Wut. Abu Hikmet klopfte mir auf die Schulter, zwinkerte spöttisch und sagte: »Machen Sie sich nichts daraus, Mister. Er wird weiterhin Tomaten anbauen, weil er Geld braucht. Und dann wird er sterben und es vergessen.«

Wir fuhren nach Basra zurück. Um uns herum lag alles in Schutt und Asche. Überall waren große, sinnlos aufgehäufte Dreckhügel zu sehen, Trümmerhaufen, kleine verfallene Bauernhöfe und dann und wann ein Militärlager. Über uns war der weite blaue Himmel von langen schwarz-rötlichen Streifen durchzogen, die wie Blutergüsse aussahen. Sie kamen vom abgefackelten Erdgas, dessen Schwaden sich den ganzen Horizont entlangzogen und das orange Feuerbälle und schwere schnell dahinziehende Wolken schwarzen Rauchs erzeugte.

Nach meiner Begegnung mit Nasser al-Sadun im November 2002 in Jordanien kehrte ich nach England zurück, wo in den Nachrichten erschreckende Geschichten über Saddams angebliche versteckte chemische und biologische Waffen und ihre mögliche Wirkung verbreitet wurden. Experten sagten voraus, dass Saddam diese Waffen in einem Krieg ohne weiteres einsetzen würde, sofern er der Meinung sei, sie könnten sein Regime retten. Einige entwarfen apokalyptische Szenarien, in denen ein eingekesselter Saddam aus Rache Giftgas einsetzt, zwar selbst dabei umkommt, aber so viele amerikanische Truppen wie möglich mit in den Tod reißt. Und in Amman sagte mir ein ehemaliger Beamter des jordanischen Geheimdienstes, der Saddam persönlich kannte, der Diktator könne den internationalen Terrorismus mit bakteriologischen Waffen versorgen. »Viren als biologische Waffen, die von irakischen Agenten in verschiedene Teile der Welt getragen werden – das ist meine große Befürchtung«, sagte er. »Würde Saddam sie einsetzen, bevor ein Angriff auf ihn erfolgt oder wenn er erkennt, dass das Spiel aus ist? Wir wissen es nicht.«

Stein Undheim, der norwegische Chargé d'Affaires in Bagdad, ein alter Irak-Beobachter und einer der wenigen westlichen Diplomaten, die sich noch im Land aufhielten, sagte mir, er sei sicher, dass Saddam chemische Waffen besitze und alles in seiner Macht Stehende tun werde, um sie nicht hergeben zu müssen. »Viele irakische Militärangehörige sind davon überzeugt«, sagte er, »dass die Amerikaner nur aus Angst vor den chemischen Waffen im Golfkrieg nicht bis nach Bagdad gekommen sind. Sie glauben, dass diese Waffen sie gerettet haben, wie bereits zuvor im Krieg gegen den Iran. Und vielleicht glauben sie auch, dass diese Waffen sie erneut retten werden.« Undheim vertraute mir an, dass er auf alles gefasst sei. In einem geheimen Bunker in der Botschaft hatte er Schutzanzüge für die chemische Kriegsführung, Gasmasken, Medikamente und genügend Nahrung und Wasser für sich und andere Mitglieder seines Teams gelagert, um mehrere Monate überleben zu können.

In seinem Buch »The Threatening Storm: The Case for Invading Iraq«, das im September veröffentlicht worden war und für großes Aufsehen gesorgt hatte, ging Kenneth Pollack, ein ehemaliger CIA-Analyst, sogar so weit, die Gefahr, die von Saddam drohte, mit der zu vergleichen, die in den 40ern von Adolf Hitler ausgegangen war. Er schrieb: »Eine Invasion des Irak mag nicht ohne Opfer vor sich gehen, aber es ist unwahrscheinlich, dass sie grauenhaft sein wird, und im Übrigen ist sie der einzige vernünftige Weg, der uns bleibt. Wir sollten uns an John Stuart Mill's Bemerkung erinnern, dass der Krieg etwas Schlimmes ist, aber nicht das Schlimmste schlechthin. In unserem Fall wäre es das Schlimmste, den Kopf in den Sand zu stecken, während Saddam Hussein die Fähigkeit erwirbt, Millionen Menschen zu töten und die Weltwirtschaft in seiner grausamen Hand zu halten.«

Pollacks Buch entsprach dem Denken der Kriegsplaner in Washington und Westminster, und es wurde zufällig zum gleichen Zeitpunkt veröffentlicht, als die Bush- und Blair-Regierungen ihre Kampagnen gegen Saddam intensivierten. Währenddessen hatten Gruppen von Kriegsgegnern und Menschenrechtsorganisationen in Europa und in den Vereinigten Staaten damit begonnen, die riesige Zahl von Zivilisten zu schätzen – einige vermuteten, es würden mehr als 100 000 –, die im Kriegsfall voraussichtlich sterben würden. Dennoch entwickelten die Kriegsvorbereitungen eine unheimliche Dynamik, der kaum jemand etwas entgegenzusetzen hatte. Ein britischer Vertreter einer humanitären Hilfsorganisation sagte mir, dass die iranische Regierung mit 700 000 irakischen Flüchtlingen rechnete, die über die Grenze strömen würden, und Auffanglager für sie vorbereitete. Vor dem Hintergrund der grauenhaften Ereignisse vom 11. September hatte der Krieg gegen den Irak die psychologischen Dimensionen einer bevorstehenden Apokalypse angenommen, in der alles möglich schien.

Für die Journalisten, die von dem Konflikt berichten wollten, schien es angebracht, auf jede Eventualität gefasst zu sein. Zeitungen und Nachrichtensender besorgten Schutzanzüge für ihre Korrespondenten und schickten sie in Kurse über das »hostile environment«. *The New Yorker* sandte mir einen Schutzanzug gegen biologische und chemische Waffen, eine Gasmaske, Ampullen mit Atropin, Spritzen, einen kugelsicheren Helm und eine kugelsichere Weste. Da ich annahm, ich würde ein Visum für den Irak erhalten, hatte ich beschlossen, mein Glück allein in Bagdad zu versuchen, statt mich auf die US-Truppen zu verlassen. Ende November besuchte ich mit einem Dutzend anderer Reporter, die für große amerikanische und britische Medien arbeiteten, ein Tagesseminar über »Chemical and Biological Weapons Warfare Awareness Training« in Heckfield Place – einer Villa in einem herrlich gelegenen waldigen Anwesen in der Grafschaft Hampshire, etwa eine Autostunde von London entfernt. Die Villa wurde von einer britischen Sicherheitsberatungsfirma namens Centurion Risk Assessment Services genutzt, um Journalisten, Diplomaten und Mitarbeiter humanitärer Organisationen in Schulungen auf den Krieg vorzubereiten. Unser Unterrichtsraum befand sich in einem ehemaligen Stall auf dem Grundstück.

Ein früherer Angehöriger einer britischen Spezialeinheit mit einem Cockney-Akzent informierte uns über alle möglichen Folgen der chemischen und biologischen Kriegsführung bis hin zum Ebola-Virus und der Beulenpest. Nachdem er uns einen kurzen Videoclip von einem unbekannten Schlachtfeld aus dem Iran-Irak-Krieg gezeigt hatte, mit Bildern von verrenkten Körpern iranischer Soldaten, die durch Saddams Giftgas getötet worden waren, sagte er heiter: »Seit den Zeiten der alten Ritter wird Krieg mit chemischen Waffen geführt; sie haben sich lediglich verschlimmert.« Während der Centurion-Mann noch weiterplapperte, dachte ich über die Ironie der Tatsache nach, dass er den Krieg gegen den Iran zwar benutzt hatte, um uns Bildmaterial zu zeigen, aber nicht in der Lage war, uns darüber aufzuklären, was dort tatsächlich geschehen war. Ungeachtet des nachträglichen Geredes im Westen über Saddams illegale Massenvernichtungswaffen hat kein Volk mehr unter diesen Waffen gelitten als die Iraner während des Kriegs von 1980 bis 1988. Lange vor Saddams abscheulicher Verwendung von Giftgas in der kurdischen Stadt Halabdscha im Jahr 1988, als 5000 Zivilisten an einem einzigen Tag starben, hatten seine Befehlshaber Dutzende Male chemische Waffen gegen iranische Soldaten eingesetzt und dabei Tausende getötet und verstümmelt. Dennoch hatten die westlichen Regierungen Saddams Verbrechen überwiegend ignoriert, weil sie Khomeinis wachsenden Einfluss in der Region fürchteten. Und die meisten von ihnen, einschließlich Großbritannien und die Vereinigten Staaten, hatten Saddam mit Waffen, Logistik und technischem Know-how ausgestattet, das er in seinem Krieg einsetzte.

Während der Centurion-Mann uns vor Nervengas warnte, machte ich mir folgende Notizen: »Gefährliche Symptome: Schwindel, Brechreiz, Verlust von Kontrolle über Urinieren und Defäkation, Atemstillstand. Im Grunde sind Sie tot.« Er ließ eine Phiole mit einer Bittermandeltinktur herumgehen und forderte uns auf, daran zu riechen. Es roch wie Marzipan. Er erklärte, dass ein »Blutkampfstoff«, der im Irak-Krieg eingesetzt werden könnte, denselben Geruch habe. »Wenn Sie das riechen, haben Sie neun Sekunden, um Ihren Anzug anzuziehen. Wenn Sie dem Kampfstoff ausgesetzt sind, leiden Sie unter folgenden Symptomen: Schwindel, Ohnmacht, Herzrasen und Kurzatmigkeit.« Er fuhr fort, seine »erstickenden Kampfstoffe« zu erklären, die nach verschiedenen Dingen riechen könnten wie zum Beispiel frisch gemähtem Heu, Knoblauch, Fisch und Geranien. Er ließ ein Gefäß mit einer Thai-Fisch-Paste herumgehen, ein weiteres mit Lea & Perrins Knoblauchsauce und ein Aromatherapie-Produkt von Body Shop namens Geranium Revival, an denen wir alle pflichtgemäß rochen. Ich fragte den Centurion-Mann, wie wir im Kriegsfall den Geruch eines frisch gemähten Heufelds von dem einer chemischen Waffe, die nach frisch gemähtem Heu roch, unterscheiden könnten. Er hielt inne und starrte mich an, als ob er nach einer Antwort suche. Dann sagte er achselzuckend: »Sie könnten es nicht.«

Nach dem Vortrag bekamen wir Schutzanzüge, Stiefel, Handschuhe und Gasmasken gestellt, und uns wurde gezeigt, wie wir sie schnell an- und ausziehen könnten. Anschließend unternahmen wir einen forschen Marsch durch den angrenzenden Wald. Es war ein kühler, feuchter Wintertag, aber in den Anzügen war es glühend heiß. Völlig durchgeschwitzt kehrten wir mit unserer Gasmaske im Gesicht in den Schulungsraum zurück. Am Ende des Tages hatten nur wenige von uns den Eindruck, dass wir in einer »chemischen Umgebung«, wie der Centurion-Mann das nannte, überleben würden. Im Übrigen hatte er uns deutlich zu verstehen gegeben, dass nicht einmal er davon überzeugt war. Dennoch erhielten wir jeder ein Diplom, das uns bescheinigte, den Kurs erfolgreich bestanden zu haben.

KAPITEL ZWEI

Das Schicksal des Irak ist seit jeher eng mit dem seines viel größeren Nachbarn im Osten verbunden – mit Persien, dem heutigen Iran. Die Grenze zwischen beiden Ländern wurde entlang alter historischer Verwerfungen gezogen. Aus territorialen, kulturellen und politischen Gründen fand hier mehr Blutvergießen statt als an den meisten anderen Grenzen. Und sie ist nicht allein die letzte Front zwischen der Arabisch und der Persisch sprechenden Welt, sondern auch eine Grenze innerhalb des Islams, die schiitische Muslime voneinander trennt. In beiden Ländern stellen die Schiiten die Mehrheit, doch im Irak wurden sie in den letzten 400 Jahren überwiegend von den Sunniten, ihren ehemaligen Rivalen im Kampf um die islamische Vorherrschaft, unterdrückt.

Saddams gesamte Amtszeit war durch seine mörderische Besessenheit in Bezug auf den drohenden »persischen Feind« im eigenen und im Nachbarland gekennzeichnet. Er hatte einen Krieg gegen den Iran begonnen, um zu verhindern, dass die islamische Revolution auf die schiitische Mehrheit im Irak übergriff. Abgesehen von den Kurden ist keine irakische Gemeinschaft von Saddam so brutal unterdrückt worden wie die Schiiten. Wenn die Vereinigten Staaten den Irak angreifen, Saddam vertreiben und die Demokratie im Land wiederherstellen würden, was nun mit einem Mal möglich schien, gab es berechtigte Aussichten, dass die Schiiten die Macht übernehmen würden. Ich wollte mehr über die irakischen Schiiten wissen, wer ihre Führer waren und was sie sich für die Zukunft erhofften. Im Irak hatte ich keine Chance, viel darüber zu erfahren. Darum reiste ich in den Iran, wo mehr als eine halbe Million irakische Schiiten als Flüchtlinge lebten. Ich traf am Neujahrstag 2003 in Teheran ein.

Den Januar verbrachte ich damit, irakische Exilanten und Iraner zum bevorstehenden Krieg zu befragen. Viele Iraker, mit denen ich sprach und die oft 20 Jahre oder länger im Iran gelebt hatten, äußerten sich verhalten optimistisch, dass Saddam Husseins lange Diktatur enden könnte. Doch die meisten misstrauten den USA und fürchteten, dass Washington und Saddam in letzter Minute einen Pakt schließen könnten, mit dem er oder einer seiner Kumpane aus der Baath-Partei an der Macht bleiben würde.

Die meisten Iraner, die ich traf, vertraten die weit verbreitete Ansicht, dass Bushs geplante Invasion des Irak einem möglichen Krieg der Vereinigten Staaten gegen den Iran vorausgehen würde. Zu jener Zeit war diese Annahme mehr als berechtigt. Seit Präsident Bush in seiner Rede zur Lage der Nation im Jahr 2002 den Iran zusammen mit dem Irak und Nordkorea als Teil der so genannten »Achse des Bösen« bezeichnet hatte, diskutierten amerikanische Politiker und Medien öffentlich die Aussichten auf einen »Regimewechsel« im Iran.

Amir Mohebian, der Herausgeber der konservativen iranischen Zeitung *Resalat*, erklärte mir, dass er zu den Anhängern einer Verschwörungstheorie gehöre. Als ehemaliger Angehöriger der Revolutionären Garde und Kriegsveteran war Mohebian einer der führenden religiösen Intellektuellen des Iran geworden, und seine Zeitung galt als Sprachrohr des höchsten iranischen Führers, Ayatollah Ali Khameini. Nachdem ich beim iranischen Ministerium für Kultur und islamische Führung, das ausländische Journalisten überwacht, ein offizielles Gesuch eingereicht hatte, erklärte sich Mohebian bereit, mit mir zu reden. Wir trafen uns in einem Konferenzraum der *Resalat*-Redaktion. Er trug einen Anzug und sprach hervorragend Englisch. Ohne Umschweife begann er einen scharfen Monolog.

»Fest steht, dass sich die Vereinigten Staaten und der Iran seit 24 Jahren bekriegen«, sagte er. »Selbstverständlich sind beide Seiten sehr beunruhigt über das jeweilige Vorgehen des anderen in dieser Region. Wir vermuten, dass die Amerikaner einen allumfassenden Plan haben, und ich denke, dass dessen Hauptschwerpunkt im Nahen Osten liegt. Energiequellen spielen für die Zukunft der Welt eine wichtige Rolle, und sowohl der Nahe Osten als auch Mittelasien verfügen über beträchtliche Ressourcen, weshalb die Vereinigten Staaten ihnen eine Schlüsselstellung einräumen. Und der Iran bildet den Durchgang zwischen beiden Regionen, zwischen dem Nahen Osten und Mittelasien. Die Hauptaufgabe amerikanischer Politiker besteht darin, die wirtschaftliche Stabilität der USA zu sichern. Deshalb betrachten wir den Angriff der Vereinigten Staaten auf Afghanistan als ein Mittel, sich mit Gas und Öl zu versorgen; Osama bin Laden und die Taliban waren lediglich ein Vorwand für den Angriff auf Afghanistan. Ein möglicher Angriff auf den Irak, so glauben wir, würde darauf abzielen, ein Land zu beherrschen, das als billige Energiequelle dienen könnte. Die USA haben ihren großen Fuß in der Region aufgesetzt, mit den Zehen in Afghanistan und der Ferse im Irak, und wir befinden uns irgendwo in der Mitte, unter der Sohle, und wir rechnen damit, dass sie jeden Augenblick Druck auf uns ausüben. Wir glauben all das amerikanische Gerede über Demokratie und Bekämpfung des Terrors nicht wirklich.

Wir glauben, dass ein demokratisches System im Irak etwas Gutes wäre, das mit unseren nationalen Interessen übereinstimmen würde. Aber wir glauben nicht, dass die Vereinigten Staaten im Irak eine Demokratie errichten wollen, die auf dem Willen der Mehrheit beruht. Vor allem deshalb nicht, weil 60 Prozent der Bevölkerung Schiiten sind und eine Demokratie auf ihre Unterstützung angewiesen wäre.« Mohebian erklärte, er habe in westlichen Medien über Amerikas Ängste gelesen, ein demokratischer Irak nach Saddam könnte »von den Mullahs« regiert werden, was den Amerikanern überhaupt nicht passen würde.

»Ich glaube, dass ein pragmatischer Politiker bei seinen Handlungen stets Gewinn und Verlust abwägt«, fuhr er fort. »Ist es also vernünftig anzunehmen, dass die Vereinigten Staaten das derzeitige Regime im Irak gegen eine Demokratie austauschen wollen, die wegen der schiitischen Mehrheit viele Ähnlichkeiten mit dem Iran hätte?«

»Mit welchem Iran?«, forderte ich Mohebian heraus. »Mit dem Iran von 1980, von 1995 oder von heute? Die islamische Revolution hat den Iran verändert und verändert ihn weiterhin. Welcher Iran soll denn als Vorbild dienen?«

»Was Sie sagen, entspricht der Wahrheit«, bemerkte Mohebian leichthin. »Wir können nicht vorhersagen, für welchen Weg die Iraker sich entscheiden werden. Vielleicht lassen sie im Gegensatz zum Iran nicht zu, dass weltliche Politiker in ihrer religiösen Regierung mitwirken und den Weg für etwaige Reformen ebnen, wie wir es hier erleben, oder vielleicht werden sie weniger fundamentalistisch sein ...« Mohebian zuckte die Achseln, als wolle er sagen, dass die Frage, die ich aufgeworfen hatte, keinesfalls zu den vordringlichsten gehörte.

»Schauen Sie«, sagte er, »Saddam war immer ein gefährlicher Feind für uns. Seine Beseitigung käme uns sehr wohl entgegen. Doch die Präsenz der Vereinigten Staaten in dieser Region liegt nicht in unserem Interesse. Das Beste wäre also, die USA stürzten Saddam, doch sie würden einen hohen Preis dafür zahlen, und ich denke, dass jemand, der einen hohen Preis für einen ersten Schritt bezahlt, gründlich darüber nachdenkt, bevor er den zweiten tut. Die USA haben in Afghanistan einen wirklich hohen Preis gezahlt, was auch erklärt, weshalb sie sich mit dem Irak so viel Zeit gelassen haben. Aber die Vereinigten Staaten haben nicht gründlich genug darüber nachgedacht, was nach Saddam Hussein kommt. Saddam zu stürzen bedeutet nicht einfach, eine Person oder ein System zu stürzen. Mit diesem System sind eine Menge Iraker verbunden, die ebenfalls gestürzt werden müssten, und es handelt sich dabei um eine große Anzahl. Im Gegensatz zum Großteil des irakischen Volkes wissen sie, dass sie sterben werden, wenn Saddam Hussein gestürzt wird. Und abgesehen von den Kurden fürchten die Sunniten, die nur 40 Prozent der Bevölkerung ausmachen, das Entstehen eines schiitischen Staates. So baut Saddam auf die Angst der einen vor einem schiitischen Staat und auf die Todesangst der anderen, und beide Gruppen garantieren ihm starke Unterstützung. Selbst wenn Saddam Hussein sich bereit erklärte zurückzutreten, wäre dennoch der Grundstein für einen Bürgerkrieg gelegt.« Mohebian bedachte mich mit einem triumphierenden Lächeln. Es war unverkennbar, dass ihm sein soeben geschildertes Szenario sehr gefiel.

Als ich aufstand, um mich zu verabschieden, sagte Mohebian zum Schluss: »Es gibt einen Spruch von Machiavelli: ›Eine Demokratie kann leicht eingesetzt werden, aber es ist schwierig, sie aufrechtzuerhalten; eine Diktatur ist schwer einzuführen, aber leichter zu kontrollieren.‹ Wenn ich ein amerikanischer Politiker wäre, würde ich einen anderen Diktator anstelle von Saddam Hussein einsetzen und das System als Ganzes nicht ändern. Aber ich hoffe, die Vereinigten Staaten haben nicht so einen guten Berater wie mich!« Er lachte freudlos.

Amir Mohebians Sorge, die Amerikaner im Nachbarland zu haben, war verständlich. Nach über zwei Jahrzehnten an der Macht fühlten sich Ayatollah Khomeinis politische Erben zunehmend verletzbar und unsicher in Bezug auf ihre Zukunft. Khomeini, der erste Imam oder der oberste Führer der iranischen islamischen Revolution, wurde nach seinem Tod im Jahre 1989 durch Ayatollah Ali Khameini ersetzt – einen mürrischen bärtigen Brillenträger, der irgendwie an Woody Allen erinnerte.

Sein Konterfei prangte allgegenwärtig neben dem von Khomeini an den Wänden der Geschäfte und jeder öffentlichen Einrichtung. Khameini vertrat die kompromisslose, nicht gewählte religiöse Fraktion innerhalb der iranischen Regierung, die das Vetorecht gegenüber den meisten Gesetzesentwürfen besaß, die Ayatollah Mohammed Khatami, der demokratisch gewählte Präsident des Iran, einbrachte. Khatami, der zwei Präsidentschaftswahlen, zuerst 1997 und noch einmal 2001, mit jeweils überwältigender Mehrheit gewonnen hatte, repräsentierte die Koalition der so genannten Reformer, die jene ungeliebten Vorschriften zu mildern suchten, mit denen die religiösen Konservativen die Staatsmacht und viele Aspekte des iranischen Alltagslebens beeinflussten. Doch bislang hatten die Konservativen unter ihrem höchsten Führer Khameini die meisten Reformen verhindert.

Dieser ständige Machtkampf hatte im Iran ein politisches System und eine Gesellschaft hervorgebracht, die eindeutig schizophren war. Mehrere Wochen lang war Teheran Ende des Jahres 2002 der Schauplatz wütender Studentenproteste und Zusammenstöße mit der Polizei, nachdem ein Soziologieprofessor zum Tode verurteilt worden war. Sein Verbrechen bestand darin, eine Meinungsumfrage durchgeführt zu haben, wonach eine Mehrheit der Iraner die Wiederaufnahme diplomatischer Beziehungen zu den USA befürwortete, jenem Staat also, der von den Konservativen immer noch offiziell als »der Große Satan« bezeichnet wurde. Da die Polizei hart durchgegriffen und viele Studenten festgenommen hatte, waren zwar die Proteste abgeflaut, als ich nach Teheran kam, aber das Schicksal des verurteilten Professors hing noch in der Schwebe. Anfang Januar schaffte das iranische Parlament, die Madschlis, die Gesetze ab, die zuließen, dass Frauen, die Ehebruch begangen hatten, gesteinigt wurden. Ein paar Tage später folgte die Ankündigung, dass Frauen in Zukunft in den Polizeidienst eintreten durften.

Die Reformer hielten beides für entscheidende Durchbrüche. Doch kaum eine Woche später verboten die geistlichen Führer zwei der letzten unabhängigen Zeitungen des Landes, nachdem in einer eine Karikatur erschienen war, die angeblich den verstorbenen Ayatollah Khomeini verunglimpfte. Hunderte von religiösen Studenten hatten in der heiligen Stadt Kom wütend gegen die Karikatur demonstriert.

Seit 1979 – als Khomeini die Macht übernahm – hatte sich die Bevölkerung des Iran fast verdoppelt. Über die Hälfte der knapp über 70 Millionen Iraner war unter 30 Jahre alt, und die meisten von ihnen fanden keine Arbeit. Die Arbeitslosenrate im Iran betrug um die 30 Prozent. Daher war es nicht verwunderlich, dass Jugendliche, die im Iran mit 16 Jahren wählen durften, mit den Zuständen unzufrieden waren und zu Präsident Khatamis eifrigsten Anhängern gehörten. Die meisten jungen Leute, mit denen ich in Teheran sprach, äußerten sich über die religiösen Hardliner mit einer Mischung aus Angst, Abscheu und Zorn. Einige religiöse Führer und ihre Verwandten kontrollierten Bonyads – islamische Stiftungen, die im Verborgenen vielfältige lukrative Geschäfte machten und der staatlich legitimierten Korruption bezichtigt wurden. Ali, ein arbeitsloser Ingenieur von Mitte zwanzig, deutete auf seine Füße und sagte mit bitterem Lächeln: »Die Mullahs haben tiefe Taschen, sehr tiefe Taschen. Aber die Menschen haben nichts. Keine Arbeitsplätze, keine Zukunft im Iran, und für die jungen Leute gibt es kein Vergnügen. Keine Disco, weder Tanzen noch Trinken. Ich bin Muslim, aber warum kann ich nicht tanzen und trinken und trotzdem Muslim sein? Ich hoffe, dass Bush nach dem Irak in den Iran kommt und die Mullahs verjagt.«

Die iranischen Gesetze der Scharia verboten Alkohol, Frauen durften nicht laut singen, Fahrrad fahren, ihr Haar zeigen oder in der Öffentlichkeit mit Männern Händchen halten. Es war strengstens verboten, dass Frauen und Männer zusammen tanzten oder dass importierte Filme gezeigt wurden. All diese Dinge tat man hinter verschlossenen Türen, vor allem die Mittel- und Oberschicht der Iraner liebte Partys, bei denen geschmuggelter Alkohol floss; viele hatten auch heimlich Satellitenempfänger fürs Fernsehen und sahen sich Raubkopien der neuesten Hollywood-DVDs an. Schätzungsweise zwei Millionen Iraner waren opium- oder heroinabhängig. Dieses Problem wurde immer größer und ging einher mit rapide zunehmenden Aids-Erkrankungen, die meist durch intravenösen Drogenmissbrauch verursacht wurden, denn Drogen waren schnell und billig zu beschaffen – aus dem direkt angrenzenden Afghanistan, das zusammen mit Myanmar zu den größten Opium- und Heroinproduzenten der Welt gehört.

Eines Tages besuchten Ali und ich in einem exklusiven Teheraner Viertel ein Restaurant namens Boof, was in Farsi »Eule« bedeutet. Das westlich eingerichtete Fastfood-Restaurant mit Hightech-Ausstattung bot Pizzas und Hamburger an und gehörte, wie ich erfuhr, dem Sohn eines religiösen Führers. Als wir beim Essen waren, platzte eine attraktive junge Frau von höchstens Anfang zwanzig herein und ließ sich neben uns auf einen Stuhl fallen. Sie trug ein Hidschab – das vorgeschriebene Kopftuch –, aber wie viele jüngere Frauen in den wohlhabenden Vierteln Teherans nicht bis über die Stirn, so dass man etwas von ihrem wasserstoffblond gefärbten, punkähnlich kurz geschnittenen Haar sehen konnte, und unter ihrem schwarzen Mantel (ein dreiviertellanger, ebenfalls vorschriftsmäßiger Kittel, der die weiblichen Rundungen verbergen soll) modische Jeans und rote Turnschuhe.

Ali und ich beobachteten die junge Frau, die mit glasigem Blick vor sich hin döste. Gelegentlich schreckte sie hoch, fiel aber wieder in ihren tranceartigen Zustand zurück. Ab und zu kratzte sie sich wie besessen im Gesicht. Bald wurden die Kellner des Restaurants auf sie aufmerksam, blieben neben ihr stehen, beobachteten sie und flüsterten miteinander. Auch wir unterhielten uns leise über sie. Ali schüttelte traurig den Kopf und flüsterte: »Heroin.« Nach etwa einer Viertelstunde wachte die junge Frau plötzlich auf, erhob sich und stolperte auf die Straße hinaus. Wir folgten ihr und sahen, wie sie an der Ecke einer verkehrsreichen Straße stand und unsicher schwankte. Da ich mir Sorgen um sie machte, fragte ich Ali, was mit ihr geschehen würde. Würde sie festgenommen werden, wenn die Polizei sie entdeckte? Immerhin seien wir hier in der Islamischen Republik Iran. Er machte sich darüber lustig und sagte, ja, die Polizei würde sie festnehmen, aber sie würde sie auch wieder laufen lassen, wenn sie Schmiergeld zahlte. Ein wenig verlegen versuchte Ali mir zu erklären, dass das Mädchen vermutlich als Prostituierte arbeite, um sich Drogen besorgen zu können. Ich war fassungslos, doch während Ali noch sprach, hielt ein Wagen neben ihr, an dessen Steuer ein junger Mann saß, und sie stieg ein. Der Mann wendete den Wagen und raste die Straße in entgegengesetzter Richtung hinunter. »Verstehen Sie jetzt?«, sagte Ali resigniert. Als ich abends einem anderen iranischen Freund davon erzählte, bemerkte er zynisch: »Willkommen in der Islamischen Republik Iran.«

Irans riesige Hauptstadt Teheran erstreckt sich über die Ausläufer eines dunklen, zerklüfteten Gebirgskamms, auf dem im Winter Schnee liegt und der die natürliche Grenze zwischen der Metropole und dem Kaspischen Meer bildet. Teheran fällt von seinen hügeligen nördlichen Vororten nach Süden hin ab und verliert sich an den Rändern einer weiten schokoladebraunen Wüste. Im Großen und Ganzen entspricht auch das Wohlstandsniveau Teherans dem Nord-Süd-Gefälle. Die Reichen der Stadt leben weiter oben, in der Nähe der Berge, in vornehmen, von Mauern und Gärten umgebenen Villen, die jetzt mit rasender Geschwindigkeit verschwinden, da sich einige Bauunternehmer in den Kopf gesetzt haben, an ihrer Stelle luxuriöse Apartment-Hochhäuser zu errichten. An den Einkaufsstraßen im Norden liegen Designer-Boutiquen, schicke Fastfood-Restaurants, Uhren- und Souvenirläden; in den Vororten im Süden stammen die meisten der flachen und heruntergekommenen Häuser, die zwischen Fabriken, Lagerhallen und Werkstätten eingebettet sind, aus der Mitte des 20. Jahrhunderts. Die Farben von Teheran sind überwiegend grau und weiß, in allen möglichen Schattierungen.

Dank mehrerer Millionen Autos und billigen, vom Staat geförderten Benzins ist Teheran in dunklen, übel riechenden Smog gehüllt, so dass die Berge im Hintergrund die meiste Zeit nicht zu sehen sind. Es gibt kaum Verkehrskontrollen, und die Fahrer rasen über die Schnellstraßen, ignorieren die Trennungslinien und sogar die Seitenstreifen; gewöhnlich fahren fünf Autos nebeneinander auf drei Fahrspuren. Rote Ampeln werden außer Acht gelassen, und kaum jemand benutzt Sicherheitsgurte. Menschen überqueren Kreuzungen auf eigene Gefahr, sie halten sich Taschentücher vors Gesicht oder tragen Schutzmasken über Mund und Nase, um den Qualm nicht einzuatmen. Kleine Jungen wagen sich ins Gedränge, um Zeitungen und Sträuße aus frisch geschnittenen weißen Hyazinthen, Narzissen und roten Rosen zu verkaufen.

Die Iraner scheinen Blumen sehr zu lieben. In ganz Teheran sieht man auf Plakatwänden und auf den fensterlosen Seiten der Wohnblocks große Wandgemälde, die prominente Märtyrer des Iran-Irak-Krieges oder den verstorbenen Ayatollah Ruhollah Khomeini, gottähnlich und bedrohlich, zeigen, und fast immer schmücken Blumen, für gewöhnlich Tulpen, diese Bildnisse; hübsch arrangierte einzelne Knospen, die frei am Himmelsgewölbe schweben, und in Vasen arrangierte bunte Sträuße. Eine Plakatwand zeigt einen etwa 14-jährigen Jungen. Sein schwarzes Stirnband kennzeichnet ihn als Basidsch – einen der jungen iranischen freiwilligen Selbstmörder, die zu Zehntausenden auf den stark verminten Schlachtfeldern des Iran-Irak-Krieges starben. (In diesem Krieg, der von 1980 bis 1988 andauerte, kamen etwa 600 000 Iraner und 250 000 Iraker um.) Der Junge ist kniend dargestellt, er hat den Kopf an ein Gewehr gelehnt, an dem ein kleines Bild von Khomeini baumelt. Sein Gesichtsausdruck ist rein, glückselig, ein Lächeln umspielt seine Mundwinkel. Um ihn herum breitet sich ein üppiges Blumenfeld aus; es herrscht ewiger Frühling.

Viele der gefallenen Basidschi – jetzt Märtyrer oder Schahid – sind auf dem großen Friedhof Behescht-e-Sahra (was nach einer der Töchter des Propheten Mohammed »Sahras Paradies« bedeutet) in der Ebene am südlichen Ende Teherans begraben. In der Nähe befindet sich das Mausoleum von Ayatollah Khomeini innerhalb eines mit vielen Kuppeln versehenen Heiligtums. Ein paar Tage nach meiner Ankunft in Teheran besuchte ich den Friedhof und schlenderte durch die Reihen kleiner Grabsteine und Altäre, die die Familien der Märtyrer errichtet und mit Fotos der Verstorbenen, Plastikblumen und kleinen Erinnerungsstücken in Glaskästen, die auf Sockeln über den Gräbern thronten, geschmückt hatten. Ein paar Familien, meist jedoch Frauen, veranstalteten seelenruhig in der Nähe der Gräber ihr Picknick; andere füllten an den Hähnen Krüge mit Wasser, um die Grabsteine ihrer toten Väter, Söhne und Brüder abzuwaschen. Die durch ein Megafon verstärkten lang gezogenen, inbrünstigen Verse eines Muezzin erfüllten die Luft. Frauen in schwarzen Tschadors boten den Vorübergehenden Süßigkeiten oder Kuchen aus Pappschachteln an, zu Ehren des zwölften Imams oder des Mahdi, dem kindlichen Erben des elften Imams, der im Jahre 873 starb. Die meisten Muslime des Iran, die vorwiegend Schiiten sind, glauben, dass er sich als Gottheit verborgen hält und eines Tages wiederkommen wird. Der verborgene Imam wird an einem Freitag zurückerwartet, genau wie der andere verehrte Prophet, Jesus Christus, und gemeinsam, so glaubt man, werden sie die Menschheit retten. Ich besuchte den Friedhof an einem Donnerstag, dem Vorabend des vorhergesagten schicksalhaften Wochentages.

Ich ging auf einen älteren Mann zu, der einen Krug Wasser in der Hand hielt und damit beschäftigt war, einen Grabstein abzuwaschen. Seine Name sei Ahmed, sagte er mir. Er war 70, Rentner und hatte einst als Mechaniker bei General Electric gearbeitet. Ich fragte ihn, ob er das Grab seines Sohnes pflege. Er lächelte und nickte. Er sagte, es sei das Grab seines zweitältesten Sohnes, der den Revolutionären Garden angehört habe und mit 21 im Krieg gegen den Irak gefallen sei. Ich fragte ihn, was sein Sohn seiner Meinung nach heute tun würde, wenn er noch am Leben wäre. Er richtete sich auf und sagte stolz mit Tränen in den Augen: »Wenn er noch am Leben wäre und die Heimat verteidigen müsste, würde er es tun, und ich würde ihn dazu ermutigen.« Ich fragte Ahmed, was er von einem erneuten Krieg gegen den Irak halte, der dieses Mal von meinem Land, von den Vereinigten Staaten, geführt werden würde. »Wenn der Krieg lediglich zwischen den Vereinigten Staaten und dem Irak geführt wird, soll es so sein«, erwiderte er. »Mir tun nur die Leute Leid. Niemand mag den Krieg.«

Eines der im Krieg am stärksten verwüsteten Gebiete des Iran ist Khusistan. Die südwestliche iranische Provinz mit reichen Ölvorkommen grenzt im Westen an den Irak und weiter südlich an die Küste des Persischen Golfs. Die Bevölkerung kann ihre Nähe zur arabischen Welt nicht verleugnen: 65 Prozent der Khusistani sind arabischer Abstammung. Während des acht Jahre dauernden Krieges mit dem Irak diente die Provinz als Südfront und war von Saddams erstem militärischem Vorstoß in den Iran besonders betroffen; die Hafenstadt Khorramshahr, die der Stadt Basra auf der anderen Seite der Meerenge des Schatt el-Arab gegenüberliegt, wurde 18 Monate lang von Saddams Invasionsarmee besetzt. Nachdem Saddams Truppen vertrieben worden waren, bombardierte der Irak von der anderen Seite der Grenze aus die Städte von Khusistan wiederholt mit Mittelstreckenraketen. Dann, nach Saddams heimtückischem Vorgehen gegen die irakische Intifada von 1991, strömten Zehntausende irakischer Flüchtlinge über die Grenze, von denen viele noch zur Zeit meines Besuchs in Lagern lebten, die von der iranischen Regierung verwaltet wurden.

In Begleitung mehrer iranischer Sicherheitsbeamter durfte ich einige irakische Flüchtlingslager in der alten Stadt Dezful, ungefähr 80 Kilometer von der Grenze entfernt, besuchen. Als wir in Dezful ankamen, einer verschlafenen Stadt aus gelben Ziegelsteinen, erklärten meine Begleiter, dass die Stadt während des Irak-Kriegs von 280 Raketen getroffen worden sei, zumeist bei Nacht, wobei Hunderte von iranischen Zivilisten getötet wurden. Soviel ich sehen konnte, waren alle Kriegsschäden inzwischen beseitigt, aber am Stadtrand stand ein Denkmal, das an die Zerstörung der Stadt erinnerte. Es bestand aus einer riesigen bronzenen Männerfaust, die sich nach oben streckt und eine grün getarnte Rakete zerquetscht. Auf der naturgetreu nachgebauten Rakete stand »U. S. A.« Ich bat meine iranischen Begleiter, mir die Bedeutung dieses »U. S. A.« auf der Rakete zu erklären. Die Männer im Wagen schienen durch meine direkte Frage in Verlegenheit zu geraten und waren unsicher, was sie entgegnen sollten. Mein Übersetzer, ein iranischer Soziologielehrer namens Mehrdad, sagte, die meisten Iraner würden den USA vorwerfen, Saddam während des langen Krieges unterstützt zu haben. »Wissen Sie, viele Iraner bezeichnen diesen Krieg als den *amerikanischen Krieg*«, fuhr er fort. Mehrdads Stimme verriet keine Verbitterung. Die anderen Männer im Wagen nickten schweigend.

Im Lager Ansar außerhalb von Dezful, in dem ungefähr

6000 Iraker lebten, unterhielt ich mich mit einer Reihe von Flüchtlingen aus Basra. Einer war ein freundlicher, dicklicher Mann, der humpelte. Er sagte, er heiße Ali Nuri und sei 39 Jahre alt. Bevor er wegen des Krieges gegen den Iran zwangsweise in Saddams Armee einberufen worden war, hatte er als Kranführer in Basra gearbeitet. Im Krieg verlor er ein Bein – er deutete unter den Tisch – durch eine Landmine. Er konnte seinen Kranführer-Job nicht weiter ausüben, aber er hatte am schiitischen Aufstand gegen Saddams Herrschaft nach dem Golfkrieg teilgenommen. Das war unbedingt notwendig, sagte er.

»Als Schiiten wurde uns immer vorgeworfen, wir sympathisierten mit dem Iran, und das konnten wir nicht länger dulden«, erklärte Ali Nuri. »Vielleicht kennen Sie andere politische Parteien, doch die Baath-Partei ist etwas ganz anderes. Ich musste ihr beitreten, ansonsten wäre meine Rente gekürzt worden. Während des Iran-Irak-Krieges erhielten die Männer, die alt genug waren, die Aufforderung, in den Krieg zu ziehen, andernfalls wurden sie hingerichtet. Ich hatte einen Cousin, der erschossen wurde, weil er sich weigerte, in den Krieg zu ziehen. Danach suchten Militärangehörige seine Familie auf und verlangten das Geld für die Kugel, mit der sie ihn erschossen hatten. Die Trauerfeier wurde verboten, und die Frauen durften keine schwarze Trauerkleidung tragen. Also nahmen wir an dem Aufstand teil, weil wir Schiiten waren und keine Rechte zugestanden bekamen. Dagegen mussten wir protestieren … Als sich die Iraker aus Kuwait zurückzogen, legten sie ihre Waffen nieder und ergriffen einfach die Flucht, und wir dachten, die Amerikaner würden uns unterstützen. Also dachten wir: »Das ist es jetzt!«, und die Menschen begannen zu feiern und töteten Muchabarat-Agenten, und 18 Tage lang fühlten wir uns frei. Dann kamen Saddams Flugzeuge und Hubschrauber. Sie bauten eine Art Ponton und brachten ihre Panzer in die Stadt Basra, und wir mussten fliehen. Die Iraner versuchten, uns daran zu hindern, die Grenze zu überschreiten, aber wir waren zu viele, und sie ließen uns passieren.«

Ich fragte Ali Nuri, wie er das Verhalten der Amerikaner beurteilte. Er nickte und sagte: »Während des Kriegs mit Kuwait beobachteten wir, wie die Amerikaner irakische Flugzeuge abschossen, und da dachten wir, dass wir zumindest ihren Schutz genießen würden, aber dann kamen Saddams Kampfflugzeuge, und niemand gebot ihnen Einhalt. Als wir sahen, wie die Amerikaner in irakisches Gebiet vordrangen, dachten wir, sie würden uns helfen, aber sie taten es nicht. Plötzlich waren sie verschwunden. Wir hoffen sehr, dass es dieses Mal anders verläuft, denn wir leben jetzt seit zwölf Jahren wie Flüchtlinge hier.« Ali Nuris Miene zeigte keinerlei Vorwurf, aber er fragte: »Kann uns irgendjemand eine Garantie geben, dass die Amerikaner dieses Mal kommen werden? Wenn sie kommen, werden wir ihnen helfen.« Er schaute mich an und wartete auf meine Erwiderung. Ich sagte, ich könne ihm keine Garantien geben. »Inschallah – so Gott will«, sagte er und lachte gutmütig.

Ich fragte Ali Nuri, ob er wirklich vorhabe, am Krieg teilzunehmen. Er grinste. »Nun, es wäre nett, wenn die Amerikaner es dieses Mal für uns erledigen würden. Ich habe bereits einmal gekämpft, und man sieht ja, was dabei herausgekommen ist«, sagte er und deutete auf seine Beinprothese.

Später traf ich im benachbarten Flüchtlingslager von Aschrafi Isfahani, in einem slumähnlichen Zuhause für etwa 13 000 Iraker, einen leise sprechenden Mann von Mitte vierzig, einen ehemaligen Käsehersteller aus Basra. Er lud mich in seine bescheidene Zwei-Zimmer-Hütte ein. Sie lag direkt neben einem Abwasserkanal, und der Gestank im Innern war unerträglich. Beim Tee erzählte mir der Käsehersteller, dass er begierig die Nachrichten über die jüngste Irak-Krise verfolge. Er deutete auf ein Kurzwellenradio, eines seiner wenigen sichtbaren Besitztümer, und erklärte, dass er jeden Morgen sehr früh aufstehe und alle Sendungen über den Irak höre. Ich fragte ihn, was er von Saddam Hussein halte. »Er ist ein Verbrecher, ein Mörder, ein Mensch, der keinerlei Achtung vor den Rechten anderer hat«, erwiderte er. Aber, so fügte er hinzu, dies bedeute nicht, dass er notwendigerweise für einen Krieg sei. »Wenn die USA und Großbritannien vorhaben, Saddam Hussein zu stürzen und eine Demokratie einzuführen, dann sind wir auf ihrer Seite. Wenn sie jedoch kommen, um wegen des Öls zu bleiben und uns zu beherrschen, dann nicht.«

Bevor ich mich verabschiedete, erklärte der Käsehersteller, dass er zum Schluss noch etwas sagen wolle. »Aus den Medien wissen wir, dass andere Herrscher auf der Welt für ihr Volk sorgen«, sagte er. »Aber das ist bei Saddam Hussein nicht der Fall. Fünf Millionen Menschen leben außerhalb des Irak als Flüchtlinge, Tausende schmoren im Gefängnis, und Hunderttausende wurden getötet oder hingerichtet. Wenn ihm die Iraker am Herzen lägen, würde Saddam zu seinem Volk sagen: ›Trefft eure Wahl: Soll ich bleiben oder gehen?‹ Aber er tut es nicht. Als Iraker wünschte ich mir, dass alle Organisationen und Einzelpersonen auf der Welt Druck auf Saddam Hussein ausübten, so dass es einen Regimewechsel ohne Krieg gäbe. Wir haben genug Blutvergießen erlebt. Wir wollen nur, dass er und seine Regierung abgelöst werden. Solange Saddam Hussein regiert, ist dies unsere einzige Hoffnung. Wir wollen, dass die ausländischen Organisationen den Boden bereiten, auf dem das irakische Volk seine Zukunft gründen kann. Wir wissen, dass dies im Irak nicht mit Gewalt geschehen kann.«

Nach meiner Rückkehr aus Khusistan traf ich in einem Gemeindezentrum von Dawlat Abad, einem Arbeiterviertel im Süden Teherans, in dem sich irakische Einwanderer niedergelassen hatten, eine Gruppe irakischer Frauen. Sie gehörten zu den Hunderttausenden so genannter persischer Iraker, die Saddam nach dem Beginn des Krieges gegen den Iran zwangsdeportieren ließ. Tausende von anderen sind heimlich hingerichtet und in Massengräbern verscharrt worden. Dieses Vorgehen wurde im Westen praktisch nicht zur Kenntnis genommen, dürfte aber eine der größten »ethnischen Säuberungen« seit langer Zeit gewesen sein. Da Saddam jedoch an der Macht blieb, wurde das volle Ausmaß dieser Säuberung nicht bekannt. Ein junger Iraker, der mir als Dolmetscher diente, begleitete mich.

Als wir an einem bitterkalten Januarabend im Gemeindezentrum ankamen, saß eine Gruppe von sechs Frauen in schwarzen Tschadors in dem großen Versammlungssaal. Ein Gasofen verbreitete angenehme Wärme in dem Raum, der abgesehen von den Porträts der beiden iranischen höchsten Führer völlig schmucklos war. Mein Dolmetscher und ich saßen auf der anderen Seite des Raums den Frauen gegenüber. Die Stimmung war sehr formell, und ich stellte fest, dass mein Begleiter nervös war und die Frauen nicht direkt anschaute, die ihrerseits auch sehr schüchtern zu sein schienen. Nur zwei von ihnen blickten mich an. Eine der scheuen Frauen verbarg sogar ihr Gesicht in der Kapuze ihres Tschadors. Doch eine Frau, vermutlich Mitte vierzig, mit warmen, klugen Augen, schien keine Angst vor mir zu haben. Als ich mich vorstellte und versuchte, den Frauen ihre Befangenheit zu nehmen, merkte ich, dass sie verstand, was ich sagte, bevor es ins Arabische übersetzt wurde. Sie stellte sich auf Arabisch als Um Asil (»Asils Mutter«) vor und erklärte, sie sei eine Faily-Kurdin, Angehörige einer schiitischen Minderheit innerhalb der von Sunniten beherrschten kurdischen Gemeinschaft. »Mein Vater war Iraker«, sagte sie mit ruhiger, klarer Stimme. »Aber sein Vater wurde im Iran geboren. Wir waren sechs Mädchen und fünf Jungen.«

Um Asil erzählte mir ihre Geschichte. 1980, kurz nach dem Beginn des Krieges gegen den Iran, erklärte sie, habe Saddams Regime sie und ihre ganze Familie festgenommen. Nach mehreren Tagen Haft wären die Männer der Familie von ihren Schwestern, Frauen und Kindern getrennt und abgeführt worden. Nur einer ihrer fünf Brüder sei der Verfolgung entkommen, da er sich zu jener Zeit in den Vereinigten Staaten aufhielt. Aber die anderen vier seien alle verhaftet worden, einer von ihnen mit seiner Frau und seinem einen Monat alten Kind. Sie mussten ihr Geld und ihren Schmuck abgeben. »Mein Mann und die Männer meiner Schwestern wurden ebenfalls inhaftiert«, fügte Um Asil hinzu. »Wir hatten in England gelebt, wo mein Mann Medizin studiert hatte.« Ihr Mann habe dann am Royal College of Medicine in London gearbeitet, sagte sie, wobei sie den Namen des Krankenhauses auf Englisch aussprach, und sie habe drei Jahre mit ihm in England verbracht. Sie waren gerade erst nach Bagdad zurückgekehrt, als sie festgenommen wurden. Sie lächelte. Die Erinnerung an die Zeit in England war ihr zweifellos angenehm. »Der Mann einer meiner Schwestern war Anwalt und stammte aus Kuwait. Auch er und seine Frau wurden festgenommen. Sie war damals schwanger. Man beschuldigte uns, Iraner zu sein, und unterstellte uns, dass wir auf unseren vielen Reisen Geld aus dem Land schafften, um die iranische Revolution zu unterstützen.«

Um Asil, ihre Schwestern, Schwägerinnen und Kinder – sie hatte einen vierjährigen Sohn und eine neunjährige Tochter – wurden in ein Gefangenenlager gebracht, in dem sie vier Monate lang festgehalten wurden. Die Bedingungen waren für sie offensichtlich sehr demütigend gewesen. »Sie holten Prostituierte aus anderen Teilen des Gefängnisses und steckten sie zu uns in die Zelle«, berichtete sie und krauste leicht die Stirn. Eines Nachts wurden sie dann aus ihren Zellen geholt, von Soldaten in einen Bus verfrachtet und zur iranischen Grenze gefahren. Als die Busse schließlich hielten, war es mitten in der Nacht, und ihre Wärter zwangen sie, auszusteigen und in das Niemandsland zwischen den beiden Staaten zu laufen. »Wir waren eine große

Gruppe von etwa 600 Menschen«, erinnerte sich Um Asil und schüttelte den Kopf. »Sie gaben uns sogar ein paar Geistesgestörte mit, die sie aus der Irrenanstalt geholt hatten, und eine Frau mit schweren Verbrennungen, die aus dem Krankenhaus kam. Wir waren gezwungen, ungefähr drei Tage zu marschieren, bevor wir in Sicherheit waren. Eine Frau trat auf eine Mine. Ihr Fuß wurde abgerissen, und sie verblutete. Eines Nachts überfiel uns eine Bande und vergewaltigte einige Mädchen. Ein paar der Mädchen wurden entführt, und wir hörten nie wieder von ihnen. Wir mussten unsere Schuhe zurücklassen, um in der Wüste laufen zu können. Schließlich lasen uns ein paar iranische Militärfahrzeuge auf. Man gab uns Wasser. Und schließlich gelangten wir an eine Stelle, wo sie sich um die Kinder kümmerten und uns zu essen gaben. Später brachten sie uns in ein Flüchtlingslager. Zwei Monate später wurden wir freigelassen. Inzwischen waren noch einige unserer Verwandten eingetroffen, und so fanden wir wieder zueinander.«

Seitdem waren 23 Jahre vergangen, aber ich hatte das Gefühl, dass Um Asil zum ersten Mal einem Außenstehenden ihre Geschichte anvertraut hatte. Die Berichte ihrer Freundinnen, der Frauen, die um sie herumsaßen, waren ähnlich dramatisch. Für die meisten von ihnen war das Überschreiten der Grenze besonders grauenvoll gewesen. Die Männer, die über Um Asils Gruppe hergefallen waren, hatten offensichtlich eine Zeit lang ungestraft ihr Unwesen entlang der Grenze getrieben. Eine andere Frau gehörte zu einer Gruppe, die mehrere Tage lang wiederholt von derselben Bande überfallen worden war. Mehrere Mädchen wurden vergewaltigt und getötet. Die Überlebenden hatten später ihre Leichen gefunden, weggeworfen wie Müll irgendwo auf dem Weg in Richtung Iran.

Nachdem alle Frauen ihre Geschichte erzählt hatten, wandte ich mich wieder an Um Asil und fragte, ob sie oder ihre Freundinnen glauben, dass ihre Männer noch am Leben seien. »In all den Jahren haben wir nichts von unseren Männern oder Brüdern gehört«, sagte sie leise. »Wir haben nicht das Geringste über sie erfahren.« Sie sah plötzlich sehr erschöpft aus. Dann fuhr sie fort: »Wenn wir an Saddam denken und wie er sich verhält, verlieren wir jegliche Hoffnung, dass sie noch leben, aber unseren Glauben an Gott haben wir nicht verloren.« Das hörte sich an wie auswendig gelernt, und sie schien selbst nicht unbedingt daran zu glauben, trotzdem nickten alle anderen Frauen.

Die Kriegsmüdigkeit der irakischen Flüchtlinge war auch bei ihren Politikern zu spüren. Einer der einflussreichsten Führer der irakischen Exilanten im Iran war Mohammed Bakr al-Hakim, ein schiitischer Ayatollah Anfang sechzig, der einer Organisation namens Oberster Rat für die Islamische Revolution im Irak (SCIRI für Supreme Council for Islamic Revolution in Iraq) vorstand. Hakim entstammte einer der ältesten und geachtetsten geistlichen Familien des Irak; sein Vater, der verstorbene Großayatollah Mohsen al-Hakim, war einst der höchste religiöse Würdenträger der Schiiten der ganzen Welt gewesen. 1980, nach Saddams erstem blutigen Vorgehen gegen radikale islamische Schiiten, die sich ihm zu widersetzen begonnen hatten, floh Hakim in den Iran, wo er mit der Unterstützung durch Khomeinis gerade erst installierte Revolutionsregierung den SCIRI gründete. In den darauf folgenden Jahren mussten Hakims Verwandte im Irak einen hohen Blutzoll für seinen Widerstand gegen Saddam zahlen; mehr als 50 von ihnen wurden entweder ermordet oder starben an Krankheiten, nachdem sie in irakischen Gefängnissen eingesperrt worden waren. Im Irak wurde Hakims schreckliche Familiengeschichte totgeschwiegen, allein die Erwähnung der Familie war tabu.

Das Hauptquartier des SCIRI befand sich in einem unauffälligen vierstöckigen Betongebäude, das in einer Hauptstraße mitten in Teheran gegenüber dem iranischen Handelsministerium stand und dessen Fenster mit schräg perforierten Stahlplatten geschützt waren. Wenn man das Gebäude betrat, schien man plötzlich eine Brücke zwischen der persischen und der arabischen Welt zu überschreiten. Am Empfang wurde Arabisch und nicht Farsi gesprochen, und mehrere bewaffnete uniformierte Männer standen Wache. Das ungeübte Auge hätte sie für iranische Soldaten gehalten, aber tatsächlich handelte es sich um irakische Mudschaheddin, genauer: um Angehörige der Badr-Brigade, dem militärischen Arm von Hakims Bewegung, der von seinem jüngeren Bruder Abdulasis al-Hakim geleitet wurde. Die Badr-Brigade hatte Seite an Seite mit den iranischen Truppen im Krieg gegen den Irak gekämpft und nach dem Golfkrieg am Aufstand der Schiiten im Süden des Irak teilgenommen. Die Badr-Brigade umfasste etwa 10 000 bis 15 000 Kämpfer, die in geheimen Lagern entlang der Grenze stationiert waren. Vermutlich gab es viele Lager in Khusistan, weshalb ich von iranischen Sicherheitsbeamten auf meiner Reise in die Provinz begleitet wurde – um zu verhindern, dass ich sie sah.

An der Wand im Eingangsbereich hingen mehrere gerahmte Porträts, die Hakims Stellung in der Rangordnung der militanten schiitischen Geistlichen zeigten. Von rechts nach links zeigten die Porträts zuerst Hakim selbst, dann den höchsten Führer des Iran, Ayatollah Ali Khameini, danach den verstorbenen Ayatollah Ruhollah Khomeini und schließlich den verstorbenen irakischen Schiiten-Geistlichen Imam Mohammed Bakr al-Sadr, der ein enger Verbündeter von Khomeini und Hakims eigenem Mentor gewesen war. Der geradlinige al-Sadr, der eine islamische Revolution nach iranischem Vorbild im Irak angestrebt hatte, war 1980 gemeinsam mit seiner Schwester Amina verhaftet und von Saddams Polizei in aller Heimlichkeit erschossen worden, nachdem schiitische Guerillas seiner Partei Al-Dawa (Der islamische Ruf) versucht hatten, Tariq Asis zu ermorden.

Ich wurde nach oben geführt und von einem Mann in den Fünfzigern begrüßt, der ein wenig Englisch sprach und mir erklärte, er sei der Dolmetscher des Ayatollah. Er geleitete mich zu einem Wartezimmer, in dem wir Platz nahmen und uns unterhielten. Als ich ihn nach seinem Namen fragte, schaute er mich betroffen an, doch dann sagte er mit einem Lächeln, er heiße »Mohammed«. Ein wenig bereitwilliger verriet er mir, dass er einst Lehrer in Basra gewesen und vor 20 Jahren aus dem Irak geflohen war. Er hatte seine Frau und seine Kinder zurückgelassen, fügte er hinzu, und sie seither nicht mehr gesehen. Als er meinen entsetzten Blick bemerkte, erklärte er mir, dass seine Geschichte ganz typisch sei; viele irakische Exilanten, die im Iran lebten, hätten ihre Familien viele Jahre nicht gesehen oder etwas von ihnen gehört. »So ist es eben, mein Freund«, erklärte er.

Wenige Minuten später führten uns ein paar Leibwächter, die zuvor meine Taschen durchsucht hatten, in einen Salon mit persischen Webteppichen, Sofas in grünem Blumenmuster und an den Wänden aufgereihten Stühlen. Mit Plastikblumen gefüllte Vasen und ein golden eingerahmtes Zitat aus dem Koran in arabischer Schrift bildeten den ganzen Zimmerschmuck. Ich wurde zu einem kleinen Sofa in einer Ecke geführt. Vor mir stand ein Tischchen, auf dem ein Mikrofon lag. Es war mit einem Kabel an ein Aufnahmegerät angeschlossen, das zwei Männer am anderen Ende des Zimmers bedienten. Mohammed nahm neben mir Platz und rutschte nervös auf der Kante seines Sitzes hin und her. Plötzlich ging die Tür auf, und der Ayatollah trat ein. Alle erhoben sich, während Hakim auf mich zuging und mich herzlich begrüßte. Nachdem er sich auf einem Sessel neben mir niedergelassen hatte, nahmen auch die anderen wieder Platz. Hakim trug einen imposanten schwarzen Turban und einen schwarzen Umhang über seinem grauen Geistlichengewand. Er war blass, hatte kräftige Hände und große ausdrucksvolle Augen.

Ich fragte Hakim nach seiner Meinung zu dem von Amerika

geplanten Krieg gegen den Irak, um Saddam zu stürzen. »Die Vereinigten Staaten behaupten, sie wollen das derzeitige Regime abschaffen und die Demokratie im Irak einführen«, erwiderte der Ayatollah ruhig mit einer tiefen, kräftigen Stimme. »Aber Amerika arbeitet nicht mit den verschiedenen ethnischen Gruppen des Irak zusammen, sondern will selbst über das irakische Volk herrschen. Das erzeugt Misstrauen gegenüber den USA, weil ihre Politik eine Doppeldeutigkeit enthält. Werden die Amerikaner als Besatzer im Irak bleiben, oder werden sie dem irakischen Volk gestatten, sich selbst zu verwalten?«

Ich fragte Hakim, ob er den Amerikanern angesichts der Ereignisse nach dem Ende des Golfkriegs 1991 vertraue. Nach einer kurzen Pause, während der er lediglich freundlich lächelte und seinen Kopf hin und her wog, erwiderte er: »Nach der Befreiung Kuwaits änderten die USA ihre Meinung und unterstützten schließlich Saddam. Das bereitet den Irakern immer noch Sorge. Aber wir sehen jetzt auch, dass die Amerikaner in Bezug auf den Regimewechsel im Irak eine neue Ernsthaftigkeit an den Tag legen. Allerdings machen wir uns Sorgen darüber, was nach dem Wechsel kommt.« Er fügte hinzu, er hoffe, dass Präsident Bush sich letztlich an seine kürzlich gegebenen Versprechen halten werde, im Irak die Demokratie wiederherzustellen. Um auf dieses Ziel hinzuarbeiten, sagte er, sei seine Organisation ein Bündnis mit anderen Oppositionsgruppen, einschließlich der sunnitischen Araber, Türken und Kurden, eingegangen. Er erinnerte mich daran, dass sich die irakischen Oppositionsgruppen bei der kürzlich stattgefundenen Gipfelkonferenz in London, an der sein Bruder Abdulasis teilgenommen hatte, auf die Eckpfeiler eines pluralistischen politischen Systems für die Zeit nach Saddam geeinigt hatten. In Zukunft, sagte er, müsse jede Regierung alle ethnischen Gruppen vertreten und »den Islam respektieren«.

Eine der großen Fragen, die Ayatollah Hakim bislang nie

beantwortet hatte, war die, ob er noch immer auf eine islamische Revolution im Irak nach dem Vorbild des Iran hoffte oder nicht. Ich überlegte, ob sich seine Ansichten im Laufe der Jahre vielleicht gemäßigt hatten oder ob er pragmatischer geworden war, weil er miterlebte, wie sich der Iran veränderte und die Anziehung des politischen Islam beträchtlich nachließ. Ich stellte Hakim diese Frage, aber seine Antwort war doppeldeutig. »Ich habe meine Ansichten nicht geändert«, erwiderte er. »Sie sind dieselben geblieben. Die Veränderungen im Iran haben nichts mit uns zu tun.« Er fügte etwas kryptisch hinzu, dass der SCIRI gelegentlich einige seiner Positionen angepasst habe, um notwendige politische Kompromisse zu schließen. »Vor dem Golfkrieg waren unsere Beziehungen zur übrigen Welt sehr eingeschränkt«, sagte er. »Seither hat sich das verändert, und wir konnten viele neue Beziehungen knüpfen. Doch von Anfang an war es nie unser Ziel, die Revolution im Iran nachzuahmen.«

Nun schien der geeignete Augenblick gekommen zu sein, das heikle Thema der Gespräche des SCIRI mit der Bush-Regierung zu berühren. Es war allgemein bekannt, dass Hakim seinen Bruder Abdulasis im August 2002 nach Washington zu einem Treffen der Bush-Administration mit Vertretern verschiedener irakischen Oppositionsgruppen entsandt hatte. (In einem Interview hatte Abdulasis mir erklärt, dass der SCIRI und Washington einen kontinuierlichen »Dialog« führten, der im Kriegsfall eine Art Koordination zwischen den oppositionellen Untergrundorganisationen und den US-Streitkräften sichern sollte.) Ayatollah al-Hakim wollte sich zu dieser Frage nicht weiter auslassen, bestätigte aber, dass es zwischen seiner Organisation und der US-Regierung Gespräche über »irakische Angelegenheiten« gegeben habe.

Ich fragte Hakim, wie lange er nicht in seiner Heimat gewesen sei. »Ich habe den Irak vor 22 Jahren verlassen«, erwiderte er. »1991 kehrte ich kurz zurück« – während des Aufstands – »und jetzt hoffe ich, erneut zurückzukehren.« Er lächelte und hielt kurz inne. Dann fuhr er fort: »Ich verließ meine Heimat, als das Regime anfing, meine Familie und meine Verwandten zu ermorden. Das irakische Regime hat 50 Mitglieder meiner Familie erschossen. Darunter fünf meiner Brüder und sieben meiner Neffen. Nur einer meiner Brüder, Abdulasis, überlebte. Wir waren 10 Brüder. Einer kam bei einem Autounfall um, einer wird vermisst, und einer starb vor Kummer, weil das Regime seine Söhne tötete. Die anderen überlebten die Folterungen nicht.«

Hakim berichtete all dies mit neutraler, emotionsloser Stimme. Wie, fragte ich ihn, wurde er mit diesem hohen Maß an persönlichen Verlusten fertig? Er lächelte und erwiderte: »Wenn man Schmerz empfindet, aber erkennt, dass es noch größeren Schmerz gibt als den eigenen, dann wird der eigene Schmerz gemildert. Alle Iraker leiden; das mindert mein persönliches Leid. Wir verlassen uns vor allem auf Gott. Und wir glauben an ein Leben nach dem Tode, in dem Gerechtigkeit herrschen wird.«

Selbst im Iran wurden Ayatollah al-Hakim und sein Bruder Abdulasis von Saddams Killern bedroht. Beide hatten bereits mehrere Anschläge überlebt. Das jüngste Attentat auf Abdulasis im Jahre 2001, an dem mehrere bewaffnete Männer beteiligt waren, geschah am helllichten Tag mitten in Teheran. Obwohl sich die Büros der Hakims in Teheran befanden, lebten sie unter Einhaltung strenger Sicherheitsvorkehrungen mit ihren Familien in der heiligen Stadt Kom und pendelten möglichst unauffällig zwischen den beiden Städten.

Kom liegt 120 Kilometer südlich von Teheran in einer wenig reizvollen Landschaft, in der sich kahle Wüstenhügel mit flachem Agrarland abwechseln. Die Stadt mit ihren baumbestandenen Boulevards, gewölbeähnlichen Bauten aus gelben Ziegelsteinen, kurvenreichen kleinen Seitenstraßen und einer von blau gefliesten Moscheen beherrschten Skyline erstreckte sich eintönig, aber nicht hässlich über die Tiefebene. In Kom sah man mehr Geistliche mit Bart und schwarzem oder weißem Turban als in ganz Teheran, und die Frauen der Stadt trugen ausnahmslos den alles verhüllenden schwarzen Tschador, der lediglich ihre Gesichter freiließ. In vielerlei Hinsicht war Kom mit Nadschaf, der Heimatstadt der Hakims, vergleichbar. In Kom befand sich das prachtvolle Heiligtum von Fatima, der Tochter des achten Imams der Schiiten, und die Stadt war seit langem ein bedeutendes religiöses Zentrum des schiitischen Glaubens. Nach der iranischen Revolution gewann Kom zusätzliche Berühmtheit, weil Ayatollah Khomeini dort lebte, und mit den Jahren entwickelte sich Kom zu einer Zufluchtsstätte für Tausende irakischer Geistlicher, die vor Saddams Säuberungsaktionen flohen. Allerdings besitzt Nadschaf größere religiöse und historische Bedeutung als Kom, da dort Imam Ali, der Schwiegersohn des Propheten Mohammed, begraben liegt, von dem die Schiiten glauben, dass er als rechtmäßiger Nachfolger und Bewahrer des moslemischen Glaubens betrogen worden sei. In Nadschaf befindet sich auch die größte theologische Universität der Schiiten, an der sogar Khomeini als junger Mann studiert hatte und an die er zurückkehrte, als der Schah ihn ins Exil verbannte.

Eines Morgens fuhr ich nach Kom und sprach beim Al-Mustafa-Zentrum für Islamische Forschungen vor. Da ich unbedingt noch einen anderen Geistlichen als Ayatollah al-Hakim nach seiner Meinung fragen wollte, hatte ich mich dort mit Scheich Ali al-Korani verabredet, einem irakischen Ayatollah, der in Kom die weltweit höchste religiöse Autorität der Schiiten, den Großayatollah Ali al-Sistani vertrat. (Sistani war ein Mann in den Siebzigern, der seit mehreren Jahren in seinem Haus in Nadschaf praktisch unter Hausarrest stand und sich meines Wissens nur selten in der Öffentlichkeit äußerte.)

Scheich Korani war ein liebenswürdiger Endsiebziger mit weißem Bart und hellen Augen und trug an dem Tag, an dem wir uns trafen, einen dunkelgrünen Umhang und einen weißen Turban. Er führte mich in dem Gebäude herum und zeigte mir die Bibliothek, in der ungefähr ein Dutzend eifrige schiitische Gelehrte die Texte des Korans studierten. Korani erklärte, dass diese Männer sich bemühten, wie andere schiitische Gelehrte in vorangegangenen Jahrhunderten Experten für islamisches Denken zu werden. Korani betonte, das Zentrum könne durchaus mit Forschungszentren des christlichen und jüdischen Glaubens verglichen werden. »Wir brauchen mehr vergleichende Studien, akademische Untersuchungen, die unsere Religionen einander näher bringen und den Terrorismus eindämmen«, sagte er überschwänglich. »Wenn bin Laden und seine Anhänger ihre Gedanken offen auf den Tisch gelegt hätten, um darüber zu diskutieren, dann wären die Probleme, die wir heute in der Welt haben, nicht so groß. Gedanken sind wie Wasser: Wenn es fließt, bleibt es klar, wenn es auf einer Stelle stehen bleibt, wird es wie Säure.«

Scheich Korani erläuterte mir einige Schwierigkeiten, die er als Sistanis Vertreter bewältigen musste. Seit den 70er Jahren, als der inzwischen verstorbene Imam Mohamed Bakr al-Sadr (der sein und Ayatollah Hakims Mentor gewesen war) festgenommen wurde und ihn vor der Rückkehr warnte, war er nicht wieder im Irak gewesen. Er sagte, er sei im Irak zum Tode verurteilt – wie viele andere schiitische Geistliche, die im Iran lebten. »Wir nennen uns selbst die Schiiten, denen der Besuch der heiligen Stätten verboten ist.« Er kicherte. »Wenn wir Freunde dort anrufen, nennen wir am Telefon nie unseren Namen«, erklärte er. »Gespräche mit Ayatollah Sistani sind sehr schwierig. Es kann einen Monat oder länger dauern, um ihm eine Botschaft zu übermitteln. Wir fürchten, ihn in Gefahr zu bringen. Erst im letzten Jahr bewilligte man ihm ein Faxgerät. Es gibt kein geltendes Gesetz, das ihm das Reisen verbietet, aber er mag es nicht, und wir wissen nicht, ob Saddam ihn überhaupt reisen lassen würde. Er steht unter ständiger Polizeibeobachtung.«

Korani wollte keinen Kommentar über den bevorstehenden Krieg gegen den Irak abgeben. »Ich kümmere mich nicht um die Politik«, sagte er gelassen und erklärte, dies sei eine theologische Position. »Innerhalb des schiitischen Glaubens gibt es zwei Richtungen. Die eine, die der verstorbene Imam Khomeini vertrat, verlangt, dass wir politisch sein müssen und dass die Mardschiya – die religiöse Führung – die Macht des Fakirs besitzt«, also buchstäblich die Treuhänderschaft über die islamischen Rechtsprechung. Wilayaiti-al-Faquih, die Herrschaft der islamischen Rechtswissenschaft, ist das Leitprinzip der iranischen Revolution. Es bestimmt effektiv den politischen Islam als Gesetz des Landes, indem es den führenden Geistlichen richterliche Gewalt über die gewählte Regierung verleiht. »Die andere Richtung, die der Großayatollah Sistani vertritt und der die Mehrheit angehört, glaubt, dass die Mardschiya nicht in die Politik involviert sein sollte«, sagte Korani. »Sie sollte dem Volk lediglich Ratschläge erteilen, wie der Vatikan, doch wenn möglich, mit größerer Wirkung.«

»Zu welcher Richtung gehört Ayatollah Hakim?«

»Er steht ihm frei zu tun, was er für richtig hält«, sagte Korani. »Alle Gelehrten respektieren seinen Standpunkt, was aber nicht bedeutet, dass wir ihm zustimmen oder widersprechen müssen. Wir Schiiten sind immer die Oppositionsgruppe innerhalb des Islam gewesen, und viele unserer Geistlichen haben die Regierungen nicht akzeptiert, die in den islamischen Ländern herrschten. Wir glauben, dass es nach dem Propheten Mohammed zwölf Imams gegeben hat und dass der zwölfte Imam und Jesus Christus zurückkehren und für Gerechtigkeit in der Welt sorgen werden.«

Ich bat Korani, mir zu erklären, wie sich sein harmonisches

Szenario mit der scheinbar tiefer werdenden Kluft zwischen dem christlich-jüdischen Westen und dem islamischen Osten vereinbaren ließ. »Natürlich ist die gemeinsame Geschichte des Islams und des Westens von Konflikten geprägt«, erwiderte er gelassen. »Und wir glauben, dass eine solche Situation – im Guten wie im Bösen – bis zur gemeinsamen Rückkehr des zwölften Imams und Jesus' immer so bleiben wird. Was die jüngsten Entwicklungen angeht: Osama bin Laden und die Wahhabi-Bewegung, das dürfen Sie nicht vergessen, schließen die Gewalt in ihre Grundprinzipien ein, weil sie andere Muslime als Ungläubige, als Kafire, betrachten, die getötet werden dürfen. Und Sie im Westen« – sagte er und begann zu glucksen – »sind von solchen Menschen abhängig! Sie haben sie akzeptiert, als die Osmanen besiegt wurden, und sie wurden der Mittelpunkt der islamischen Welt und bemächtigten sich der heiligen Stätten in Mekka. Sie sehen ja, was dabei herauskommt, wenn man von gewalttätigen Menschen abhängig ist.« Al-Korani sagte dies auf eine freundlich zurechtweisende Art.

»Was kann der Westen also tun?«

»Es fällt den Westlern heutzutage schwer, frei zu denken: Verschiedene Gruppen in den USA und die jüdische Lobby üben Druck aus. Sie lassen sich jetzt auf Weltkriege ein, und danach werden Sie sehr schwach sein. Natürlich haben Sie die Macht, Sie haben die Waffen. Sie können alle Regimes und Länder unter Ihre Kontrolle bringen, aber Philosophen und Denker glauben, dass nicht das entscheidend ist, was man tut, sondern wie man anschließend verfährt. Es gibt einen einfacheren und billigeren Weg. Er besteht in der Lösung des Palästina-Problems, und Sie können es lösen! Wenn Sie Freunde in den Regierungen des Nahen Ostens hätten, gäbe es keinen Terrorismus, weil diese Leute mit den Terroristen fertig werden würden. Wenn die Vereinigten Staaten sich in diesen Situationen gerecht verhalten würden, dann wäre ihre moralische Macht stärker als ihre militärische.«

Ich spürte, dass Scheich Korani sich in seiner Rolle als orientalischer Gelehrter, der einem unbedarften Jungen aus dem Westen orakelhafte Weisheiten verkündete, sehr wohl fühlte, und drängte ihn, noch einmal über ein brisantes Thema zu sprechen, über den bevorstehenden amerikanischen Krieg gegen den Irak. Er überlegte kurz, schaute mich belustigt und ein wenig ermahnend an und gab nach. »Natürlich wollen wir alle Saddam loswerden«, sagte er leise. »Aber ich glaube, die Amerikaner werden im Irak Ärger bekommen. Sie erwägen, einen Militärgouverneur für ungefähr ein Jahr einzusetzen und die Demokratie aufzubauen. Aber ich denke, es wird ihnen Leid tun. Wenn sie nämlich einen Militärgouverneur im Irak einsetzen, werden die Iraker stets denken: ›Er ist Amerikaner‹. Wenn es ihnen gelingt, so schnell wie möglich eine demokratische Situation im Irak zu schaffen, mit Wahlen und einer nationalen Regierung, dann ist es gut, aber passen Sie auf, dass Sie nicht in den irakischen Treibsand geraten. Wenn Sie also irgendetwas im Irak tun wollen, dann tun Sie es schnell.«

KAPITEL DREI

Anfang Februar bestand kein Zweifel mehr daran, dass es zum Konflikt kommen würde, es blieb nur noch die Frage: Wann? Seit Wochen war eine groß angelegte Luftbrücke für Truppen und militärische Ausrüstung im Gange, Zehntausende amerikanische Soldaten wurden an Stützpunkte in Kuwait und Katar verlegt. Dutzende Kriegsschiffe liefen unter Volldampf aus US-Marinehäfen in Richtung Persischer Golf aus. Eine ähnliche, kleinere Verlegung von Truppen und Kriegsmaterial fand gleichzeitig von Großbritannien aus statt.

Mitte des Monats ließ ich mir ein neues irakisches Visum in den Reisepass stempeln und machte mich auf den Rückweg nach Bagdad, entschlossen, den Krieg über dort auszuharren. Unterwegs traf ich in Amman einen der reichsten Unternehmer Jordaniens, einen Mann, der im Golfkrieg mit der Lieferung von Lebensmitteln an die Koalitionstruppen ein Vermögen verdient hatte. Er teilte mir mit, dass die Amerikaner seinen Quellen zufolge die Absicht hätten, ihren Angriff in der dritten Märzwoche zu beginnen. Als ich ihn fragte, für wie verlässlich er diese Information halte, schenkte er mir ein geheimnisvolles Lächeln und sagte: »Die Leute, mit denen ich spreche, die wissen Bescheid.«

Bagdad war sonderbar ruhig und friedlich. Kriegsvorbereitungen sah ich nirgends. Die Geschäfte und Restaurants blieben alle geöffnet, und die Menschen schienen wie üblich zur Arbeit zu gehen. Auf den Straßen patrouillierten nicht mehr Polizisten als gewöhnlich, und weit und breit waren keine Soldaten zu sehen. Das Wetter war überaus angenehm, ganz ähnlich dem Winter in Südkalifornien. Es war sonnig und warm, eine leichte

Brise wehte, und der Himmel war klar und blau. Ich ging ins Al-Raschid, Bagdads wichtigstes Hotel, in dem sich die meisten ausländischen Journalisten einquartierten. Während ich eincheckte, entdeckte mich mein alter Fahrer Sabah al-Taiee. Der untersetzte, stattliche 52-jährige Schiite mit dichtem silbernem Haar und sauber gestutztem Schnurrbart hatte bis zum Golfkrieg, als die irakische Flugzeugflotte Flugverbot erhielt, für die irakische Fluggesellschaft als Fahrer gearbeitet. Danach war er zu dem Car Service des Al-Raschid gewechselt, der in der Eingangshalle einen eigenen Schalter hatte. Sabah hatte bei meiner ersten Irak-Reise als Fahrer für mich gearbeitet und noch einmal während Saddams Referendum zu seiner Präsidentschaft. Er hatte angenommen, dass ich zurückkehren würde, und bereits nach mir Ausschau gehalten.

Jedes Mal wenn ich nach Bagdad kam, wirkte Sabah ein wenig dicker, und es ging ihm augenscheinlich immer besser. Dieses Mal hatte er seinen 20 Jahre alten weißen Chevy Caprice – das mit Abstand beliebteste Auto im Irak – gegen einen strahlend weißen Mercedes-Benz eingetauscht. Er war 10 Jahre alt, sah aber nagelneu aus, nicht zuletzt weil Sabah ihn in jeder freien Minute eifrig polierte und jeden Tag von einem der Straßenjungen waschen ließ, die um das Informationsministerium herumlungerten.

Auf meinen spöttischen Kommentar hin, dass ich ja wohl den neuen Wagen bezahlt hätte – in Anbetracht seiner Wucherpreise, die von 50 Dollar am Tag im Jahr 2000 auf 75 Dollar im Jahr 2002 und neuerdings auf 100 Dollar gestiegen waren –, lachte Sabah gutmütig, setzte aber sofort zu einer Litanei von Dementis an. Er wies darauf hin, dass der Wagen ihm nur zur Hälfte gehörte, erinnerte mich daran, dass er einen stillen Partner habe, mit dem er die Einkünfte teilen müsse, dass er eine große Familie ernähren müsse und dergleichen mehr. Sabahs letztes Argument, dem ich kaum widersprechen konnte, war, dass wir mehr waren als nur ein Journalist und sein Fahrer: Wir waren gute Freunde. Als Beweis dafür hatte Sabah seit langem eine Aufnahme von uns beiden Arm in Arm in der Sonnenblende seines Wagens aufbewahrt, die er regelmäßig hervorzog und anderen Leuten zeigte. Er küsste sie jedes Mal und schwor mir ewige Treue. In den letzten Jahren hatte er zwischen meinen Besuchen häufig bei mir zu Hause angerufen, um sich kurz zu melden. Da ich in der Regel außer Haus war und den Anrufbeantworter eingeschaltet hatte, hinterließ er bloß seinen gewohnten Gruß: »Hallo, hallo. Mr. Jon, Mr. Jon. Hier Sabah in Bagdad. Auf Wiedersehen.«

Das Band, das Sabah so hartnäckig zwischen uns geknüpft hatte, machte es mir so gut wie unmöglich, in Bagdad einen anderen Fahrer zu nehmen. Bei jeder Rückkehr machte Sabah sich immer unentbehrlicher. Er richtete es in der Regel so ein, dass er in einem Nachbarzimmer schlief, egal in welches Hotel ich ging – natürlich zu den ermäßigten Preisen für Iraker –, damit er immer in meiner Nähe war. Und er kümmerte sich wie ein treuer Diener um mich, fuhr mich nicht nur durch die Gegend, sondern holte auch meine Wäsche ab, wechselte Geld, brachte mir morgens Kaffee. Wann immer wir über Geld stritten, und das war nicht selten, erinnerte er mich unweigerlich an seine über das Übliche hinausgehenden Pflichten, die er sich freilich selbst auferlegt hatte. Sabah sprach sein eigenes Pidgin-Englisch, und ich kramte in der Regel so viele Wörter auf Arabisch zusammen, dass wir uns miteinander unterhalten konnten. Er hatte sich einige idiomatische Besonderheiten angewöhnt, die ich im Laufe der Zeit verstehen gelernt habe. Zum Beispiel sprach er von sich selbst in der dritten Person, und mit »du« meinte er »ich«. Wenn Sabah mich also fragte: »Du gehen Wäsche waschen?«, so fragte er nicht, ob ich gehen wollte, sondern ob er gehen solle. Diese Eigenart sorgte für einige Verwirrung, aber auch für viel Heiterkeit.

Sabah war ein Gewohnheitsmensch. Jeden Donnerstag ging er zu demselben Friseur, Karim, der einen kleinen Laden mit zwei Stühlen hatte. Dieser Laden befand sich in einer der unzähligen Seitenstraßen zwischen der Sadunstraße, dem Haupteinkaufsboulevard im Stadtzentrum am Ostufer des Tigris (benannt nach Nasser al-Saduns Großonkel, dem ehemaligen irakischen Regierungschef), und Abu Nawas, der Uferstraße mit Fischrestaurants, Kunstgalerien und dem verwilderten Grünstreifen. Seit 30 Jahren ging Sabah zu Karim und ließ sich rasieren und den Bart stutzen. Wenn ich in der Stadt war, dann nahm er mich mit. Karims Gegend war ein heruntergekommenes, aber stimmungsvolles Gewirr aus engen Straßen und Gebäuden aus der Zeit des Osmanischen Reiches, mit hängenden Balkonen und bröckelndem Mauerwerk, die mittlerweile von mehreren Familien als Mietshäuser bewohnt wurden. Am späten Nachmittag lärmten spielende Kinder auf der Straße, und Männer saßen auf Stühlen vor dem Haus, plauderten oder spielten Domino und tranken Arrak dazu. Aus irgendeinem Grund war die Gegend von Saddams Planierraupen verschont geblieben. Sie war mein Lieblingsviertel.

Karim war ein warmherziger Mann Mitte fünfzig, sah aber mindestens 10 Jahre älter aus. Er trug dicke Brillengläser, die seine Augen riesig machten, außerdem fehlten ihm ein paar Vorderzähne, was ihn ein wenig hutzelig aussehen ließ. Er hatte alte, schmutzige Haarschneidemaschinen und Scheren und fettige Fläschchen mit Pomade und Haartönung, und er benutzte ein ebenso unhygienisch aussehendes Rasiermesser und einen Rosshaarpinsel zum Rasieren, aber seine Frisierstühle waren aus echt noblem roten Vinyl mit Fußplatten aus Chrom und Hebeln zum Zurücklehnen. Alles in dem Friseurladen sah aus, als sei die Zeit um 1970 stehen geblieben. Sabah sagte mir, Karim sei arm und habe einen dicken Bauch, weil er gerne Arrak trinke und sein ganzes Geld dafür ausgebe, aber ich wusste nicht, ob das stimmte, denn in meiner Gegenwart hatte er nie einen Tropfen getrunken. Karim war immer unrasiert, was mich amüsierte, weil er bei anderen Leuten ein Perfektionist war. Für eine einfache Rasur benötigte er 40 Minuten, weil er stets drei sorgfältige Durchgänge mit seinem Rasiermesser vornahm und erst noch mein Gesicht mit einem Stück vibrierendem Zwirnfaden abschabte, den er im Mund hielt und mit den Fingern zwirbelte. Es war eine qualvolle Prozedur, aber nichts konnte ihn davon abhalten. Während Karim mich folterte, schickte Sabah in der Regel einen Jungen Tee aus der Tschaichana, dem Teehaus, nebenan holen. Der Tee kam stark und schwarz mit Zucker, serviert in kleinen hohen Gläsern auf Untertassen. Sabah trank seinen Tee, wie viele Iraker, indem er ihn auf die Untertasse goss und schlürfte.

In einer Straße, nicht weit von Karims Friseurladen, lag ein heruntergekommenes Wasserpfeifencafé, das von einem leutseligen Kairoer geführt wurde, einem anderen Bekannten Sabahs. Er war auch nach dem großen Exodus arabischer Gastarbeiter nach dem Golfkrieg in Bagdad geblieben. (Im Laufe des irakisch-iranischen Krieges waren rund vier Millionen Einwanderer aus Ägypten, Sudan und anderen Ländern in den Irak geströmt, der damals reich an Ölgeldern und Kriegsanleihen von den Golfstaaten war. Sie übernahmen die Arbeit der Iraker, die an der Front standen.) Sabah und ich gingen gelegentlich spät am Abend in das Café des Kairoers, pafften an einer Narghile (Wasserpfeife) voller Tabak mit Apfelaroma und tranken süßen Tee.

Sabahs Lieblingsrestaurant mittags war das Al-Tabich, nicht weit von der Sadunstraße. Hier setzte Sabah mir zum ersten Mal Qusi Sham vor, ein köstliches Gericht syrischer Herkunft, das aus Teigbällchen bestand, gefüllt mit Safran, Reis, Mandeln, Lamm, Huhn und Rosinen. Er erklärte mir, das Gericht werde nur donnerstags serviert, weil es ein besonderes Essen für den Vorabend des Feiertages sei, und wenn es zu heiß sei, esse man besser nichts davon, weil es schwer im Magen liege. Al-Tabich war billiger als andere Restaurants, und das Essen war gut; deshalb führte Sabah mich hierher und erinnerte mich unablässig daran, dass er mir viel Geld sparte. Nach dem Essen gingen wir immer ein wenig spazieren, damit Sabah sich die Schuhe putzen lassen konnte, und er bestand jedes Mal darauf, dass ich meine ebenfalls putzen ließ, von derselben Gruppe junger Schuhputzer auf dem Gehweg. Und genau hier kaufte er auch immer seine koreanischen Zigaretten: Mild Pine, von demselben Straßenverkäufer. Sabahs Wäscherei, Al-Ghasala, lag am anderen Ende der Stadt, ein sauberer, gut geführter Familienbetrieb mit einem altmodischen italienischen Trockenreiniger in der Nähe der Bagdader Handelsmesse. Hierher brachte Sabah seit Jahren seine Wäsche und nun auch meine. Nicht weit von Al-Ghasala saßen Sabahs bevorzugte Geldwechsler. Sie unterhielten kleine Wechselstuben mit Plakaten, die übergroße irakische Dinarscheine mit Saddams Konterfei und – unangemessenerweise – US-Dollars mit Benjamin Franklin zeigten; am Straßenrand standen in der Gegend auch unabhängige Wechsler, hielten stapelweise Scheine in der Hand und versuchten, die Autos anzulocken. Wenn wir vorbeifuhren, hielt Sabah häufig an, um mit den Wechslern rumzuwitzeln und den aktuellen Wechselkurs für US-Dollars in Erfahrung zu bringen.

Sabah fuhr mich in ganz Bagdad herum – solange er nicht glaubte, dass wir irgendwo mit den Behörden Schwierigkeiten bekommen würden –, aber er verließ nicht gerne die Stadt und weigerte sich hartnäckig, weiter nach Süden als bis nach Babylon zu fahren. In dem Jahr, bevor wir uns kennen lernten, so erzählte er mir, hatte er einmal einen Schweden zu den Ruinen von Ur im Südirak gefahren, und während sie sich dort aufgehalten hatten, waren sie nicht nur ein- sondern zweimal von amerikanischen Kampfflugzeugen angegriffen worden. Wenn ich weiter ins Land fahren wollte, als es Sabah lieb war, dann organisierte er einen anderen Fahrer für mich. Sabah machte kein Hehl daraus, dass er ein Überlebenskünstler war; im Vertrauen hatte er zum Beispiel vor mir geprahlt, dass er sich im irakisch-iranischen Krieg der Einberufung entzogen hatte, indem er ein paar Beamte bestach. Jedes Mal wenn er davon sprach, wie man das System austrickste, machte Sabah große Augen, lächelte und tippte sich an die Stirn, was heißen sollte, dass er nicht auf den Kopf gefallen war.

Korrupte Beamte waren im Irak etwas ganz Alltägliches; ohne Schmiergelder lief überhaupt nichts. Sabah war ein Meister dieser Kunst, und er freute sich königlich über die kleinen Vergünstigungen, die ihm das einbrachte. Zum Beispiel steckte er den Verkehrspolizisten, die auf dem Mittelstreifen des Boulevards vor dem Hotel Al-Raschid saßen, immer ein paar Dinar zu, nur damit er dort eine illegale 180-Grad-Wende machen durfte und schneller zum Hotel gelangte. Er praktizierte das schon so lange, dass die Polizisten jedes Mal, wenn er vorbeifuhr, aufsahen, lächelten und ihm zuwinkten. Im Hotel selbst führte Sabah sich wie ein großer Herr auf, verteilte regelmäßig kleine Bündel irakische Dinar an die Concierges, Empfangschefs, Sicherheitsleute und Portiers. Auf diese Weise, erklärte er, blieben alle glücklich, und die Wahrscheinlichkeit sei geringer, dass sie einem von uns Schwierigkeiten machen.

Gleich zu Beginn hatte Sabah mir auch den Betrieb im Informationsministerium gezeigt, wo alle Journalisten sich registrieren lassen mussten und ihnen offiziell Aufpasser zugeteilt wurden, bei denen sie Interviews beantragen, Reisegenehmigungen und Verlängerungen der Visa erhalten konnten. Mit ganz wenigen Ausnahmen galten Visa für Journalisten nur für 10 Tage, folglich gehörte es zu jedem Besuch, Ministerialbeamte zu bearbeiten und zu schmieren, sich ihre Gunst zu sichern, damit eine Verlängerung bewilligt wurde. Sabah gab sich große Mühe zu vermeiden, dass ich Schmiergelder in bar zahlen musste. Gegen

Ende meiner ersten Reise schlug er jedoch vor, dass ich dem Leiter des Auswärtigen Presseamtes drei Kisten Pepsi (Iraker sind Pepsi-süchtig, auch wenn das Getränk nicht mehr das Original, sondern eine irakische Kopie ist) kaufe und seinem Stellvertreter zwei Kisten 7up, der, wie Sabah mir anvertraute, in Wirklichkeit ein Agent des Geheimdienstes Muchabarat war und das Amt überwachen sollte. Sabah sorgte dafür, dass ich diese Geschenke nicht selbst übergeben musste. Ein oder zwei Tage vor meiner Abreise lieferte er sie den Betreffenden persönlich ins Haus. Das sei eine symbolische Geste, erklärte er, die Wohlwollen schaffe und mir helfen werde, ein Visum für die nächste Reise in den Irak zu erhalten.

Das Informationsministerium war ein hässlicher Betonbau mit 10 Stockwerken, auf dessen Dach Flugabwehrgeschütze montiert waren und der mit Satellitenschüsseln und Telekommunikationsantennen übersät war. Der Bau lag am Westufer des Tigris, in der Nähe einer der sieben Brücken, die den Fluss im Stadtzentrum überspannten, und war von rund 50 identischen Apartmenthäusern umgeben, in denen Regierungsbeamte und ihre Familien wohnten. Zwischen dem Ministerium und dem Fluss stand das Hotel Mansur, ein dunkelbrauner Betonklotz aus den frühen 80er Jahren, der früher zu der internationalen Hotelkette Melia gehört hatte. Wie viele große Hotels in Bagdad, etwa das Palestine Meridian und das Ishtar Sheraton (die knapp zwei Kilometer flussabwärts auf der anderen Seite des Tigris wie Pilze nebeneinander standen), war das Mansur heruntergekommen und hatte seinen internationalen Franchisepartner längst verloren, doch die meisten Bagdader nannten es immer noch Melia Mansur.

Das Ministerium und sein Ableger gleich nebenan, die Irakische Rundfunk- und Fernsehgesellschaft, bildeten den Dreh- und Angelpunkt für Propaganda und Kommunikation in Saddams Regime. Dort in dem Ministerium wurde Nasra al-Saduns *Iraq Daily* herausgegeben sowie eine Flut von Flugblättern und Pamphleten, in denen Saddams Reden und Regierungspositionen zu Themen wie »Embargo oder Genozid«, »Amerikanische Politik mit zweierlei Maß« und »Amerikanische Verbrechen gegen Irak« abgedruckt waren. In dem Ministerium fanden fast alle offiziellen Pressekonferenzen statt, außerdem war dort, in einer Ansammlung schmutziger kleiner Kammern und Kabinen im Erdgeschoss, das Auswärtige Presseamt untergebracht. Einer Reihe internationaler Medienunternehmen, überwiegend Nachrichtenagenturen, hatte man gestattet, dort Kabinen zu mieten und Mitarbeiter zu unterhalten. In der Regel waren dies irakische oder arabische Journalisten, die wussten, wie sie sich in dem System zurechtfanden, oder es waren tatsächlich Angestellte des Ministeriums, die sich nebenher als Assistenten für verschiedene Medienorganisationen etwas dazuverdienten. Die meisten derartigen Arrangements waren allerdings erst nach einer gehörigen Portion diplomatischer Überzeugungsarbeit und etlichen Schmiergeldern zustande gekommen. Der Nachrichtensender CNN hatte schon vor Jahren einen Sonderstatus ausgehandelt. Lange Zeit war er der einzige amerikanische Fernsehsender, dem erlaubt wurde, ein ständiges Büro und einen Korrespondenten in Bagdad zu unterhalten.

Es zählte zu den Anomalien des irakischen Lebens, dass Satellitenfernsehen gewöhnlichen Irakern verboten war, das Pressezentrum aber ohne weiteres BBC und CNN empfing. Funktionäre überwachten die Sendungen von CNN und BBC, wie auch die von Al-Dschasira, dessen Villa gleich um die Ecke lag. Die Mehrzahl der Iraker musste sich mit einem der beiden staatlichen Fernsehkanäle zufrieden geben, deren ungenießbares Menü aus schablonenhaften offiziellen Nachrichten, alten ägyptischen Schwarzweiß-Filmen und Saddam-Bildern bestand. Bei Letzteren handelte es sich um ein bizarres Nachtprogramm –

eine endlos laufende Collage von Aufnahmen vergangener Auftritte Saddams. Sie zeigten ihn, wie er Menschenmengen zuwinkte, Gruppen von Kindern begrüßte, Lobreden oder Blumensträuße von Huldigern entgegennahm – und das alles unterlegt mit Liedern, die seine Intelligenz, seinen Mut und so weiter priesen. Nach einer Weile erschien einem das fast so öde wie ein Standbild. Etwas beliebter war Youth TV, ein Kanal, der Saddams älterem Sohn Udai gehörte. Er zeigte Raubkopien von westlichen Filmen, überwiegend Horrorstreifen, Actionthriller und MTV-Musikvideos.

Das Presseamt teilte den Journalisten »Führer« als offizielle Dolmetscher zu. Wir nannten diese Männer unsere »Aufpasser«. Die meisten von ihnen, wie Salaar, mein erster Aufpasser, waren irakische Universitätsabsolventen, die eine oder mehrere Fremdsprachen beherrschten und keine bessere Möglichkeit gefunden hatten, ihren Lebensunterhalt zu verdienen. Sie waren Überlebenskünstler, die ganze Familien ernähren mussten. Die meisten behielten ihre politischen Ansichten für sich, aber einige gestatteten Reportern, zu denen sie Vertrauen hatten, gelegentlich Einblick in ihre wahren Empfindungen. Sie hatten herausgefunden, wie sie ihren Pflichten nachkommen und zugleich den Reportern möglichst viel Spielraum lassen konnten. Dabei waren sie jedoch verpflichtet, uns im Auge zu behalten und Berichte zu schreiben, mit wem wir worüber gesprochen hatten. Ihr offizielles Gehalt war lächerlich, um die fünf Dollar im Monat, aber wir mussten dem Ministerium für ihre Dienste 50 Dollar pro Tag zahlen. Außerdem wurde von uns erwartet, am Ende unserer Reise ein Trinkgeld zu geben. Auf Sabahs Rat hin zahlte ich Salaar jede Woche bescheidene 40 Dollar, und er schien damit zufrieden.

Mit Saddams Referendum im Oktober 2002, als das Regime Hunderte von Journalisten in den Irak einließ, die darüber berichten sollten, änderte sich jedoch alles. Viele nutzten die Gelegenheit, sich schon im Vorfeld des bevorstehenden Konflikts eine günstige Ausgangsposition zu verschaffen. Zu dieser Zeit standen Reportern, die über den Krieg berichten wollten, drei Möglichkeiten offen: Man konnte über den Iran ins irakische Kurdistan einreisen und dort warten, bis der Krieg begann. Oder man registrierte sich beim Pentagon als »eingebetteter« Reporter bei den US-Truppen. Die dritte Option und zugleich die unsicherste bestand darin, in Bagdad zu bleiben. Zunächst einmal war es nämlich extrem schwierig geworden, überhaupt ein Visum zu bekommen, das dann auch nur 10 Tage galt. Da niemand wusste, wann der Krieg ausbrechen würde, hieß das, dass man sich ständig eine neue List ausdenken musste, um das Visum zu verlängern. Schon während des Referendums begannen große westliche Medienunternehmen, den Vertretern im Ministerium riesige Summen an Bestechungsgeldern zu zahlen, in der Hoffnung, dass dies ihnen Visa und eine sichere Basis in Bagdad verschaffen würde. Sie rissen sich sogar darum, etliche Aufpasser/Dolmetscher als Mitarbeiter zu gewinnen, und zahlten ihnen 100 Dollar pro Tag oder mehr. Einige besonders tüchtige Aufpasser bekamen mehrere Tausend Dollar als Vorschuss ausgezahlt.

Dieser Goldrausch hatte zur Folge, dass die meisten Dolmetscher bereits anderweitig beschäftigt waren, als ich mein Visum erhielt und im Februar 2003 nach Bagdad zurückkehrte. Auch die Gebühren des Ministeriums waren in die Höhe geschnellt. Die aktuelle offizielle Gebühr für einen Führer hatte man auf 100 Dollar pro Tag festgesetzt, und die Gebühr für die Benutzung eines Satellitentelefons betrug 125 Dollar pro Tag. Das Hotel Al-Raschid hatte seine Sätze ebenfalls erhöht. Darüber hinaus war es nötig, dem Manager zuerst ein Schmiergeld zu zahlen, um überhaupt ein Zimmer zu bekommen, und dann musste ein zweites gezahlt werden, damit man auf der Südseite des Hotels einquartiert wurde, wo man Satellitenempfang hatte. Am Vorabend des Krieges waren die Kosten für den Aufenthalt in Bagdad auf 450 Dollar am Tag geklettert – Minimum. Da im Irak keine Kreditkarten akzeptiert wurden, benötigte man Unmengen von Bargeld.

Hunderte von Journalisten strömten nach Bagdad, und es gab ein fieberhaftes Gerangel um die Visa-Verlängerungen. Ein Gerücht besagte, dass ein großer amerikanischer Fernsehsender 5000 Dollar an Schmiergeldern für jede Verlängerung zahle. Die größeren Medienunternehmen hatten allem Anschein nach irgendetwas ausgetüftelt, denn alle großen amerikanischen und europäischen Fernsehsender hatten tonnenweise Ausrüstungsgegenstände und ansehnliche Mitarbeiterstäbe ins Land gebracht. Die großen amerikanischen, europäischen und japanischen Zeitschriften und Zeitungen hatten provisorische Büros eröffnet und mehrere Korrespondenten hergeschickt. Die Frage, wie man in Bagdad verweilen konnte, blieb allen anderen Journalisten ein großes Rätsel und ein ständiger Grund zur Sorge.

Zu der allgemeinen Verwirrung kam hinzu, dass unlängst im Auswärtigen Presseamt einige Posten neu besetzt worden waren. Ein kleiner aggressiver Mann Mitte fünfzig namens Mohsen, der ein sackartiges Gesicht hatte, war überraschend aus dem zweiten Glied zum Leiter befördert worden. Der ehemalige Leiter hingegen, ein Mann des Muchabarat namens Hillal, war verschwunden. Noch ein neuer Mann war auf den Plan getreten. Der katzenhafte, athletische Chadum, der Gerüchten zufolge ein hoher Offizier des Muchabarat war, trug elegante Anzüge und sprach ausgezeichnetes Englisch. Er war zu Mohsen ins Büro gezogen. Mohsen und Chadum saßen an gegenüberliegenden Schreibtischen. Keiner im Ministerium schien zu wissen, wer denn nun wirklich der Boss war. Als ich Mohsen fragte, wer zuständig sei, warf er Chadum einen Blick zu, lächelte vieldeutig und sagte leise: »Wir beide.«

Einigen Journalisten unterliefen, wen wundert es, bedauerliche Patzer. Ein Vorfall diente uns allen schon bald als warnendes Beispiel: Ein koreanischer Fernsehjournalist bot, in der Hoffnung auf eine Verlängerung des Visums, dem stellvertretenden Informationsminister Udai al-Taiee einen ganzen Stapel 100-Dollar-Noten an. Nachdem der Koreaner ihm das Geld überreicht hatte, bekam al-Taiee allem Anschein nach einen schrecklichen Wutanfall, schleuderte dem unglücklichen Korrespondenten die Scheine ins Gesicht und befahl, ihn sofort aus dem Irak hinauszuwerfen. Der Koreaner hatte offensichtlich den Fehler begangen, das Bargeld in Gegenwart des Assistenten al-Taiees vorzulegen. Er war durchaus nicht fehlgegangen in der Annahme, dass al-Taiee ein Schmiergeld annehmen würde, doch er hatte sich nicht an das Protokoll gehalten.

Al-Taiee, ein etwa 50-jähriger Mann mit Kulleraugen, hatte ein großes Büro in einem oberen Stockwerk des Ministeriums und war der ranghöchste Zuständige für die ausländische Presse. Er war unmittelbar dem Minister Mohammed al-Sahaf unterstellt und saß bei Pressekonferenzen oft würdevoll neben ihm – der Inbegriff baathistischer Schicklichkeit. Im kleineren Kreis war al-Taiee ein redegewandter und redseliger Mensch, der fließend Französisch und Englisch sprach, doch seine muntere Stimmung konnte urplötzlich umschlagen, und ich versuchte immer, ihm aus dem Weg zu gehen. Er hatte die Angewohnheit, frisch eingetroffenen britischen oder amerikanischen Journalisten lange gönnerhafte Vorträge über die Perfidie der westlichen Demokratien zu halten, und ich hatte irgendwann mal eine dieser Tiraden ertragen müssen. Al-Taiee hatte einige Jahre als Diplomat in Paris gelebt, wo er angeblich auch für die irakische Spionageabwehr gearbeitet und Dissidenten ausspioniert hatte. Was immer davon wahr sein mochte, er kehrte als unerschrockener Frankophiler ins Land zurück. Da dies bekannt war, schenkten französische Reporter ihm besonders viel Aufmerksamkeit und scharten sich um ihn, wenn er seinen allabendlichen Auftritt im Presseamt hatte. Al-Taiee wurde zum Stammgast bei den Abendgesellschaften, die französische Korrespondenten in einem der nobleren Bagdader Restaurants gaben. Er saß stets am Kopf des Tisches, während sie sich respektvoll und mit den verzückten Blicken von Sektenanhängern um ihn scharten.

Als Erstes suchte ich in jenem Februar Dr. Ala Bashir auf, einen Künstler und plastischen Chirurgen, den ich bei meinen vorherigen Besuchen im Irak kennen und schätzen gelernt hatte. Bashir war außerdem mit Saddam Hussein eng befreundet und deswegen eine außerordentlich einflussreiche Persönlichkeit. Er begrüßte mich herzlich und schien sehr erfreut, mich zu sehen. Nachdem wir einige Neuigkeiten ausgetauscht hatten, erzählte ich ihm, dass ich darauf hoffte, während des Krieges im Land zu bleiben. Er fragte mich nach meinem Visum. Meine Lage war in Wirklichkeit nicht gerade günstig; ich sagte ihm, dass mein Visum innerhalb von wenigen Tagen ablaufen würde. Bashir rief sofort Udai al-Taiee im Informationsministerium an. Er tat das direkt vor mir, in seinem Büro, und sprach Arabisch.

»Zufällig«, sagte er später, »haben sie genau in dem Moment Ihren Antrag geprüft, als ich angerufen habe. Ich habe ihnen gesagt, Sie wären ein Freund von mir.« Er lachte. »Jedenfalls werden sie meinen Namen als Bürgen auf Ihren Antrag setzen.« Ich hatte nie wieder Schwierigkeiten, mein Visum zu erneuern, noch wurde je wieder angedeutet, dass ich, wie ansonsten üblich, ein Schmiergeld zahlen solle. Mir fiel auch auf, dass Beamte, sobald sie Ala Bashirs Name auf meinen Formularen erblickten, beeindruckt schienen. Sogar Chadum, der ominöse Muchabarat-Beamte, nahm mich einmal beiseite und sagte: »Ala Bashir sagt, Sie wären sein Freund. Kommen Sie einfach zu mir, wenn Sie jemals Schwierigkeiten haben. Wenn ich irgendetwas für Sie tun kann, so lassen Sie es mich wissen.«

Im August 2000 hatte ich Ala Bashir zum ersten Mal in Bagdad getroffen, nachdem ich von Nadschi Sabri al-Hadithi ein Empfehlungsschreiben bekommen hatte. Nadschi Sabri hatte ich in Wien kennen gelernt, damals noch als Saddams Botschafter in Österreich, inzwischen war er zum irakischen Außenminister aufgestiegen. Er hatte mir erzählt, dass Bashir ein enger Freund und Vertrauter Saddams sei und dass ich von ihm mehr lernen könne als von irgendeinem anderen, dem ich im Irak begegnen würde. Ich hatte Bashir im Saddam-Zentrum für Plastische Chirurgie besucht, das er von Bagdads altem Al-Wassati Hospital aus leitete. Wir unterhielten uns über Politik und Geschichte. Seine äußere Erscheinung war ungewöhnlich. Die meisten Bagdader in seinem Alter – er war damals 61 – sind dicklich und blasshäutig. Bashir war hoch gewachsen und geschmeidig, und seine Haut hatte eine walnussbraune Farbe. Er hatte eine große schnabelförmige Nase, und sein Gesicht war glatt rasiert. (Irakische Männer tragen in der Regel dichte Schnurrbärte.) Seine Gesichtszüge, so fiel mir auf, glichen denen von Figuren, die sumerische Künstler vor 5000 Jahren in Alabastervasen geschnitzt hatten. Das auffälligste Merkmal an Bashirs Äußerem waren jedoch seine Haare, die wie ein langer weißer Schleier an den Seiten und nach hinten von seinem ansonsten völlig kahlen Kopf fielen. Die meisten Iraker achten auf einen sauberen Haarschnitt oder haben vielleicht, wenn sie jung sind, einen rasierten Kopf mit kurzen Stoppeln – der Udai-Hussein-Look. Irakische Akademiker, Anwälte und Ärzte kleiden sich tendenziell sehr konservativ, für gewöhnlich tragen sie einen dunklen Anzug und Krawatte. Doch Bashir kleidete sich nach westlichem Vorbild auf eine dezidiert lässige Art, trug häufig ein Polohemd und Chinos oder, wenn es kühler war, einen braunen Cordanzug – für einen Iraker schier unvorstellbar. Soweit ich mich entsinne, habe ich ihn nie mit Krawatte gesehen. Bashirs Büro in dem baufälligen Al-Wassati Hospital war für einen Iraker in seiner Stellung ebenfalls ungewöhnlich karg. Da ich es gewohnt war, Saddams Regierungsvertreter in luxuriösen Büroräumen vorzufinden, die von einer Klimaanlage gekühlt und mit Kunstwerken geschmückt waren, hatte es mich überrascht, Bashir in einem kleinen Raum mit leicht schmuddeligen Wänden anzutreffen, die in einem einheitlichen Lindgrün gestrichen waren. Die einzigen Einrichtungsgegenstände waren ein Aktenschrank, ein Stuhl und ein einfacher Schreibtisch. Eine alte Klimaanlage steckte in einem Loch in der Wand, doch sie war immer ausgeschaltet. Die einzigen Schmuckgegenstände in dem Raum waren ein offizielles Porträt von Saddam, das an der Wand hing, und eine kleine Saddam-Büste, die gleich neben der Lampe auf Bashirs Schreibtisch stand.

Ala Bashir hatte eine ruhige, zurückhaltende Art, dennoch gerieten wir gleich bei unserem ersten Treffen ziemlich heftig aneinander. Ich hatte gesagt, dass ich hoffe, er könne mir als Freund des irakischen Staatschefs erzählen, was für ein Mann Saddam Hussein »wirklich« sei. Bashir hörte mich reglos an und fing nach einer langen Pause an zu reden. Zuallererst, sagte er, müsse ich mich mit dem Umstand abfinden, dass ich im Irak nichts anderes als Lobeshymnen auf Saddam Hussein zu hören bekommen würde. Er erklärte: »Er ist unser Präsident, und es ist unser gutes Recht, ihn zu loben.« Dann teilte er mir mit, er wisse ganz genau, dass alles, was er mir über Saddam erzählen würde, nicht korrekt wiedergegeben werde. Als ich protestierte und ihn fragte, wieso er das glaube, erklärte Bashir, er denke an die jüdische Dominanz in westlichen Medien und das zionistische Bestreben, die Welt zu beherrschen. »Ich habe Hinweise, dass Sie nicht imstande sein werden, die Wahrheit zu sagen, weil Menschen, die es in der Vergangenheit versucht haben, hart angegangen wurden.« Er bezog sich auf den Fall eines zeitgenössischen französischen Philosophen, dessen Name ihm nicht einfiel. »Sie wissen schon, wen ich meine«, sagte er aufgebracht,

»den Mann, der geschrieben hat, die Zahlen des Holocaust seien stark übertrieben, vielleicht nur 2000 oder 3000 Tote, nicht die Zahlen, die sie angeben, Millionen – was natürlich großer Unsinn ist. Was ist passiert? Sie sind vor Gericht gegen ihn vorgegangen, sie haben seine Bücher angegriffen; Buchhandlungen wurden angegriffen!« Bashir schloss: »Ich glaube, Hitler hat bestimmt einige gute Dinge für Deutschland getan, aber wer darf das heute schon sagen? Das darf niemand – wegen der zionistischen Kontrolle der Medien.«

Ich wollte etwas einwenden, doch Bashir unterbrach mich. Er sagte: »Christen und Muslime, wissen Sie, wir sind uns sehr ähnlich; wir teilen dieselben Wertvorstellungen, aber ich glaube nicht, dass die Juden in Amerika den Christen gestatten, selbstständig und unabhängig zu denken.« Er machte eine kurze Pause und fragte: »Wissen Sie, wer Eichmann war, der Mann, den die Juden in Israel hingerichtet haben?« Als ich bejahte, lächelte er und sagte: »Nun, Eichmann sagte, er sei gegen die Juden vorgegangen, weil sie für sich geblieben wären und sich nicht für Deutsche gehalten hätten. Das ist ein echtes Problem, sehen Sie?« Als ich erwiderte, ich sähe eigentlich nicht, wo da das Problem sei, erzählte Bashir mir eine Anekdote, die er selbst erlebt hatte. Ein Jahr zuvor, bei einem Besuch in London, hatte er ein Taxi herangewunken und war von einem redseligen Fahrer mitgenommen worden, der sich mit den Worten vorgestellt hatte: »Ich bin Jude. Wo kommen Sie her?«

»Sehen Sie?«, rief Bashir aus. »Er hat nicht gesagt: ›Ich bin Engländer.‹ Er sagte: ›Ich bin Jude‹! Daran können Sie sehen, dass das immer noch ein großes Problem ist.« Worauf Ala Bashir wohl hinauswollte, war, dass man Saddam genau wie Adolf Hitler ein Kainsmal verpasst hatte und dass die Juden Schuld daran hatten.

»Wie dem auch sei«, fügte er mit Nachdruck hinzu, »Saddam Hussein schert sich nicht darum, was der Westen denkt. Er denkt als Iraker, und er denkt zuallererst an sein Land. Er legt keinen Wert darauf, alle vier Jahre Wahlen auszurichten und den ganzen Kram. Er möchte, dass der Irak stark ist, und er versucht, das Beste für sein Land zu tun ... Und jawohl, Saddam ist ein starker Mann, und das ist vielleicht der Grund dafür, dass er seine Feinde und Verräter so ... hart bestraft. Weil wir in unserer Zivilisation wie in einer Familie leben, und Verrat ist das Schlimmste, was man tun kann. Aber er ist ein guter Freund; seinen Freunden ein guter Freund – das kann ich Ihnen sagen. Solange er nicht verraten wird.«

Trotz unserer unübersehbaren Meinungsverschiedenheiten schien Bashir große Lust zu haben, sich länger mit mir zu unterhalten, und lud mich ein paar Tage später zum Mittagessen ein. Wir trafen uns während meines Aufenthalts noch ein- oder zweimal und führten weitschweifige Gespräche über Kunst, Geschichte und Architektur – und über Saddam. Bashir wusste, dass ich in vielen Fragen anderer Meinung war, doch er schien es zu genießen, provokative Reden zu führen und sich meine Gegenargumente anzuhören. Unsere Treffen waren auch für mich interessant. Ala Bashir genoss im Informationsministerium eine derartige Hochachtung, dass ich ohne Aufpasser zu ihm gehen durfte. Später zitierte ich einige Bemerkungen Bashirs über Hitler und Saddam in einem Artikel, den ich über den Irak schrieb, und schickte ihm den Artikel, aber ich bekam keine Rückmeldung. Ich nahm an, dass er ihm nicht sonderlich gefallen hatte.

Als ich im Oktober 2002 nach Bagdad zurückkehrte, besuchte ich Bashir wieder und fragte ihn, was er von dem Artikel gehalten habe. Er lächelte und sah verlegen beiseite. Mit gedämpfter Stimme sagte er, dass ich seine Bemerkungen über Hitler vielleicht »zu sehr hervorgehoben« hätte, dass er aber sonst »in Ordnung« sei. Bashir wollte sichtlich nicht, dass das Thema zwischen uns stand. Einmal mehr lud er mich zum Mittagessen in sein Haus ein. Und eines Abends, ein paar Tage nachdem Saddam eine Amnestie für Häftlinge verkündet hatte und kurz bevor ich den Irak verlassen musste, rief Bashir an und bat mich, ihn in einer Kunstgalerie zu treffen. Ich war sehr neugierig. Seit Tagen hatte ich erfolglos versucht, ihn zu erreichen, und schon gedacht, er gehe mir aus dem Weg. Als ich die Kunstgalerie betrat, führte er mich in einen leeren Raum mit Gemälden an den Wänden, in dem eine große Klimaanlage laut brummte. Dort fragte er, während er ganz dicht neben mir stand, was mir denn durch den Kopf gehe. Ich sagte, dass ich das Rätsel der Ereignisse der letzten Tage zu lösen versuche: zuerst Saddams Referendum, dann das bizarre Spektakel ein oder zwei Tage später, als ehemalige politische Häftlinge nach Jahren in Abu Ghraib aufgetaucht waren, um Saddam zu preisen, und schließlich der geradezu makabre »Protest« der Angehörigen spurlos Verschwundener, die auf den Straßen Bagdads Loblieder auf den irakischen Führer sangen. Bashir hörte mir aufmerksam zu und verblüffte mich dann, indem er halblaut sagte: »Sie nennen diese Dinge ein Rätsel. Ich vermute, genau das sind sie auch. Aber ich halte Sie für einen intelligenten Menschen. Folglich sollten Sie nicht erwarten, die Wahrheit über Dinge zu hören, wenn Sie mit Irakern sprechen. Sie dürfen nicht die Wahrheit sagen, und ich denke, Sie wissen genau, warum. Im Irak herrscht große Angst unter den Menschen, und das aus gutem Grund.« Was den Protest der Angehörigen von Vermissten anging, ließ er mich wissen, dass die vermissten Menschen vermutlich für immer verschwunden seien. »Im Irak werden viele Menschen vermisst. Viele.

Es gibt im Irak viele Menschen, die mit der Freilassung der Häftlinge nicht einverstanden sind«, fügte er leise hinzu. »Weil sie Verbrecher sind, sie haben Verbrechen begangen, und viele von ihnen gehören ins Gefängnis. Folglich ist es in Wahrheit ein Verbrechen, sie freizulassen, wirklich. Diejenigen, die beschlossen haben, sie freizulassen, sind in Wirklichkeit Verbrecher.« Er machte eine Pause, wie um mir Gelegenheit zu geben, die Ungeheuerlichkeit dessen, was er sagte, zu verarbeiten. Dann wiederholte er: »Viele Menschen sind damit nicht einverstanden, aber das werden sie Ihnen nicht sagen.« Er erzählte mir von der Zeit, als er ein Krankenhaus in Europa besucht hatte. Zu seiner Überraschung traf er dort auf einen alten Freund aus Bagdad. Der Mann ging rasch an ihm vorbei, ohne ihn zu erkennen. Als Bashir ihm nachging, fiel ihm auf, dass sein Freund es sich zur Gewohnheit gemacht hatte, ständig über die Schulter zu blicken. »Es sah so aus, als sei er verrückt, weil er sich ständig umsah, obwohl niemand dort war«, erklärte er. Als Bashir seinen Freund einholte, fragte er ihn, wieso er sich denn so verhalte, und der Mann erwiderte: »Das habe ich mir in Bagdad angewöhnt, und jetzt muss ich immer denken, jemand verfolgt mich.«

»So ist das hier, sehen Sie?«

Ich wusste, dass Bashir ein großes Risiko einging, indem er mir diese Dinge anvertraute, und ich würdigte das, indem ich ihm dankte und das Gespräch wieder auf unverfängliche Dinge lenkte. Bevor wir uns trennten, gab er mir noch einen letzten Rat: »Hören Sie den Menschen aufmerksam zu, und urteilen Sie selbst. Aber denken Sie daran, die Wahrheit ist darin zu finden, was sie nicht sagen.« Als ich ihn ein oder zwei Tage später aufsuchte, um mich zu verabschieden, tat ich das absichtlich ganz förmlich und in Gegenwart seiner Kollegen.

Seit unserer Unterhaltung in der Galerie haftete unserer Beziehung jedoch so etwas wie eine Komplizenschaft an. Nach meiner Rückkehr nach Bagdad im Februar 2003 trafen Bashir und ich uns alle paar Tage, manchmal auch bei ihm zu Hause, aber meistens in seinem Büro. Er drängte mich, ihn häufig zu besuchen, und machte sich Sorgen, wenn ich mich mehrere Tage hintereinander nicht blicken ließ. Wenn andere Leute dabei waren – Bashir empfing häufig Besucher –, verliefen unsere Gespräche relativ oberflächlich, wie zwischen guten Bekannten, und befassten sich mit aktuellen Themen wie dem drohenden Krieg. Er lud mich ein paar Mal zum Dinner in sein Haus ein und nahm mich auch in das Haus eines Freundes mit, Samir Chairi Tawfik, der mir als hoher Beamter im Außenministerium vorgestellt wurde. Samir schien es zu genießen, für uns und andere Freunde, die vorbeikamen, zu kochen. Er lebte allein in einem großen Haus, mit festungsartigen Zinnen am Flachdach. Es lag in einer ruhigen Wohnstraße im Mansur-Viertel, in der Nähe einer Moschee. Samir war ein leutseliger Mensch, der eine geradezu unheimliche Ähnlichkeit mit den hochkomischen Adligen und Ministern hatte, die in Hergés »Tim und Struppi«-Büchern auftraten; es fehlte nur noch das Monokel. Er war hoch gewachsen und korpulent und hatte einen großen kahlen Kopf, der an den Seiten noch einen Streifen schwarzes Haar aufwies, sowie einen großen Schnurrbart von der Art, die im Westen so um 1890 Mode gewesen war. Ferner hatte er sehr große, müde schwarze Augen.

Bashir selbst lebte in einem bescheidenen braunen Stuckgebäude nach westlichem Stil, das in den 60er Jahren in dem besseren Viertel Al-Dschihad im Südwesten Bagdads gebaut worden war. Zwei Mercedes und ein Geländewagen von Hyundai standen immer in der Einfahrt. Kein einziges Auto war neu, und es sah so aus, als würden sie nie gefahren. Bashir war in der Regel in einem staatlichen Toyota Land Cruiser mit Fahrer unterwegs. Die Vorhänge des Hauses waren immer zugezogen, und in dem schwachen Licht wirkte der Ort eher verlassen. Bashirs Frau Amal, ebenfalls eine Ärztin, und ihre Tochter Amina, damals 23, waren in Amman. Er erklärte, er habe sie schon vor einigen Monaten aus dem Land geschickt und ihnen gesagt, sie sollten dort bleiben, bis der Krieg vorbei sei. Er hatte vier Kinder, die ersten beiden, zwei Jungen, waren in England zur Welt gekommen, wo er Anfang der 70er Jahre als Chirurg gearbeitet hatte, nachdem er ein Diplom des Royal College of Surgeons in

Edinburgh erhalten hatte. Seine zwei ältesten Söhne lebten jetzt in England, in Sheffield und Nottingham, und ein dritter Sohn studierte an einem Konservatorium in Montpellier. Im Wohnzimmer hingen Familienbilder an der Wand, darunter eines von einem lächelnden kleinen Enkel und, in einer Ecke versteckt, ein gerahmtes Porträt von Bashir, wie er bei irgendeinem öffentlichen Anlass neben Saddam Hussein stand. Das war das einzige Bild von Saddam, das ich je dort sah. An den meisten Wänden hingen große Gemälde, und Skulpturen waren über den ganzen Raum verstreut.

Die meisten Kunstwerke im Haus stammten von Bashir selbst, der als Maler und Bildhauer ebenso prominent war wie als Arzt. Er hatte von Saddam Aufträge für mehrere große Denkmäler in Bagdad bekommen, darunter ein sehr bekanntes, das 2001 an der Gedenkstätte für den Angriff auf den Luftschutzbunker in Amirija enthüllt wurde. 1991 hatte eine amerikanische Bombe dort mehr als 400 Menschen getötet, überwiegend Frauen und Kinder. Der Bunker, den man zu einem Museum ausgebaut hatte, war das Kernstück der offiziellen Opferversion des Irak. Amirija wurde so als das irakische Äquivalent von Guernica oder sogar Hiroshima ausgegeben, eine historische Gräueltat, die in der offiziellen irakischen Propaganda als das »schlimmste Kriegsverbrechen durch die USA im 20. Jahrhundert« bezeichnet wurde. Es handelte sich dabei um eine dunkle Kammer mit einem riesigen klaffenden Loch in der niedrigen Decke, wo die amerikanischen bunkerbrechenden Bomben sie getroffen hatten. Der Ort sah mit den verbogenen Stahlträgern und Mauerresten übel zugerichtet aus. Eine rehäugige Führerin hatte mich einmal hier herumgeführt und mir erzählt, wie die Menschen in dem Raum allein wegen der hohen Temperatur der Detonation ums Leben gekommen waren und dass viele von ihnen sich schlichtweg aufgelöst hatten. Sie zeigte mir eine, wie sie sagte, fotografische Silhouette von einer Mutter und ihrem Baby an einer Wand. Sie erklärte mir, die gewaltige Hitze der Detonation habe die Menschen nicht nur verbrannt, sondern einen fotografischen Effekt erzielt. Als ich mir die Stelle genau ansah, ähnelte das dunkle schattenhafte Bild in der Tat einer menschlichen Gestalt. Mir fiel das Turiner Leichentuch ein, das antike Tuch, von dem gesagt wird, die Umrisse Christi seien darauf abgedruckt. Die Führung endete vor einigen Porträts von Kindern, die ums Leben gekommen waren, und meine Führerin fragte mich rhetorisch: »Warum mussten sie sterben?«

Bashirs Kunst, die symbolträchtig und unheilvoll wirkt, hat ihre Wurzeln im Surrealismus. Er selbst zählt zu den Vorkämpfern und wenigen Vertretern dieser Richtung im Irak. Seine Kunstwerke stellen häufig Raben mit weit geöffneten Schnäbeln dar. Seine grauenvolle, medusenartige Bronzestatue eines androgynen schmerzverzerrten Gesichts in der Gedenkstätte für Amirija ist ein beklemmendes Werk. »Es steht für das Resultat von Krieg und Hass«, erklärte Bashir mir einmal. »Es ist eine Erinnerung an alle, dass Krieg schlecht ist. Die Botschaft, an die wir glauben sollten, ist die Liebe, weil sie für das Leben und den Wiederaufbau steht. Wir müssen unseren Hass überwinden, weil er nur zu Zerstörung führt.« Wenn Bashir über seine Kunst sprach, verfiel er häufig in eine philosophische Stimmung. Unsere Gespräche waren von Schweigen durchsetzt, weil er sich in Tagträumen verlor. In solchen Momenten spielte er oft mit Stift und Papier und kritzelte surreale Bildchen. Nach einer Pause fuhr er fort: »Dieser Krieg, da bin ich sicher, wird kommen. Er ist ein weiteres Zeichen dafür, dass wir wahrlich weit von dem entfernt sind, wie Gott uns gerne sehen würde. Wir sind nicht weiter als Christus oder Moses. Sie versuchten, Liebe zwischen den Menschen zu säen, und sie waren Propheten, aber sie scheiterten.«

Nach unserem Gespräch fuhren wir noch am selben Tag zu einem Kreisverkehr am Westrand von Bagdad, wo Bashirs neuestes großes Werk stand. Es bestand aus zwei feinsinnig zusammengefügten Blöcken aus Kalkstein, beide gut neun Meter hoch. Die Form des einen ähnelte dem Rücken einer Frau, sagte Bashir. Während wir rundherum gingen, erklärte er, dass er das Werk »Die Einheit« genannt habe, doch auf das hartnäckige Drängen von Saddams rechter Hand und Oberleibwächter, General Abed Hamud, hin wurde es nunmehr offiziell »Die Einheit zwischen dem Führer und seinem Volk« genannt. Er lächelte schwach und zuckte die Achseln. Im Grunde spiele es keine Rolle, wie es genannt wurde, sagte er. Zumindest hatte er verhindert, dass eine Saddam-Statue davorgestellt wurde, was Abed und andere Regierungsvertreter zunächst verlangt hatten. Auch der Alternativvorschlag – eine Replik von Saddams Fäusten – wurde nicht umgesetzt. Bashir sagte, in Bagdad gebe es nichts seinen Skulpturen Vergleichbares, weil Saddam die gegenständliche Kunst bevorzuge. »Er sagt, dass er meine Kunst zwar nicht wirklich verstehe, dass er aber glaube, es sei Kunst, die für die künftige Generation des Irak gedacht sei und von dieser verstanden würde. Und das hat er in meiner Gegenwart mehrmals zu anderen Menschen gesagt.« Das klang so, als sei Saddam von Ala Bashir fasziniert und als beruhe diese Faszination auf Gegenseitigkeit.

Bashir sprach selten offen mit mir über Saddam Hussein, aber einmal, als wir allein in seinem Haus waren, beschrieb er die verängstigten Speichellecker, die den Präsidenten umgaben, seine pathologischen »wertlosen« Söhne – insbesondere Udai, den Bashir wirklich verabscheute – und kam dann auf die merkwürdige Zuneigung zu sprechen, die Saddam anscheinend für ihn selbst empfand. »Selbst sein Halbbruder Barsan« – der ehemalige Geheimdienstchef und Saddams persönlicher Bankier – »der ein guter Freund von mir ist, sagt, es sei ein Segen für mich, dass ich mit seinem Bruder so reden kann, wie ich es tue. Kein anderer darf das oder tut es. Selbst seine eigene Familie hat

Angst vor ihm.« Doch Bashir sagte auch, dass die Mehrzahl der Menschen, die er kannte, darunter einige hohe Generäle und Minister, sich einen Wandel wünschten und wütend wären, wenn Bush beschließen sollte, nicht einzumarschieren. »Wenn Saddam an der Macht bleibt«, sagte er, »so wäre das ein Sieg für Diktatur, für Mord, Folter und Blutvergießen.« Er sei in viele Länder gereist, sagte er, und er habe manche schlimmen Orte gesehen, aber keiner, den er kannte, sei grausamer als der Irak. »Manche Dinge, die man dem Volk im Laufe der Jahre angetan hat, spotten jeder Beschreibung.«

Ende Februar war das Hotel Al-Raschid voll von Journalisten aus der ganzen Welt. Es glich dem Treffen eines großen mannigfaltigen Stammes, und es herrschte eine nervöse, erwartungsvolle Anspannung. Einige bekannte Mediengrößen waren aufgetaucht, darunter der Furcht erregende Peter Arnett, der sich mit einem neuen Gig zurückgemeldet hatte, nachdem CNN ihn einige Jahre zuvor wegen einer unseriösen Reportage gefeuert hatte. Er trug eine Baseballmütze, war sportlich gekleidet und wurde von einem Produzenten und einem Kameramann auf Schritt und Tritt verfolgt, die für die MSNBC-Sendung National Geographic Explorer ein Videotagebuch drehten. Jim Nachtwey, der König der internationalen Kriegsfotoreporter, war in seinem weißen Hemd und Bluejeans – sein Markenzeichen – eingetroffen. Da war auch Jon Swain, der durch den Film »Killing Fields« berühmt gewordene Fotograf, der unfehlbar einen rotweiß karierten Schal aus Kambodscha um den Hals geschlungen hatte. Ross Benson, der Korrespondent des britischen Boulevardblatts *Daily Express,* dessen weißes Haar an die alten Mods und Rocker erinnerte und der ständig eine brennende Zigarette in der Hand hielt, hatte sich in der Eingangshalle und im Restaurant häuslich eingerichtet. Ich sah ihn immer nur dort. Benson war stets tadellos gekleidet, trug einen maßgeschneiderten blauen Blazer mit goldenen Knöpfen und teure Lederhalbschuhe. Schließlich war da auch noch der unverwechselbare John Fisher Burns, der zweimalige Pulitzer-Preisträger und langjährige Reporter der *New York Times*. Mit seinen knapp 1,90 Metern und der zerzausten silbernen Haarpracht überragte er alle.

Es herrschte, gelinde gesagt, eine Art Zirkusatmosphäre. Einmal erblickte ich morgens im Frühstückszimmer des Al-Raschid den früheren US-Justizminister Ramsey Clark, und wir wechselten ein paar Worte. Er äußerte sich vage über das, was er in Bagdad machte, aber ich nahm an, dass es mit Saddam zu tun hatte, mit dem er in der Vergangenheit befreundet gewesen war. Ich erinnerte mich, ein signiertes Exemplar von Clarks Buch »Wüstensturm – US-Kriegsverbrechen am Golf« aus dem Jahr 1992 im Museum zum Ruhm des irakischen Führers gesehen zu haben. Ich hatte ihn einige Jahre zuvor getroffen, als er als Anwalt des mörderischen Charles Taylor in Liberia aufgetreten war. Seither hatte er weitere schwierige Fälle übernommen, wie den von Slobodan Milošević, dem er während des NATO-Luftkrieges von 1998 seine Reverenz erwiesen hatte. Clark hatte sogar einem Anhänger Osama bin Ladens rechtlichen Beistand gewährt, der in die Terroranschläge auf die US-Botschaften in Kenia und Tansania verwickelt war. Unlängst hat Clark, wie ich gehört habe, die Verteidigung für einen der Hutu-Führer in Ruanda übernommen, der des Völkermordes angeklagt wird. Wenige Tage nach unserer Begegnung im Al-Raschid wurde bekannt, warum Clark in den Irak gekommen war. Er hatte Dan Rather von CBS zu einem Interview verholfen – dem ersten seit vielen Jahren, das Saddam einem westlichen Journalisten gewährte.

Der Krieg lockte auch viele andere faszinierende Gestalten nach Bagdad. Zu den exzentrischsten Figuren zählte ein hyperaktiver russischer Fotograf, der stets einen grünen Fallschirmspringeranzug trug, als sei er Tag und Nacht für den Krieg bereit. Die meisten machten einen großen Bogen um ihn, weil wir davon ausgingen, dass er, wenn der Krieg ausbrach, als einer der Ersten von uns sterben würde – erschossen von Saddams Leuten wegen der durchaus verständlichen Fehlannahme, er sei ein feindlicher Soldat. Ferner waren ein großes Kontingent koreanischer Feministen im Hotel, eine Delegation afroamerikanischer und arabisch-amerikanischer Geistlicher aus den Vereinigten Staaten auf einer »multirassischen, religionsübergreifenden Friedenspilgerfahrt« und eine Gruppe Aktivisten der türkischen Grünen Partei.

Jewgeni Primakow, der ehemalige russische Ministerpräsident und KGB-Chef, kam ebenfalls in letzter Minute, um den Frieden zu sichern, und reiste, nachdem er gescheitert war, rasch wieder ab. Die Wege Primakows, Dan Rathers und der amtierenden Miss Deutschland, Alexandra Vodjanikova, kreuzten sich im Al-Raschid. Mit ihrem PR-Berater im Schlepptau hielt sich die 19-jährige Schönheitskönigin in Bagdad auf, um sich einen Wunsch zu erfüllen, den sie bei ihrer Krönung geäußert hatte: mit Saddam Hussein über Frieden zu reden. Die liebliche Vodjanikova bekam ihn nie zu Gesicht, aber an ihrem letzten Abend in der Stadt wurde sie von Saddams bekanntlich lüsternem und psychotischem älteren Sohn Udai zum Dinner eingeladen. Am nächsten Morgen reiste Miss Deutschland ab – ohne ein Wort an die Presse zu richten.

Die mit Abstand interessanteste Gruppe waren jedoch die so genannten »menschlichen Schutzschilde«. Sie kamen in einer Karawane in Bagdad an, der auch ein Londoner Taxi sowie ein paar klapprige rote Doppeldeckerbusse angehörten. Für die Reise von London quer durch Europa und die Türkei hatten sie drei Wochen gebraucht. Die Apparatschiks des internationalen Propagandazweigs der Baath-Partei, des Komitees der Freundschaft und Solidarität mit den Völkern, hatten sie herzlich empfangen, in einem kleinen Hotel, dem Al-Andalus, gleich neben dem Palestine, untergebracht und sämtliche Ausgaben im Voraus bezahlt. Es war ein bunter Haufen aus Amerikanern, Belgiern, Südafrikanern, Deutschen und Australiern; gepiercte Gesichter und Rastalocken waren in Hülle und Fülle vertreten. Unter den prominenteren Mitgliedern fand sich ein großer junger Mann mit stachligen blonden Haaren namens Gordon Sloan, der wegen seiner Teilnahme an der australischen Version von »Big Brother« bekannt geworden war. Man hatte ihn dort nackt in der Dusche gefilmt, und seither wurde er »Donkey Boy« genannt. Ein anderer Schutzschild, Godfrey Meynell, ein britischer Staatsdiener im Ruhestand, weinte häufig und zitierte Gedichte von Rudyard Kipling und Gerard Manley Hopkins. In den 60er Jahren hatte Meynell als Offizier in der britischen Kolonialarmee in Aden – dem heutigen Jemen – gearbeitet, sich aber inzwischen dem Pazifismus zugewandt. Seine Frau in Derbyshire, erklärte er, sei eine Vikarin der Church of England und bete jeden Tag für ihn und für den Frieden im Irak.

Donkey Boy und die anderen Schutzschilde standen nominell unter der Führung eines charismatischen Kaliforniers um die dreißig namens Ken O'Keefe, der die Gruppe in London organisiert hatte. O'Keefe war am ganzen Körper tätowiert, so etwa mit einer blauen Träne auf der Wange und einem geheimnisvollen Sanskrit-Schriftzeichen im Nacken. Er erklärte, die Tätowierungen seien seine Art, den Menschen zu zeigen, dass er nicht dem »Mainstream« angehöre, und fügte hinzu: »Trotz der Tatsache, dass mein Äußeres möglicherweise meine Botschaft nebensächlich erscheinen lässt, ist es mir gelungen, viele Menschen dafür zu gewinnen. Noch vor zwei Monaten war das einfach nur eine Idee, und nun ist sie gewachsen. Nicht so schnell, wie ich gehofft hatte. Ich wollte Zehntausende menschliche Schutzschilde, aber es ist immerhin ein Anfang, und jetzt ist es an der Zeit zu handeln, was auch immer geschehen mag.«

O'Keefe machte viel Aufhebens um die Tatsache, dass er früher US-Marine gewesen war und im Golfkrieg gedient hatte. Doch er war, wie sich herausstellte, in den Knast gesteckt worden und während des Konflikts in Kuwait geblieben, nachdem er an Bord des Schiffes, das ihn in den Persischen Golf gebracht hatte, einen Protest wegen fehlender Klimaanlagen angeführt hatte. Ich fragte O'Keefe, was denn seine Kehrtwende im Leben ausgelöst habe. »Damals wurde ich einer Gehirnwäsche unterzogen«, erklärte O'Keefe. »Verdammt, man braucht nur ein paar Bücher von Chomsky zu lesen, und schon bekommt man ein sehr klares Bild von der amerikanischen Außenpolitik.« O'Keefe sagte, er sei überzeugt, die Anschläge vom 11. September seien von der CIA durchgeführt worden, um Bushs Doktrin eines Präventivkrieges unter dem Deckmantel eines Kriegs gegen den Terror durchzusetzen. »Die USA brauchen Buhmänner«, sagte er. »Zuerst war es Osama bin Laden, jetzt ist es Saddam, und wer ist der Nächste? Sehen Sie, George W. Bush ist doch Mitglied des Geheimbundes Skull and Bones, richtig? Sein Vater und sein Großvater gehörten auch dazu. Wenn Sie sich die Mitgliederliste anschauen, werden Sie feststellen, dass diese Leute die Elite sind, sie treffen sich heimlich, und ich glaube, das tun sie nicht, um über American Football zu sprechen. Ich glaube, sie planen alles voraus, bringen ihre Marionetten in Stellung. Das hat mit Demokratie nichts zu tun!« Bush müsse gestoppt werden, sagte er, bevor er den Dritten Weltkrieg auslöse.

Ich fragte O'Keefe, wie er sich denn dabei fühle, wenn er sein Leben riskiere, um ausgerechnet jemanden wie Saddam zu verteidigen. Es gebe doch sicherlich unzählige lohnendere Dinge auf der Welt, Dinge, die vermutlich mehr Mitgefühl wecken würden? »Dieser Krieg muss gestoppt werden«, entgegnete er ein wenig verdrießlich. »Es wäre viel besser, wenn das Saddam-Thema kein Faktor wäre, aber das ist es nun einmal. Was soll ich also machen? Mit dem aufhören, was ich tue?« Sein Gesicht hellte sich wieder auf. Er habe bereits über andere Projekte nachgedacht, sagte er, und spiele mit dem Gedanken, von Bagdad weiter nach Palästina zu reisen: »Dort ist alles schwarzweiß, und es gibt keinen Saddam-Faktor.«

Als wir uns unterhielten, waren O'Keefe und seine Anhänger gerade erst eine Woche im Irak, und schon drängten die Iraker sie, das Hotel zu verlassen und sich an ihre »Einsatzorte« zu begeben. Das waren potenzielle Bombenziele, die man eigens für sie ausgesucht hatte, in erster Linie Kraftwerke und Ölraffinerien in der Umgebung von Bagdad. Die Schutzschilde hatten jedoch angenommen, dass sie auf Schulen und Krankenhäuser verteilt würden, und es kam zu einer kurzen Auseinandersetzung wegen dieser Anordnung, doch die Iraker blieben hart. Das herrische Auftreten der Saddam-Vertreter irritierte und alarmierte viele Schutzschilde, aber die meisten gaben nach. Ich fuhr zu einem ihrer ersten Einsatzorte vor der Ölraffinerie Al-Dura am Ufer des Tigris. Dort hatte Nasser al-Sadun Anfang der 70er Jahre gearbeitet. Die grimmigen Gesichter vieler Schutzschilde deuteten darauf hin, dass sie jetzt erst begriffen, wo sie gelandet waren, und dass wirklich ein Krieg bevorstand. Es schien nur eine Frage der Zeit, bis viele von ihnen den Mut verlieren und sich aus dem Staub machen würden. Während Godfrey Meynell seinen Schlafsack auf einem militärischen Feldbett in einem Raum ausrollte, den man für seine Schildgruppe hergerichtet hatte, zitierte er einige Verse von Kipling und brach in Tränen aus.

Als O'Keefe, der im Hotel Al-Andalus zurückgeblieben war, die Idee, nach Palästina zu reisen, erwähnte, fragte ich mich, wie lange er denn beabsichtige, in Bagdad zu bleiben. Ich erkundigte mich nach seinen weiteren Plänen. »Ich habe vor, so lange zu bleiben, wie hier noch Menschen sind, die ich dazu motiviert habe herzukommen«, erwiderte er ein wenig vage. O'Keefe gingen viele Dinge durch den Kopf, nicht zuletzt eine fabelhafte

Blondine, von der es hieß, sie sei die ehemalige Miss Norwegen. Ich lief einmal im Foyer des Al-Raschid an ihr vorbei, als sie zum Vergnügen einiger Fernsehteams eine Art Schaulaufen vorführte. Nach einigen Tagen war aus der Gerüchteküche zu hören, dass O'Keefe und Donkey Boy sich wohl um die Gunst von Miss Norwegen streiten würden und dass Donkey Boy aufmüpfig Ansprüche auf die Führungsposition der Schutzschilde anmeldete.

Eine andere Gruppe Friedensaktivisten war direkt neben den Schutzschilden im Hotel Al-Fanar untergebracht, das einen Blick auf Abu Nawas hat, die reparaturbedürftige Uferstraße, die gegenüber dem Palast der Republik am Ostufer des Tigris entlang verläuft. Ihnen gehörten rund 20 Amerikaner der Gruppe Voice in the Wilderness an, die im Laufe der Jahre etliche Delegationen in den Irak entsandt hatte, um gegen die UN-Sanktionen und die amerikanische Irak-Politik zu protestieren. An ihrer Spitze stand eine ehemalige Highschool-Lehrerin aus Chicago namens Kathy Kelly, eine magere Frau mit durchdringenden blauen Augen und langem grauen Haar. Sie hatte die Angewohnheit, mädchenhafte Strandkleider und Schnallenschuhe zu tragen, was ihr eine gewisse Pippi-Langstrumpf-Aura verlieh. Kelly war eine ehemalige katholische Laienschwester und glühende Pazifistin, deren Kampf gegen den Krieg in der Vietnam-Ära begonnen hatte. In der Reagan-Ära engagierte sie sich dann in der Antiatomkraftbewegung und in der Asylbewegung für Kriegsflüchtlinge aus Mittelamerika. Seit dem ersten Golfkrieg hatte Kelly einen großen Teil ihrer Zeit mit der Lobbyarbeit gegen die Sanktionen verbracht, und ihre Aktivitäten, die von Saddams Regime begrüßt worden waren, hatten sie zu einer Berühmtheit im Irak aufsteigen lassen. Sie war bei der Nomenklatura der Baath-Partei sehr beliebt.

Regierungsvertreter hatten mir gegenüber häufig Kathy Kelly als Beispiel für eine »gute Amerikanerin« genannt, die erkannt habe, dass die dem Irak auferlegten drakonischen Sanktionen irakische Babys umbrachten und dass dies das einzige wirkliche Problem im Irak sei. Darum hatte ich Vorurteile gegen Kelly und stellte sie mir als weibliches Äquivalent von Ramsey Clark vor: voller guter Absichten, aber moralisch naiv. Ich dachte an den Typ Amerikaner, der auf geradezu krankhafte Weise an das Böse in der US-Regierung glaubt und jedwede politische Linie vertritt, nur um der amerikanischen Politik entgegenzutreten.

Als ich Kelly im Oktober 2002 zum ersten Mal traf, stellte ich jedoch fest, dass sie redegewandt und gedankenvoll war. »Ich hätte nie gedacht, dass wir jemals diesen Schritt der USA hin zu so etwas wie einem Imperium erleben würden«, gestand sie. »Es beunruhigt mich, dass viele Menschen in den Vereinigten Staaten womöglich bereit sind, für die ›Erhaltung der amerikanischen Lebensweise‹, die Präsident Bush für ›nicht verhandelbar‹ erklärt hat, einen Krieg in Kauf zu nehmen. Es hat den Anschein, dass die Fähigkeit der Menschen, rational zu denken, ausgehöhlt worden ist; es hat den Anschein, dass Angst vor einem Anschlag wie am 11. September offenbar den Ausschlag gegeben hat ...« Kelly sagte, ihrer Ansicht nach sei die Verknüpfung des Irak mit dem Krieg gegen den Terror nur ein Vorwand Bushs; die wahren Motive für den Irak-Krieg seien, davon war sie überzeugt, die kommerziellen Interessen der amerikanischen Ölkonzerne und des Rüstungsestablishments. »Ich glaube, dass sich die Vereinigten Staaten weniger einen richtigen Regimewechsel wünschen als einen weißen Ritter, der auf einem Pferd hier hineinspaziert. Ich vermute, sie wollen nur Saddam Hussein und seine Clique rauswerfen, die Übrigen aber an der Macht lassen. Die USA sind in erster Linie an der irakischen Ölproduktion interessiert, folglich brauchen sie die bestehenden Strukturen der Baath-Partei, um das Personal für die Wiederbelebung der Ölindustrie zu stellen und die Produktion zu steigern.«

Als ich Kelly sagte, dass ihre Aktivitäten sie zu einem nützlichen Werkzeug für Saddam machten, rechtfertigte sie sich gelassen. »Ich unterstütze das gegenwärtige Regime keineswegs«, entgegnete sie. »Ich habe immer gesagt, dass hier eine spürbare Angst herrscht und dass die Menschenrechte nicht respektiert werden. Ja, ich bin in mancher Hinsicht ein nützlicher Naivling, aber zumindest hören sie die Wahrheit von mir, und wenn ich herkomme, frage ich Leute wie Tariq Asis: ›Was ist mit den politischen Häftlingen?‹ und ›Warum bringt ihr euren Schulkindern bei, Israelis zu hassen?‹ Im Großen und Ganzen kommen hier keine Menschen her und sagen solche Dinge zu den Machthabern. Gewiss, die verdienen eine bessere Opposition als eine Highschool-Lehrerin, aber kein anderer erledigt das!« Sie lachte bitter. »Und wieso sollte ich, als Pazifistin, jemals sagen, dass ein Krieg, mit all seinen tragischen Folgen, geführt werden muss, um hier einen Wandel zu bewerkstelligen?«

Ein weiterer Gast im Hotel Al-Fanar war Patrick Dillon, ein irischstämmiger Amerikaner aus New York City, der Anfang fünfzig war. Patrick war auf eigene Faust in Bagdad, eine außerordentlich bemerkenswerte Erscheinung. Seine Haut war sehr blass, und er trug immer schwarze Kleidung. Sein Kopf war rasiert, und auf den Hinterkopf hatte er das Fadenkreuz eines Gewehrs tätowiert. Patrick war in den Irak gereist, weil er gegen den Krieg war, aber er war weder ein menschlicher Schutzschild noch Journalist. Er war ein Einzelgänger. Er sagte mir, er versuche, einen Dokumentarfilm zu machen, und drehte mit seiner kleinen Handykamera Videos. Der Film sollte »Raining Planes« heißen. Aber keine Produktionsfirma stand hinter ihm. Das Geld für die Reise in den Irak hatte er sich beschafft, indem er eigens angefertigte Zertifikate an Freunde und Nachbarn verkauft hatte. Er gab mir eins davon. Es war eine große falsche Dollarnote, auf der geschrieben stand: »War Bond« (Kriegsanleihe), und im Innern einer der blattförmigen Kameen in der Mitte war ein Foto von irakischen Kindern, die mit Gewehren marschierten. In der anderen hielt ein amerikanischer Soldat etwas, das wie eine Granate oder Rakete aussah. Unten stand: »On s'engage et puis on voit« (»Rein ins Getümmel und dann wird man sehen« – Napoleons Rat zur Schlacht).

Patrick erklärte, das konzeptionelle Vorbild für seinen Film sei »Der kleine Soldat«, Jean-Luc Godards zweiter Film, der 1960 in den letzten Jahren des algerischen Unabhängigkeitskrieges gedreht wurde. Der Erzähler in Godards Film ist ein Deserteur aus der französischen Armee, der für eine rechtsradikale Terrororganisation arbeitet und nach Genf gekommen ist, um einen Vertreter der arabischen Position zu ermorden. Der Film ist voller moralischer und narrativer Zweideutigkeiten und enthält einige hässliche Folterszenen. Patrick erzählte mir, dass er, als er noch jung war, als Soldat in Vietnam gedient habe. Das sei eine Erfahrung gewesen, die ihn, wie er sagte, für sein ganzes Leben geprägt habe. »Ich wurde in Vietnam getötet, und ich kehrte nach Hause zurück und hatte drei Millionen Leichname in mich eingenäht, und ich habe die letzten 25 Jahre mit dem Versuch verbracht, die Flamme – der Liebe, der Unschuld und all jener hochtrabenden Vorstellungen eines wohl geordneten Geistes – wieder zu entfachen. Jetzt bin ich hier und versuche, mich selbst zu zivilisieren, meine Abhängigkeit vom Krieg zu überwinden, die mir in Vietnam eingeimpft wurde.« Seit Vietnam hatte Patrick sich in Nordirland, in Somalia und im Kosovo aufgehalten, mal als Filmemacher, mal als Helfer. »Ich liebe den Tod«, platzte es aus ihm heraus. »Ich weiß, es ist falsch, aber ich liebe ihn. Sie nicht auch? Ist das nicht der Grund, weshalb Sie hier sind?«

Patrick hatte ein Exemplar von Joseph Conrads »Herz der Finsternis« bei sich. Er erklärte, er lese es jetzt schon zum x-ten Mal, und las die Stelle laut vor, der der Titel entnommen ist: »Die Stromstrecken öffneten sich vor uns und schlossen sich wieder hinter uns, als hätte sich der Wald lässig über das Wasser geschoben, um uns den Rückweg abzuschneiden. Wir drangen tiefer und tiefer in das Herz der Finsternis vor. Es war sehr still dort.« Seine Stimme klang ehrfurchtsvoll, und er wiederholte die Stelle, dann wandte er sich mir zu: »Sagt das verdammt noch mal nicht alles? Das Herz der Finsternis. Da befinden wir uns doch, genau hier, genau jetzt, im beschissenen Bagdad.« Patrick sagte, sobald er das Buch ausgelesen habe, werde er es mir geben.

Ein paar Tage danach, während ich außer Haus war, legte Patrick sein Exemplar von »Das Herz der Finsternis« im Hotel für mich zurück. Eine Notiz für mich lag dabei, und ein Lesezeichen steckte zwischen zwei Seiten. Es war ein Abschnitt, der von Marlows Versuch handelte, die Dämonen von Kurtz zu begreifen: »Wichtig war, zu wissen, wem er angehörte, wie viele Mächte der Finsternis ihn als ihr Eigentum beanspruchten. Das war die Überlegung, bei der einem das Gruseln kam.«

Auf seine Notiz hatte Patrick geschrieben: »Jon: Kurtz gehört Ihnen. Hüten Sie sich! Manche meinen, dass man, wenn man nicht hysterisch weint oder sich die Eier ablacht, während man schreibt, besser wieder von vorne anfängt. Ich habe mir die Augäpfel ausgeschossen, die Unterwelt der Abwasserstraßen und barbarischen Horden der Nachtkinder, die mich an mich selbst erinnern, und immer den Tränen nahe wegen der Sache, die Curtis ›Bombs Away‹ Le May in Japan erfunden, in den Tälern Nordkoreas weiterentwickelt und in Vietnam perfektioniert hatte: eine Brandbombe, die in Kürze auslöschen wird, was immer noch vom irakischen Leben übrig ist, wie es bekannt ist und gelebt und gefeiert wurde seit wie viel, 4000 oder 5000 Jahren? Aber ganz unter uns: Was sind schon eine oder zwei oder gar hundert Kulturen oder Völker, die in dem Mülleimer der Geschichte landen, stimmt's? Wenn sie nicht konkurrieren können, sind sie eben nicht lebensfähig, zur Hölle mit ihnen, richtig? Stimmt's?

Wie dem auch sei, ich habe mein Bett von den Schiebetüren

zum Balkon weggerückt und die großen Glasflächen mit einem kreuzförmigen Muster beklebt, aber ich bin verloren, wenn ich nicht irgendwelche Ohrenstöpsel auftreibe. Was für ein Nest ist das hier, he? Ich hoffe, du lässt dich immer tiefer in das Herz der Finsternis versinken und weinst und lachst und schreibst dir das Herz aus der Seele. Patrick.«

Als ich beim Al-Fanar vorbeischaute, um Patrick für »Herz der Finsternis« zu danken, teilte er mir mit, dass er angefangen habe Orwells »1984« noch einmal zu lesen – ein anderes Lieblingsbuch von ihm. Er führte mich in sein Zimmer und sagte, er wolle mir etwas zeigen. Mir fiel auf, dass sein Zimmer sehr aufgeräumt war, in seiner Ordentlichkeit fast schon zenartig. Alles war sorgfältig an seinem Platz, und der Raum war makellos sauber. Auf einem Nachttischchen hatte er eine, wie er es nannte, Collage aufgestellt, eine Sammlung von Gegenständen, die er in ganz Bagdad gefunden hatte: einige Schnappschüsse, eine Spritze, eine Puppe ohne Arme und Beine, ein paar Tierknochen, ein Schuh und, rings um den Tisch am Rand entlang, wie ein Rahmen, lauter Pepsi-Flaschendeckel. Er erklärte, dass er diese Art von Collagen überall zusammenstellte, wo er auch hinfuhr. Über seine irakische Collage sagte er: »Das soll der Welt zeigen, dass hier einst Leben war und dass sie sogar die Getränke des Imperiums tranken.« An die Wand über seinem Bett, genau in der Mitte, hatte er ein weißes Blatt Papier geklebt, auf das er mit schwarzem Filzstift folgende Worte geschrieben hatte: »›Das ganze andere Zeug, die Liebe, die Demokratie, ist Nebensache. Die wahre amerikanische Seele ist hart, isoliert, stoisch und ein Killer.‹ D.H. Lawrence.«

Ich mochte Patrick, aber ich machte mir Sorgen um ihn. Nicht dass ich für ihn etwas hätte tun können; er war ein erwachsener Mann und hatte schon viel erlebt. Aber aus seinem ganzen Bestreben sprach eine verletzte Unschuld. Er erinnerte mich an die Filmfigur, die Christopher Walken in Michael Ciminos Film »Die durch die Hölle« gehen spielt: einen ehemaligen Kriegsgefangenen in Vietnam, dessen Psyche Schaden genommen hat und der einer fatalen Todessehnsucht verfällt, in Saigoner Gassen gegen Geld russisches Roulette spielt und sich schließlich das Gehirn wegpustet. Patrick war ein Mensch, der alles viel zu intensiv empfand. In unseren Gesprächen wechselte er zwischen manischer Ausgelassenheit und Kummer, und er brach häufig in Tränen aus. Er konnte den Mund nicht halten, und seine Erscheinung zog mehr Aufmerksamkeit auf sich, als unter den gegebenen Umständen ratsam schien. Früher oder später würde Patrick, so fürchtete ich, in Schwierigkeiten geraten. Ich sah ihn häufig, wenn ich durch die Straßen in der Nähe des Al-Fanar fuhr. Energisch schritt er am Straßenrand entlang, und er war immer allein.

In den ersten Wochen des Monats März, als sich die Regierungen Bush und Blair vehement für einen neuen Beschluss des UNO-Sicherheitsrats einsetzten, während sich Deutschland, Frankreich und Russland sperrten, fingen alle meine Bekannten in Bagdad an, Vorräte von Lebensmitteln und abgefülltem Wasser zu kaufen. Wer es sich leisten konnte, schaffte sich auch einen Notstromgenerator und Benzin an. Die Journalisten im Al-Raschid kämpften schon um Zimmer in anderen Hotels, um im Ernstfall umziehen zu können. Allgemein wurde angenommen, dass das Al-Raschid entweder zum Angriffsziel amerikanischer Luftschläge würde oder ins Zentrum des finalen Straßenkampfes rückte, wenn er denn endlich begann. Das Hotel lag nämlich strategisch günstig – zwischen unzähligen Ministerien und in unmittelbarer Nähe zum Palast der Republik. Seit langem hieß es außerdem, dass Saddam über ein geheimes Tunnelnetz unter der Stadt verfüge, das mit dem Al-Raschid verbunden war und das er im Golfkrieg als Kommandozentrale genutzt hatte. Aus diesem Grund gingen alle davon aus, dass die Amerikaner das Hotel vermutlich ganz oben auf die Liste der Gebäude gesetzt hatten, die sie in Bagdad in ihre Gewalt bringen wollten.

Viele spekulierten auch, dass der westliche Teil der Stadt, in dem das Al-Raschid lag, rasch von dem östlichen Teil abgeschnitten werden und isoliert werden könnte, insbesondere wenn die Brücken über den Tigris gesprengt würden. Deshalb galt es als ratsam, sich für den Notfall Zimmer in mehreren Hotels in der ganzen Stadt zu sichern. Nach dem Vorbild von CNN, das gleich mehrere obere Stockwerke des Hotels Palestine buchte (welches über den Tigris hinweg auf Saddams Paläste und auf die ganze Gegend, die als Hauptbombenziel galt, hinunterblickte), fingen viele andere Medienunternehmen an, sich dort und im benachbarten Sheraton Zimmer unter den Nagel zu reißen.

Ich hatte das Al-Raschid schon immer verabscheut. Es war ein 15-stöckiger brauner Betonklotz, den Saddam Ende der 80er Jahre hatte bauen lassen. Zwar war es das komfortabelste Hotel der Stadt, mit Swimming-Pool, Tennisplatz und großem Park – sogar mit eigenem Hubschrauberlandeplatz –, aber ich fand es ein wenig unheimlich. Es wimmelte darin nur so vor zivilen Sicherheitsleuten, und auf jedem Stockwerk saß nach sowjetischem Vorbild eine Concierge an einem kleinen Schreibtisch und notierte sich das Kommen und Gehen der Gäste. Man hatte immer das Gefühl, dass man beobachtet wurde. Dennoch hatte ich beschlossen, mich hier einzuquartieren, weil viele Freunde hier waren und weil ich es diesmal für eine gute Idee hielt, mich unter andere Journalisten zu mischen, Bescheid zu wissen, was ablief. Ein weiterer Vorteil des Al-Raschid war das neue rund um die Uhr geöffnete Internetcafé, das im Erdgeschoss aufgemacht hatte. Es wurde von einigen Männern, vermutlich Agenten der Staatssicherheit, streng überwacht, aber es war eine bequeme Möglichkeit, sich auf dem Laufenden zu halten und, unter Beachtung der nötigen Diskretion, E-Mails zu verschicken und zu empfangen. (Gewöhnlichen Irakern war der Zugang zum Internet verboten, auch wenn einige Monate zuvor, während Saddams Referendum, Bagdads erstes Internetcafé unter großem Propagandarummel eröffnet worden war. Dabei handelte es sich um eine sorgfältig überwachte Aktion, der Zugang zu den meisten westlichen Websites war blockiert, und sämtliche E-Mails liefen über den staatlichen Provider Uruklink. Dass der E-Mail-Verkehr genau geprüft wurde, verstand sich von selbst.)

Die Kommunikation brachte gewisse Probleme mit sich. Jeder Journalist, der ein Satellitentelefon mitgebracht hatte, bekam zu hören, dass er es ausschließlich im Informationsministerium nutzen dürfe. Dort herrschte mittlerweile ein chaotisches Treiben, und sämtliche Fernsehorganisationen hatten ihre Satellitenschüsseln aufgebaut und drehten ihre Live-Berichterstattungen. Dennoch mieden die meisten Journalisten diesen Ort nach Möglichkeit, und sei es nur, um Fragen nach der Gültigkeit des Visums aus dem Weg zu gehen. Wer sich mit Schmiergeldern eines der Südzimmer im Al-Raschid verschafft hatte, die über den Inmarsat-Satelliten Empfang hatten, benutzte sein Satellitentelefon heimlich von dort aus. Auf diesem Weg verschickte und empfing ich in der Regel meine E-Mails über den Laptop, weil ich dem Internetcafé unten nicht über den Weg traute. Das war mit echten Risiken verbunden, weil man uns gewarnt hatte, dass wir, falls wir erwischt wurden, aus dem Land ausgewiesen werden konnten. Einige Male herrschte große Aufregung, als das Informationsministerium Leute ins Hotel schickte, um Missetäter zu erwischen, doch es standen so viele Apparatschiks im Sold von Journalisten, dass zumindest einer von uns meist im Voraus gewarnt wurde. Um ganz sicherzugehen, nahm ich künftig jedes Mal, wenn ich das Al-Raschid verließ, mein Satellitentelefon und den Laptop in einer kleinen Schultertasche mit und verstaute sie im Kofferraum von Sabahs Wagen.

Als die hektische Suche nach Hotelzimmern begann, beschloss ich, auf Nummer sicher zu gehen, zog mit Sabah durch die Stadt und inspizierte Hotels. Ich schloss mich bei dieser Suche mit Paul McGeough zusammen, einem ausgelassenen, bärtigen irischstämmigen Australier Ende vierzig, der für den *Sydney Morning Herald* über internationale Politik schrieb. Paul hatte 1991 über den Golfkrieg berichtet und war seither viele Male in den Irak zurückgekehrt. Er war ein echter Reporter, abenteuerlustig und mit einem unfehlbaren Riecher für eine gute Story. Im Sommer 2001 war er auf eigene Faust durch das Afghanistan der Taliban gereist, hatte sich am 11. September in New York aufgehalten und war ein paar Wochen danach wieder in Afghanistan, um über den Krieg gegen die Taliban zu berichten. Wir hatten uns während Saddams Referendum in Bagdad kennen gelernt und waren in Kontakt geblieben. Paul lebte in New York City und hatte sich vor seiner Abreise freundlicherweise erboten, mir die Schutzweste und den Helm zu bringen, die der *New Yorker* zu meinem Schutz gekauft hatte. Im Gegenzug hatte ich das ihm verordnete Atropin mitsamt Spritzen in einer Londoner Apotheke abgeholt. Als Paul in Bagdad eintraf, sah ich gleich, dass er auf alle Eventualitäten vorbereitet war. Zusätzlich zu seiner eigenen Schutzweste, Helm und dem Schutzanzug gegen chemisch-biologische Waffen hatte er eine voll ausgestattete Reiseapotheke, mehrere tragbare Kopflampen, ein Camelpak (ein auf dem Rücken getragener Wasserbehälter mit einem praktischen Trinkschlauch), einen Leatherman mit mehreren Klingen und mehrere große Kartons gefüllt mit Fertiggerichten, kurz MREs (*meals ready to eat*). Er hatte sie bei der Firma gekauft, die das US-Militär belieferte. Paul vertraute mir an, dass er darüber hinaus die astronomische Summe von 40 000 Dollar in bar mitgebracht habe, die er an verschiedenen Teilen seines Körpers versteckt hatte. Als er meine Verblüffung sah, verriet Paul mir, dass Geld der Schlüssel zum Überleben in

Bagdad während eines Krieges sei, wie er aus Erfahrung wusste. (Ich merkte schon bald, dass er Recht hatte. Ich war mit 15 000 Dollar eingereist, die mir damals als eine immens hohe Summe erschienen. Aber nach nur zwei Wochen in Bagdad war die Hälfte davon bereits verbraucht.)

Gemeinsam inspizierten Paul, Sabah und ich ein gutes Dutzend Hotels in der ganzen Stadt. Da wir sie alle mit Blick auf unsere künftige Sicherheit prüften, strichen wir viele von der Liste, weil sie zu isoliert oder zu anfällig für einen Angriff schienen. Ein Ort, an den Sabah uns führte, erwies sich als eine Art Liebesmotel, und das dortige Personal bestand aus grimmigen Männern mit unstetem Blick, die wenig Vertrauen erweckten. Wir erkundigten uns im Hotel Palestine, doch erstaunlicherweise waren alle Zimmer bereits belegt. Am Ende entschied ich mich für ein Zimmer mit Blick auf den Fluss in meinem alten Lieblingshotel Al-Safir, das von einer Familie geführt wurde – ein kleines freundliches Hotel in derselben Wohngegend wie Karims Friseurladen. Das Al-Safir lag an der Abu-Nawas-Straße, knapp einen Kilometer vom Al-Fanar entfernt, wo Patrick Dillon wohnte.

Paul mietete unterdessen eine Suite mit zwei Schlafräumen im Al-Hamra, einem einige Kilometer entfernten vornehmen Hotel in dem ruhigen, noblen Wohnviertel Dschadirijah. Nach dem Palestine stieg das Al-Hamra zum zweitbeliebtesten Hotel in Bagdad auf und war in Kürze ebenfalls belegt. Genau wie im Al-Raschid musste man dem Hoteldirektor ein Schmiergeld von 100 Dollar zahlen, um überhaupt ein Zimmer zu bekommen. Ich hatte gewisse Zweifel, was das Al-Hamra anging. Es lag unangenehm nahe bei dem Palastkomplex Dschadirijah, der Saddams Familie gehörte. Darüber hinaus war es nur ein paar Blocks von einem großen Schutzbunker entfernt, der mit einer bunkerähnlichen Villa verbunden war, die angeblich von Saddams Sohn Udai genutzt wurde. Dennoch waren Paul und ich enorm erleichtert, weil wir diese zwei Ausweichmöglichkeiten hatten, und vereinbarten, dass wir die Zimmer teilen würden, falls ein Umzug in eins der beiden Hotels ratsam schien. In den folgenden Tagen kauften wir Vorräte ein und horteten an beiden Orten und im Al-Raschid Lebensmittel und Wasser.

Ein paar Journalisten trudelten immer noch in Bagdad ein. Einige Neuankömmlinge waren Reporter, denen es aus verschiedenen Gründen nicht gelungen war, sich ein Pressevisum zu beschaffen. Sie waren unter falschem Vorwand als menschliche Schutzschilde eingereist. Unter ihnen waren zwei Freunde von mir: Matthew McAllester, ein schottischer Reporter für *Newsday,* und sein palästinensisch-peruanisch-spanischer Fotograf Moises Saman. Sie versuchten, unterzutauchen und den rechten Augenblick abzuwarten, bis der Krieg begann. Von den anderen Schutzschilden hielten sie sich ebenso fern wie vom Hotel Al-Raschid mit all seinen Aufpassern und Spitzeln. Die beiden hatten eine Maisonette im Al-Hamra gebucht. Matthew, der ein unfehlbares Gespür für festliche Anlässe hatte, ließ mir diskret eine Nachricht zukommen, dass er guten Wodka und einen Satz echter Martinigläser mitgebracht habe, um eine kleine Dinnerparty zu geben. Ich ging mit Heathcliff O'Malley hin, einem britischen Freund, der ebenfalls im Al-Raschid wohnte. Heathcliff war Fotograf für den *Daily Telegraph,* und wir waren während des Krieges gegen die Taliban 2001 einige Monate lang gemeinsam durch Afghanistan gereist. Janine di Giovanni, eine Kriegsreporterin für die Londoner *Times* und für *Vanity Fair,* und Anne Garrels, die langjährige Korrespondentin des National Public Radio, waren ebenfalls dort. Anne und ich hatten uns vor vielen Jahren während des Bürgerkriegs in El Salvador kennen gelernt, und wir hatten uns erst vor ein paar Monaten in Bagdad wiedergetroffen. Die Filmemacherin Saira Shah und ihr Kameramann James Miller, die den preisgekrönten Dokumentarfilm »Im Reich der Finsternis« über Afghanistan gedreht hatten, waren auch gekommen. Im Laufe das Abends stellte sich heraus, dass Saira und James, die erst vor kurzem in Bagdad eingetroffen waren, beschlossen hatten, nicht bis zum Krieg zu bleiben. Sie sagten, sie hätten vor, nach Gaza zu fahren, um einen Film über palästinensische Kinder während der Intifada zu drehen. (Zwei Monate danach hörten wir die tragische Nachricht, dass James getötet worden war, während er und Saira in Gaza drehten. Er wurde von einem israelischen Soldaten erschossen, anscheinend absichtlich.)

Matts und Moises' Suite im zehnten Stock des Al-Hamra hatte einen großen Balkon mit einem Panoramablick über die Stadt und die vielen großen Paläste und Regierungsgebäude, die, davon gingen alle aus, die ersten Bombenziele sein würden. Unser Beisammensein an jenem Abend war gemütlich, aber zugleich befremdlich. Schwarzer Humor herrschte vor, und Hauptgesprächsthema waren Fachsimpeleien über Fluchtpläne und die jeweiligen Vorzüge unserer Schutzanzüge gegen chemische und biologische Waffen. So entschlossen wir auch waren, mit Freunden einen angenehmen Abend zu verbringen und ein paar Drinks und gutes Essen zu genießen (zubereitet von Moises, einem ausgezeichneten Koch), ließ sich doch nicht leugnen, dass wir uns in Bagdad versammelt hatten, um einen Krieg mitzuerleben. Und dieser Krieg stand unmittelbar bevor, doch keiner von uns wusste genau, was passieren würde. Wir erwarteten jedoch alle einen blutigen Showdown in Bagdad, und während wir auf die nächtliche Skyline blickten, stellten wir endlos Spekulationen an, welcher Teil der Stadt am sichersten sein würde, wenn es so weit war. Es war ein schauriges Gefühl. So ähnlich dürfte es einem gehen, wenn man bis zum Mastkorb eines hohen Schiffes klettert und auf eine stille See hinausblickt, kurz bevor ein Wirbelsturm losbricht.

Uns allen wurde immer stärker bewusst, wie verletzlich und exponiert wir in Bagdad waren, da wir unter strenger Aufsicht der Regierung in einer Hand voll Hotels wohnten. Nur sehr wenige von uns konnten sich darauf verlassen, dass die Iraker, die wir kannten, uns in ihren Häusern verstecken würden; das Risiko von Strafmaßnahmen war einfach zu groß für sie, abgesehen von allen weiteren Schwierigkeiten, und die meisten rechneten einfach nicht damit. Wir befürchteten allesamt, dass Saddam uns womöglich als Geiseln nahm, wie er es mit einigen Menschen aus dem Westen im Golfkrieg gemacht hatte. Derartige Ängste waren im Pressekorps weit verbreitet und nahmen jeden Tag an Intensität zu, weil sich immer deutlicher zeigte, dass es keine Garantien für unsere Sicherheit gab. Die ersten reisten bereits wieder ab.

Eines Morgens hörte ich im Al-Raschid eine heftige Auseinandersetzung zwischen einem britischen Fernsehproduzenten und seiner Reporterin, einer Frau um die dreißig. Er teilte ihr mit, dass er Bagdad verlassen werde, weil er eine junge Familie habe, und drängte sie, ebenfalls abzureisen. »Sie werden es schwer haben hier, wenn Sie mich durch einen anderen Familienvater ersetzen«, warnte er. Sie stritt mit ihm und warf ihm vor, sie im Stich zu lassen. Er ließ sich nicht beirren und wiederholte seine Absicht, am nächsten Tag abzureisen.

Sabah wollte nicht glauben, dass es wirklich zum Krieg kommen werde. Er sagte, er sei überzeugt, dass in letzter Minute ein Deal geschlossen werde, der es Saddam wie auch George W. Bush gestatte, das Gesicht zu wahren und wieder vom Abgrund zurückzutreten. Als ich ihm widersprach, lachte Sabah, schüttelte den Kopf und sagte: »Sie werden schon sehen.« Ich hatte den Eindruck, dass Sabah gar nicht so sehr wirklich glaubte, was er sagte, sondern dass er nicht der Wahrheit ins Auge sehen wollte. Er kündigte an, dass sein ältester Sohn Dijah heiraten werde. Er gab ein großes Hochzeitsfest, und er wollte, dass ich auch kam. Das Fest fand in einem großen Saal statt, wo die Braut und der Bräutigam auf einer Art Thron saßen, während eine

Das Informationsministerium hatte mir einen Aufpasser an die Seite gestellt. Er hieß Chalid, und er war ein lustloser junger Mann mit einer Haut wie Milchkaffee, einem schmalen Schnurrbart und den wachsamen Augen eines Diebes. Ich mochte Chalid nicht und traute ihm nicht über den Weg, Sabah genauso wenig, aber wir konnten es nicht ändern. Salaar Mustafa, der aufgeweckte Kurde und mein erster Aufpasser, den ich sehr gemocht hatte, war leider nicht abkömmlich. Er hatte einen meteorartigen Aufstieg innerhalb des Presseamts hinter sich und war mittlerweile de facto der stellvertretende Leiter. Überdies stand er auf der Gehaltsliste der *Los Angeles Times*. Es war ein Jammer. Im Laufe der Zeit hatte ich gelernt, dass an Salaar weit mehr dran war, als man auf den ersten Blick vermuten würde. In Gesellschaft hatte er sich stets wie ein folgsamer Anhänger der Baath-Partei gebärdet, doch bei einigen Gelegenheiten hatte er mir, auf behutsame Art, zu verstehen gegeben, dass er durchaus eigenständige Ansichten hatte. Nach Saddams Referendum war Salaar beispielsweise zu mir gekommen und hatte mit reglosem Gesicht gesagt: »Jon, haben Sie schon die wunderbare Neuigkeit gehört? Der Präsident hat 100 Prozent der Stimmen erhalten! Manche sagen, es könnten sogar noch mehr sein.« Nur Salaars zwinkernde dunkle Augen verrieten seinen Sarkasmus.

Chalid hingegen war ein ganz anderer Mensch. Er war humorlos und machte sich nichts aus Smalltalk. Ich spürte in ihm eine angeborene Antipathie gegen mich als Westler, die im Irak ungewöhnlich war, wo fast alle herzlich und freundlich waren. Wie dem auch sei, ich war bei ihm gelandet, und um den Anschein zu wahren und ihn bei Laune zu halten, ließ ich zu, dass er für mich einige Interviews mit Leuten arrangierte, die ich seiner Ansicht nach kennen lernen sollte. Ganz oben auf seiner Liste stand Mohammed Mothaffer al-Adhami, ein Funktionär der Baath-Partei und der Dekan der Fakultät für Politikwissenschaft an der Universität von Bagdad. Laut Chalid war Adhami ein außerordentlich intelligenter Mann, jemand, den ich unbedingt kennen lernen müsse.

Wir besuchten also Adhami in seinem Büro in einem modernen Bau auf dem parkähnlichen Gelände des Hauptcampus der Universität. Adhami war ein stämmiger Mann Ende fünfzig mit pechschwarz gefärbtem Haar und einem sorgfältig gepflegten Gesicht, das, abgesehen von seinem glänzenden Schnurrbart, kein einziges Härchen verunzierte. Er trug einen schwarzen Anzug und wirkte sehr selbstgefällig. Ein junger Leibwächter führte uns in sein Büro. Adhami stand kurz auf und gab mir die Hand, dann setzte er sich wieder hinter seinen Schreibtisch. Mehrere Porträts von Saddam waren über den ganzen Raum verteilt. Ich tat, was man von mir erwartete, und fragte Adhami nach seiner Meinung zu dem bevorstehenden Krieg Amerikas gegen den Irak. »Ich glaube, die politische Situation ist ungünstig für die amerikanischen Kriegspläne im Irak«, sagte Adhami zuvorkommend. »Ich weiß, dass sie hierher kommen und einen Teil unserer Infrastruktur zerstören, einige Städte besetzen können, aber es wird ihnen schwer fallen, das durchzuhalten. Sie haben uns im Jahr 1991 43 Tage lang bombardiert, und als sie die Republikanische Garde zu Gesicht bekamen, baten sie um einen Waffenstillstand. 1998 haben sie uns fünf Tage lang bombardiert, aber kein einziger Bürger hat sich gegen die Regierung aufgelehnt, worauf sie eigentlich gehofft hatten. Anno 1920 sind die Briten hier gewesen, die damals genau dieselbe Rhetorik gebraucht hatten wie heute die Amerikaner, als sie sagten, sie würden uns vor den Osmanen retten. Das löste eine Revolte gegen sie aus. Und am Ende wurden sie geschlagen und mussten dem Irak die Unabhängigkeit gewähren. Mr. Anderson, die Iraker mögen Ausländer, aber sie mögen es nicht, von ihnen regiert zu werden. Ich weiß nicht, was geschehen wird, aber auf lange Sicht werden die Ausländer verlieren. Am Ende schließen die Iraker sich angesichts einer ausländischen Aggression immer zusammen … Ich hoffe, dass es noch eine Möglichkeit für die Amerikaner gibt, einen Schritt zu finden, mit dem sie von diesem Krieg Abstand nehmen können, ohne das Gesicht zu verlieren.«

Adhami fuhr eine Zeit lang in diesem Ton fort und legte seine Ansicht dar, dass die Amerikaner es in erster Linie auf das irakische Erdöl abgesehen hätten, als Teil ihrer weltweiten Eroberungskampagne, und dass die Israelis die wahren Drahtzieher dieses Plans seien, der auch die Vertreibung der Palästinenser aus den von Israel besetzten Gebieten umfasse. »Indem sie das Erdöl des Irak kontrollieren, werden die Amerikaner die ganze Welt kontrollieren, auch Europa und Japan« – die auf irakisches Öl angewiesen sind – »und wenn Amerika den Irak besetzt, wird es den Irak mit dem Territorium verbinden, das es bereits in Afghanistan besetzt hat.« Adhami behauptete, dass er die Chancen des Irak in dem bevorstehenden Krieg optimistisch einschätze. »Iraker leben immer in einem Kriegszustand, und sie wissen, was das heißt. Was den Tod betrifft, wissen Sie, sind wir Muslime, und Muslime glauben, dass es ein Datum für den Tod gibt, das Gott bestimmt hat, und der Mensch kann nichts daran ändern … In den Städten sind wir, denke ich, auf den Krieg vorbereitet, und die Stämme auf dem Land sind ebenfalls organisiert. Die Amerikaner wollen keine Soldaten verlieren, und sie wollen nicht in den Städten kämpfen. Die Regierung hat unsere Lebensmittelrationen verdoppelt, und wir haben Wasser; wir sind zu einer Belagerung bereit. Ich glaube nicht, dass es ein kurzer Krieg werden wird; ich denke, es wird ein langer Krieg. Die Amerikaner können uns bombardieren, aber am Ende werden sie das Land besetzen müssen, doch wie ich gesagt habe, das wird nicht einfach sein.«

Adhamis gönnerhafte Eitelkeit ärgerte mich dermaßen, dass ich es mir nicht verkneifen konnte, ihn ein wenig zu reizen. Ihm sei doch sicher klar, bemerkte ich, dass dieser Krieg sich von den bisherigen Auseinandersetzungen völlig unterscheiden werde.

In Washington heiße es, man plane einen »shock and awe« genannten Bombenangriff, der mit Tausenden von Cruise-Missiles geführt werde. Ob er sich deswegen keine Sorgen mache? »Cruise-Missiles, was sind das?« Adhami schnaubte verächtlich und wedelte mit einer manikürten Hand, als wolle er ein lästiges Insekt verscheuchen. »Wir kennen diese Cruise-Missiles. Wir haben keine Angst vor ihnen.« Er lachte laut. »Im Jahr 1991 hatten die Amerikaner über eine halbe Million Soldaten. Jetzt haben sie nur 150 000. Sie glauben wirklich, dass sie damit dieses Land besetzen können?« Adhami wechselte in ein Falsett, als wolle er den bloßen Gedanken daran ins Lächerliche ziehen. Er fügte bedeutungsvoll hinzu: »Ich kenne Saddam Hussein, ich kenne ihn sehr gut, und ich weiß, er wird bis zur letzten Minute kämpfen. Auch ich bin bereit zu sterben, weil ich nicht gewillt bin, amerikanische Besetzer in meinem Land zu akzeptieren.«

Während ich noch versuchte, mir das unwahrscheinliche Bild dieses übergewichtigen Funktionärs mit einer Kalaschnikow auf den Straßen Bagdads vorzustellen, krähte Adhami: »Irak ist ein demokratisches Land. Bei uns gibt es in allen Städten und Dörfern ein Parlament mit Abgeordneten. Hier gibt es das Internet. Es ist ein freies Land. Menschen können ihre Meinung sagen. Was unser Präsidialsystem angeht, so ist das eine arabische Tradition, genau wie in Ägypten, Jemen, Syrien und Jordanien. Und wie in den alten Tagen des Kalifats lieben die Menschen es nicht, wenn ihr Präsident kritisiert wird ... Worin besteht der Unterschied zwischen Syrien und Irak? Zwischen Jordanien und Irak? Warum wird nur der Irak als Diktatur angesehen?«

So naiv Adhamis Ansichten auch schienen, so waren sie doch ein getreues Abbild der vorherrschenden Haltung unter Saddams loyalen Gefolgsleuten. Es war schwer, in Bagdad irgendjemand aufzutreiben, der von dieser Linie abwich – abgesehen von ein paar bemerkenswerten Ausnahmen. Zu den wenigen

Irakern, die es jemals gewagt hatten, Saddams Politik in Frage zu stellen, und noch am Leben waren, zählte Wamidh Omar Nadhmi. Der prominente Politologe und Dozent an Adhamis Fakultät stammte aus einer alten angesehenen Bagdader Familie und lebte in einem geräumigen, fast schon baufälligen Haus am Ufer des Tigris, in der exklusiven Wohngegend Adhamijah. Wamidh war ein letzter Überlebender der alten Baath-Partei, bevor Saddam sie usurpierte, säuberte und zu einem politischen Werkzeug für seine personalisierte Diktatur umwandelte. Er war in der vergeblichen Hoffnung im Irak geblieben, dass Saddam sein politisches System irgendwann liberalisieren würde. Wamidh klammerte sich an eine idealisierte Erinnerung an die Zeit, als Baath-Mitglieder noch antikoloniale, panarabische und säkulare Reformer waren, progressive Kräfte in einer Region, die aus der Kolonialherrschaft hervorgegangen war, aber immer noch von Monarchen, Stammesführern und muslimischen Imamen dominiert wurde. Ich hatte Wamidh in den letzten Jahren mehrere Male getroffen und hatte ihn als einen vernünftigen Menschen kennen gelernt, einen Mann mit einer großen intellektuellen Neugier, aber aufgrund der Umstände doch sehr isoliert. Er löcherte mich jedes Mal über irgendwelche westlichen Publikationen, von denen er gehört hatte, die er aber noch nicht in die Hände bekommen hatte. Sooft es mir möglich war, brachte ich ihm aktuelle Ausgaben amerikanischer und britischer Zeitschriften mit Artikeln über den Nahen Osten.

Als ich Wamidh im Sommer 2000 zum ersten Mal besucht hatte, in Begleitung von Salaar, da kam ich nach Sonnenuntergang, und wir saßen wegen eines Stromausfalls im Finstern auf seiner Terrasse. Die Flussufer unter uns waren üppig mit Schilf bewachsen, und von einer Moschee ertönte die Stimme eines Muezzins, der die Gläubigen zum Gebet rief. Hier und da strich eine leichte Brise vom Fluss her über uns. Abgesehen von den vereinzelten Motorbooten, die an uns vorbeisausten, hatte die

Szene fast schon etwas Biblisches. Wamidh, ein großer Mann Mitte sechzig mit vorstehenden Backenknochen, trug ein bequemes Dishdasha-Gewand und Sandalen. An Sommerabenden halte er sich, erklärte er, wegen der großen Hitze meist auf der Terrasse auf, wo es kühler sei. Manchmal schlief er auch hier. Wamidh hatte seinen Doktortitel in Politikwissenschaft an der schottischen St.-Andrews-Universität gemacht und nannte sich selbst einen der wenigen derart ausgebildeten Iraker, die nach dem Golfkrieg im Land geblieben waren. Er gab zu, dass ihm das nicht leicht gefallen war. Es brachte viele Probleme mit sich, überwiegend wirtschaftliche. »Aber«, erklärte er und wies mit dem Kopf auf den Fluss, »ich stamme von hier, vom Tigris.«

An jenem Abend sprach er über die langjährige Kluft zwischen dem Irak und den Vereinigten Staaten. »Ich glaube, und das habe ich auch in der Vergangenheit gesagt, dass die irakische Invasion in Kuwait ein riesiger Fehler war«, bemerkte er. Er erinnerte sich daran, wie man ihn, vor Beginn des Golfkrieges, als irakische Soldaten noch Kuwait besetzt gehalten hatten und die Krise sich zugespitzt hatte, gebeten hatte, vor einem Beratergremium des Präsidenten zu sprechen. Saddams Berater hatten seine Meinung zu der Lage hören wollen. Er sagte ihnen, dass die Invasion in Kuwait seiner Ansicht nach ein Fehler gewesen sei und dass die irakischen Truppen so schnell wie möglich wieder abziehen sollten. »Was ich wirklich sagte, war: ›Besser heute als morgen, und besser morgen als übermorgen.‹« Keine Strafmaßnahmen seien gegen ihn erfolgt, weil er seine Meinung gesagt habe, fügte Wamidh eilig hinzu, noch sei seither irgendetwas gegen ihn unternommen worden. Ich fragte ihn, woran das seiner Meinung nach liege. Er antwortete nachdenklich: »Sie wissen, dass ich Akademiker bin und dass ich ein Kritiker bin, ja, aber dass ich kein politischer Verschwörer bin, und die Tatsache, dass ich mich entschlossen habe, im Irak zu bleiben, bedeutet, dass ich eine gewisse Loyalität und Patriotismus empfinde.«

Wamidh wählte seine Worte mit Bedacht und fügte hinzu, dass Saddam seiner Meinung nach öffentlich zugeben solle, dass seine Invasion in Kuwait »ein Fehler« gewesen war. Wenn er das täte, so Wamidh, sei er überzeugt, dass einer Wiederherstellung der guten Beziehungen zwischen Irak und dem Westen nichts im Wege stände. »Was noch wichtiger ist«, fügte er hinzu, »ich glaube, das irakische Volk würde das akzeptieren und besser von ihm denken. Ich kenne nur wenige Iraker, die nicht der Meinung sind, dass mit der Invasion in Kuwait die ganzen Probleme angefangen haben. Doch er weigert sich, das zu sagen.« Wamidh vermutete, dass Saddams Widerspenstigkeit auf seine tief verwurzelten ländlichen Wertvorstellungen zurückzuführen sei, nach denen Härte eine Tugend und das Gesicht zu verlieren das Schlimmste ist, was einem Mann widerfahren kann. »Diesem Mann muss es schrecklich wehgetan haben, zu sehen, wie alles, was er aufgebaut hatte, zerstört wurde – in manchen Fällen sogar mit seiner Duldung. Aber wegen seiner kulturellen Prägung kann er das nicht zeigen.«

Im Grunde hatte Wamidh Nadhmi eine Alibifunktion. Er durfte am Leben bleiben, weil er ein glühender Nationalist war und weil er ausländischen Journalisten als Vorzeigekritiker präsentiert werden konnte. Wamidh erinnerte mich an einige Dissidentes Legales, die ich auf Kuba kennen gelernt hatte, Dissidenten, die inoffiziell geduldet wurden, weil ihre Kritik eher reformistisch war als konterrevolutionär. Ausländischen Journalisten wurde es gestattet, sich mit ihnen zu unterhalten, ohne dass sie Angst haben mussten, deportiert zu werden. Der Unterschied zum Irak war natürlich, dass Wamidh allein war; es gab so gut wie keinen anderen außer ihm.

Jetzt, Ende Februar 2003, besuchte ich Wamidh wieder, diesmal in der unerwünschten Begleitung Chalids. Ich beobachtete, wie er Chalid während der üblichen Höflichkeitsfloskeln taxierte, während er uns zu den Sesseln im Wohnzimmer führte, wir uns gegenseitig nach dem Befinden erkundigten und er uns Tee anbot und dergleichen. Wamidh schien zu merken, dass Chalid nicht vertrauenswürdig war. Sobald er anfing zu reden, mied er geschickt das Thema, wer den Krieg gewinnen würde, ließ damit aber durchblicken, dass Saddam seiner Meinung nach gestürzt würde. Wamidh sagte, er mache sich um das Nachspiel des Krieges Sorgen. Er sagte voraus, dass es zu gravierenden sozialen Spannungen unter den vielen ethnischen Gruppen des Irak kommen werde, die einen Bürgerkrieg und Terroranschläge zur Folge haben würden, und er fürchtete, dass der islamische Fundamentalismus im Irak Fuß fassen und sich ausbreiten werde. »Ich weiß nicht, weshalb die Amerikaner eine eigene Militärverwaltung haben wollen«, fügte er hinzu und wirkte aufrichtig verdutzt. »Ich kann mir nicht vorstellen, westliche Soldaten in den Straßen Bagdads marschieren zu sehen. Ich kann mir nicht vorstellen, dass so etwas von dem irakischen Volk hingenommen wird, und ich glaube, wenn es so weit kommt, dann werden wir in der Zukunft einen wachsenden Widerstand gegen sie erleben. Denken Sie daran, wie die Iraker 1920 gegen die Briten rebelliert haben. Gleichzeitig sind die Menschen im Irak derzeit müde, und man wird von ihnen hören, dass sie sich mehr Sorgen um ihre wirtschaftlichen Probleme machen als um Politik... Doch das andere Problem ist die Wahrnehmung der Amerikaner und Engländer durch das irakische Volk. Sehen Sie, sie werden irgendwie als Feinde des Irak angesehen, sie haben eine gewisse Rücksichtslosigkeit gegenüber dem Irak an den Tag gelegt. Wenn die so genannten UNO-Blauhelme in der Ära nach Saddam kämen, Soldaten aus anderen Ländern als die USA und Großbritannien, dann wäre das, glaube ich, für die Iraker irgendwie leichter zu ertragen. Ich beneide den amerikanischen General nicht um seine Aufgabe; er wird auf einem sehr schmalen Grat wandern.«

Die Revolte von 1920 hatten offenbar alle älteren Iraker, mit denen ich mich unterhielt, im Hinterkopf. Als Adhami – inmitten seiner blutrünstigen Tirade aus Prahlerei und Verschwörungtheorie – davon sprach, berührte mich das nicht sonderlich. Doch als Wamidh Nadhmi den irakischen Widerstand gegen die britische Kolonialmacht als seinen Bezugspunkt für die nahe Zukunft nannte, fiel mir ein, dass auch Nasser al-Sadun und die schiitischen Exilanten im Iran – so unterschiedlich sie auch in jeder anderen Frage dachten – die gleichen Bedenken geäußert hatten. Worüber sie sich sonst auch streiten mochten, sie waren allesamt einhellig überzeugt, dass die Iraker eine fremde Besatzung nicht freundlich aufnehmen würden. Ich wusste, dass die Gedanken der meisten Amerikaner, wenn es um den Irak ging, nicht weit über Saddam Hussein hinausreichten. Iraker wurden fast ausschließlich als unglückliche Opfer seiner Tyrannei oder als schweigende Mittäter angesehen, aber in beiden Fällen waren sie im Grunde gesichtslos. Die irakische Vergangenheit vor Saddam wurde im Wesentlichen durch einen zweifelhaften Filter halb verdauter Geschichte und romantischer Hollywoodbilder wahrgenommen, der sich aus Lawrence von Arabien, Sindbad dem Seefahrer, dem biblischen Turm von Babel und dem »Dieb von Bagdad« mit Douglas Fairbanks in der Hauptrolle zusammensetzte – mit all den Ali Babas und Harems, fliegenden Teppichen und verschleierten Bauchtänzerinnen.

Es gab auch einen Grund für die amerikanische Unkenntnis der irakischen Geschichte. Abgesehen von amerikanischen Ölinteressen hatte das Land immer der britischen Einflusssphäre angehört; es hatte kaum eine gemeinsame Geschichte gegeben, bevor Saddam auf den Plan trat. Der Irak hatte Archäologen und wagemutige Reisende wie Wilfred Thesiger und die Schriftstellerin Freya Stark angelockt, doch auch sie waren Briten gewesen. Der Irak war noch nie ein Reiseziel für Amerikaner gewesen. Ein paar wenige Historiker und Akademiker hatten Bücher über die britische Erfahrung als Kolonialmacht in Mesopotamien Anfang des 20. Jahrhunderts geschrieben, aber das Wissen über diese Periode war in den Vereinigten Staaten nicht weit verbreitet. Ich fragte mich also, ob die Kriegsplaner in Washington die Geschichte studiert und Lehren daraus gezogen hatten. Irgendwie hatte ich meine Zweifel.

KAPITEL VIER

Die Ausgabe des *Iraq Daily* vom 6. März brachte einen Leitartikel mit der Schlagzeile GENERÄLE DER US ARMY TRÄUMEN VON VERSCHWUNDENEM BRITISCHEN EMPIRE. Der Autor, ein gewisser Dschassim Obeid Dschabbar, wandte sich direkt an Colin Powell und Donald Rumsfeld und verwies auf die katastrophalen Erfahrungen Großbritanniens im Irak. Er sagte voraus, dass die Amerikaner ein ähnliches Schicksal ereilen werde: »Wir haben ein nettes und bequemes Grab für euch vorbereitet, gleich neben eurem Untergebenen Stanley Maude.« Maude war ein britischer General, der 1917 den Osmanen Bagdad abgenommen hatte und dann dort gestorben war. Er hatte vergeblich versucht, die unzähligen Stämme und Clans der Sunniten, Schiiten, Kurden, Juden, Christen, Assyrer und Turkmenen Mesopotamiens unter einen Hut zu bringen. Der Leitartikel schloss mit den Worten: »Wir raten euch: Nehmt Nachhilfeunterricht in Mathematik, Politik und Kriegskunst. Bei euren Berechnungen habt ihr nämlich die politischen, wirtschaftlichen und militärischen Folgen des Krieges außer Acht gelassen. Ich glaube, damit ist alles gesagt, abgesehen von einem irakischen Sprichwort: ›Kann die Parfümerie wiederherstellen, was das Alter zerstört hat?‹«

Die Briten hatten Sir Stanley Maude im Ersten Weltkrieg mit dem Auftrag ausgesandt, die osmanischen Türken aus dem Irak zu vertreiben. Als er im März 1916 eintraf, hatten die Türken die Oberhand. Das mesopotamische Expeditionskorps unter britischer Führung war zu Beginn gut vorangekommen, mittlerweile aber war der Vormarsch ins Stocken geraten. Die ersten britischen Truppen waren 1914 im Persischen Golf gelandet und im

Irak einmarschiert. Schon bald nahmen sie die Stadt Basra im Süden ein. Ihr Vorstoß nach Norden brachte sie bis 30 Kilometer vor Bagdad. Bei den Ruinen von Ktesiphon, dem Sitz des antiken Sassanidenreiches, traten die Türken ihnen mit einer großen Streitmacht entgegen, und nach einer blutigen Schlacht waren die Briten gezwungen, sich nach Kut el-Amara zurückzuziehen, eine verwahrloste Garnisonsstadt am Tigris, 190 Kilometer südöstlich von Bagdad. Dort wurden sie am 3. Dezember 1915 von den Türken und ihren arabischen Verbündeten umzingelt. Im April 1916 kapitulierten die Briten nach einer fast fünfmonatigen Belagerung, während der fast 10 000 britische und indische Soldaten starben, überwiegend an Ruhr und Typhus. Weitere 23 000 Soldaten kamen bei dem Versuch ums Leben, ihre gefangenen Kameraden zu befreien. Die Belagerung von Kut war die längste und blutigste in der Geschichte des britischen Empire, die Kapitulation der Garnison zugleich eine seiner schmählichsten Niederlagen. Auch wenn diese tragische Episode von dem schrecklichen Gemetzel, das sich zur gleichen Zeit in Frankreich abspielte, und von dem gescheiterten Landungsversuch bei Gallipoli in den Schatten gestellt wurde, löste »Kut« doch in Großbritannien Wut und Scham aus, weil man fand, das Kriegsministerium habe diese Männer weitgehend ihrem Schicksal überlassen. Im Juli 1917 brachte Rudyard Kipling in seinem Gedicht »Mesopotamia« die schwelende öffentliche Verbitterung wegen der Episode zum Ausdruck:

They shall not return to us, the resolute, the young,
The eager and whole-hearted whom we gave:
But the men who left them thriftily to die in their own dung,
Shall they come with years and honour to the grave?

Die unterlegenen Briten wurden von ihren türkischen Bezwingern nicht gerade gnädig behandelt. Von den 13 000 Soldaten, die in Kut kapitulierten, starben im Laufe der nächsten beiden Jahre mehr als die Hälfte an Krankheiten, Hunger, Hitzschlag und Misshandlungen, als sie in einer Art Todesmarsch quer durch das Land bis in die Türkei gebracht wurden. Viele mussten unterwegs als Zwangsarbeiter an der Eisenbahnlinie Bagdad–Basra arbeiten, und diejenigen, die bis in die Türkei gelangten, wurden in Salzbergwerke gesteckt. Besonders unbarmherzig wurden sie von den Menschen in Tikrit behandelt, in der sonnenverwöhnten Stadt am Tigris gut 160 Kilometer nördlich von Bagdad, die der Geburtsort Salah ad-Dins (oder Saladins) des Eroberers gewesen war und die rund 20 Jahre später die Geburt eines weiteren großen Sohnes erleben sollte: Saddam Hussein.

Elf Monate nach dem Fall Kuts bezwangen Maudes Soldaten die Türken doch noch, und im März 1917 zogen sie triumphierend in Bagdad ein. Maude richtete eine hochtrabende Erklärung an das irakische Volk, die sicherlich nicht ironisch gemeint war, und verkündete die Befreiung von »der Tyrannei der Fremdherrschaft«, womit er die osmanischen Türken meinte. Maudes Eroberung zog eine drei Jahrzehnte lange britische Kolonialherrschaft im Irak nach sich, doch er selbst erlebte nicht mehr viel davon. Er starb nur wenige Monate nach dem Einzug in Bagdad, im Alter von 53 Jahren, an Cholera.

Jahre später schilderte T. E. Lawrence in seinen bemerkenswerten Memoiren »Sieben Säulen der Weisheit« den britischen Krieg in Mesopotamien bitter als ein vermeidbares Desaster, das eine Folge des Zusammentreffens von Selbstüberschätzung und Kurzsichtigkeit war. Zu jener Zeit hatte der junge Lawrence einer aufstrebenden Verschwörergruppe innerhalb des außenpolitischen Establishments angehört, die ein Bündnis mit nationalistischen Arabern in den osmanischen Herrschaftsgebieten als das beste Mittel ansahen, die Türken zu schwächen. »Die Bedingungen waren ideal für eine arabische Bewegung«, schrieb er. Er wies darauf hin, dass in Mesopotamien bereits eine arabische

Unabhängigkeitsbewegung entstanden sei und dass ein großer Teil der arabischen Soldaten in der türkischen Armee ihrer Regierung nicht loyal ergeben sei. Bei einem geschickten Vorgehen hätte man ihre Anführer für die britische Seite gewinnen können. Mit den Stämmen im Süden sei es ebenso gewesen, beharrte Lawrence: Sie »hätten sich uns zugewandt, wenn sie Zeichen des Wohlwollens bei den Briten gesehen hätten«. Doch die mesopotamische Gesandtschaft wurde der britischen Regierung in Indien übertragen, die jedes Bündnis sowie jede Übereinkunft mit den Arabern ablehnte. Lawrence schrieb:

> *Unglücklicherweise aber schwelgte Britannien damals in dem Vertrauen auf leichten und schnellen Sieg; die Türkei niederzuwerfen wurde als militärischer Spaziergang angesehen. […] Mit brutaler Gewalt wurde Basra besetzt. Die feindlichen Truppen im Irak bestanden fast ausschließlich aus Arabern, die sich nun in der nicht beneidenswerten Lage sahen, auf Seiten ihrer jahrhundertelangen Unterdrücker gegen ein Volk kämpfen zu müssen, das sie lange als ihre Befreier angesehen hatten und das sich jetzt hartnäckig weigerte, diese Rolle zu übernehmen. Wie sich denken lässt, kämpften sie schlecht. Unsere Truppen gewannen Schlacht auf Schlacht, so dass wir zu der Überzeugung kamen, eine indische Armee wäre jeder türkischen überlegen. Es folgte unser rascher Vorstoß auf Ktesiphon, wo wir auf rein türkische Truppen stießen, die mit Hingebung kämpften, und wir holten uns blutige Köpfe. In Verwirrung wichen wir zurück; und das lange Elend von Kut el-Amara hob an.*

Noch am selben Tag, als der prahlerische Leitartikel über Maude im *Iraq Daily* erschien, dem 6. März, fegte ein Turab durch Bagdad. Der Turab ist ein unangenehmer feuchtkalter Wind, der viel Staub aufwirbelt. Er signalisierte den Beginn des Frühlings, auf den dann bald der lange, heiße irakische Sommer folgt. Der Himmel bekam einen trüben Braunton, und Plastiktüten und anderer Müll wirbelte umher. Sabah wurde mürrisch und träge und klagte über Kopfschmerzen und Fieber. Er wolle zur Entspannung ins türkische Badehaus, ins Hammam, gehen, sagte er, aber dort war Frauentag. Sabah fluchte und beschwerte sich darüber. Deshalb machten wir bei einer Apotheke Halt, wo er Panadol-Schmerztabletten kaufte und ein paar einnahm. Nach einer Weile zeigten sie Wirkung, und er beruhigte sich, wurde aber noch lethargischer und bekam einen trübseligen Gesichtsausdruck. Der Aufpasser Chalid benahm sich ebenfalls noch lustloser als sonst, willigte aber zähneknirschend ein, mich zu dem Friedhof zu begleiten, wo General Maude bestattet war.

North Gate War Cemetery ist einer der sechs britischen Friedhöfe im Irak. Er liegt in dem alten Viertel Bab al-Muatham, am Westrand des Zentrums von Bagdad. Der Friedhof ist ein staubiges Rechteck mit einer Fläche von etwa sechs Hektar, das mit regelmäßigen Reihen von Grabsteinen übersät ist, und einem offenen Platz mit ein paar Sockeln und Obelisken. Der Friedhof wurde von einer Reihe verloren wirkender Dattelpalmen in der Mitte geteilt. Gegenüber, auf der anderen Seite einer stark befahrenen Straße, stand die türkische Botschaft, und ein paar Häuser weiter befand sich das Saddam-Zentrum für die schönen Künste, dessen Mauern farbenprächtige Wandmalereien aus den 70er Jahren schmückten. Die andere Seite des Friedhofs wurde von einer Wand begrenzt, die ihn von den gelben Ziegelmauern einer Tabakfabrik trennte. An dem Ende, das am weitesten von dem Haupteingang entfernt lag, ging er in ein Niemandsland aus Müll und Schutt über, auf dem ein einsamer blattloser junger Baum stand, die Äste geschmückt mit gelben, blauen, grünen und schwarzen Plastiktüten.

Mehrere Arbeiter bauten an einem neuen Wärterhaus, als wir ankamen. Einer von ihnen schloss das Tor auf und ließ uns ein. Er zeigte auf ein beeindruckendes gewölbtes Steinmausoleum in der Mitte des Friedhofs und sagte: »Dorthin gehen die meisten Besucher.« Wir gingen darauf zu und kamen auf dem Weg an einem Obelisk vorbei, auf dem auf Englisch die Botschaft geschrieben stand: »Gott ist Eins – Sein ist der Sieg: Im Gedenken an die tapferen Hindus und Sikhs, die in dem Großen Krieg ihr Leben für ihren König und ihr Land ließen.« Eingemeißelt in einen großen Sockel aus Kalkstein nicht weit davon standen die Worte: »Ihr Name bleibt für ewig lebendig.« Der Wind blies, der Staub wirbelte, und die Zweige der Dattelpalmen raschelten und klangen wie Regen. Tauben flatterten umher und ließen sich auf den Grabsteinen nieder. Einige Steine waren zerbrochen und lagen umgestürzt und verwahrlost umher. In die noch stehenden Steine waren christliche Kreuze und die Insignien der Regimenter der Toten eingeritzt: ein Elefant und eine Palme für die Ceylon Sanitary Section, eine Standarte mit Burg für das Regiment Essex und der Kopf eines Hirsches für die Seaforth Highlanders. Auf den Grabstein für Schütze Nummer 201775, S. Brown vom Regiment Dorsetshire, der am 28. September 1917 im Alter von 25 Jahren gefallen war, standen die Worte »Frieden, vollkommener Frieden«. Viele Gräber waren anonym und trugen dieselbe Inschrift: »Vier Soldaten des Großen Krieges – Gott allein bekannt.«

Das Mausoleum mit der Kuppel gehörte Sir Stanley Maude. Die Schrift auf seinem Sarg lautete: »Er führte einen guten Kampf und hielt am Glauben fest.« Eine Marmortafel, die seinen militärischen Rang und seine Taten aufzählte, war mit Bleistiftkritzeleien auf Arabisch bedeckt, den Namen irakischer Jungen. Chalid las mir einige vor: »Dschassim, Mohammed und Shakir …«

Auf dem Rückweg aus dem Friedhof gingen wir an einem anderen Obelisk vorbei, der »Zur Erinnerung an die türkischen Soldaten, die im Großen Krieg gefallen waren« errichtet worden war. Ich machte Chalid darauf aufmerksam. Er wirkte verdutzt. Ich erklärte, dass die Briten mit diesem Obelisken ihre gefallenen Feinde geehrt hätten. Er grinste hämisch: »So, die Briten haben also Ehre!« Er ging davon und rief noch über die Schulter: »Vielleicht tun sie einmal dasselbe für uns, nachdem sie uns umgebracht haben. Vielen herzlichen Dank!«

Ich holte Chalid ein. Ich nutzte diesen Augenblick der Vertrautheit und fragte ihn, wie er sich entscheiden würde, wenn er zwischen zwei Optionen wählen müsste: Die erste Option hieß, zu Saddam zu halten und sich dem Krieg zu stellen, der von den Amerikanern und Briten drohte; die zweite, den Krieg zu verhindern und dafür zu stimmen, dass Saddam die Macht abgebe. Wie würde er sich entscheiden? Chalid dachte einen Augenblick nach und erwiderte: »Ich glaube, die erste Option.« Ich fragte ihn, warum. Er sagte: »Weil sie, Krieg oder kein Krieg, immer dasselbe wollen: den Irak kontrollieren. Selbst wenn Saddam zurücktritt, wird genau dasselbe dabei herauskommen. Die Amerikaner werden kommen, oder wenn nicht sie selbst, dann eben ihre Spione.«

Auf der Rückfahrt fragte Chalid mich, wann die Amerikaner meiner Ansicht nach angreifen würden. Er sagte, er sei überzeugt, sie würden am 14. März angreifen, dem Tag, an dem Schiiten den Märtyrertod des Enkels des Propheten, Imam Hussein, bei der Schlacht von Kerbala im Jahr 680 betrauern. »Ich denke, sie werden das absichtlich tun, um die Muslime zu beleidigen«, sagte er vorwurfsvoll. Als ich Chalid mitteilte, meiner Ansicht nach hätten die amerikanischen Kriegsplaner andere Dinge zu berücksichtigen – Wetter, strategische Überlegungen, politische und diplomatische Verhandlungen –, schien er nicht überzeugt.

Ein paar Minuten danach kündigte Chalid an, er habe den Wunsch, seine Familie in Kerbala zu besuchen – eine Fahrt von ein paar Stunden nach Süden. Am nächsten Morgen sei er wieder zurück, versprach er und murmelte rätselhaft irgendetwas, dass er einige Vorkehrungen für sie zu treffen habe, ehe der Krieg ausbrach. Nach Chalids Abreise warnte Sabah mich, dass er wahrscheinlich nicht zurückkehren werde, und Sabah behielt Recht. Am nächsten Morgen rief Chalid mich von Kerbala aus an und teilte mir mit, sein Vater sei plötzlich krank geworden und liege im Krankenhaus – »in seinem Blut ist Zucker oder irgend so etwas« – und er werde ein paar Tage lang nicht nach Bagdad zurückkehren. Er riet mir, einen neuen Aufpasser zu suchen.

Der Turab sorgte für einen spürbaren Stimmungswechsel. Nicht nur Sabah und Chalid schienen davon betroffen; fast jeder Iraker, mit dem ich mich an jenem Tag unterhielt, schien zu dem Schluss gelangt zu sein, dass der Krieg letzten Endes unvermeidlich sei. Vermutlich war es ihnen schlichtweg nicht mehr möglich, die Signale zu ignorieren. Der Turab kündigte den Sommer an, und alle wussten, dass der Krieg darum in Kürze ausbrechen würde. Die Amerikaner und Briten hatten klargestellt, dass sie ihre Soldaten nicht im heißen irakischen Sommer in den Kampf schicken wollten. Ein paar Nächte zuvor hatten alliierte Kampfflugzeuge die Luftabwehr Basras heftiger als gewöhnlich angegriffen, Meldungen zufolge waren etliche Zivilisten getötet oder verwundet worden. Auch wenn die amerikanische und die britische Regierung erklärten, ihre Kampfflugzeuge hätten lediglich Routinepatrouillen in der südlichen Flugverbotszone durchgeführt und unterwegs auf feindliches Feuer geantwortet, wie sie es im Laufe der Jahre schon unzählige Male getan hätten, blieben Zeitpunkt und Intensität des Angriffs doch nicht unbemerkt. Die Russen, die das größte Kontingent an ausländischen Diplomaten hatten, evakuierten die meisten ihrer Botschaftsmitarbeiter, und die Japaner kündigten an, sie würden am nächsten Tag abreisen. Die wenigen UN-Waffeninspektoren, die sich noch im Land aufhielten, standen Gerüchten zufolge in Bereitschaft und konnten binnen zwei Stunden das Land verlassen. So gut wie alle anderen, abgesehen von rund 300 westlichen Journalisten, waren bereits abgereist. Wie zu erwarten war, waren einige menschliche Schutzschilde, darunter ihr Anführer Ken O'Keefe, entweder ausgewiesen worden, oder sie hatten die Nerven verloren, sich zerstritten und die Rückreise angetreten.

Noch am selben Abend wurde ich von Faruk Sallum, einem irakischen Dichter, der von Saddam Hussein sehr geschätzt wurde, zum Abendessen eingeladen. Wie Ala Bashir war auch Faruk ein Freund von Nadschi Sabri, dem Außenminister, und einmal mehr war Sabri es gewesen, der mich mit ihm bekannt gemacht hatte. Wir hatten uns beide auf meinen vorherigen Reisen nach Bagdad kennen gelernt und uns über irakische Kultur und Saddam Hussein unterhalten. Der kräftige, gut aussehende Faruk, ein Mann Mitte fünfzig, stammte aus Saddams Heimatstadt Tikrit. Er war herzlich und leutselig, und ich mochte ihn auf Anhieb. Bei unserer ersten Begegnung war Faruk in Hochstimmung gewesen, nachdem er den Abend zuvor mit Saddam verbracht hatte. Faruk und eine Gruppe anderer Dichter hatte der Diktator in einen seiner Paläste bestellt, wo er sie aufgefordert hatte, den Text für eine neue irakische Nationalhymne zu schreiben. Die Zusammenkunft war im Fernsehen übertragen worden.

Ich hatte das Spektakel wie gebannt auf dem Fernseher in meinem Zimmer im Al-Raschid verfolgt. Die Dichter saßen zusammen um einen riesigen Konferenztisch, der sich um den Rand eines spiegelnden Wasserbeckens krümmte. Am Kopfende räkelte sich Saddam, der einen elfenbeinfarbenen Anzug und ein dunkles Hemd trug und eine lange Zigarre rauchte, auf einem thronähnlichen Sessel – mit gebührendem Abstand auf beiden Seiten. Unmittelbar hinter ihm stand wachsam ein Leibwächter in Uniform, die Arme hinter dem Rücken verschränkt, und musterte jeden im Raum misstrauisch. Das Ganze glich einer Szene aus einem James-Bond-Film, in dem der Erzschurke sich mit seinen nervösen Speichelleckern trifft. Saddams Präsenz war hypnotisch und Furcht erregend zugleich. Seine haselnussbraunen Augen blickten kalt und durchdringend, und er setzte sie sehr wirkungsvoll ein. Manchmal verbarg er sie lange hinter den dichten Lidern, öffnete sie dann plötzlich wieder und fixierte wie ein Raubtier das Gesicht eines Dichters, als wolle er ihm in die Seele blicken.

Mit einer erstaunlich dünnen Stimme teilte Saddam den Dichtern mit, dass die neue Hymne unter anderem »Soldaten auf den Schlachtfeldern, die standhaften Kämpfer der Luftabwehr« und »den Widerstandsgeist und das Märtyrertum des irakischen Volkes preisen soll, das es während der Mutter aller Schlachten an den Tag gelegt hat«. Danach standen die Dichter einer nach dem anderen auf und rezitierten pathetische Oden zu seinem Lobpreis. Als sie fertig waren, sagte Saddam, er werde sie eine Weile allein lassen, um ihnen Zeit zu geben, ihre Inspirationen niederzuschreiben. Als er sich erhob, fielen ihm alle zu Füßen. Ein halbes Dutzend uniformierte Wächter tauchte mit einem Mal auf und umstellte ihn schützend, während er aus dem Raum schritt. Die Kamera verweilte auf den Dichtern, die anfingen, fieberhaft zu kritzeln. Etwas später kehrte Saddam genauso zurück, wie er abgetreten war.

In den folgenden Stunden saß Saddam mit gespitzten Ohren da, während die Dichter ihre neuen Verse laut vortrugen. Er starrte entweder an die Decke oder in die Halbdistanz und rauchte noch drei Zigarren (vermutlich die nach Wunsch gefertigten kubanischen Cohibas, die Fidel Castro ihm angeblich regelmäßig zuschickte), die er einer Schachtel auf dem Tisch vor sich entnahm. Während er paffte, würdigte Saddam den Beitrag eines jeden Dichters mit einem kurzen Kopfnicken, einem Grunzen oder einem gemurmelten Dank. Galant überhäufte er die einzige anwesende Dichterin mit Lob und sprach mit einer süßlich kokettierenden Stimme mit ihr. Sie strahlte vor Stolz und wirkte nervös. Die meisten Dichter hatten, wie zuvor, in ihren Gedichten ein Lobpreis auf Saddam aufgenommen, etwa in wiederholten emotionalen Ausrufen: »O Saddam!« Schließlich endete das Treffen damit, dass Saddam den Dichtern mitteilte, er werde prüfen, was sie geschrieben hatten, und dann ein oder zwei Gedichte für die neue irakische Hymne auswählen.

Faruk erzählte mir, das Treffen mit Saddam sei sehr aufregend gewesen. Doch war er Saddam schon vorher begegnet. Saddam hatte es sich zur Gewohnheit gemacht, ihn und ein paar andere zu privaten Soireen einzuladen, um über Dichtung und Kultur zu sprechen. »Er stammt aus einem Dorf, aus einer armen Familie, aber er kennt sich in der Kultur aus und interessiert sich für sie«, sagte Faruk loyal. Gelegentlich, fügte er hinzu, fertigte Saddam architektonische Zeichnungen für seine großen Paläste und andere öffentliche Gebäude an und fragte seine Gäste nach deren Meinung. Nach Faruks Tonfall zu schließen, war das eine große Ehre. Faruk hob hervor, dass Saddam keineswegs seine niedere Herkunft vergessen habe. »Er ist ein Naturliebhaber. Ich weiß, dass er manchmal ein paar Tage zum Angeln fährt, um den Kopf frei zu bekommen, und in die Wüste zum Schafehüten, wie er es als kleiner Junge gemacht hat.« Es fiel mir schwer, das zu glauben, und das sagte ich Faruk auch. Er bestand darauf. »Ich weiß, dass er das tut«, sagte er feierlich.

Ich fragte Faruk, wie es denn gewesen sei, in Saddams Heimatstadt aufzuwachsen. Er sagte, dass er als Junge häufig Geschichten von Saddams jugendlichen Heldentaten gehört habe. Zu den bekannteren, an die er sich erinnerte, zählte die Geschichte, dass Saddam jeden Tag zu Fuß von seinem Haus im Dorf Owdscha, einige Kilometer von Tikrit entfernt, bis zur Schule gelaufen sei. Damals war das Land dort noch wild und einsam und von Furcht erregenden Wölfen bewohnt, und es war sehr gefährlich, es zu Fuß zu durchqueren. Doch Saddam hatte sich nicht einschüchtern lassen und die Wölfe in Schach gehalten, indem er beim Gehen trotzige Lieder gesungen hatte, und das hatte auch anderen wiederum Mut gemacht. Diese Geschichte habe Faruk so sehr inspiriert, erzählte er mir, dass er eigens ein Gedicht im Stil eines Rasaq geschrieben habe, einer traditionellen irakischen Gedichtform, die den Kriegern in der Schlacht Mut einflößen sollte. Faruk rezitierte eine ungefähre Übersetzung: »Er, der unter den Wölfen ist, dessen Worte sich in Gift verwandeln, das seine Feinde abschreckt.«

Als ich im Jahr 2002 in den Irak zurückkehrte, hatte Faruk nach außen hin seine leutselige Art beibehalten, doch mir fielen seine traurigen Augen auf. Außerdem hatte er zugenommen und sprach weitschweifend und zusammenhangslos, als ob er sich nicht auf eine Sache konzentrieren könne. Er erwähnte, dass er erst vor kurzem nach Kairo gereist sei und sich in den Buchhandlungen der Stadt verloren habe, er sei mit »50 Kilo Büchern« nach Hause zurückgekehrt. Seine Augen leuchteten; er war offensichtlich glücklich mit seinen Neuerwerbungen. Doch die Begegnung mit der kulturellen Vielfalt Kairos schien Faruk auch vor Augen geführt zu haben, in was für einem desolaten Zustand das intellektuelle Leben in Bagdad war. Er las mir eine Passage aus einem Leitartikel vor, den er für eine irakische Regierungszeitung geschrieben hatte. Er habe ihn »Die Kultur des Wandels« genannt, sagte er, und tadele darin die Vereinigten Staaten, weil sie Iraks Intellektuelle zu einem Leben in Isolation verdammt hätten, indem sie diese durch Sanktionen vom Westen trennten. »Die Vereinigten Staaten wollen, dass wir moderner, flexibler sind«, übersetzte Faruk laut, »aber die Vereinigten Staaten geben uns seit vielen Jahren keine Chance, intellektuelle, zivile oder künstlerische Kontakte zwischen Irakern und Amerikanern zu pflegen. Die Vereinigten Staaten lehnen Verhandlungen mit Saddam Hussein ab, aber wir können das auch selbst in die Hand nehmen, von Mensch zu Mensch.«

Mir war nicht ganz klar, worauf Faruk hinauswollte, und ich fragte mich, ob mir vielleicht etwas entgangen war und ob sein Kommentar vielleicht eine versteckte Kritik an Saddams Tyrannei enthielt. Die Kontakte, die er vorschlug, kamen mir kurios, ja sogar irrelevant vor angesichts der immer höheren Wahrscheinlichkeit eines Krieges. Ich sprach ihn darauf an. Faruk machte eine kurze Pause, dann sagte er: »Ich habe um meine Kinder Angst, um die Kinder meiner Schwester. Ich sehe die alten Leute an, und ich denke an das, was ihnen zustoßen wird. Ich sehe ihre Gesichter an. Obwohl ich denke, die B-52-Bomber werden hierher kommen und zerstören, denke ich doch, dass eine Chance für Frieden und Verständnis zwischen Irakern und der amerikanischen Zivilgesellschaft besteht über die Humanität.«

Mit einem Lächeln fügte Faruk hinzu: »Wissen Sie was? Ich habe einmal einen Leitartikel geschrieben mit dem Titel: ›Ich gestehe, ich mag die Amerikaner‹, aber ich schrieb auch einen, dass ich mir wünschen würde, dass mehr Amerikaner Zugang zu freien Informationen hätten und dass nur eine winzige Zahl von ihnen die Wahrheit kennt.« Diese Behauptung kam mir völlig absurd vor angesichts der Tatsache, dass der Irak doch eine der restriktivsten Gesellschaften der Welt war. Als ob er meine Gedanken lesen könnte, fügte Faruk hinzu: »Wissen Sie, es stimmt nicht, was die Leute sagen, dass wir rückständig, isoliert oder ignorant seien. Der Wissenshunger der Iraker bedeutet, dass wir so viele Informationen wie möglich bekommen wollen.« Das sei auch der Grund, erklärte er, weshalb er sich in Kairo so mit Büchern eingedeckt habe. Er schien mir sagen zu wollen, dass nicht nur die Iraker, sondern auch die Amerikaner davon profitieren würden, wenn sie mehr übereinander wüssten. Ein solches Wissen käme den Amerikanern besonders dann zugute, wenn sie den Irak wirklich besetzen sollten. Er fuhr fort:

»Wissen Sie, es ist nicht einfach, die Veränderungen im Irak durchzuführen, über die tausendmal am Tag gesprochen wird. Die islamischen Fundamentalisten würden sich auflehnen, genau wie die Nationalisten und auch die Stämme. Bei den Sunniten werden sich die Wahhabiten melden und bei den Schiiten die Ultrakonservativen. Ich habe die Tagebücher einiger europäischer Abenteurer gelesen, die diese Region im 19. Jahrhundert bereist haben, und mir ist klar geworden, dass die Iraker immer noch die gleichen Menschen wie damals sind. Wir sind konservativ, mit den für eine Stammesgesellschaft typischen Wertvorstellungen von sozialer Würde und mit einem starken Patriotismus.«

Ich verließ Faruks Büro und wusste immer noch nicht so recht, was er mir denn eigentlich hatte sagen wollen. Ich hatte widersprüchliche Botschaften herausgehört. Doch der grundlegende Tenor war offenbar, dass er klar erkannt hatte, dass der Krieg kommen und das Saddam-Regime zu Ende gehen würde. Ich kam zu dem vorläufigen Schluss, dass sein Plädoyer für kulturellen Austausch mit den Amerikanern sowohl als Warnung gedacht war – wegen der Probleme, mit denen sie im Irak konfrontiert werden würden – als auch als eine vorsichtig formulierte Willkommensbotschaft, etwa mit seinem dezidierten Hinweis, er möge die Amerikaner. Vielleicht war es Faruks Art, sich schon im Voraus einen Platz in der Nach-Saddam-Ära im Irak zu sichern.

Am Abend des 6. März 2003, als ich zu der Dinnerparty an seinem Haus ankam, begrüßte er mich überschwänglich mit Küssen auf beide Wangen. Er hatte anscheinend einen kleinen Schwips, und mir fiel auf, dass er in den letzten Monaten noch mehr zugenommen hatte. Euphorisch führte Faruk mich am Arm zu den anderen Gästen und stellte mich scherzhaft mit den Worten vor, dass ich ein »amerikanischer Spion« sein könnte. Ein gutes Dutzend andere Gäste war gekommen, darunter ein

Palästinenser und ein paar Männer und Frauen von einer skandinavischen freikirchlichen Entwicklungsorganisation; einer von ihnen trug einen Priesterkragen. Faruk hatte die Zusammenkunft ausgesprochen irakisch gestaltet. Er spielte eine Laute, ein wundervoll gearbeitetes Instrument, das, wie er sagte, der berühmteste Lautenbauer von Basra angefertigt hatte, und sang zwei Lieder dazu: ein trauriges über Liebe, das der verstorbene ägyptische Sänger Um Kalthum bekannt gemacht hatte, und eine eigene Komposition, die wie ein Gedicht klang. Die Wörter waren auf Arabisch, und er erklärte mir, das Lied handle von unglücklicher Liebe und einer hinterlistigen Frau. Der palästinensische Gast flüsterte mir zu, dass Faruks Lautenspiel, das in meinen Ohren sehr lieblich geklungen hatte, »grässlich« sei, allerdings singe er schön.

Wir tranken Arrak, das irakische Nationalgetränk, eine Art Anisschnaps. Faruk bereitete das Abendessen selbst auf einem Grill in seinem Garten zu. Als Hauptgericht gab es Masguf, einen Flussfisch aus dem Tigris, der aufgeschnitten und auf heißen Kohlen gegrillt wurde. Der Fisch wird geröstet, bis die Haut goldbraun ist, und dann vom Feuer genommen. Er ist darunter weiß und zart, und das Fleisch wird mit den Fingern gegessen. Er schmeckt ein wenig nach Forelle, allerdings mit dem etwas erdigeren Beigeschmack eines Seewolfs. Während Faruk den Fisch zubereitete, rief er uns zu sich. Drei Fische lagen auf der Seite rings um das Kohlenfeuer, das in einer Stahltonne in seinem Vorgarten brannte. Faruk erzählte uns, dass das Gericht bis in die Zeit der Sumerer zurückverfolgt werden könne. Neben mir bemerkte ein anderer Gast, ein grauhaariger Däne mit langer Erfahrung im Irak: »Ich sehe mir das an und denke an die lange Geschichte des Irak und wie viel von der Kultur noch heute lebendig ist. Wenn sie hierher kommen, kann ich mir nur vorstellen, dass die Amerikaner sich wie die neuen Barbaren aufführen werden.«

Den ganzen Abend über bestand Faruk mit einer Leidenschaft, die immer verzweifelter wirkte, darauf, dass wir mit Arrak zu Trinksprüchen auf Kunst, Musik, Liebe, Frieden und Freundschaft anstießen. Das Wohnzimmer war mit einer ausgezeichneten Sammlung moderner irakischer Kunst geschmückt – nebst einigen gerahmten Bildern, die Faruk mit Saddam Hussein zeigten. Er wies auf seinen beträchtlichen Körperumfang und spöttelte, dass Saddam ihm unlängst geraten habe, er solle 28 Kilo abnehmen. Er erhob sein Glas und sprach einen Toast aus: »Auf die Diät!« Einmal bat er einige Gäste, ihm in den Garten zu folgen, weil er ihnen seinen neuen Brunnen zeigen wollte, den er wie viele Bagdader erst vor kurzem zur Vorbereitung auf den Krieg gegraben hatte. Er zeigte uns einen Stapel getrockneter Dattelpalmenstämme, die er als Brennstoff gelagert hatte, und Benzinkanister für seinen Generator im Garten. »Ich habe alles vorbereitet, sehen Sie?« Mit einem Blick auf den mondlosen Nachthimmel sagte er: »Und ich werde hier stehen und zusehen können, wie die Cruise-Missiles vorbeifliegen auf dem Weg zu ihren Zielen, genau wie im Jahr 1991.« Als Faruk von dem Bombardement Bagdads sprach, das dem ersten Golfkrieg vorausgegangen war, erzählte er, dass er die Zeit damit verbracht habe, sich mit Arrak zu betrinken, und dabei ein wenig verrückt geworden sei, so verrückt – er lachte –, dass er, während er in seinem Garten stand und die Raketen über den Himmel flitzen sah, sie weiter zu ihren Zielen vorantrieb. Er äffte sich selbst nach, wie er auf den Beinen geschwankt war und zum dunklen Himmel gezeigt hatte mit den Worten: »Auf geht's, trefft eure Ziele.« Er machte sich über sich selbst lustig, doch in der Art, wie er die Geschichte erzählte, schwang Bitterkeit mit.

Faruk lachte erneut, manisch, und eilte zu seinen anderen Gästen. Da er die Skandinavier wohl für fromme Menschen hielt, erzählte er ihnen, wie er seiner jungen Tochter manchmal Schlaflieder aus dem Koran vorsang, und von den gemeinsamen

Werten, die er zwischen dem Islam und dem Christentum sah. Er sprach mit einem Eifer, der fast schon peinlich war; sie nickten ernst, sagten aber kaum etwas. Später kam ein Skandinavier, der Mann mit dem Priesterkragen, zu mir und fragte mich ruhig: »Was wird Ihrer Meinung nach passieren?« Ich sagte ihm, ich sei der Ansicht, es werde bald Krieg geben. Anfang März im Irak war das die einzig mögliche Art, seine Frage zu deuten. Er nickte. »Ja, das glaube ich auch.« Dann fügte er hinzu, dass er, auch wenn das aus seinem Mund möglicherweise seltsam klingen möge, sich nicht so sicher sei, ob das Ergebnis wirklich so schlimm sein werde, wie viele Menschen befürchteten. Seine Wohltätigkeitsorganisation sei auch in Afghanistan tätig gewesen, erklärte er, und zwar vor, während und nach dem amerikanischen Bombenkrieg gegen die Taliban. Entgegen seiner Befürchtungen und der anderer sei die Bombardierung mit sehr großer Präzision durchgeführt worden. Es habe nur sehr wenig zivile Opfer gegeben. Als er danach seine Mitarbeiter vor Ort nach ihrer Meinung über die Bombardierung fragte, hätten sie ihm gesagt, das sei das einzig Richtige gewesen. »Es war ein Lernprozess für viele von uns«, sagte er mir. Er habe jedoch einen Kritikpunkt an dem amerikanischen Einsatz in Afghanistan, sagte er, nämlich die mangelhafte Konsequenz nach dem Krieg. Seiner Ansicht nach waren die Amerikaner viel zu zögerlich gewesen, ihren Einfluss – und den der Regierung Karsai – auf das ganze Land auszudehnen. Eine gewaltige zivile Wiederaufbauarbeit sei dort nötig, und sie würden die Projekte viel zu langsam in die Wege leiten. Dann sprach er über die große Angst vor Saddam, die er unter den Irakern bemerkt hatte. »Es liegt auf der Hand, dass sie einen Wandel wollen«, murmelte er.

Gegen Mitternacht kündigte Faruk an, dass er zu seinem Bedauern die Party beenden müsse. Er reise gleich am nächsten Morgen nach Madrid ab. Es handle sich um eine Geschäftsreise, erklärte er. Er war im Rahmen seiner Regierungspflichten eingeladen worden. Neben seiner Arbeit als Dichter war Faruk auch ein hoher Funktionär des irakischen Kultusministeriums. Bei unserer ersten Begegnung war er Leiter der Abteilung für irakisches Kino und Fernsehen gewesen, und jetzt war er für Musik und Tanz zuständig. Vor seiner Abreise, erklärte Faruk, müsse er erst noch seine Frau – eine schöne, müde wirkende junge Frau, eine ehemalige Primaballerina, die während des Abends meist still lächelnd dagesessen hatte – und Tochter verabschieden. Sie bereiteten sich auf die Abreise nach Syrien vor. Er sagte nicht, warum, aber als wir sein Haus verließen, teilte mir einer meiner Gefährten mit, dass die Familie von Faruks Frau vor kurzem ein Haus in Damaskus gemietet habe und ihre Ankunft erwarte. Wie viele andere hohe Vertreter der Baath-Regierung evakuierte Faruk seine Familie, bevor der Krieg ausbrach. »Ich glaube auch nicht, dass *er* zurückkommen wird«, sagte mein Gefährte. Während wir abfuhren, stand Faruk an dem Tor seiner Einfahrt, winkte leicht und rief: »Zündet eine Kerze für uns an. Zündet eine Kerze für den Frieden und für die Kinder des Irak an.«

Am selben Abend trat Präsident Bush in den Vereinigten Staaten im Fernsehen auf und kündigte an, dass der Krieg mit dem Irak sehr nahe sei.

Am nächsten Morgen bat ich Sabah, mich zum Museum zum Ruhm des irakischen Führers zu fahren, wo Saddams große Sammlung von Geschenken ausgestellt war. Ich wollte mir noch einmal das Gewehr ansehen, das angeblich im Jahr 1920 für die Ermordung des berühmten britischen Offiziers Colonel Gerard Evelyn Leachman verwendet wurde. Wie sein Kollege T. E. Lawrence hatte sich auch Leachman durch Großtaten in der Wüste hervorgetan. Er hatte dort unter Arabern gelebt und sich durch Ausdauer und Wagemut ausgezeichnet. Während der Anfangsphase der türkischen Umzingelung Kuts brach Leachman, der die Flanke der zurückweichenden Truppen deckte und sich außerhalb der Stadt befand, durch die türkischen Linien, um einige Diener zu befreien, die in dem Ort gefangen waren, darunter ein junger Inder namens Hassan, der zu seinem ständigen Begleiter geworden war. Leachman führte einen Ausfall mit mehreren Tausend Kavalleristen an. Leachman traf während der Belagerung auf Lawrence, der in einer geheimen Mission eintraf, um gegen eine Zahlung von zwei Millionen Pfund sicheres Geleit für die von den Türken belagerte Garnison zu erlangen. Leachman führte Lawrence zu dem Treffen mit dem türkischen Befehlshaber, doch das Angebot wurde von Enver Pascha, dem osmanischen Kriegsminister, herablassend abgelehnt. Lawrence reiste weiter nach Ägypten, und kurz danach kapitulierte die Garnison von Kut.

Lawrence wurde in der Folge eine viel bekanntere Figur als Leachman – vor allem weil der amerikanische Journalist Lowell Thomas Lawrence' Geschichte so spannend beschrieben hat und weil Lawrence selbst ein talentierter Autor war, der später seine Memoiren schrieb. Leachman hingegen war menschenscheu, ein militärischer Mann der Tat, der nur selten etwas aufschrieb, aber er war auf seine Art auch eine heroische Figur. Die Meldung von seiner Ermordung stachelte die arabischen Stämme zur Revolte an und schockierte die britische Öffentlichkeit, die ohnehin bereits ihre Zweifel wegen der Besetzung des Nahen Ostens hatte. Leachman war im Jahr 1907 nach Mesopotamien – oder »Mespot«, wie die Briten es damals nannten – gekommen, nachdem er zuvor im Burenkrieg, in dem er verwundet worden war, und dann in Indien gedient hatte. Er verbrachte eine kurze Zeit in der kosmopolitischen Gesellschaft der Westler in den Städten Basra und Bagdad, doch seinen Ruhm erwarb er sich unter den Stämmen des Euphrat. Er trug traditionelle arabische Gewänder und ritt Pferde und Kamele auf langen Reisen durch verlassene, auf keiner Karte verzeichnete

Landschaften und informierte sich über die Intrigen unter den Stammesführern in den letzten Tagen des Osmanischen Reiches.

Im Frühjahr 1910 war Leachman als Spion in der Wüste unterwegs, als er das Kriegslager von Nasser al-Saduns Urgroßvater Ibn Sadun Pascha aufsuchte, des Führers des mächtigen Muntafiq-Clans, der seit vier Jahrhunderten über einen großen Landstrich Südmesopotamiens herrschte. In Amman hatte Nasser al-Sadun mir von diesem Zusammentreffen erzählt. Damals befanden sich die Saduns mitten in einem Territorialkrieg gegen rivalisierende Wüstenstämme, auch gegen die Sauds, die späteren Herrscher Saudi-Arabiens. Die meisten Stämme waren ein lockeres Bündnis mit den Türken eingegangen, wurden jedoch auch von den Briten hofiert, die ihren Einfluss auf die niederen Regionen des Osmanischen Reichs ausdehnen wollten. Leachman reiste zwischen den Schlachtreihen der Krieg führenden Stämme hin und her und hatte den jungen Prinzen Saud und seinen regierenden Onkel bereits getroffen, als er sich in Sadun Paschas Lager begab. Der alte Stammesführer hatte erst vor kurzem einen Überfall von einem 8000 Mann starken Heer abgewehrt, das die Sauds und ihre Verbündeten aus Kuwait entsandt hatten. Unterwegs überquerte der britische Oberst ein Wüstengebiet, das von menschlichen Überresten übersät war, die von Hyänen und Geiern aufgefressen wurden. Er wurde von Sadun Pascha huldvoll begrüßt, der ihm von der Schlacht erzählte und ihm mitteilte, dass er einen zweiten Angriff erwarte. Er lud Leachman ein, ihn und seine 3000 Mann starke Armee, die aus untergeordneten Clans bestand, jeder mit seiner eigenen Kampfflagge, auf einem Marsch durch die Wüste zu begleiten, um den Feind zu empfangen. Als es dann doch nicht zur Schlacht kam, kehrte die Armee zur Basis zurück. Nachdem die versammelten Krieger, alle in Weiß gekleidet und mit Schwertern und Gewehren bewaffnet, Sadun Pascha überschwänglich ihre Bündnistreue bezeugt hatten, verabschiedete sich Leachman. Später schilderte er Sadun Pascha mit ungewöhnlich überschwänglichen Worten als »einen feinen alten Mann ... so höflich, sehr reich, ein ausgezeichneter Soldat und ein glühender Feind der Türken«.

Es sollte das letzte Aufeinandertreffen der Briten und des letzten großen Führers der Muntafiq aus Mesopotamien bleiben. Knapp ein Jahr später wurde Sadun Pascha von seinen Feinden verraten und von den Türken gefangen genommen. Sie steckten ihn im syrischen Aleppo ins Gefängnis, wo er kurz danach starb, angeblich an einem Herzschlag. Die Briten glaubten, er sei vergiftet worden. Mit Sadun Paschas Tod verfiel der Einfluss der Muntafiq rasch, weil der Clan sich in zwei zerstrittene Gruppen spaltete und langjährige Bündnispartner, ja am Ende die Macht über den Süden verlor. Ironie der Familiengeschichte: Sadun Paschas Sohn Adschaimi, der die Nachfolge seines Vaters antrat, stellte sich in dem nur wenige Jahre später folgenden Krieg an die Seite der osmanischen Türken – trotz ihrer Schuld am Tod seines Vaters – gegen die Briten. Adschaimis unbedachte Entscheidung raubte den Briten nicht nur einen potenziell unschätzbaren Verbündeten, sondern kostete letzten Endes auch die Saduns ihre Herrschaft. Während des Krieges trug Leachman mehrere blutige Schlachten mit Adschaimi al-Sadun aus, der ein ständiger Störenfried war, bis er verjagt wurde.

Leachman war ein ernster Mensch, und zu der Zeit des Waffenstillstandes 1918 hatte er bereits unzählige Schlachten und mehrere Anschläge auf sein Leben überstanden. Nach dem Krieg ging er auf die rücksichtsloseste Weise gegen arabische Aufständische vor. Die Briten setzten Luftbombardements als kostengünstige Methode ein, um die aufgebrachten Stämme zu kontrollieren, und Leachman war wegen seiner Einfälle zur Unterdrückung von Unruhen besonders gefürchtet. Kurz vor seinem Tod sprach er sich für ein »umfassendes Abschlachten« unbotmäßiger Stammesführer aus. (In dieser Beziehung unterschied Leachman sich kaum von Winston Churchill, dem britischen Kriegsminister, oder von T. E. Lawrence; beide Männer plädierten für den Einsatz von Giftgas, um die Rebellen in Schach zu halten.) Als der irakische nationale Aufstand im März 1920 begann, begleitete ein Offizierskollege, der Arabist H. St. John Philby, der Vater des britischen Verräters Kim Philby, Leachman auf einer Strafexpedition gegen den Stamm der Dulaimi, die offen rebellierten. »Sechs Offiziere waren in den 10 Tagen vor seiner Ankunft getötet worden«, schrieb Philby. »Die arabischen Missetäter spielten friedfertige Ackerbauern, als er eintraf. Sie, die ›Ackerbauern‹, waren überhaupt nicht erfreut, ihn zu sehen. Er ließ sie kurzerhand hinrichten. Mit einer Schar Soldaten und loyaler Araber brannte er Hütten im Umkreis von 16 Kilometern nieder, trieb das Vieh zusammen, zerstörte alles, was ihm unter die Augen kam, und tötete die wenigen Araber, die den Mut hatten, Widerstand zu leisten.«

Am 12. August 1920, als die Unruhen sich ausweiteten, fuhr Leachman von Bagdad aus nach Westen in die Stadt Falludschah, gut 60 Kilometer entfernt, um sich mit Scheich Dhari zu treffen, einem Führer des Stammes der Soba, dessen Angehörige sich bislang nicht an dem Aufstand der Araber beteiligt hatten. Es ist unklar, was der eigentliche Grund für dieses Treffen war oder was sich genau an diesem Tag abspielte, doch die Briten neigen zu der Ansicht, dass Leachman in eine Falle gelockt und vom Sohn eines Scheichs in den Rücken geschossen wurde. Nachdem Gertrude Bell, die politische Sekretärin des britischen Hochkommissars in Bagdad, die Nachricht gehört hatte, schrieb sie in einem Brief an ihren Vater: »Die schlimmste Nachricht ist, dass Col. Leachman in einen Hinterhalt gelockt und getötet wurde ... Er hat ganz allein und mit Hilfe der Stämme den ganzen Euphrat bis nach Anak gehalten, nachdem die Soldaten alle abgezogen wurden, und wir wissen nicht, was in diesen Regionen jetzt passieren wird ...«

Leachmans Ermordung war ein Wendepunkt in der antibritischen Revolte. Der Tod einer so prominenten Persönlichkeit verlieh den Aufständischen Mut, und die Rebellion weitete sich rasch auf große Teile des Landes aus. In einem weiteren Brief nach Hause schrieb Gertrude Bell am 5. September: »Wir stecken jetzt mitten in einem richtigen Dschihad.« Genau wie ihr Kollege T. E. Lawrence hatte Bell sich schon seit langem vehement für die arabische Unabhängigkeit ausgesprochen. In den drei Jahren, die seit ihrer Ankunft in Bagdad im April 1917 vergangen waren, kurz nach dem Fall der Stadt an Maudes Truppen, hatte Bell, die fließend Arabisch sprach, versucht, die wachsende Frustration der irakischen Nationalisten zu mindern, und sich erfolglos für sie eingesetzt. Als die Revolte begann, war sie keineswegs überrascht. »Wenn man es recht bedenkt«, schrieb sie damals, »ist es sehr verständlich, dass sich jeder denkende Mensch gegen ein System erheben muss, das etwas so Zerstörerisches wie den Ersten Weltkrieg hervorbringen konnte ... Das Ansehen der europäischen Zivilisation ist verspielt. Immer wieder haben Menschen zu mir gesagt, es sei ein Schock und eine Überraschung für sie gewesen, mitzuerleben, wie Europa in die Barbarei zurückfällt. Ich wusste darauf keine Antwort – wie kann man den Krieg sonst nennen? Wie können wir, die wir unsere eigenen Angelegenheiten so schlecht geregelt haben, anderen beibringen, ihre Angelegenheiten besser zu regeln?«

Einen Monat später, als der Aufstand endlich niedergeschlagen wurde, waren fast 500 britische Soldaten und sage und schreibe 10 000 Iraker ums Leben gekommen, darunter viele Zivilisten. Der Aufstand gab den Ausschlag für die britische Entscheidung, den haschemitischen König Faisal I. zum nominellen Herrscher des Irak zu ernennen, was ein Jahr danach umgesetzt wurde. Wie nicht anders zu erwarten, weichen die britische und die irakische Version der Ereignisse von 1920 erheblich voneinander ab, angefangen mit den Umständen von Leachmans Ermordung. Im heutigen Irak wird Scheich Dhari als der Mann, der Leachman umgebracht hat, bezeichnet und als Held und Patriot verehrt.

Am 7. März 2003, als Sabah mich wieder zu dem Museum brachte, damit ich mir die Waffe noch einmal ansehen konnte, stellte ich fest, dass viele Schaukästen leer waren. Das Gewehr, das Leachman getötet hatte, war nirgends aufzutreiben. Als ich einen Wächter danach fragte, wurde eine Museumsdirektorin gerufen. Zuerst fragte sie mich, wo ich denn herkomme. Als ich ihr sagte, ich komme aus den Vereinigten Staaten, da trug sie in gebrochenem Englisch folgenden Vers vor: »Welcome USA, go away.« Ich fragte sie nach dem Gewehr. Sie erklärte, es sei wegen des erwarteten Angriffs der Amerikaner in Sicherheit gebracht worden. »Das Gewehr ist etwas ganz Besonderes, wissen Sie. Sämtliche besonderen Ausstellungsstücke sind an einen sicheren Ort gebracht worden.« Sie ging wieder weg. Ein anderer Direktor, der mir die Enttäuschung ansah, trat auf mich zu und sagte, er werde das Gewehr holen. Er verschwand. Einige Minuten später kehrte er in Begleitung uniformierter Wächter zurück. Er trug ein Repetiergewehr mit einem langen Lauf. Es handle sich, erklärte der Direktor, um eine Brünner, die 1902 unter Lizenz in Persien hergestellt worden war, eigens für Präzisionsschüsse auf weite Entfernungen gedacht. Er zeigte auf eine Schrift in Farsi auf dem Lauf und auf die geeichten Klappkimmen, um die Entfernung einzustellen. »Dies«, sagte er mit einem Lächeln, »ist das Gewehr, das Colonel Leachman tötete.« Es wurde mir gestattet, die Waffe ein paar Minuten zu bewundern, dann wurde sie wieder weggebracht.

Scheich Dharis Nachfahren leben in dem Dorf Chandhari, das nach dem Clan des Scheichs benannt ist und gut 55 Kilometer westlich von Bagdad liegt. An dem Tag meines Besuchs im Museum zum Ruhm des irakischen Führers begab ich mich mit einem neuen Aufpasser, einem dicklichen, schüchternen jungen Mann namens Muslim, nach Chandhari. Wir fanden die Moschee, ein Gebäude aus gelben Ziegeln mit einem hübschen türkis, gelb und grün gedeckten Minarett. Sie stand direkt gegenüber der hohen Mauer des gefürchteten Gefängnisses Abu Ghraib. Gleich neben dem Haupteingang hing ein riesiges Porträt, das Saddam in einem schwarzen Gangsteranzug darstellte. Ich war zum ersten Mal wieder hier seit dem Tag der Massenentlassung im Oktober, vor fünf Monaten. Offiziell war Abu Ghraib damals völlig leer geräumt worden, doch ich hatte Gerüchte gehört, dass es heimlich wieder geöffnet und in Betrieb genommen worden sei.

Die Familie der Mörder Leachmans waren bei unserer Ankunft zum Mittagsgebet in der Moschee. Als die Betenden herauskamen, wurde ich einem Trio alter Männer mit sauber gestutzten Bärten im traditionellen Kaftan und mit kariertem Kopftuch vorgestellt, den Enkeln Scheich Dharis. Ich erklärte, ich sei gekommen, weil ich ihre Version von dem Attentat auf Leachman hören wollte. Sie luden mich ein, zu ihrem Anwesen ganz in der Nähe mitzukommen, ein paar niedrige Gebäude, umgeben von Dattelpalmen gleich an der Hauptstraße, und führten mich in die Diwanijah, einen langen rechteckigen Versammlungsraum, an dessen Wänden sich Sofas mit einfachen Tagesdecken, Stühle und kleine Teetische reihten.

Sie bedeuteten mir, mich zu setzen, dann rückten die drei betagten Männer, Scheich Muther Chamis al-Dhari, 71 Jahre, Scheich Abdul Wahab Chamis al-Dhari, 72 Jahre, und Scheich Taher Chamis al-Dhari, 75 Jahre, Stühle heran. Als Erster sprach Scheich Muther, ein kräftig gebauter, fast zahnloser Mann, der seine Version der Ereignisse mit einer trotzig klingenden Stimme deklamierte. Fast unmittelbar danach fielen ihm seine Brüder ins Wort, die ganz eindeutig anderer Meinung waren. Nach ihrem Ausbruch schrie Muther sie an und setzte seine Erzählung fort. Der älteste Bruder, Scheich Taher, ein vornehm aussehender Mann mit kurz geschnittenen Fingernägeln und einem feinen, mit Gold bestickten Kaftan und einem verzierten Spazierstock, starrte seinen Bruder versteinert an und sagte nichts. Scheich Abdul Wahab wandte sich von Muther ab und rollte sarkastisch die Augen. Das war zu viel für Muther, der wütend aus dem Zimmer stapfte, aber nur wenige Augenblicke später zurückkehrte. Abdul Wahab ergriff dann das Wort, wurde aber schon bald von Muther unterbrochen. Das Ganze spielte sich auf Arabisch ab, und Muslim, mein Aufpasser, sah sich völlig außerstande zu übersetzen, doch ich hörte häufig den Namen Leachman heraus. Muslim schrieb sich auf, was sie auf Arabisch sagten, und stellte ihnen gelegentlich Fragen, aber ich sah ihm an, dass er völlig verwirrt war. Einmal sagte er zu mir: »Es sind alte Männer, und jeder hat seine Geschichte. Ich werde es später erklären.« Das Gezänk ging weiter. Am Ende erhob sich Scheich Taher wortlos und mit großer Würde, stolzierte davon und setzte sich zu seinen Verwandten am Ende des Raums. Ein gutes Dutzend Männer, Söhne, Neffen und Enkel der alten Scheichs, hatte sich versammelt, um zuzuhören. Während die Alten sich stritten, lächelten sie und schüttelten den Kopf. Einer versuchte ein paar Mal, sich zu nähern und die Gemüter zu beruhigen, hatte aber keinen Erfolg und zog sich am Ende ganz zurück. Er sah mich teilnahmsvoll an und hob die Augenbrauen, als wolle er sagen: »Sie sind unmöglich.«

Schließlich trat ein junger Verwandter heran und setzte sich neben mich. Er sprach Englisch. Er stellte sich als Abdul Rasaq vor und fragte mich, ob ich Christ oder Jude sei. Als ich ihm antwortete, ich sei christlicher Abstammung, lächelte er erleichtert und sagte: »Das freut mich. Ich mag keine Juden.« Dann zeigte er auf eine alte Schwarzweiß-Fotografie, die neben einem der obligatorischen Saddam-Hussein-Porträts an der Wand hing. Das sei ein Porträt von Scheich Dhari, erklärte er. Bei genauerem Hinsehen bemerkte ich, dass das Gesicht grob mit Farbe retuschiert worden war, und das Ergebnis war das Bild eines Mannes mit einem Engelsgesicht, ungefähr so wie die altmodischen Abbilder von Josef in illustrierten Bibeln für Kinder. Scheich Dharis Hände waren friedlich auf den Knien gefaltet. Wie seine Enkel hatte er einen Bart und trug einen Kaftan und ein Kopftuch.

Mit einem Mal war die Geschichtslektion vorüber, und auf das hartnäckige Drängen der Scheichs hin wurde ich in einen benachbarten Raum geführt, wo man ein ausgiebiges Mittagessen aus Reis, roten Bohnen, Brathähnchen und Salat auf einem Tischtuch serviert hatte, das auf dem Boden ausgelegt war. Beim Essen bat ich Muslim, die wesentlichen Punkte der Diskussion zusammenzufassen. In seinem wunderlichen Englisch erklärte er: »Werter Herr, sie sagen: Scheich Dhari war der Urheber des Plans, Leachman zu ermorden, und er erschlug Leachman mit dem Schwert, nachdem ein paar Verwandte auf ihn geschossen und ihn am Bein verwundet hatten. Dann entkam er in die Türkei. Der Aufstand weitete sich auf alle Regierungsbezirke des Irak aus. Die Briten setzten auf Scheich Dharis Kopf eine Belohnung aus. Er wurde krank und von einem Spion, der für die Briten arbeitete, nach Bagdad zurückgebracht. In dem Hospital gab ihm ein englischer Arzt eine Giftspritze, und er starb. Das war im Jahr 1928.«

Später, beim Tee im Versammlungsraum, fing Scheich Muther wiederum an zu deklamieren. Das schien seine übliche Art zu reden zu sein. Muslim übersetzte. »Leachman versuchte, Krieg zwischen den Völkern im Irak zu machen, um das zu bekommen, was er wollte«, erklärte Muther. Er schien eine Parallele zwischen Leachman und der Gegenwart ziehen zu wollen. »Sagen Sie Amerika, dass es nicht angreifen soll!«, brüllte er mich plötzlich an. »Ich bin ein Krieger genau wie Scheich Dhari, und ich werde mein Land tapfer verteidigen.« Er fing an zu kichern und umarmte mich leidenschaftlich und mit einem zahnlosen Grinsen. Nachdem sich Muther von mir gelöst hatte, fragte ich ihn, ob er glaube, es werde überhaupt zum Krieg kommen. Er antwortete vorsichtig: »Ich weiß nicht. Das hängt von der irakischen Regierung ab.« Könnten die Amerikaner irgendwelche Lehren aus der Erfahrung der Briten ziehen? Bevor Muther antworten konnte, meldete sich Abdul Rasaq, der Mann, der mich gefragt hatte, ob ich Jude sei: »Wir haben viele Lektionen gelernt, wie wir uns gegen jede Form der Besatzung verteidigen können. Die Amerikaner und Briten können den Irak nicht besetzen. Niemand kann den Irak besetzen.«

Ein paar Minuten lang erkundigte Abdul Rasaq sich nach dem politischen System in Amerika. Alle Männer hörten aufmerksam zu, als er meine Erläuterungen übersetzte. Er fing damit an, dass die Iraker gehört hätten, Amerika sei eine Demokratie und dass die Mehrzahl der Menschen gegen die Kriegspläne für den Irak seien. Er fragte: »Wie kommt es dann, dass Präsident Bush diesen Krieg weiter vorantreiben kann? Ist das eine Demokratie?« Ich versuchte zu erklären, warum der Präsident als Oberbefehlshaber besondere Befugnis habe, auch wenn möglicherweise viele Amerikaner gegen den Krieg seien. Abdul Rasaq hörte mich an, grinste dann und schüttelte den Kopf. Halb verachtungsvoll, halb triumphierend rief er: »Und das nennen Sie eine Demokratie?« Ich konterte mit der Gegenfrage, ob er als Iraker denn imstande sei, Saddams Meinung zu irgendeiner wesentlichen Frage zu ändern. Er lächelte und zog die Augenbrauen hoch, schwieg aber. Ich sagte, die amerikanische Demokratie sei insofern real, als die Bürger Bush abwählen konnten, wenn sie mit dem, was er getan hatte, nicht einverstanden waren. Darauf gab Abdul Rasaq zurück: »Ja, aber dann wird es für den Irak zu spät sein oder nicht?«

Abdul Rasaq lud mich ein, mit ihm zu dem Platz zu gehen, wo sein Vorfahre Leachman umgebracht hatte. Er lag gleich auf der anderen Seite der Moschee von Chandhari, vis-à-vis einer Raststätte aus braunen Betonbauten, die nach traditioneller Bauweise mit zinnenartigen Brüstungen errichtet waren. Gegenüber befand sich ein Gewirr aus Straßenverkäufern, Teestuben und Kebabbuden. Alles war sehr schmutzig und staubig, und man konnte sich die Szenerie ohne weiteres als eine ehemalige Karawanserei oder Wegstation für Reisende vorstellen, die auf Kamelen oder Pferdekutschen durchreisten – was es zu Leachmans Zeiten ja auch gewesen war. Jenseits der Gebäude lag das freie Land, ein Flickenteppich aus Feldern mit frischem grünen Alfalfa, Bewässerungsgräben und kleinen Farmen.

Abdul Rasaq zeigte auf ein altes Anwesen aus gelben Ziegeln, ein Gebäude aus osmanischer Zeit mit gebogenen Fenstern und einem einzigen Eingang. Es lag abseits der Straße zwischen Eukalyptusbäumen und Lehmhütten. Abdul erklärte, das sei die türkische Polizeistation gewesen und zu Leachmans Zeiten sei sie von den Briten konfisziert worden. Heute lebte dort eine Familie. Er führte mich zum Eingang und rief etwas hinein, dann wurden wir von einem jungen Mann und ein paar kleinen Kindern eingelassen. Ein Korridor führte an einigen dunklen gewölbten Zimmern vorbei zu einem zentralen Hof, der mit Steinen gepflastert war. Gegenüber befand sich ein offenes Stallgebäude, in dem eine große weiße Gans umherwatschelte. In einer Ecke lagen die schwarzen Holzkohlereste eines Kochfeuers und daneben ein Stapel getrockneter Dattelpalmenstämme, die zum Anfeuern dienten. Ein einzelnes Ölfass war mit Wasser gefüllt. Die Familie, die hier wohnte, war offensichtlich arm. Abdul Rasaq und unser Gastgeber führten mich ein paar Steinstufen an der Seite des Hofes auf das flache Dach hinauf, wo an der Vorderseite des Gebäudes ein kleiner Raum mit einer Bogentür und Fenstern lag, die mit einem feinmaschigen Draht verkleidet waren. Abdul Rasaq öffnete die Tür; darin befanden sich einige Beutel aus Baumwollstoff, die mit Taubenkot bedeckt waren. Ein paar Tauben flatterten umher. »Das war früher Leachmans Büro«, sagte er. »Jetzt ist es ein Büro für Vögel.«

Bevor wir das Haus verließen, hielt Abdul Rasaq mich an der großen Eingangstür an. Er öffnete sie und zeigte auf den Steinboden, auf dem wir standen. »Das ist die Stelle, wo Leachman getötet wurde, genau hier.« Nach seiner Erzählung hatte Leachman Scheich Dhari zu einem Treffen in die Polizeistation bestellt, und Scheich Dhari hatte seine Clan-Anführer aufgefordert, mitzukommen und draußen zu warten. Sie sollten das Feuer auf Leachman eröffnen, sobald Scheich Dhari ihnen das Signal gab, und genauso kam es auch. Abdul Rasaq zeigte auf einen alten Baum, der etwa 30 Meter entfernt stand, am Rand der Hauptstraße. »Von dort aus wurde Leachman auf ein Signal Scheich Dharis hin angeschossen und von einem Verwandten von ihm, Salman, am Bein getroffen. Dann zog er sein Schwert und tötete Leachman.« Ich äußerte meine Zweifel, dass Salman wirklich aus einer solchen Distanz genau schießen konnte, während Scheich Dhari direkt neben Leachman stand, im Eingang einer Polizeistation voller britischer Soldaten. Abdul Rasaq lächelte nur und versicherte mir, es sei möglich, weil genau das sich ereignet hatte. »Vergessen Sie nicht: Iraker sind sehr gute Krieger.«

Ich fragte Abdul Rasaq, was dann passiert sei. »Die übrigen Engländer wurden getötet, und Scheich Dhari und die anderen galoppierten auf Pferden davon.« Wiederum kam es zu einem Streit, diesmal zwischen Abdul Rasaq und einem Cousin. Es ging um die Frage, ob die anderen Engländer getötet worden waren, wie er gesagt hatte, oder nur gefangen genommen, wie sein Cousin glaubte. Und dann diskutierten sie heiß, ob Scheich Dhari in die Türkei geflohen war, wie die alten Scheichs behauptet hatten, oder nach Saudi-Arabien. Sie stritten sich immer noch, als Muslim und ich uns verabschiedeten.

Die Darstellung der Familie Dhari, so stellte ich fest, deckte sich mit der Version eines Spielfilms aus dem Jahr 1983 – eine britisch-irakische Koproduktion mit dem Titel »Clash of Loyalties«. Muslim trieb das seltene Video für mich auf. Ein zügellos wirkender Oliver Reed spielt darin Colonel Leachman als einen ständig betrunkenen, kaltherzigen Zyniker, der am Vorabend seines Todes zu Gertrude Bell sagt: »Töten, das kann ich gut.« In Leachmans Todesszene wird Reed zuerst angeschossen und dann von Scheich Dharis Schwert durchbohrt, dann windet er sich mehrmals wie eine Forelle am Haken um die eigene Achse, bis er endlich zur Ruhe kommt. Es handelt sich dabei zweifelsohne um eine der schlechtesten Sterbeszenen der Filmgeschichte. Scheich Dhari ist der tragische Held des Films: Er galoppiert nach seiner wagemutigen Tat romantisch ins Exil und wird dann, Jahre später, als alter und kranker Mann durch einen Trick wieder in den Irak gelockt, wo er von den Briten gefangen genommen und ins Gefängnis gesteckt wird. In einer der dramatischsten Szenen wird Scheich Dharis Todesstrafe von einem britischen Richter wegen seines fortgeschrittenen Alters und seiner Krankheit zu lebenslanger Haft abgemildert. Als Nächstes wird ein britischer Arzt gezeigt, der eine Substanz in den Arm des schlafenden Scheichs Dhari spritzt, die Sekunden später seinem Leben ein Ende setzt. Am Schluss ist eine Menschenmenge aus Tausenden wütenden, singenden irakischen Trauergästen zu sehen, die Scheich Dharis Sarg durch die Alleen des alten Bagdad folgen. Aus dem Innern eines funkelnden schwarzen Rolls-Royce, hinter den Sicherheitstoren der britischen Botschaft, sehen einige britische Diplomaten selbstgefällig zu. Das letzte Bild zeigt sprudelnde Ölquellen, dann steht die ganze Leinwand in Flammen, woraufhin der Abspann folgt.

Tatsächlich blieb Leachmans Leichnam mehrere Stunden lang dort liegen, wo er gefallen war, bis ein Leutnant in einem Panzerwagen eintraf, um ihn zu bergen. Wegen der Unruhen bestattete der Leutnant Leachman noch am selben Tag an einem nicht gekennzeichneten Grab auf Falludschahs britischem Soldatenfriedhof. Sechs Monate danach wurde der Leichnam exhumiert und in einem militärischen Konvoi nach Bagdad überführt. Am 1. März 1921 wurde Leachman, nach einem feierlichen Gedenkgottesdienst und einer Prozession durch die Straßen, mit allen militärischen Ehren auf demselben Bagdader Friedhof wie Sir Stanley Maude beigesetzt. Die *Baghdad Times* meldete: »Eine sehr große Menschenmenge folgte dem Sarg zu seiner letzten Ruhestätte auf dem North Gate Cemetery, und das dargebotene Spektakel, während sich die lange Reihe der Trauergäste zu den feierlichen Klängen eines langsamen Marsches zu dem Grabplatz schlängelte, war überaus bewegend.« Fast auf den Tag genau 82 Jahre später kehrte ich zum North Gate War Cemetery zurück, um nach Leachmans Grab zu suchen, konnte es aber nicht finden.

Als der Krieg näher rückte, wurde es für Journalisten so gut wie unmöglich, Bagdad zu verlassen. Die meisten Anträge auf eine Reise ins Hinterland wurden von den Beamten im Informationsministerium rundweg abgelehnt. Unter dem Vorwand meines Interesses an dem militärischen Fiasko der Briten bei Kut gelang es Muslim jedoch, für uns die Genehmigung zu erhalten, den dortigen britischen Friedhof zu besuchen. Ich verfolgte dabei auch ein weiteres Motiv: nachzusehen, ob außerhalb der Hauptstadt irgendwelche Vorkehrungen zur Verteidigung getroffen wurden. In Bagdad hatte ich keine derartige Aktivität wahrgenommen, und der Anschein der Normalität wirkte zunehmend bizarr.

Am 7. März, während meines Aufenthalts in Chandhari, hatte der britische Außenminister Jack Straw die Vereinten Nationen gebeten, Saddam eine Frist bis zum 17. März zu setzen, innerhalb der er »volle, bedingungslose, sofortige und aktive Kooperation« mit ihren Forderungen nach Abrüstung an den

Tag legen müsse – sonst müsse er mit einer militärischen Invasion rechnen. Frankreich hatte die Angelegenheit verschleppt und erklärt, es werde gegen eine solche Resolution ein Veto einlegen. Die USA und Großbritannien hatten beschlossen, eine Liste konkreter Forderungen an den Irak aufzustellen, bevor sie eine Entscheidung trafen. Ihre Forderungen sollten am 10. März veröffentlicht werden. An diesem Morgen fuhren Sabah, Muslim und ich nach Kut.

Die Straße von Bagdad nach Kut führt durch eine flache Landschaft aus aufgewühlter, mit Abfällen übersäter brauner Erde und einen Industriegürtel kümmerlicher Fabriken, der später in grüne Alfalfa-Felder und kleine Farmen und Haine aus Dattelpalmen übergeht. Entlang der ganzen Straße entdeckte ich Hunderte von frisch ausgehobenen Nestern für Scharfschützen und mit Sandsäcken gesicherte Schützenlöcher. Das waren verwundbare, eher sinnlos wirkende Verteidigungsanlagen, die ein einziger Panzerschuss aushebeln würde. An militärischen Vorbereitungen schien sich nicht viel mehr abzuspielen. Kurz vor den großen Betonbogen und dem militärischen Kontrollposten, die als Tor zu Kut dienten, fuhren wir an Armeebaracken vorbei. Uniformierte Männer, anscheinend neue Rekruten, versammelten sich am Straßenrand, aber ihre Tätigkeit wirkte planlos.

Kut ist eine hässliche, heruntergekommene Stadt mit mehreren Hunderttausend Einwohnern. Mit Kanistern und frischem Alfalfa beladene Eselskarren zuckelten die Straße entlang. Der Turab hatte nachgelassen, und es war ein blauer Frühlingsmorgen. Wir fuhren zu dem Regierungsgebäude, wo Muslim mich offiziös anwies, auf ihn zu warten, während er eintrat, um die Genehmigung für den Besuch des britischen Friedhofs einzuholen. Während ich draußen wartete, hörte ich Kinder auf einem Schulhof in der Nähe spielen. Vögel flogen emsig in den Sträuchern und Bäumen umher. Ein freundlicher junger Wachposten kam heran und hieß mich mit seinen paar Brocken Englisch in Kut willkommen, das er als »eine sehr schöne Stadt« ausgab. Er sagte, sein Name sei Abdul, und wir gaben uns die Hand. Er winkte mich zu einem großen Strauch auf dem Mittelstreifen vor dem Regierungsgebäude, pflückte ein paar Blätter und hielt sie mir zum Riechen hin. Es war eine süß duftende Pflanze, die er *yas* nannte. Abdul machte ein seliges Gesicht. Er schien nicht zu wissen oder sich nicht darum zu scheren, dass ich Amerikaner war. Aus der Grundschule strömten kleine Jungs, und sie tollten lautstark auf der Straße an uns vorüber. Einige hüpften im Spiel auf dem Mittelstreifen in einige frisch ausgehobene Gräben und wieder heraus, dann liefen sie weiter.

Nach einer Stunde trat Muslim mit einigen ihrem Äußeren nach hohen Beamten wieder aus dem Regierungsgebäude. Einer von ihnen, in Militäruniform, stellte sich vor und hieß mich zeremoniell »im Namen Saddam Husseins« im Irak willkommen. Er wies uns an, seinem Pick-up zu dem britischen Friedhof zu folgen. Wir fuhren in einer großen Schleife um die Stadt, an einem Stadion vorbei, wo Soldaten auf dem Mittelstreifen eines Boulevards weitere Gräben aushoben, und gelangten in ein schäbiges älteres Marktviertel der Stadt, wo die Ziegelhäuser winzig und schlecht gebaut waren und ungeklärtes Abwasser an den Straßen entlangfloss. Wir gelangten in eine schmale Straße, wo Lumpenhändler ihre Bündel ausgelegt hatten, und parkten vor ein paar schmutzigen Fahrradwerkstätten. Schwarze schiitische Trauerfahnen, verziert mit Versen aus dem Koran, hingen von einigen Balkonen herab. Der britische Friedhof lag direkt gegenüber in einer Senke, die von allen Seiten durch Mietshäuser eingeengt wurde. An der Vorderseite verlief ein Zaun entlang der Straße, doch das Tor war offen, und ich konnte sehen, dass der ganze Ort mit Müll übersät war. Etwa die Hälfte davon war hinter einem hohen Dickicht aus Unkraut verborgen. Auf einer Tafel neben dem Tor stand: »Kut War Cemetery, 1914–1918«.

Wohl weil ich entsetzt aussah, erklärte der Mann, der uns von dem Regierungsgebäude hierher geführt hatte, dass der erbärmliche Zustand des Friedhofs auf die UN-Sanktionen und den Abbruch der diplomatischen Beziehungen zu Großbritannien zurückzuführen sei. »Die Männer, die sich früher darum gekümmert haben und die von den Briten ihr Gehalt bezogen haben, sind weg«, sagte er entschuldigend. »Deswegen sieht es so aus.«

Wir stiegen zu der Sohle der Senke hinab, über einen riesigen Haufen stinkenden Abfalls. Neugierig aus den Fenstern blickende Frauen kicherten und plauderten miteinander. Ein paar kleine Jungs saßen auf der Mauer, ließen die Füße baumeln und starrten uns an. Es stank bestialisch nach Exkrementen; Fliegen summten um die Haut einer frisch geschlachteten Ziege. Ein Teil des Bodens war von einem kürzlich entfachten Feuer geschwärzt. In den Zweigen eines abgestorbenen Baums hatten sich Fahrradschläuche verfangen. Ein unbeschrifteter Obelisk in der Mitte war mit Flecken aus schwarzer und gelber Farbe verunstaltet, und überall lagen umgestürzte Grabsteine herum. Aus den noch stehenden und lesbaren Steinen konnte man schließen, dass die meisten Männer, die hier beerdigt waren, englische Soldaten mit Familiennamen wie Martin, Nicholls, Newton und Rogers gewesen waren und dass sie auf dem Höhepunkt der Belagerung von Kut gefallen waren, zwischen Januar und April 1916.

Als ich genug herumgestöbert hatte, plauderte ich ein wenig mit dem Offizier aus dem Regierungsbüro. Kaum hatte ich erwähnt, dass Zehntausende Soldaten in Kut gefallen waren, da lächelte er. »Und wenn die Amerikaner einmarschieren, dann werden Sie sehen, dass viele an den Grenzen des Irak getötet werden«, sagte er. »Wir wohnen hier in unseren Häusern, und Amerika sagt, es will hierher kommen, also werden wir uns und unser Land tapfer verteidigen, genau wie die Völker anderswo.«

Dann fragte er sehr ernst: »Wieso können die Amerikaner Bush nicht überzeugen, keinen Krieg zu führen?« Ich lächelte und zuckte die Achseln. Ich hatte schon zuvor ähnliche Gespräche mit Irakern geführt, insbesondere in den letzten Tagen, und hielt sie für sinnlos. Meine Erklärungen, wie die Politik in Amerika funktionierte, waren ihnen unbegreiflich, und weil sie außerstande waren, meine Fragen zu ihrem politischen System ehrlich zu beantworten, waren diese Gespräche sehr eingeschränkt. Aus Höflichkeit fragte ich den Offizier nach seinem Namen. Er sagte mir, nach kurzem Zögern, er heiße Hassan al-Wasaty. Als ich ihn nach seinem Rang fragte, lachte er und wandte ein: »Kein Rang. Ich bin einfach ein Einwohner des Irak. Wir sind jetzt alle Soldaten.«

Noch am selben Abend, als ich wieder in Bagdad war, stattete ich Ala Bashirs Freund Samir Chairi einen Besuch in seinem Büro im Außenministerium ab. Ich wollte unbedingt wissen, was sich an diesem Tag in den Vereinten Nationen ereignet hatte, und ich nahm an, dass er bestimmt wusste, was sich hinter den Kulissen abspielte. Samir war ebenso herzlich und fröhlich wie immer, als er mich hereinbat und mir einen Stuhl anbot, doch war er auch sehr fahrig. Sein Telefon klingelte pausenlos, und sein Schreibtisch quoll vor Papieren über. Auf einem Fernsehgerät lief CNN World News. Samirs Augen wanderten ständig zu dem Bildschirm, und er stellte ihn mit der Fernbedienung immer wieder lauter, um zu hören, was gesagt wurde, dann wieder leiser. Er entschuldigte sich und erklärte, dass die Liste mit den amerikanischen und britischen Forderungen jeden Moment veröffentlicht werde und dass er deshalb auf glühenden Kohlen sitze. Dennoch, so fügte er hinzu, gehe er davon aus, dass der Krieg sehr bald beginnen werde, was auch immer im UNO-Sicherheitsrat geschehen mochte. Inoffiziell hieß es, dass die Vereinigten Staaten, falls sie nicht die benötigten neun Stimmen erhielten, die einen Krieg autorisierten, mit der Bombardierung des Irak schon um Mitternacht in der kommenden Nacht beginnen würden. Falls sie aber die nötigen Stimmen bekamen, so Samir, kursiere das Gerücht, dass die Vereinigten Staaten dem Irak bis zum 17. März Zeit lassen würden, auf ihre Bedingungen einzugehen, und dann mit der Bombardierung beginnen würden. Wie dem auch sei, der Krieg würde auf jeden Fall kommen. Er sagte mir, er erwarte, dass das Außenministerium und das nahe gelegene Informationsministerium bombardiert würden. »Die Amerikaner wollen bestimmt nicht, dass die Wahrheit über die Schäden, die sie anrichten, gesagt wird«, sagte Samir. Er sagte das ganz nüchtern und kicherte dann munter. Seiner Stimme war nichts von der üblichen Empörung anzuhören, die ich von anderen Baathisten gewohnt war.

Ich fand Samir faszinierend, aber schwer zu durchschauen. Da er ein Freund Ala Bashirs war, nahm ich an, dass er ebenfalls eine verborgene Seite hatte und womöglich Saddam und seinem Regime ähnlich zwiespältig gegenüberstand. Das hatte Samir aber bislang noch nicht zu erkennen gegeben. Als ich aufstand, sagte ich ihm, dass ich heute Abend noch Ala Bashir treffen würde. Er rief aus: »Großartig! Sagen Sie ihm, ich möchte, dass Sie beide diese Woche zu mir zum Abendessen kommen. Sie müssen kommen! Es gibt Garnelen aus dem Golf. Das sind die besten auf der ganzen Welt. Sie werden sehen.« Er lachte wieder auf seine überschwängliche Art und begleitete mich hinaus.

Anschließend ging ich zu Ala Bashir. Er erwartete mich bereits und schlug vor, dass wir zum Essen ausgingen. Wir entschieden uns für ein westliches Steakrestaurant in Mansur, einem besseren Viertel der Stadt. Das Essen schmeckte grässlich, aber der Ort war so gut wie leer, und wir konnten uns frei unterhalten. Während des Essens informierte ich Bashir, was Samir mir mitgeteilt hatte. Er nickte. Der Krieg sei jetzt sehr nahe, stimmte er zu. Er riet mir, mich, wenn möglich, nicht im Al-

Raschid aufzuhalten, sobald das Bombardement begann. Er halte es nicht für sicher, sagte er, und er warnte mich, dass vermutlich sämtliche Zimmer voller Wanzen wären. Ich sagte ihm, das hätte ich schon längst vermutet, aber auch gelernt, damit umzugehen. Ich erklärte, dass ich mich mit einem anderen Journalisten zusammengetan hätte und dass wir Zimmer im Al-Safir und im Al-Hamra gemietet hätten, für den Fall, dass wir eine Ausweichmöglichkeit bräuchten. Er sagte, dass er das Al-Hamra ebenfalls nicht für sicher halte, weil da »etwas« – er sagte nicht, was – »in der Nähe« liege. Auch das Al-Safir hielt er für ungünstig. Er wies darauf hin, dass direkt gegenüber auf der anderen Seite des Flusses der Palast der Republik lag, der mit Sicherheit ein Hauptbombenziel sein würde. Bashir schlug vor, dass ich am nächsten Morgen früh zu ihm ins Hospital kommen solle. Er würde mich mit seinem Sekretär, einem vertrauenswürdigen Mann, ausschicken, damit ich mir ein paar Hotels in der Nähe des Hospitals ansehe. Wenn ich mich in einem von ihnen einquartierte, sagte er, dann sei ich so nahe, dass ich zu Fuß zu seinem Hospital gehen könne. Sobald der Krieg begonnen habe, werde er vermutlich gar nicht mehr nach Hause gehen, sondern im Hospital bleiben. Aus diesem Grund, fügte er hinzu, könne ich gerne bei ihm im Hospital bleiben, wenn das Bombardement beginne.

Ich sagte Bashir, dass ich viele frisch ausgehobene Gräben und Schützenlöcher entlang der Straße nach Kut gesehen hätte. Er lachte zynisch, als er das hörte, und schüttelte den Kopf. »Das ist nur dazu da, die Menschen zu beschäftigen«, sagte er. Es sei ganz offensichtlich, dass sie nicht die Absicht hätten, irgendetwas außer Bagdad selbst zu verteidigen, was an sich schon eine närrische Strategie sei. »Wenn alles andere verloren ist, wieso soll man dann um Bagdad kämpfen? Was für einen Sinn hat das?« Ich fragte ihn, wieso er glaube, Saddam habe die Absicht, nur Bagdad zu verteidigen. Er sagte, das sei aus den Truppenbewegungen der letzten Tage ersichtlich. Die Republikanische Garde und die Sondereinheiten der Garde waren von ihren Stellungen im Süden und Norden des Irak abgezogen worden und verteilten sich über Wohnviertel in ganz Bagdad. »Was noch schlimmer ist, sie haben angefangen, Flugabwehrgeschütze auf den Dächern von Krankenhäusern aufzustellen«, fügte er hinzu. Man hatte ihm mitgeteilt, sie würden mit seinem Krankenhaus ebenso verfahren. Bashir schüttelte wütend den Kopf. Er sei darüber sehr aufgebracht, erklärte er, denn die einzig mögliche Erklärung dafür, dass man Soldaten in zivilen Wohngegenden stationierte und Flugabwehrgeschütze auf Krankenhausdächern platzierte, sei das Ziel, eine möglichst hohe Zahl an zivilen Opfern zu provozieren.

Bashir schwieg einen Augenblick und gestand dann, dass er sehr verwirrt sei. Abgesehen von der diskreten Verlegung von Truppen und Geschützen, die er beschrieben hatte, spielte sich kaum etwas ab, das er wahrnahm. »Ich verstehe das nicht«, stieß er leise hervor. »Es sind keine wirklich ernsthaften Vorbereitungen im Gange.« Darüber hinaus, fügte er hinzu, benahmen sich in den oberen Reihen der Regierung und unter den Präsidentenwachen, zu denen er Kontakt hatte, alle so, als ob nichts Besonderes geschehen würde. In den Ministerien und selbst in seinem Hospital, das Befehl erhalten hatte, sich für den Notfall bereitzuhalten, sagte er, herrsche immer noch keine Stimmung absoluter Dringlichkeit. »Ich verstehe einfach nicht, was vor sich geht«, wiederholte er und sah verwirrt aus. »Entweder bedeutet das, sie sind einfach dumm und haben keine wirkliche Vorstellung von dem, was kommen wird, oder Saddam Hussein plant irgendetwas, um die Situation in letzter Minute noch zu retten. Doch weil das Einzige, was er tun könnte, sein Rücktritt ist – und das wird er niemals tun –, habe ich keine Ahnung, was er im Sinn haben könnte.«

Ich kommentierte, dass das merkwürdig passive Verhalten,

das er unter Leuten innerhalb des Regimes beobachtet habe, vergleichbar sei mit dem, das ich bei gewöhnlichen Irakern erlebt hätte. Hatte er vielleicht eine Erklärung dafür? Bashir erwiderte: »Das ganze Land, selbst Mitglieder der Baath-Partei, ist träge und apathisch, als ob es den Leuten gleich sei, was kommen werde, und sie sich mit allem abgefunden hätten, was immer geschehen mag. Sie müssen bedenken, dass bei jedem Iraker irgendein Angehöriger aus der Familie im Gefängnis sitzt, entweder hier oder im Iran als Kriegsgefangener. Oder jemand aus der Familie ist im Krieg oder vom Regime getötet worden.« Bashir neigte den Kopf zur Straße, wo sein Fahrer, ein freundlicher, schlaksiger Mann Mitte dreißig, der Bashir offenbar völlig ergeben war, auf uns wartete. »Du kennst doch meinen Fahrer Dschihad? Er war acht Jahre lang als Kriegsgefangener im Iran. Er sagt mir, inzwischen wünscht er sich, er wäre niemals zurückgekehrt.« Bashir schenkte mir eines seiner rätselhaften Lächeln. »Diese Repression hat alle passiv gemacht. Das Regime weiß das ganz genau, und das ist auch der Grund, weshalb es seine Soldaten als Druckmittel in der Bevölkerung platziert.«

Ich merkte an, meiner Meinung nach sei es furchtbar traurig, dass Iraker nicht imstande seien, in einem so entscheidenden Augenblick ihrer Geschichte ihre wahren Gefühle zu äußern. Wenn sie den Krieg verhindern wollten, sei das Naheliegendste doch, schlug ich vor, öffentlich zu demonstrieren und zu sagen: »Herr Präsident, wir lieben Sie ja sehr, aber bitte treten Sie doch um das Wohl des Landes willen von Ihrem Amt zurück.«

Ala Bashir nickte. »Das stimmt. Und genau das können sie nicht tun, weil sie wissen, dass man sie töten würde.«

KAPITEL FÜNF

Ich verpasste meine Verabredung mit Ala Bashir am nächsten Tag, aber ich besuchte ihn am übernächsten Vormittag in seinem Hospital. Es war der 12. März. Als wir in seinem Büro Platz genommen hatten, teilte er mir mit, dass er am selben Morgen vor Sonnenaufgang einen Anruf von einem Verwandten aus Kalifornien erhalten habe. »Er sagte mir, dass ich meine Frau besuchen sollte, weil sie in sieben bis 10 Tagen operiert werde, und dass es am besten wäre, wenn ich die Reise in fünf oder spätestens sechs Tagen von heute an planen würde.« Es dauerte ein oder zwei Sekunden, bis mir klar wurde, dass Bashir eine verschlüsselte Nachricht über das Datum des Kriegsbeginns an mich weitergab. Nur für den Fall, dass ich nicht geschaltet hatte, merkte Bashir mit gedämpfter Stimme an: »Meine Frau erfreut sich bester Gesundheit.«

Ich war sehr überrascht, dass Bashir in seinem Büro so unvorsichtig mit mir sprach. Ich vermutete, dass er Grund zu der Annahme hatte, sein Büro werde nicht abgehört. Es passte zu der Entwicklung, die unsere Beziehung genommen hatte. Jedes Mal wenn wir uns seit meiner Rückkehr getroffen hatte, hatte er offener mit mir gesprochen. Er gab nun ständig Neues preis, wie etwa die Existenz dieses Verwandten, von dem ich zuvor nie gehört hatte. Bashir erklärte, dass sein Cousin, ein älterer Mann namens Faleh, vor vielen Jahren in die Vereinigten Staaten ausgewandert und amerikanischer Staatsbürger geworden sei. Er sei Energieexperte und habe gute Beziehungen, fügte er hinzu, da er sowohl unter Ronald Reagan als auch unter dem ersten Präsidenten Bush öffentliche Ämter innegehabt hatte. Auch für die jetzige Bush-Administration sei er als Energieberater tätig. Er bemerkte, der Anruf seines Cousins sei ungewöhnlich und er ziehe zwei Schlüsse daraus: dass der US-Angriff auf den Irak um sieben bis 10 Tage verschoben werde und, weil sein Cousin ihn gedrängt hatte, das Land zu verlassen, dass der Angriff viel massiver sein werde, als er erwartet hatte. Wie üblich sprach Bashir mit einer sanften, ruhigen Stimme, und sein Gesicht blieb völlig ausdruckslos. Er war ein Meister im Verbergen seiner Gefühle.

Ich fragte Bashir, was er jetzt vorhabe. Konnte er den Irak verlassen? Er lächelte. »Na ja, das ist sehr schwierig. Ich sehe nicht, wie das möglich ist. Ich müsste den Präsidenten persönlich um Erlaubnis bitten, und ich glaube nicht, dass das zum jetzigen Zeitpunkt einen guten Eindruck machen würde. Er würde es für sehr seltsam halten.« Wir saßen lange schweigend da.

»Sind Sie besorgt?«, fragte ich.

Er lächelte wieder. »Tja, das war das erste Mal, dass mein Cousin mich gedrängt hat, das Land zu verlassen. Und wegen seiner Beziehungen nehme ich an, dass er weiß, wovon er spricht.« Er zuckte die Achseln. Er steckte fest; er konnte nichts tun.

Wir sprachen darüber, wie man die folgenden Tage am sichersten überstehen könne. Er drängte mich, wie schon einmal, mit seinem Sekretär ein paar Hotels in der Nähe anzusehen, die er für sicherer hielt als das Al-Hamra, Al-Safir oder Al-Raschid. »So können Sie, wenn das Bombardement beginnt, zu uns ins Hospital kommen«, sagte er. Auch wenn er das schon zuvor erwähnt hatte, begriff ich erst diesmal, dass Bashir mir, auf seine umständliche Art, zu verstehen gab, dass ich möglichst in seiner Nähe sein sollte, wenn der Krieg ausbrach. Ich willigte ein, mir die Hotels, die er empfahl, anzusehen. »Gut«, sagte er, sichtlich erleichtert, und rief seinen Sekretär. Während wir warteten, fragte Bashir mich, ob ich, bevor ich ging, noch das Modell seines neuesten Denkmals sehen wollte, das er für Saddam Hussein geschaffen hatte. Er habe zufällig das Modell in einem anderen Zimmer des Hospitals stehen, erklärte er, weil einige Ingenieure kämen, um davon Aufnahmen zu machen. Diese Bilder würden sie dann in ein Computerprogramm eingeben, um die Pläne für den Bau anzufertigen. »Wenn es errichtet ist, und es ist geplant, schon sehr bald damit zu beginnen«, sagte er, »dann wird es das höchste Denkmal des Irak sein. Es wird 40 Meter hoch sein und 32 Meter lang.«

Er erklärte, dass Saddam Hussein ihn vor fünf Jahren gebeten hatte, ein Denkmal zu schaffen, das alle seine Errungenschaften als Herrscher des Irak in sich zusammenfasste, auch alles, was er gebaut hatte, und seine militärischen Siege. Das war eine Aufforderung, die Bashir nicht ablehnen konnte, doch er hatte viel Zeit verstreichen lassen, bis er sich an die Aufgabe herangemacht hatte. Er hatte ein paar Skizzen angefertigt, das war alles. Jedes Mal wenn der Präsident ihn traf, hatte er ihn mit wachsender Ungeduld gefragt: »Wie geht es voran? Wann kann ich das Modell sehen?« Bashir hatte sich immer mit seinen Pflichten als Arzt herausgeredet und gesagt, dass das Monument eine sehr wichtige und schwierige Aufgabe sei, weil er etwas schaffen wolle, das »jahrhundertelang« Bestand habe. Schließlich, vor etwa sechs Monaten, hatte der Präsident zu ihm gesagt: »Warum haben Sie das nicht gemacht? Es hat zu lange gedauert.« Bashir merkte damals, dass Saddam ihm böse war und dass er es nicht länger vor sich herschieben konnte. Er sagte Saddam, er werde es in zwei bis drei Monaten fertig haben. Also hatte er sich darauf konzentriert. Als das Modell fertig war, hatte er es Saddam gezeigt, der sehr zufrieden damit war. Bashir lächelte stolz, als er das erwähnte.

»Es hat ihm wirklich gefallen, und wissen Sie, es ist ein gutes Denkmal, glaube ich. Es zeigt, was er geleistet hat, wirklich. Alles daran spiegelt seine Ära wider. Sie werden schon sehen, was ich meine. Vor allem die Kriege.« Er fügte hinzu, dass er es ursprünglich das »Epos des Irak« nennen wollte, nach dem »Epos von Gilgamesch«, der Präsident es jedoch in »Epos von Saddam«

umbenannt habe. Bashir sah mir in die Augen und lächelte bedeutungsvoll. Er erwähnte, es sei – wie schon bei seiner Skulptur »Die Einheit« – auch die Rede davon gewesen, eine Saddam-Statue oder ein Porträt davor aufzustellen. Das verhinderte er, indem er einige Saddam-Zitate sowie das Abbild von Saddams Arm und Faust einarbeitete. In diesem Moment kam sein Sekretär. Bashir gab ihm auf Arabisch einige Anweisungen, wandte sich dann wieder mir zu und entschuldigte sich. Er könne mich nicht begleiten; er müsse sich um einige Patienten kümmern. Doch er erinnerte mich daran, dass wir uns am selben Abend zum Essen bei seinem Freund Samir Chairi treffen würden. Bevor mich sein Sekretär zu dem Modell führte, sagte Bashir: »Ich denke, es wird Ihnen gefallen.«

Das Modell war sehr groß, vielleicht 1,80 Meter lang und 2,40 Meter hoch. Es stand auf einer dicken Platte aus Sperrholz, die man mitten in einem benachbarten Schwesternzimmer auf den Boden gelegt hatte. Mehrere Ärzte und Schwestern saßen auf Stühlen, die an den Wänden entlang aufgestellt waren, und machten Pause. Sie starrten das Ding schweigend an und sahen zu, wie zwei Männer, die Bauingenieure, von denen Bashir gesprochen hatte, sorgfältig aus jedem Blickwinkel Aufnahmen von dem Modell machten. Das Modell war aus Gips und bronzener Farbe. Es war monströs, anders als alles, was ich jemals gesehen hatte. Der Hauptkorpus bestand aus einer ansteigenden bootsähnlichen Struktur, die an eine Arche erinnerte. Entlang der oberen Kante waren Dutzende herausgemeißelte Figuren von Soldaten zu sehen, die beim Marsch und in der Schlacht dargestellt wurden. Sie waren aus Wachs und mit Goldfarbe angestrichen. Auf den Seitenwänden waren Abbilder das alltäglichen Lebens im Irak eingeritzt: Menschen beim Ackerbau, beim Fischen, Szenen, die an die alten sumerischen Wandtafeln erinnerten, aber auch die Umrisse von Schornsteinen und Fabriken, die ich als Symbole für Ölraffinerien deutete – die moderne

Zeit. Unter diesen Szenen, als wären sie von dem Ganzen erschlagen, waren besiegte Soldaten zu sehen, Menschen, die sich vor Schmerzen und in der Niederlage krümmten. Das, erklärte Bashirs Sekretär, zeige die Iraner. Die Vorderseite des bootsähnlichen Korpus lief in einen großen, sich ringelnden Drachenhals aus, mit aufgerissenem Rachen, und eine riesige Lanze steckte in einem Auge. Die Lanze ragte wie eine Standarte auf (das war der Teil des Monuments, der 40 Meter in den Himmel ragen würde), und an der Spitze waren in arabischer Schrift die Worte eingehauen: »Allahu Akbar«, Gott ist groß. Die Lanze wurde in der Mitte von einer riesigen Faust gepackt, Teil eines muskulösen männlichen Unterarms, der hinten aus dem Feld mit Soldaten herausragte – im Grunde tötete der Arm den Drachen, dessen Teil er war.

Bashirs Kreation war frappierend grotesk. Ich nahm an, dass er sein Kunstwerk bewusst mit einer subversiven Botschaft über das selbstzerstörerische Wesen von Saddams Diktatur versehen hatte. Wenn das zutraf, so war ihm das glänzend gelungen. Kein Mensch konnte dieses Werk ohne ein Gefühl des Grauens betrachten. Aber ich sah auch, weshalb es Saddam gefiel. Es demonstrierte die absolute Totalität seiner Macht und verband ihn symbolisch mit der gesamten mesopotamischen Geschichte. Falls dies jemals errichtet werden sollte, dachte ich, so wäre es in der Tat das ultimative Saddam-Hussein-Monument. Ich pfiff und gurrte, um Bashirs Sekretär meine Bewunderung zu zeigen. Ich wusste nicht, welche politischen Überzeugungen er hatte, aber sein gebannter Gesichtsausdruck verriet, dass er das Denkmal für ein hervorragendes Werk hielt. »Es ist wunderschön, nicht wahr?«, fragte er mich.

»Es ist wirklich erstaunlich«, sagte ich.

Er nickte und sah sehr stolz aus. In gut einem Jahr, erklärte er aufgeregt, sei ich möglicherweise imstande, das Werk in der Natur zu sehen, aufgestellt an dem vorgesehenen Ort in den öffentlichen Parkanlagen gegenüber dem Hotel Al-Raschid. Ich suchte in seinem Gesicht nach einem Anzeichen für Sarkasmus oder Skepsis, konnte aber nichts entdecken.

Bashirs Sekretär und ich verließen gemeinsam das Krankenhaus, um uns die Hotels anzusehen, die Ala Bashir vorgeschlagen hatte. Der erste Ort, das Cedar, lag unmittelbar neben einem verlassenen Gebäude, das wie eine ideale Stellung für Heckenschützen aussah, falls es zu Straßenkämpfen kommen sollte. Außerdem lag das Hotel, wie ich bemerkte, nur zwei Blocks von dem irakischen Ministerium für Luftabwehr entfernt, das stets von unzähligen bewaffneten Sicherheitsleuten umgeben war und das ich für eines der Hauptbombenziele hielt. Bei dem nächsten Hotel, das wir inspizierten, war gleich um die Ecke eine Polizeistation. Ich fühlte mich an keinem der Orte wohl. Ich sagte Bashirs Sekretär, dass ich mir die Sache ein oder zwei Tage lang überlegen wolle, bevor ich mich entschied. Insgeheim sagte mir jedoch mein Instinkt, dass ich, wenn es so weit war, am liebsten in das kleine freundliche Al-Safir an der Abu-Nawas-Straße gehen wollte.

Als ich dort mein Zimmer gemietet hatte, baten mich die beiden Brüder, denen das Hotel gehörte, mich zu ihnen zu setzen und ein wenig mit ihnen zu plaudern. Sie bestellten bei einem ihrer Kellner türkischen Kaffee. Nachdem sie sich vergewissert hatten, dass alle Beschäftigten außer Hörweite waren, fingen sie sehr leise an zu reden. Sie wollten wissen, was sie tun sollten, wenn der Krieg begann. Sie erklärten, dass sie mit ihren Familien in Dschadirijah lebten, in derselben Gegend wie das Hotel Al-Hamra weiter flussabwärts. Sie hatten aber auch Häuser außerhalb von Bagdad, auf dem Land. Wo waren ihre Familien wohl am sichersten? Was meinte ich dazu? Welche Bombentypen würden die Amerikaner einsetzen? Sie lehnten sich vor, um mir zuzuhören. Anscheinend glaubten sie, ich hätte Informationen, zu denen sie keinen Zugang hatten. Ich sagte ihnen, dass ihre Familien, wenn Saddams Truppen sich in ihrem Viertel aufgestellt hätten, durch Luftschläge und Straßenkämpfe gefährdet sein könnten. Sie sahen einander an, als ich das sagte, schwiegen aber. Ich erklärte ihnen, dass ich die Sicherheit ihrer Landhäuser nicht beurteilen könne, da ich mit den amerikanischen Invasionsplänen nicht vertraut sei. Das hänge sehr stark davon ab, welche Routen die Amerikaner für das Vorrücken auf Bagdad wählten. Ich fragte, ob einer von ihnen denn im Hotel bleiben würde; sie antworteten, das hätten sie noch nicht entschieden.

Ich schlug vor, dass sie zumindest die Fenster an der Vorderseite des Hotels abkleben sollten, um zu verhindern, dass das Glas durch die Detonationen splitterte. Sie sagten, das würden sie tun. Was immer geschehen mochte, ich solle mich im Al-Safir wie zu Hause fühlen und es als mein Zuhause betrachten. Sie teilten mir mit, dass sich im Kellergeschoss ein Schutzbunker befinde, den ich benutzen könne, und wenn sie irgendetwas für mich tun könnten, so brauche ich nur zu fragen. Einer der Brüder wurde gerufen, um ein Problem an der Rezeption zu regeln. Während er ging, sah sein Bruder ihm nach, beugte sich dann zu mir und zischte mir verschwörerisch zu: »Was ich mir wünsche, ist, dass es vorbei ist, und zwar schnell.« Ich hatte den Eindruck, dass er seinem Bruder nicht völlig vertraute.

Ich hatte ein großes Depot an Wasser und einigen Lebensmitteln in meinem Unterschlupf im Al-Safir angelegt, und alle paar Tage ergänzte ich den Vorrat. Ich hatte mir einen Generator und 200 Liter Treibstoff gekauft für den Fall, dass die Stromversorgung in Bagdad gesprengt würde. Sabah bewahrte den Generator und einen Teil des Treibstoffs in seinem Haus im Norden der Stadt auf und den Rest des Benzins in einem leer stehenden Haus in dem Viertel Mansur, auf der anderen Seite des Flusses. Das Haus gehörte einem jordanischen Unternehmer, den Sabah herumfuhr, wenn er in der Stadt war. Sabah hatte für ihn ein

Auge auf das Haus, und er kannte den Hausmeister, der eingewilligt hatte, uns das Gebäude als sicheren Unterschlupf zu überlassen, falls wir es brauchten. Mittlerweile schien Sabah sich mit der Unvermeidlichkeit des Krieges abgefunden zu haben, auch wenn er kaum darüber sprach. Stattdessen kümmerte er sich eifrig um die Details meiner Kriegsvorbereitungen. Er liebte nichts mehr, als einkaufen zu gehen und um irgendwelche Dinge zu feilschen. Ich hatte ihm zusätzlich Geld gegeben, um Vorräte an Lebensmittel und Wasser für seine eigene große Familie zu besorgen, und indem ich ihm erlaubte, den Generator in seinem Haus aufzubewahren, bis ich ihn brauchte, wusste er, dass seine Familie auch Strom haben würde. Ich hatte für Sabah einen zweiten Schutzanzug für chemische und biologische Waffen beschafft, doch als ich ihm den Anzug zeigte, zuckte er verächtlich die Achseln und wies darauf hin, dass ich ihm keine Schutzweste gebracht hatte. Das stimmte – ein echtes Versehen meinerseits. Er lachte jedoch über meine Entschuldigungen und sagte, Gott werde ihn beschützen, und wenn nicht, dann sei das Gottes Wille.

Etwa eine Woche zuvor hatte sich etwas Unerwartetes ereignet, das Sabah und mich enger miteinander verband als je zuvor. Wir waren mit Chalid, dem Aufpasser, der uns dann später verließ, unterwegs gewesen und hatten den britischen Friedhof in Bagdad gesucht. In Adhamijah, einem alten sunnitischen Viertel in Nordwesten Bagdads, hatten wir in einem Café Halt gemacht. Chalid sagte, er müsse dringend telefonieren. Während er in dem Gebäude war, saßen Sabah und ich draußen an einem Tisch und warteten auf ihn. Auf einmal fing Sabah an, schwer zu atmen, rieb sich die Augen und stöhnte wie unter dem Eindruck eines starken Gefühls. Alarmiert fragte ich ihn, was denn los sei. Er versuchte vergeblich, ein Schluchzen zu unterdrücken, und wischte hektisch die Tränen weg, die ihm die Wange herabrollten, dabei sah er sich um, um sich zu vergewissern, dass Chalid nicht zurückkehrte. Zwischen Schluchzern erklärte Sabah, heute sei der Geburtstag seines jüngsten Bruders Taher, der vor 21 Jahren verschwunden sei, während er im irakisch-iranischen Krieg als Soldat an der Front gedient hatte. Die Familie habe nie eine Bestätigung seines Todes erhalten noch irgendeine Erklärung für sein Verschwinden, sagte Sabah, aber er habe wegen der kalten und abweisenden Reaktion der Behörden auf Nachfragen Grund zu der Annahme, dass Taher nicht im Krieg gefallen, sondern mit Saddam in Konflikt geraten war. Jedes Jahr an diesem Tag, so Sabah, erleide seine Mutter einen Zusammenbruch, weil sie nicht wisse, was aus Taher geworden sei. Es sei für die ganze Familie sehr schwer, sagte er. Dann brach er wieder in Tränen aus. »Wo ist er?«, klagte er mit einem tieftraurigen Flüstern, als ich versuchte, ihn zu trösten. »Wenn er tot ist, dann lasst es uns wissen«, sagte Sabah, ohne irgendjemanden anzusprechen. »Sad-dam«, zischte er langsam durch die aufeinander gepressten Zähne, als würde er den verhasstesten Namen aussprechen, den er kannte. Er schloss die Augen und murmelte einige Worte auf Arabisch, die ich nicht verstand. Dann holte er tief Luft und riss sich wieder zusammen. Er setzte sich auf und wischte rasch die Augen ab, um sämtliche Spuren seiner Tränen zu beseitigen. Er flehte mich an, gegenüber niemandem zu erwähnen, was vorgefallen war oder was er mir mitgeteilt hatte. Einen Augenblick später erschien Chalid wieder.

Ein paar Tage danach standen wir einmal nebeneinander und sahen über den Tigris. Da wandte Sabah sich zu mir und sagte: »So Gott will, wird Bush Saddam in den Fluss bomben. Aber nicht das Volk. Nur Saddam. Und Tikrit. So Gott will, wird Tikrit dem Erdboden gleichgemacht.« Er spuckte aus und nannte die Tikriter »die Nachfahren von Kamelen« und bedachte sie mit einer ganzen Reihe anderer derber arabischer Schimpfwörter. Außerdem begann Sabah jedes Mal, wenn wir an einem Palast Saddams vorbeifuhren, so zu tun, als sei er Saddams Frau, Sadschida, auf dem Höhepunkt des Geschlechtsaktes mit ihm. Indem er den Hauptslogan von Saddams Referendum nachäffte, stöhnte er immer wieder mit einer orgastisch ansteigenden Falsettstimme: »Na'am, na'am, na'am [Ja, ja, ja]!«

Unter den Journalisten in Bagdad herrschte eine wachsende Unruhe. Die Frage »Bleibst du oder gehst du?« war zum täglichen Ritual geworden. Viele Reporter wurden von ihren Familien und Vorgesetzten in der Heimat unter Druck gesetzt, doch abzureisen. Seit Präsident Bush den Journalisten bei einer Pressekonferenz am 7. März geraten hatte, den Irak zu verlassen, hatte der Druck zugenommen. Mehrere amerikanische und britische Zeitungen und Fernsehsender hatten ihren Korrespondenten in Bagdad gesagt, sie sollten sich für die Abreise fertig machen. Einige wurden gewarnt, dass sie nicht mehr versichert wären, falls sie sich weigerten; andere bekamen zu hören, dass man sie entlassen würde. Ich wurde nicht unter Druck gesetzt, doch in den Vereinigten Staaten waren die Chefredakteure der großen Medienunternehmen im Gespräch mit dem Pentagon, und am 12. März erhielt ich eine E-Mail vom *New Yorker.* Mir wurde mitgeteilt, dass US-Regierungsbeamte die Medienunternehmen warnten, dass ihre Korrespondenten mögliche Ziele für Mordanschläge oder Entführungen durch Saddams Regime seien, um sie als menschliche Schutzschilde zu verwenden – und dass das Hotel Al-Raschid vermutlich ein Bombenziel sein würde. Meine Vorgesetzten waren deswegen natürlich besorgt und baten mich, täglich Kontakt zu ihnen aufzunehmen sowie ihre endgültige Entscheidung zu akzeptieren, was ich am Ende tun sollte. Ich willigte ein, erzählte ihnen aber von den Vorkehrungen, die ich bereits getroffen hatte, und dass ich auch meine Zweifel wegen der Warnungen des Pentagons hätte.

»Viele von uns hier in Bagdad«, schrieb ich in meiner Antwort, »haben den Eindruck, dass das Pentagon ein wenig Panikmache betreibt, um die Presse vor Ort aus dem Weg zu schaffen. Sie scheinen sich als Erstes an die Fernsehsender zu richten, die offenbar auch am empfänglichsten für solche Dinge sind, und von dort brennt sich die Nachricht wie ein Buschfeuer zum Pressekorps durch. Wahrscheinlich geht es ihnen nicht so sehr um eine Zensur als darum, freie Bahn zu haben. Denn vermutlich ist es lästig, darauf achten zu müssen, dass man keine Journalisten trifft, wenn man eine Stadt bombardieren will. 1990/91 haben sie Bagdad 43 Tage lang bombardiert, und es gab Cruise-Missiles, die so programmiert waren, dass sie Achterbahn um dieses Gebäude flogen. Eine Rakete ging jedoch fehl und traf das Untergeschoss des Hotels, mehrere Hotelbedienstete kamen ums Leben. 1998, während der vier Tage anhaltenden Desert-Fox-Luftanschläge, befanden sich Journalisten hier, und das Hotel wurde nicht getroffen. Wollte das Pentagon es riskieren, sage und schreibe 200 (geschätzte derzeitige Bevölkerung) Angehörige der Weltmedien zu töten, indem sie das Al-Raschid angriffen – ganz zu schweigen von den unzähligen zivilen Hotelbediensteten, die hier arbeiten? Ich glaube nicht.

Ich habe ein paar Verbündete, die der Nomenklatura angehören. Einer von ihnen ist ein hohes Mitglied des Außenministeriums; der andere ist der Arzt, den ich in einer E-Mail vor ungefähr einer Woche erwähnt habe. Ich denke, sie machen sich allmählich Sorgen und suchen sich aus Angst um ihre Zukunft einen westlichen Bekannten, was möglicherweise auch der Grund dafür ist, dass wir so gute Freunde geworden sind. Man kann das auch eine pragmatische Verbindung nennen oder eine Art Rettungsleine.

Was Angriffe auf die Presse durch Terroranschläge oder Geiselnahmen und dergleichen angeht, so haben wir alle schon darüber nachgedacht, und ich nehme an, dass so etwas auch wirklich passieren könnte, aber es kommt mir nicht sehr wahrscheinlich vor. Zunächst mal haben die Apparatschiks im Informationsministerium viel Wind gemacht, dass sie die Presse an Ort und Stelle haben wollen, um bei Angriffen auf die Zivilbevölkerung Zeugen zu haben und die Weltöffentlichkeit so gegen den Krieg zu mobilisieren. Sie scheinen die Entschlossenheit des Pentagons zu übersehen, hart und schnell und an neuralgischen Punkten zuzuschlagen und das Ganze schnell hinter sich zu bringen. Das kommt uns eindeutig zugute.

Ich tröste mich auch mit der Erkenntnis, dass hier immerhin fünf Millionen Menschen in Bagdad leben und ich nur einer davon bin. Natürlich bin ich ein Westler, und natürlich falle ich auf, aber die Stimmung der Menschen auf den Straßen macht mir keine Angst. Es herrscht keine Feindseligkeit gegenüber Westlern, trotz der drohenden Feindseligkeiten. Vielmehr herrscht eine spürbare Apathie, vermischt mit einer verständlichen Ungewissheit. Ich glaube nicht, dass viele Iraker einen Finger rühren werden, um dieses Regime zu verteidigen, sobald die Amerikaner ihren Vormarsch beginnen. Nur müssen die Amerikaner schnell und entschlossen vorstoßen und zeigen, dass sie die Absicht haben, den Angriff konsequent zu Ende zu führen.«

Ich glaubte, was ich meinen Vorgesetzten schrieb. Zwar war ich insgeheim sehr besorgt wegen der Gefahren, die das Pentagon angesprochen hatte. Aber genau wie andere Reporter, die in Bagdad blieben, rechnete ich damit, dass bei Kriegsbeginn ein solches Chaos herrschen würde, dass es mir irgendwie gelingen würde, von der Bildfläche zu verschwinden und von Saddams Handlangern unentdeckt zu bleiben. Das sollte sich später als Selbsttäuschung erweisen.

An jenem Abend fuhren Ala Bashir und ich zu Samir Chairi zum Essen. Ein paar andere Gäste waren auch da, überwiegend wohlhabende Iraker, die mit Samir befreundet waren. Kein einziger stellte sich vor, noch sagten sie, was sie taten, aber sie schienen sich alle über meine Anwesenheit zu freuen. Während Samir Garnelen aus dem Golf auf einem tragbaren Holzkohlengrill in der Küche zubereitete, saßen wir anderen im Wohnzimmer, tranken libanesischen Arrak, aßen warme Pistazien, Cashewnüsse und Mandeln und starrten auf sein Fernsehgerät, das einen Satellitenreceiver hatte. Ich nahm an, dass er wegen seiner beruflichen Tätigkeit befugt war, einen Receiver zu besitzen. Wie in seinem Büro hatte Samir den Fernseher ständig eingeschaltet, und jedes Mal wenn er aus der Küche zu uns kam, schnappte er sich die Fernbedienung und wechselte die Kanäle, folgte den Nachrichten auf CNN, dem irakischen staatlichen Fernsehen und Al-Dschasira. Kein anderer kümmerte sich darum, welches Programm lief. Samir stellte den Ton sehr laut. Jedes Mal wenn er das Zimmer verließ, nahm Bashir die Fernbedienung und stellte ihn wieder leiser. Das ging den ganzen Abend so weiter, und es war in der Tat eine Art freundschaftliches Spiel, das sie ein jedes Mal spielten, wenn wir ihn besuchten. Einmal stieß Samir auf »Die Hochzeit meines besten Freundes«, das auf einem Spielfilmkanal über Satellit lief, und sah ein paar Minuten lang zu. Er lachte herzlich über eine Szene, wo Cameron Diaz in einer Karaoke-Bar furchtbar singt. Als die Szene vorüber war, ging er wieder in die Küche.

Während wir aßen, zappte Samir wiederum zwischen den Kanälen hin und her und stieß auf einen anderen Spielfilm: »Sechs Tage, sieben Nächte«, in den Hauptrollen Harrison Ford und Anne Heche als ungleiches Paar, das bei einem Flugzeugabsturz auf einer verlassenen Insel im Südpazifik landet. Der Film hatte arabische Untertitel, und auf Bashirs Bitte hin drehte Samir den Ton ab, aber man konnte der Handlung leicht folgen. Ford und Heche stritten und kämpften, und dann, wer hätte es gedacht, verliebten sie sich ineinander. Ein recht trivialer Film. Samir und seine Freunde saßen gebannt da. Ala Bashir saß teilnahmslos neben mir und sagte sehr wenig. Normalerweise sehe er nie fern, bemerkte er. »Das meiste scheint Unfug zu sein«, sagte er. Aber mir fiel auf, dass auch er von dem Film gefesselt schien. Ich bemerkte, es komme mir ein wenig seltsam vor, nur wenige Tage vor dem amerikanischen Angriff in Bagdad zu sitzen und einen Hollywoodfilm anzusehen. Samir und seine Freunde nickten eifrig und lachten, dann wandten sie sich wieder dem Fernseher zu.

Samir wurde durch einen Telefonanruf von seinem Boss, dem Außenminister Nadschi Sabri al-Hadithi, gestört, der mit ihm über eine letzte Offerte an Hans Blix und Mohammed El Baradei sprechen wollte. Demzufolge sollten die UNO-Vertreter nach Bagdad zurückkehren, um über das irakische Angebot einer »beschleunigten Kooperation« auf dem Feld der Abrüstung zu verhandeln. Der Außenminister gab Samir offensichtlich dringende Anweisungen, die er sich auf einem Blatt notierte, während er offiziös immer wieder »Na'am, na'am« sagte. Jede neue Initiative schien zu diesem Zeitpunkt völlig hoffnungslos, da sich der UNO-Sicherheitsrat nicht auf eine neue Resolution einigen konnte. Zudem hatte Donald Rumsfeld am Vortag gesagt, dass die Vereinigten Staaten bereit seien, den Irak auch auf eigene Faust anzugreifen. Als Samir aufgelegt hatte, drehte er sich zu mir und zuckte die Achseln, als wolle er sagen, er wisse genau, dass es bereits zu spät war, den Krieg zu stoppen, doch müsse er seinen amtlichen Pflichten nachkommen. »Was sollen wir auch sonst tun?«, sagte er.

Als Bashir und ich uns verabschiedeten, vertraute Samir uns an, dass die UNO in Bagdad alle Mitarbeiter bis auf eine Notbesetzung von zwölf Personen abgezogen habe, die das Land jederzeit innerhalb von zwei Stunden verlassen konnten. Er erkundigte sich besorgt nach meinen Plänen. Ich sagte ihm, dass ich die Absicht hätte zu versuchen, bis zum Krieg zu bleiben, und dass ich im Al-Raschid sei, aber vorhätte, wie fast alle Bekannten von mir, schon bald in ein anderes Hotel umzuziehen. Ich erwähnte die Gerüchte, das Al-Raschid sei ein Bombenziel, und teilte ihm mit, dass schon einige Journalisten begonnen hätten, ins Palestine umzuziehen, am Ostufer des Tigris. Samir hörte mir zu und nickte. Er sagte, er habe die Gerüchte über das Al-Raschid ebenfalls gehört und halte sie für glaubwürdig. »Checken Sie noch morgen aus«, riet er mir.

Der Anruf Nadschi Sabris bei Samir ließ mir keine Ruhe. In meinen Augen war Sabri eine der rätselhaftesten Persönlichkeiten in Saddams Regime. Auf meiner ersten Reise nach Bagdad hatte ich in Wien Zwischenstation gemacht, um ihn zu treffen. Ich glaubte, dass es sich lohnen würde, ihn kennen zu lernen, weil er einer der wenigen ranghohen Regierungsvertreter war, die als gemäßigt und offen galten. Damals war er irakischer Botschafter in Österreich sowie Vertreter bei der OPEC und bei der Internationalen Atomenergiebehörde, die beide in Wien ihren Sitz hatten. Sabri entpuppte sich als charmanter und gebildeter Mensch, und er hatte mir großzügig Empfehlungsschreiben für Ala Bashir, Faruk Sallum und andere wichtige Personen in Bagdad ausgestellt. Nach seiner Ernennung zum irakischen Außenminister 2001 schien er sich jedoch radikal gewandelt zu haben, zumindest was sein Verhalten in der Öffentlichkeit anging. Er hatte es sich angewöhnt, eine Militäruniform zu tragen, und benahm sich bei öffentlichen Auftritten sehr arrogant, äußerte sich grob und kriegerisch über den Westen. Man hatte mir wiederholt die Erlaubnis verweigert, ihn zu treffen.

An meinem ersten Abend in Wien, damals im Jahr 2000, hatte Sabri mich zum Essen in seiner Botschafterresidenz eingeladen und seinen jugendlichen Sohn geschickt, um mich abzuholen. Wächter öffneten uns das Tor zu einer geräumigen Villa, die in einer grünen Gegend der hügeligen Vororte im Norden Wiens lag. Sabri begrüßte mich herzlich. Er war lässig gekleidet und spielte mit einem Rosenkranz aus Bernstein, der mit Troddeln geschmückt war. Die offiziellen Empfangsräume seiner Residenz waren altmodisch tapeziert und mit barocken Sofas,

Perserteppichen und großen gerahmten Aufnahmen von Saddam Hussein ausgestattet. Auf einem Bild lächelte Saddam und hielt mit beiden Händen Sabris Schultern umklammert. Sabri strahlte glücklich. Das Essen erwies sich als ein ausgiebiges Mahl aus erlesenen irakischen Gerichten, die in dem riesigen Speisesaal angerichtet waren, doch nur ich, Sabri und sein Sohn nahmen daran teil. In einer entfernten Ecke stand ein Fernseher, der eingeschaltet blieb und auf dem CNN World News lief. Sabri hatte während des Essens ständig den Fernseher im Auge. Anschließend entschuldigte sich Sabris Sohn, und der Botschafter führte mich hinaus in den unbeleuchteten Garten der Villa.

Während wir im Dunkeln saßen und Kaffee tranken, erzählte Sabri nostalgisch von seiner Zeit in London in den 70er Jahren, als er dort das irakische Informationsbüro geleitet hatte, und zählte einige Journalisten und Schriftsteller auf, die er kennen gelernt hatte. Er erwähnte, dass er dem britischen Schriftsteller Gavin Young bei seiner Reise durch die Sümpfe im Süden des Irak geholfen hatte, über die dieser später in seinem Buch »Return to the Marshes« schrieb, und dass er einmal auch den ehrwürdigen Forscher Wilfred Thesiger getroffen hatte. Sabri sprach mit einer, wie es schien, aufrichtigen Traurigkeit über die Verschlechterung der Beziehungen zwischen dem Westen und dem Irak seit jenen Tagen, und er verteidigte seine Regierung verhalten, indem er auf den Säkularismus verwies, die kostenlose Gesundheitsversorgung und das Bildungssystem sowie die Verteidigung der Frauenrechte. Saddam Husseins Regime sei, räumte er ein, »nicht demokratisch im westlichen Sinn«, doch, fügte er hinzu, »ich halte es nicht für fair, den Irak mit demselben Maßstab zu messen wie Demokratien, die 400 Jahre alt sind.«

Am nächsten Morgen lud mich Sabri in die irakische Botschaft ein. Das war ein prächtiger alter Herrschaftssitz mit Blick auf einen großen öffentlichen Park im Zentrum von Wien. Im

Foyer, am Fuß einer geschwungenen Treppe, hing eine riesige, eher grob gezeichnete Karte des Irak und der benachbarten Staaten im Nahen Osten, die von dem irakischen Wappentier dominiert wurde: einem Adler mit ausgebreiteten Schwingen. Soweit ich sehen konnte, war Kuwait als Teil des irakischen Territoriums dargestellt, und Israel – »das zionistische Gebilde« im offiziellen irakischen Sprachgebrauch – wurde als »Palästina« bezeichnet. Sabri wies mir den Weg die Treppe hinauf und gab mir eine private Führung durch die Räume im ersten Stock: ein Labyrinth leer stehender Salons und Ballsäle mit riesigen Fenstern. Das Gebäude war feucht und verwahrlost, und es hallte in der Stille. Sabri erklärte, das Gebäude habe einst einem habsburgischen Prinzen gehört, und er bedauerte, dass es so verfallen sei, doch er gab die Schuld daran dem fehlenden Geld – wegen der UN-Sanktionen –, um die Instandhaltung zu bezahlen. Sabri sagte, ein wenig wehmütig, dass er häufig allein hochkomme und durch die Räume laufe. Dabei versuche er, sich die großen gesellschaftlichen Ereignisse vorzustellen, die in den alten Gemächern stattgefunden hatten. Sabri kam mir wie eine völlig untypische Figur auf dem diplomatischen Parkett vor. Dass er sich freiwillig in Saddam Husseins Dienste gestellt hatte, schien mir unbegreiflich, allerdings längst nicht so unbegreiflich wie seine Wandlung danach.

Nun also, nach dem Essen bei Samir Chairi, sprach ich Ala Bashir auf die Veränderungen an, die ich an Sabris Persönlichkeit beobachtet hatte. Ich erwähnte das Gerücht, dass vor einigen Jahren ein Bruder Sabris auf Saddams Befehl hingerichtet worden sei. Wenn das der Wahrheit entspreche, sagte ich, sei mir Sabris Beziehung zu Saddam vollends unverständlich. Bashir bestätigte das Gerücht über die Hinrichtung von Sabris Bruder und führte es unbestimmt auf »ein Problem in der Baath-Partei« zurück. Er sagte, Sabri wolle Saddam möglicherweise zeigen, dass er ihm nichts nachtrage.

»Das könnte Nadschis Art sein, Saddam zu zeigen, dass seine Loyalität zu ihm größer ist als alles, was er wegen der Ermordung seines Bruders empfindet«, spekulierte Bashir. Warum Sabri dem Diktator überhaupt weiterhin gedient hatte, wusste Bashir nicht, er wies jedoch darauf hin, dass viele hohe Regierungsbeamte des Irak praktisch Geiseln waren und dass dies auch bei Sabri der Fall sein könnte. Wenn Spitzenbeamte Saddams ins Ausland reisten, sagte er, würden die Familien üblicherweise gezwungen, im Irak zu bleiben, um Übertritte zu verhindern.

Bashir begann einen Exkurs über die Merkwürdigkeiten menschlichen Verhaltens und brachte das Thema Telepathie zur Sprache. Er erwähnte, dass vor einigen Jahren ein geistig kranker Patient von ihm in die Klinik gekommen sei und ihn in den linken Arm und die Brust gestochen habe. Kaum eine Stunde später sei Bashirs Schwester, die von dem Vorfall nichts wusste, bei ihm aufgetaucht und habe erklärt, ihre betagte Mutter habe darauf bestanden, dass sie nach ihm sehe, weil sie eine Vision gehabt hatte, dass irgendetwas mit seiner Brust passiert war. »Das ist ein unerklärliches Phänomen«, schloss er, »aber es ist ein Beispiel dafür, wozu der menschliche Verstand fähig ist.«

Dann enthüllte Bashir, fast nebenbei, dass Saddam Hussein sich ebenfalls sehr für übernatürliche Kräfte interessierte und dass er einige Jahre zuvor eine geheime Regierungsbehörde für »begabte Menschen, Menschen mit besonderen Kräften« eingerichtet hatte. Darunter befand sich etwa ein Junge aus Kirkuk, an dem sein Lehrer die Fähigkeit entdeckt hatte, durch Wände hindurchzusehen. Er habe den Jungen selbst gesehen, sagte Bashir. Der Junge und seine Familie wurden in einen besonderen Gebäudekomplex in Bagdad gebracht, doch nach einigen Jahren verringerte sich die Fähigkeit des Jungen und verschwand am Ende ganz. Es gebe eine ganze Reihe anderer Menschen mit besonderen Kräften, fügte Bashir hinzu, die Saddam alle nach Bagdad gebracht habe. Nach einer Begegnung mit ihm wurden sie in dem Komplex untergebracht, wo sie als Teil seiner geheimen Abteilung ein isoliertes Leben unter Aufsicht führten.

»Eine von ihnen ist eine Frau, die er, neben anderen Menschen, regelmäßig zu Rate zieht«, sagte Bashir. »Diese Frau verfügt über eine Art telepathischer Kraft.« Er erklärte, dass Saddam die Frau sehr effektiv eingesetzt habe, nachdem sein Schwiegersohn General Hussein Kamal, der für die irakischen Waffenprogramme zuständig war, 1995 nach Jordanien übergelaufen war. Kamal wurde von der CIA verhört und übergab den UNO-Waffeninspektoren eine große Zahl geheimer Dokumente, die viele der bestgehüteten Staatsgeheimnisse des Irak enthielten, etwa die Existenz von Saddams Atomwaffenbeschaffungsprogramm. »Sie fing an, ihre Kräfte darauf zu konzentrieren, ihn zur Rückkehr in den Irak zu zwingen«, erklärte Bashir. »Und unerklärlicherweise tat Kamal das auch – nach sieben Monaten im Exil. Saddam hat dann bekanntlich seine Söhne Kussai und Udai ausgesandt, um ihn zu töten.« Bashir sagte mir, dass er Saddam nach dem Schusswechsel in Bagdad am 23. Februar 1996 gesehen habe, bei dem Hussein Kamal, sein Bruder Saddam (der mit einer anderen Tochter Saddams verheiratet und mit Kamal übergelaufen war) und mehrere andere Familienmitglieder getötet wurden. Der Angriff wurde von Saddams Söhnen angeführt. Die Kamal-Brüder verfügten über einige Waffen und konnten sich einige Stunden lang halten, doch am Ende wurden sie mit allen anderen in dem Haus getötet. Mehrere Wächter Saddams seien bei dem Feuergefecht verwundet und in Bashirs Krankenhaus gebracht worden, erklärte er, und Saddam sei in das Krankenhaus gekommen, um nach ihnen zu sehen. Saddam sagte zu ihm: »Ich habe keine Ahnung, was Hussein Kamal veranlasst hatte, den Irak zu verlassen und uns zu verraten, und mir will nicht in den Kopf, was ihn dazu brachte zurückzukehren.« Bashir fuhr fort: »Das hat Saddam gesagt. Aber ich wusste von der telepathisch begabten Frau, und ich glaube, das ist die einzige Erklärung dafür, dass Hussein Kamal so verrückt war zurückzukehren.«

Während Bashir über Nadschi Sabri und Hussein Kamal und ihre seltsame, zwanghafte Loyalität zu Saddam Hussein sprach, grübelte ich über seine eigene Beziehung zum irakischen Diktator. Es gab immer noch vieles, was er mir nicht erzählt hatte. Wieso war er im Irak geblieben? Wie hatte er sich selbst erlauben können, der Vertraute und Leibarzt eines der grausamsten Herrscher der ganzen Welt zu werden? Es schien jedoch nicht der richtige Augenblick, ihm diese Fragen zu stellen, deshalb schwieg ich lieber.

Am Vormittag des 15. März wurde an der größten Straßenkreuzung in Mansur, im Westen Bagdads, eine Kundgebung zur Unterstützung der Regierung veranstaltet. An der einen Seite der Kreuzung hatte man eine große Tribüne errichtet, hinter der ein großes, frisch gestrichenes Wandgemälde aufragte, auf dem Saddam, weiße Friedenstauben, Blumen, ein AWACS-Flugzeug und ein Soldat auf einem Pferd zu sehen waren. Die Menschen strömten in geordneten Gruppen durch die Straße und skandierten Losungen für Saddam und gegen Bush, Blair und den Krieg. Auf einem Plakat stand auf Englisch: BLAIR IS BUSH'S TAIL. Soldaten in Tarnuniformen – die ersten, die ich auf den Straßen Bagdads entdeckte – saßen auf Pick-ups, auf denen Maschinengewehre aufgebaut waren, und ich bemerkte mehrere Scharfschützen auf den Hausdächern. Sicherheitsleute in Zivil schienen allgegenwärtig. Gruppen von Frauen, Lehrern, Schülern und ländlichen Stammesangehörigen, Letztere in langen Gewändern und drohend alte Musketen und Schwerter schwingend, marschierten im Takt zu Trommelschlägen vorüber. Mir fiel auf, dass jede Gruppe ihren eigenen Anführer hatte, der seine Gefolgsleute anstachelte. Sie stimmten Gesänge an und tanzten, während sie sich der Tribüne näherten, und fielen wieder in eine lässigere Gangart zurück, sobald sie an ihr vorüber waren. Ein Lastwagen voller wehklagender Dorffrauen in schwarzen Abajas, den traditionellen langen Gewändern, rollte vorbei. Auf der Tribüne saßen einige Baath-Funktionäre hinter einem Anpeitscher in einem Zweireiher, der ein Mikrofon vor den Mund hielt und fortwährend seine Kommentare hineinbrüllte. Er hielt jeweils kurz inne und pries dann den Patriotismus jeder Gruppe, sobald sie in Sicht kam. Eine Frau, die sich als Lehrerin vorstellte, schritt auf mich zu und predigte: »Helfen Sie Bush nicht, Scharons Plan zur Kontrolle über den Nahen Osten umzusetzen und uns das Erdöl wegzunehmen!« Sie fügte hinzu: »Wir können ohne einen starken Führer nicht leben«, bevor sie wieder abzog. Eine große Gruppe Männer aus einer Märtyrerbrigade versammelte sich zu einer bewaffneten Formation. Sie trugen ganz weiße Tuniken, die ihre Gesichter verdeckten und nur die Augen frei ließen. Sie sagten, sie seien bereit, für Saddam zu sterben.

Die warme Periode, die der erste Turab eingeleitet hatte, war am nächsten Tag, dem 16. März, vorbei. Das Wetter war kalt und der Himmel über Bagdad trüb. Noch etwas hatte sich geändert. Die surreale Teilnahmslosigkeit gegenüber dem kommenden Krieg, die in Bagdad geherrscht hatte, war zu Ende. Auf einmal waren alle angespannt, und ein hektisches Treiben setzte ein; überall waren Polizisten und Soldaten auf den Straßen, und an den Tankstellen bildeten sich riesige Autoschlangen. Scharen von Menschen kauften in den Geschäften Lebensmittel und Wasservorräte. Am Abend zuvor hatte das staatliche Fernsehen bekannt gegeben, dass das Land sich nunmehr im Kriegszustand befinde. Der Irak war in vier militärische Zonen aufgeteilt worden. Jede Zone hatte einen anderen Befehlshaber, den Saddam selbst ausgewählt hatte. Kussai, Saddams jüngerer Sohn, der die Spezielle Republikanische Garde befehligte, war für Bagdad und die Heimatstadt der Familie, Tikrit, zuständig. Sein verhasster Cousin Ali Hassan al-Madschid, besser bekannt als »Chemie-Ali«, wurde zum Befehlshaber des Südirak ernannt. Ali hatte sowohl die mörderische Anfal-Offensive gegen die Kurden Ende der 80er Jahre als auch das Gemetzel unter den Schiiten 1991 angeführt.

Jeder sah sich an diesem Tag die Nachrichtensendungen aus dem Ausland an. Am Nachmittag stellten George Bush, Tony Blair und die Regierungschefs von Spanien und Portugal, José María Aznar und José Manuel Durão Barroso, bei einem Gipfeltreffen auf den Azoren den Vereinten Nationen gemeinsam ein Ultimatum. Sofern die UNO nicht binnen 24 Stunden Maßnahmen ergriff, um die Erfüllung ihrer Abrüstungsforderungen durch den Irak durchzusetzen, so erklärten sie, würden die Vereinigten Staaten und Großbritannien in den folgenden Tagen den Irak angreifen. In einem Fernsehinterview riet Colin Powell Journalisten und humanitären Helfern, das Land zu verlassen.

Im Laufe des Tages wuchs sich der vereinzelte Abzug westlicher Journalisten zu einem regelrechten Exodus aus. Die Evakuierung der Amerikaner wurde von den Sendern NBC und ABC angeführt. Menschen versammelten sich in der Eingangshalle des Al-Raschid und sahen zu, wie die Journalisten ihre Rechnungen bezahlten, die Autos beluden und auf der Straße in Richtung Jordanien abfuhren. Sabah zeigte mir den Kassentisch, wo mehrere riesige Säcke voller irakischer Dinar aufgestapelt waren wie Postsäcke auf einem Postamt. Verwundert teilte er mir mit, dass NBC mit diesen Säcken, die mehrere Millionen Dinar enthielten, die Hotelrechnung bezahlt habe. Einige Reporter posierten mit ihren riesigen Geldbündeln für Fotos. (Bis vor wenigen Wochen waren 250-Dinar-Noten, mit einem Wert von etwa 10 Cent, die größten irakischen Scheine im Umlauf gewesen; glücklicherweise hatte die irakische Regierung begonnen, 10 000-Dinar-Noten auszugeben, die etwa vier Dollar wert waren.)

Am Nachmittag stattete ich Patrick Dillon in seinem Hotel einen Besuch ab. Er war aufgeregt wegen des bevorstehenden Krieges, sagte er. Und er war aufgeregt, weil er einige wunderbare Objekte für seinen Film entdeckt hatte: eine Gruppe Kinder, die lernten, auf der Geige Sibelius zu spielen, und einen irakischen Mann, der nach 30 Jahren aus London zurückgekehrt war und die Sisyphusaufgabe auf sich genommen hatte, ein Boot zu restaurieren, das seinem Vater gehört hatte. Das Boot war während des Bombardements durch die Amerikaner 1991 im Tigris versunken. Der Mann hatte es aus der Tiefe geborgen und arbeitete jetzt gewissenhaft daran. »Der Clou des Filmes ist es, nach der Bombardierung zurückzukehren und nachzusehen, wer von ihnen überlebt hat«, erklärte Dillon. »Das ist die Story. Wird irgendjemand von uns überleben? Werden Sie überleben? Haben Sie schon darüber nachgedacht?« Er lachte.

Am selben Abend ging ich mit ein paar Freunden ins Nabil essen, ein neu eröffnetes Restaurant in Mansur. Bei Tisch trat der Geschäftsführer an mich heran und fragte mich freundlich, ob ich Journalist sei. Als ich die Frage bejahte, bemerkte er bedeutsam, der Irak sei vermutlich ein guter Ort für Neuigkeiten. Ich nickte. Er fragte, ob ich irgendetwas »Neues« wisse – zum Beispiel, wann der Krieg beginnen würde. Ich antwortete, dass ich das nicht wisse, aber es habe den Anschein, als werde das schon sehr bald sein. Ich verwies auf die Atmosphäre eines unmittelbar bevorstehenden Krieges. Er nickte und sagte, dass alle seine Bekannten sich heute aufgemacht und Brennstoff, Wasser und Lebensmittel für ihre Familie gekauft hätten, genug für einen Monat. »Wird es lange dauern, was meinen Sie?«, fragte er. Ich sagte ihm, das wisse ich nicht, aber ich hätte gehört, dass die Amerikaner einen Krieg führen wollten, der so kurz wie möglich sein sollte. Er nickte wieder und lächelte. Er fragte: »72 Stunden?«

Ich sagte: »Vielleicht.«

Er flüsterte: »Inschallah.« Dann beugte er sich zu mir und

fügte hinzu: »Das hoffe ich. Ich hoffe, dass es schnell geht. Nicht alles im Irak ist gut. Wir wollen das ändern. Inschallah.«

Er bat mich, die Vorhänge an dem Fenster neben unserem Tisch zuzuziehen, und rief danach eine halb nackte Frau zu uns, eine Bauchtänzerin, die einige Minuten lang neben uns wirbelte und sich schüttelte. Sie war stark geschminkt und bewegte sich wie eine Stripperin im Westen. Nur wenige Meter von uns entfernt führte sie ihren intimen Akt vor, vermied dabei sorgfältig jeden Augenkontakt. Als sie fertig war, verschwand sie wortlos. Das Ganze war sehr seltsam. Während der Vorführung hatten sich einige Kellner an der Eingangstür postiert und die Straße im Auge behalten für den Fall, dass Polizisten auftauchen sollten. Ein Kellner erklärte uns, dass Bauchtänze von der Regierung verboten seien.

Ungefähr um vier Uhr am nächsten Morgen, am Montag, dem 17. März, erhielt Ala Bashir einen weiteren Telefonanruf von seinem Cousin Faleh in den Vereinigten Staaten. Faleh informierte ihn, dass die Bombardierung am Mittwoch, dem 19., spät in der Nacht oder in den frühen Morgenstunden des Donnerstags beginnen würde, aber nicht vorher. Er sagte ihm, dass Präsident Bush Saddam Hussein raten würde, mit seiner Familie innerhalb einer gewissen Frist das Land zu verlassen, sonst gebe es Krieg. Bashir erzählte mir am selben Abend von dem Anruf, am Ende eines langen und sehr anstrengenden Tages in Bagdad.

Der Tag hatte mit der Meldung begonnen, dass die Vereinigten Staaten und Großbritannien ihre Bemühungen um eine neue UN-Resolution, die einen Krieg autorisiert hätte, aufgegeben hatten. Es wurde angekündigt, dass Präsident Bush an diesem Abend um 20 Uhr Ortszeit in Washington im Fernsehen auftreten würde, in dem er, so wurde angenommen, seinen Zeitplan für den Krieg bekannt geben würde. Man erwartete, dass die letzten UNO-Inspektoren und Diplomaten am nächsten Morgen aus Bagdad abreisen würden. Es hieß, eine Air-France-Maschine werde kommen, um alle im Irak verbliebenen französischen Staatsbürger auszufliegen.

Auf allen Straßen, die aus Bagdad herausführten, waren Autos und Lastwagen unterwegs, bis oben hin mit Habseligkeiten beladen und voll gepackt mit Familienangehörigen und Tieren. Immer mehr Menschen verließen die Stadt. Sabah teilte mir mit, dass seine drei nächsten Nachbarn, alle Schiiten genau wie er, ihre Häuser abgeschlossen hatten und nach Kerbala gefahren waren – zwei Fahrtstunden weiter südlich. Sie hatten ihn gebeten, nach den Häusern zu sehen, während sie weg waren. Den ganzen Tag über zogen weitere Journalisten aus Bagdad ab. Die meisten waren von ihren Arbeitgebern zurückbeordert worden. Aber einige Journalisten verließen das Land auch, weil im Informationsministerium eine große Anzahl von Sicherheitskräften auftauchte, die dem Vernehmen nach für Saddams Sohn Kussai arbeiteten. Als ich die Gerüchte hörte, ging ich zum Ministerium, um nachzusehen, was da los war. Was ich zu sehen bekam, ließ mich Böses ahnen. Wie Schläger aussehende Männer in Zivil hatten sich überall aufgestellt, innerhalb und außerhalb des Gebäudes. Die üblichen Aufpasser huschten nervös umher, sagten kaum etwas und mieden jeden Augenkontakt. Das Ministerium schien in der Gewalt der Neuankömmlinge.

Viele mir vertraute Menschen, wie mein glückloser Dolmetscher Muslim, waren spurlos verschwunden. Ich hielt mich im Hintergrund und blieb nicht allzu lange. Die Ängste der Journalisten nahmen noch zu, nachdem Beamte des Ministeriums heimlichtuerisch warnten, sie könnten nicht länger ihre Sicherheit garantieren. Mehrere wurden gedrängt, so schnell wie möglich auszureisen. Diese Warnungen schienen eine unmittelbare Anspielung auf die schlimmste Befürchtung aller Betroffenen – nämlich als Geisel genommen zu werden. An diesem Tag gab Udai al-Taiee, der cholerische Vizeminister, der nunmehr in einer Militäruniform umherstolzierte, bekannt, dass sämtliche Journalisten in Bagdad künftig auf drei Hotels beschränkt wären. Man habe die Wahl, erklärte er, zwischen dem Al-Raschid, dem Palestine und dem Mansur, das unmittelbar neben dem Ministerium lag.

Bis zum Abend hatte die Mehrzahl der verbliebenen amerikanischen, britischen und kanadischen Journalisten in der Stadt ihre Rechnungen bezahlt und war in mehreren aufeinanderfolgenden Konvois in Richtung jordanische Grenze aufgebrochen. Unter ihnen befand sich mein Freund Heathcliff O'Malley, der Fotograf, dessen Zeitung *Daily Telegraph* ihn und den Korrespondenten, David Blair, angewiesen hatte, das Land zu verlassen. Heathcliff war ganz außer sich wegen der Abreise; unser Abschied war sehr schmerzlich. Während sie abfuhren, hatte ich ein verschwommenes Bild von mir selbst vor Augen: Ich stand auf dem Deck der Titanic und sah zu, wie die Rettungsboote wegruderten.

Der Exodus des Pressekorps löste eine unmittelbare Hausse bei den Fahrpreisen aus. Bis Mittag war der übliche Fahrpreis von 200 Dollar für die 10-stündige Autofahrt nach Amman bereits auf 500 Dollar hochgeschnellt, und am Spätnachmittag lag er bei 700 Dollar. Das Al-Raschid leerte sich rasch und wurde ein immer einsamerer Ort. Angesichts der unzähligen Warnungen kamen mein australischer Freund Paul McGeough und ich zu dem Schluss, es sei vermutlich an der Zeit, das Hotel zu wechseln. Das Al-Hamra kam, wie wir mittlerweile wussten, nicht in Betracht, und wir lehnten beide das Al-Mansur sofort ab, weil es zu nahe beim Informationsministerium lag. So gut wie alle unsere Bekannten waren ins Palestine gezogen, das zwar düster und baufällig war, das aber nunmehr gar nicht so übel schien, weil man in der Nähe von Kollegen war. Während Paul zum Al-Hamra fuhr, um seine Rechnung zu bezahlen und die Vorräte zu holen, die er dort deponiert hatte, fuhr ich zum Palestine, um mich nach freien Zimmern zu erkundigen. In der Eingangshalle herrschte ein Treiben wie in einem Tollhaus, in dem menschliche Schutzschilde, Journalisten, irakische Fahrer, Aufpasser und Sicherheitsleute allesamt wirr durcheinander rannten. Der aktuelle Satz für die verwahrlosten Zimmer lag bei 70 Dollar pro Nacht. Mir wurde mitgeteilt, dass eigentlich keine Zimmer mehr frei wären, dass ich aber gegen ein Schmiergeld in Höhe von 250 Dollar eines bekommen könne. Ich lehnte das Angebot empört ab.

Als Nächstes suchte ich das Al-Safir auf. Ich dachte, möglicherweise gebe es doch noch eine Möglichkeit, in allerletzter Sekunde unterzutauchen und, trotz der neuen Befehle, dort zu bleiben. Als ich jedoch ankam, teilten mir die Angestellten an der Rezeption entschuldigend mit, dass sie Anweisung erhalten hätten, Journalisten abzuweisen. Ich bezahlte meine Rechnung für das Zimmer, das ich nie benutzt hatte, und ließ meine Vorräte in Sabahs Auto laden.

An einem einzigen Tag war die Illusion, der sich fast alle wochenlang hingegeben hatten – dass es uns irgendwie gelingen würde, uns der offiziellen Überwachung zu entziehen und uns selbst zu »schützen«, sobald der Krieg kam –, zerschlagen worden. Während ich zum letzten Mal das Al-Safir verließ, wurde mir klar, dass ich nicht mehr Herr meines eigenen Schicksals war. Wenn das irgendjemand war, so Saddams Sohn Kussai. Auf seinen Befehl hin waren wir, so schien es, in Hotels zusammengetrieben worden, die man im Voraus für uns ausgewählt hatte, und uns blieb diesbezüglich nichts anderes übrig. Ich kam mir sehr verletzlich vor und fühlte mich beunruhigt, und ich merkte zum allerersten Mal im Irak, dass ich die gleiche Angst empfand, mit der die meisten Bürger seit Jahren lebten.

Ich besuchte Patrick in seinem Hotel, das etwa 10 Blocks vom Safir entfernt lag, an der Abu-Nawas-Straße. Er sprach über die sich überstürzenden Ereignisse, die Spannung in der Luft. Er hatte große Augen und strotzte nur so vor nervösem Tatendrang. Er habe den Mann, der das Boot reparierte, gefilmt, erzählte er mir, und hoffe, am nächsten Tag eine Sequenz mit den Geige spielenden Kindern zu drehen. Er lud mich ein, ihn zu begleiten. Wir unterhielten uns kurz über »Das Herz der Finsternis«, und ich sagte, dass mich beeindruckte, welche Bedeutung er den moralischen Dilemmas beigemessen habe, die in dem Buch angesprochen würden. Er blickte mich scharf an und nickte. Schwer atmend ließ er eine emotionsgeladene Tirade vom Stapel: »Ich kämpfe mit meinen eigenen Marlow und Kurtz, wissen Sie? Ich habe sie beide in mir, wissen Sie?« Er schlug sich mit beiden Händen auf die Brust. »Genau deshalb bin ich hierher gekommen, um im Herzen dieses Tötens zu sein, dieses großen Mordes, der bevorsteht, weil ich glaube, dass man, wenn man es in sich hat, diese Faszination für das Töten, nicht davor davonlaufen kann. Ich möchte im Zentrum des Ganzen sein, des Todes, des Tötens, damit ich ein für alle Mal Klarheit bekomme. Bin ich Marlow oder bin ich Kurtz? Wer wird es sein?«

Später an dem Tag suchte ich Ala Bashir im Hospital auf, und er erzählte mir von dem letzten Telefonanruf seines Cousins. Als ich ihn über die seltsamen Vorgänge im Informationsministerium und die umfassende Evakuierung der ausländischen Presse informierte, hörte Bashir aufmerksam zu. Ich fragte ihn, ob er es für möglich halte, dass das Regime mit dem Gedanken spiele, uns als menschliche Schutzschilde zu verwenden. Er halte das nicht für wahrscheinlich, sagte er, weil das Regime dies auch früher nicht mit Journalisten getan habe, nicht einmal während des Golfkrieges. Ich wandte ein, dass dieser Krieg ein völlig anderes Ziel verfolge, folglich könne das Regime durchaus die Samthandschuhe ausziehen. Er nickte und äußerte sich besorgt über meine Sicherheit. Ich sagte ihm, dass der *New Yorker* mich dränge, aus Sicherheitsgründen den Irak zu verlassen. Ich wollte nicht ausreisen, aber ich wollte auch keinen dummen Fehler begehen.

Ich bat ihn, für mich in Erfahrung zu bringen, was das Regime mit westlichen Journalisten vorhabe. Er versprach, über Nacht diskret Erkundigungen über die Vorgänge im Informationsministerium einzuholen, und bat mich, ihn am nächsten Vormittag gegen 11 Uhr aufzusuchen. Dann werde er mir mitteilen, ob es seiner Ansicht nach für mich sicher sei, in Bagdad zu bleiben, oder nicht.

Wir sprachen über den Anruf seines Cousins und über das, was er über Bushs beabsichtigtes Ultimatum gesagt hatte, das erst später um 4 Uhr nachts ausgestrahlt werden sollte. »Natürlich wird Saddam nicht gehen«, erklärte Bashir rundweg. Wir tauschten unsere Ansichten darüber aus, ob der Krieg kurz oder lang dauern würde. Ich regte an, das hänge nicht zuletzt davon ab, für welche Variante Saddam sich entschied: ob er, wie viele befürchteten, die Absicht habe, die Amerikaner zu einer Belagerung Bagdads zu veranlassen, mit unzähligen Opfern unter der Zivilbevölkerung, in der Hoffnung, einen internationalen Aufschrei zu provozieren, der den Krieg beenden würde, oder ob es den Amerikanern gelingen würde, Saddam und seinen engeren Kreis rasch zu isolieren und große Schlachten zu vermeiden. Bashir sagte, er halte letzteres Szenario für möglich, und deutete an, dass er mehr darüber wusste, als er bislang gezeigt hatte. »Ich weiß, dass es viele Menschen gibt, darunter hochrangige Militärs und Parteimitglieder«, sagte er, »die nicht bereit sind, für ihn zu kämpfen. Was können sie dabei gewinnen? Sie wissen, welche Konsequenzen das haben wird.«

Bashir fragte, wie mir denn sein Modell für das Denkmal »Epos von Saddam« gefallen habe. Ich sagte ihm, diplomatisch, dass ich es für ein ganz außergewöhnliches Werk halte, das Saddams Zeit an der Macht sehr anschaulich mache. Er schien damit zufrieden und lächelte. »Natürlich wird es nie gebaut werden. Das weiß ich«, sagte er leise. Ich pflichtete ihm bei.

Am Dienstag, dem 18. März, hörte ich gleich nach dem Aufwachen die Meldung, die Ala Bashirs Cousin im Voraus angekündigt hatte: Präsident Bush hatte Saddam und seiner Familie eine Frist von 48 Stunden für das Verlassen des Landes gesetzt, sonst werde der Krieg »zu einem von uns gewählten Zeitpunkt« beginnen, wie er es formulierte. Um 8 Uhr morgens lief in Bagdad der Countdown bereits seit vier Stunden. Später am selben Tag, als Saddams trotzige Ablehnung der Forderung ausgestrahlt wurde, stand der Krieg unmittelbar bevor.

Unterdessen hatte sich unser Zimmerproblem allem Anschein nach geklärt, als ein kanadischer Freund Paul McGeoughs ihm die Schlüssel zu seinem Zimmer im Palestine anbot. Seine Zeitung hatte ihn abbestellt, und er reiste noch am selben Morgen ab. Während Paul und Sabah alle unsere Habseligkeiten im Al-Raschid zusammenpackten und ins Palestine brachten, fuhr ich eilig zum Al-Wassati-Hospital zu meinem Treffen mit Ala Bashir.

Auf der Fahrt sah ich scharenweise bewaffnete Männer auf den Straßen, und ich bemerkte neue, mit Sandsäcken geschützte Hinterhalte und Schützenlöcher an Straßenkreuzungen und auf freien Plätzen. Ich fragte mich, ob sie im Laufe der Nacht vorbereitet worden waren. Ein paar Tage zuvor waren mir Männer aufgefallen, die hier und da Gräben aushoben, allerdings schienen sie es damals nicht eilig zu haben. Inzwischen hatte es den Anschein, als liefe die Vorbereitung für die Verteidigung überall auf Hochtouren. Die meisten Zivilisten führten ihr Leben wie gewöhnlich fort, hielten an ihrer Alltagsroutine fest und setzten teilnahmslose, neutrale Gesichter auf. Einige Läden, die gewürztes Lammfleisch und Shawarma-Spieße aus Hühnerfleisch anboten, und einige Teehäuser hatten noch geöffnet, und viele kleine Läden boten immer noch ihre Ware feil.

Ala Bashir begrüßte mich ruhig. Als wir in seinem Büro allein waren, sagte er sarkastisch, dass sein Cousin offenbar über

»gute Informationsquellen« verfüge. Ernster fügte er hinzu, dass er mit Samir Chairi gesprochen habe und sie sich einig gewesen seien, dass es für mich das Beste sei auszureisen, aus dem ganz einfachen Grund, dass es sicherer sei. Er sagte: »Einige Leute im Umkreis des Präsidenten könnten aggressiv gegenüber Amerikanern und Westlern werden.« Doch hatte es auch den Anschein, als ob er eigentlich nicht wollte, dass ich ging, weil er mich einmal mehr drängte, in ein Hotel in der Nähe des Hospitals zu ziehen. Ich sagte ihm, dass ihre Lage mir nicht gefallen habe. Wir sprachen über Alternativen. Ich erklärte, dass ich immer noch auf eine Nachricht meiner Vorgesetzten warte, ob ich bleiben solle. Ich erwartete im Laufe des Tages eine Entscheidung. Ich sagte ihm, dass ich provisorisch ins Palestine umziehen würde, wo die meisten Freunde und Kollegen von mir auch seien und das tatsächlich nur fünf Minuten mit dem Auto von seinem Hospital entfernt sei. Er sagte, dass ihm das Palestine nicht gefalle, und teilte mir mit, es sei aus irgendeinem Grund stärker mit Sicherheitsleuten bemannt als das Al-Raschid und habe auch mehr Abhörvorrichtungen. Er wiederholte seine Einladung, bei ihm im Hospital zu bleiben, sobald es losging. Ich dankte und sagte, dass ich darauf zurückkommen würde, wenn es mir als das Richtige erscheine. Allerdings fragte ich mich, ob das überhaupt möglich sein würde angesichts der strengeren Kontrollen. Wir vereinbarten, dass ich ihn später am Tag anrufen und ihm mitteilen würde, ob ich ausreiste oder blieb.

Bevor ich das Krankenhaus verließ, sagte Bashir mir, dass am Abend zuvor Radio Monte Carlo, ein sehr beliebter Sender im Nahen Osten, gemeldet hatte, dass Nisar al-Chasradschi, ein hoher irakischer General, der 1995 übergelaufen war, einen Tag zuvor aus seinem Haus in Dänemark verschwunden sei. Chasradschi hatte seit mehreren Monaten unter Hausarrest gestanden, weil wegen Kriegsverbrechen gegen ihn ermittelt wurde. Man hatte ihn für die Giftgasangriffe gegen die Kurden im Jahr

1988 verantwortlich gemacht, bei denen Tausende von Zivilisten ums Leben gekommen waren. Bashir hielt das Verschwinden Chasradschis für ein sehr wichtiges Ereignis. Er war der Meinung, dass es von den Amerikanern arrangiert worden sei. Er sagte, Chasradschi, Saddams ehemaliger militärischer Stabschef, sei ein Berufsoffizier, der sich auf herkömmliche Weise hochgedient habe, durch seine Verdienste, nicht weil er »ein Vetter Saddams« war, und dass er deshalb in den irakischen Streitkräften viele Bewunderer habe. Bashir hielt eindeutig selbst viel von Chasradschi. Er mutmaßte, Militärs im Irak würden die Nachricht von seinem Verschwinden womöglich als verschlüsselte Botschaft der Amerikaner auffassen, dass Chasradschi nunmehr an ihrer Seite sei und dass es an der Zeit sei, gegen Saddam vorzugehen. Er glaubte, dass einige von ihnen womöglich handeln würden. »Das Verschwinden dieses Mannes wird denjenigen in der Baath-Partei und in den oberen Reihen der irakischen Streitkräfte Mut machen, die gegenwärtig glauben, dass sie nur dann überleben können, wenn sie zu Saddam halten.« Die nächsten Stunden oder Tage, so Bashir, seien entscheidend. Wenn ein Staatsstreich oder Attentat gegen Saddam nicht vor Beginn der Bombardierung erfolge, so möglicherweise während des Konflikts. Bashir fügte hinzu, dass Chasradschi im Golfkrieg in der Schlacht um den Süden des Irak verwundet worden war und dass er der Arzt war, der ihn damals operiert hatte.

Später holten Sabah und ich Patrick in seinem Hotel ab, und wir fuhren zu dem Haus der Nachwuchsgeiger, von denen er gesprochen hatte. Sie lebten mit ihren Eltern in einem bescheidenen, aber komfortablen Doppelhaus an einer Wohnstraße in einem Vorort im Südwesten Bagdads. Es waren prachtvolle Kinder mit großen leuchtenden Augen, und ihr Vater, Madschid al-Ghasali, war ein sehr stattlicher Mann um die vierzig. Er erklärte, er sei selbst Geiger beim Irakischen Nationalen Symphonieorchester. Er habe auch eine eigene Gruppe für Kammermusik, aber seinen Lebensunterhalt verdiene er eigentlich als Geigenlehrer an einer Bagdader Musikschule für Kinder. Er habe dreien seiner vier Kinder beigebracht, ein Instrument zu spielen, sagte er stolz.

Madschid schlug vor, zuerst selbst ein Stück zu spielen. Die Kinder waren begeistert. Sie quetschten sich auf die Couch im Wohnzimmer, flüsterten und zappelten herum wie Kinder im Theater, die es nicht erwarten können, dass die Vorstellung beginnt. Große Schreibtische aus Holz waren vor den Fenstern aufgestellt, und die Möbel waren mit Tüchern abgedeckt. Madschid stand vor einem Notenständer und spielte eine Etüde von Jacques-Féréol Mazas, einem Komponisten aus dem 19. Jahrhundert. Es war eine liebliche, traurige Melodie – Madschids Lieblingsmelodie, wie er sagte. Dann spielte Hamid, sein 10-jähriger Sohn, auf der eigenen kleinen Violine, während sein Vater neben ihm stand und ihn sanft dirigierte. Eine Tochter von Madschid spielte ein Stück für Flöte, und sein ältestes Kind, eine zwölfjährige Tochter, spielte auf dem Klavier. Madschid entschuldigte sich, dass das Klavier leider verstimmt sei. Auch die Geigensaiten seien nicht im besten Zustand. Es seien nur zweitklassige Saiten aus der Türkei und China. »Es ist unmöglich, professionelle Geigensaiten in Bagdad zu bekommen«, sagte er traurig.

Bei dem Familienkonzert blieb Madschids Frau, eine hübsche Frau mit eindringlichen blauen Augen, in der Küche. Während Patrick die Kinder beim Spielen filmte, ging ich zu ihr, um sie zu begrüßen. Sie saß an einem Tisch und fertigte mit Nadel und Faden kleine Gesichtsmasken an. Sie stopfte Baumwollkugeln und Holzkohle in einen Gazebeutel, der Mund und Nase bedeckte, mit kleinen Schlaufen, um die Masken an den Ohren zu befestigen. Ich fragte sie, wofür das gut sei, und sie lächelte schüchtern. »Das sind Masken gegen den Rauch, für die Kinder«, sagte sie. Ich fragte, ob die Kinder wussten, was demnächst passieren würde. Sie schüttelte den Kopf. »Nein, nicht wirklich. Sie wissen nur, dass es viel Krach und Rauch geben wird.« Die Kinder hatten ihr Spiel beendet und kamen in die Küche. Sie standen herum, sahen verständnislos ihrer Mutter zu und starrten mich schüchtern an.

Später, in dem bunkerähnlichen Vorderzimmer und außer Hörweite der Kinder, fragte ich Madschid nach seinen Plänen. Er wolle seine Familie außer Landes bringen, bevor das Bombardement begann, nach Jordanien, sagte er. Er hatte die nötigen Papiere für die Ausreise, aber bislang war es ihm nicht gelungen, genügend Benzin für die Autofahrt zu beschaffen. Er wusste nicht, ob er es noch rechtzeitig schaffen würde; vor allen Tankstellen in der Stadt standen lange Autoschlangen. Aber er werde es versuchen. Er nickte in die Richtung der Kinder. »Ich möchte nicht, dass sie das durchmachen«, sagte er. Ich fragte, ob er Hilfe brauche. Er wirkte peinlich berührt und schüttelte den Kopf, dankte mir aber für das Angebot. Als wir abfuhren, stand die ganze Familie draußen, und die Kinder lächelten und winkten.

Auf dem Rückweg ins Stadtzentrum erklärte Patrick mir seine Beziehung zu der Videokamera. »Es ist ein Ersatz für das Gewehr«, sagte er. »Als ich in die Army eintrat und man mir ein M-16 in die Hand drückte, da packte ich sofort zu. Das Gewehr war wie eine Verlängerung meines Körpers. Ich konnte einem Bärenfell das Arschloch wegschießen, Mann! Ich weiß nicht, warum ich es konnte, ich konnte es einfach. Vielleicht war es genetisch bedingt. Jetzt schieße ich immer noch auf Menschen, aber damit.« Er hielt die Kamera hoch.

Ungefähr um 16 Uhr erreichte mich ein Anruf von David Remnick, dem Chefredakteur des *New Yorker*. Er bat mich, den Irak so schnell wie möglich zu verlassen. Er verwies auf die Entscheidung seiner Kollegen von der *Washington Post* und der *New York*

Times, ihre Korrespondenten in letzter Minute abzuziehen. Vor einigen Tagen hatte ich David versprochen, mich an sein letztes Wort zu halten, ob ich bleiben oder gehen sollte, hatte aber um etwas mehr Zeit gebeten und auf die Tatsache hingewiesen, dass John Burns, der Korrespondent der *Times* (und unumstrittene König der Auslandskorrespondenten mit 30 Jahren Erfahrung auf dem Feld und zwei Pulitzerpreisen für seine Berichte aus Bosnien und Afghanistan), ebenfalls entschlossen sei zu bleiben. David hatte damals widerwillig zugestimmt abzuwarten, wie sich die Dinge entwickeln würden, doch jetzt, da der Krieg bereits im Anrollen war, und mit Blick auf John Burns Ausreiseanweisung, forderte er ein Ende der Sache. Ich versprach auszureisen, sagte aber, es sei bereits spät am Tag und möglicherweise werde es mir erst am nächsten Morgen gelingen abzureisen. Nachdem die Entscheidung gefallen war, empfand ich eine seltsame Mischung aus Erleichterung und Beklemmung.

Ich teilte die Neuigkeit Paul McGeough mit. Er hatte mit seinen Redakteuren ähnliche Diskussionen geführt und willigte ein, gemeinsam mit mir abzureisen. Paul rief ein uns bekanntes Taxiunternehmen an und bat darum, zwei GMC Suburbans bereitzustellen, um John Burns und uns beide nach Amman zu bringen. Der Fahrpreis war seit dem Abend davor um mehr als 100 Prozent gestiegen – auf 1300 Dollar. Dann gingen wir zum Pressezentrum im Informationsministerium, wo wir, wenn wir ausreisen wollten, unsere Gebühren bezahlen mussten. Sie beliefen sich auf 200 Dollar plus 50 000 irakische Dinar – im Wert von noch einmal 20 Dollar – pro Tag. Selbst in den besten Zeiten war das Bezahlen im Pressezentrum ein immens frustrierender Vorgang, der mehrere Stunden in Anspruch nehmen konnte. Es gab nur einen einzigen Kassierer, einen Mann, dem etliche Zähne und ein paar Finger fehlten. Er musste sich die Seriennummer jedes einzelnen Dollarscheins notieren, und gelegentlich wurde er ohne jeden ersichtlichen Grund hysterisch. Sobald diese langwierige Prozedur vorüber war, mussten andere Beamte aufgetrieben werden, die irgendwelche Formulare unterschrieben. Satellitentelefone mussten zudem offiziell von einem Mann versiegelt werden, dessen einzige Aufgabe in ebendieser Tätigkeit bestand.

Als Paul und ich im Pressezentrum ankamen, sahen wir sofort, dass es uns auf keinen Fall gelingen würde, noch am selben Abend abzureisen. Der Ort war ein einziges Pandämonium, Dutzende von Reportern wollten ausreisen, Aufpasser, Dolmetscher und Sicherheitsleute drängelten sich überall, und die Gemüter waren auf dem Siedepunkt. Als ich es geschafft hatte, mich an die Spitze des Gewühls vorzukämpfen und mit dem Kassierer zu reden, wies er mich an, morgen wiederzukommen. Wir begegneten John Burns, seinen Fotografen Tyler Hicks und Melinda Liu von *Newsweek*. Wir fünf hatten uns seit einigen Tagen immer wieder getroffen, über verschiedene Optionen gesprochen und vereinbart, gemeinsam zu handeln. Wir berieten, was wir tun sollten. Wir hatten alle Meldungen gehört, dass die Journalisten, die seit Bushs Ultimatum den Irak verlassen wollten, an der Grenze verhaftet worden waren. Überwiegend stammten sie offenbar aus den Ländern der »Koalition« – den Vereinigten Staaten, Großbritannien und Spanien –, aber auch mindestens ein norwegischer Helfer war dabei. Ich hatte eine E-Mail von Heathcliff O'Malley bekommen, der die Grenze noch kurz vor Bushs Rede überquert und Amman sicher erreicht hatte. Er teilte mir mit, dass unter den in Gewahrsam genommenen Reportern ein gemeinsamer Freund von uns war: Kim Sengupta vom *Independent*. Melinda konnte ebenfalls bestätigen, dass Leute festgenommen worden waren, die für die Fernsehsender NBC und AP Television arbeiteten. Offenbar hatte man die inhaftierten Reporter gründlich durchsucht und warf ihnen bislang ungeahndete »Währungsverstöße« (d. h., sie hatten zu viel Bargeld bei sich) vor oder entdeckte, dass sie die verbotenen

Thuraya-Satellitentelefone bei sich hatten. Nachdem man ihnen ihr gesamtes Bargeld abgenommen hatte, wurden sie unter Arrest gestellt und nach Ramadi gebracht, eine Saddam-Hochburg westlich von Bagdad.

Viele von uns hatten Thuraya-Telefone in das Land geschmuggelt, hatten sie aber nach Kussais Übernahme des Informationsministeriums versteckt. Ich hatte meines Sabah gegeben, damit er es bei sich zu Hause versteckte. Paul hatte seines in einem Belüftungsschacht im Treppenhaus für das Personal im Al-Raschid verborgen. Ein Thuraya ist mit einem Global Positioning System (GPS) ausgerüstet. Zumindest theoretisch hätten wir damit die Koordinaten potenzieller Bombenziele an die Amerikaner senden können.

Was man mit unseren festgenommenen Kollegen vorhatte, war noch unbekannt. Angesichts der Gefahren, die auf der Straße nach Amman lauerten, und dem Risiko, das wir bei Kriegsausbruch im Gefängnis von Ramadi sitzen würden, kamen wir alle fünf zu dem Schluss, dass die Ausreise nicht mehr sicher war.

Wir vereinbarten, die beiden bestellten Fahrer in Bereitschaft zu lassen und am nächsten Morgen noch einmal über die Lage zu beraten, aber wir waren uns alle ziemlich sicher, dass die Gelegenheit, den Irak zu verlassen, verstrichen war.

Während Sabah und ich bei Sonnenuntergang die Abu-Nawas-Straße entlangfuhren, sahen wir eine bizarre Szene. Auf dem Mittelstreifen waren zwei Männer in Kaftanen an einen Baum gekettet. Einer betete gerade, erhob sich und warf sich nach Art der Muslime nieder; der andere, ein großer bärtiger Mann, stand aufrecht wie ein angeketteter Tanzbär. Auf einem Banner an dem Baum stand: NO WAR. Später erklärte mir jemand, dass die Männer türkische menschliche Schutzschilde waren.

Noch am selben Abend gab ein entspannt wirkender Nadschi Sabri im Informationsministerium eine Pressekonferenz.

Er trug seine Militäruniform, die für den vorstehenden Bauch ein wenig zu eng war. Sabri kasteite Präsident Bush wiederholt als »einen Dummkopf, der nicht einmal weiß, ob Spanien ein Königreich oder eine Republik ist«. Offensichtlich genoss er diesen Satz, denn er wiederholte ihn zweimal. Er sagte, das einzige Fenster, das für eine diplomatische Lösung geblieben sei, bestehe darin, dass die »beiden Despoten« – Bush und Blair – zurücktraten. Er nannte sie darüber hinaus noch »Übeltäter«, »verrückte Kriegstreiber«, »Kriegsprofiteure«, »Kriegsverbrecher« und »Meister der Verzerrung und Fälschung«. Auf die Frage nach der Stimmung des irakischen Präsidenten sagte Sabri: »Saddam Hussein ist entspannt und sich des Sieges genauso sicher wie ich in Ihrer Gegenwart in diesem Raum. Er verlässt sich auf seinen tiefen Glauben an Gott und das grenzenlose Potenzial des irakischen Volkes.«

Später rief ich Ala Bashir zu Hause an und teilte ihm mit, dass es den Anschein habe, als würde ich letzten Endes bleiben. Er klang erfreut. Wir versprachen, in engem Kontakt zu bleiben. Paul und ich zwängten uns in unser schmutziges kleines Zimmer mit zwei Einzelbetten im neunten Stockwerk des Palestine und verbrachten eine unruhige Nacht.

Am Mittwoch, dem 19. März, wachte ich mit schrecklichen Kopfschmerzen auf. Beim Blick aus dem Hotelfenster sah ich, dass der Himmel gelb und voller Staub war – noch ein Turab. Paul und ich beschlossen, ins Al-Raschid zurückzukehren. John Burns, der mit unerschütterlichem Gleichmut dort geblieben war, hatte am vorigen Abend überzeugend argumentiert, dass die Amerikaner das Hotel aller Wahrscheinlichkeit nach nicht bombardieren würden. Er verwies auf den vergleichsweise hohen Luxus des Al-Raschid und seine verstärkten Außenwände, den Hubschrauberlandeplatz und andere Einrichtungen. Seiner Ansicht nach war es der ideale Ort für die neue US-Botschaft.

Nach einer elenden Nacht im Palestine, wo wir zudem auch keinen Satellitenempfang hatten, erschienen uns Johns Argumente sehr überzeugend.

Als wir an der Stelle auf der Abu-Nawas-Straße vorüberkamen, wo die türkischen Demonstranten angekettet waren, stießen wir auf eine Gruppe von etwa 15 bewaffneten irakischen Militärs in grünen Uniformen. Sie beobachteten die beiden angeketteten Männer, die offenbar gerade eben etwas auf der Straße verbrannt hatten, denn ein großer öliger geschwärzter Fleck war dort zu sehen. Ich nahm an, dass es eine amerikanische Flagge gewesen war; das Verbrennen des Sternenbanners war ein unerlässlicher Bestandteil fast aller politischen Demonstrationen im Irak.

Bagdad war ein beklemmend verlassener Ort geworden. Es waren kaum Zivilisten auf den Straßen, und in den meisten Geschäften waren die Rollläden heruntergelassen, die Fenster mit großen x-förmigen Kreuzen beklebt. Der Verkehr auf den Straßen hatte deutlich nachgelassen, und in vielen Fahrzeugen saßen uniformierte Männer, die eilig hierhin und dorthin fuhren. In der ganzen Stadt hatten sich kleinere Gruppen aus Milizionären und Soldaten an den Straßenecken versammelt. Die meisten Schützenlöcher und mit Sandsäcken gesicherten Gruben, die seit einigen Tagen in der Stadt zu sehen waren und bislang leer gestanden hatten, waren nunmehr von Männern mit Gewehren besetzt. An der Sadunstraße, einer normalerweise hektischen Einkaufsstraße, die parallel zu Abu Nawas verläuft, waren die Uhrengeschäfte und Kinos mit Latten zugenagelt, doch die grell gestrichenen Reklametafeln waren noch frei und warben für »American Pie« und den Horrorstreifen »Inner Sanctum 2«. Neben einem der Kinos sah ich ein Biwak, das ganz von Schwarzen bewohnt war. Schwarze waren in Bagdad allgemein selten zu sehen. Ich hielt sie für Sudanesen, weil einige in dieser Gegend lebten. Wie die Ägypter, die in den 80er Jahren als Arbeiter in den Irak eingewandert und dann geblieben waren, war auch eine kleine Kolonie Sudanesen im Land geblieben. Die meisten waren zu arm, um wieder nach Hause zu fahren. Die Sudanesen in Bagdad wurden gemeinhin als ehrliche Menschen und gute Arbeiter angesehen, und viele waren in irakischen Hotels an der Rezeption oder als Reinigungskraft angestellt. Der Portier des Al-Raschid kam aus dem Sudan. Er war ein riesiger, ständig lächelnder Mensch, der ein Tausendundeine-Nacht-Kostüm trug und mit seinen zwei Frauen und ihren vielen Kindern in einem kleinen Holzhaus auf einem leer stehenden Grundstück in der Nähe wohnte.

Als wir dann am Informationsministerium vorbeifuhren, fielen mir Steinmetze auf, die letzte Hand an irgendwelche neu errichteten Büroräume im Erdgeschoss anlegten. Diese Aktivität erschien bizarr angesichts der hohen Wahrscheinlichkeit, dass das Gebäude in den kommenden Tagen zerstört werden würde, aber ich nahm an, dass Saddam Hussein Anweisung erteilt hatte, die Regierungsgeschäfte wie üblich fortzusetzen, um in jeder Beziehung den Anschein zu erwecken, dass sein Regime immer noch alles unter Kontrolle hatte und auf den Sieg im kommenden Krieg vertraute.

Beim Al-Raschid besprengten die Gärtner immer noch den Rasen und schnitten Sträucher, und der Swimming-Pool war mit schimmerndem Wasser gefüllt. Das Hotel wirkte im Vergleich zum Palestine herrlich sauber und luxuriös, und das Personal freute sich über unsere Rückkehr. Salman, der kokette Empfangschef, tadelte uns dafür, dass wir überhaupt ausgezogen waren. Paul und ich beschlossen zu bleiben, allerdings wollten wir auch das Zimmer im Palestine behalten. Wir nahmen eine Suite im achten Stockwerk, mit benachbarten Zimmern für Sabah und Pauls Fahrer Mohammed, und beauftragten sie, alle unsere Habseligkeiten und Vorräte herzuschaffen. Die Suite lag nach Süden, wo wir guten Empfang für unsere Satellitentelefone und einen Panoramablick über einige Hauptbombenziele hatten, darunter das riesige Hauptquartier der Baath-Partei (das man fast vollständig wiederaufgebaut hatte, nachdem es 1998 durch Präsident Clintons viertägigen Bombenangriff Desert Fox zerstört worden war), den hohen, spindeldürren Saddam Telecommunications Tower und einige bombastische Paläste Saddams mit Kuppeldächern. Im Laufe des Tages trudelten weitere Journalisten aus dem Palestine wieder ein, ganz erschöpft vom ewigen Umziehen und der Angst wegen des näherrückenden Krieges. Bereits am Nachmittag herrschte in der Eingangshalle des Al-Raschid, das noch 24 Stunden zuvor eine Art Begräbnisfeier erlebt hatte, wieder hektisches Treiben.

Wir hatten inzwischen mehr über unsere Kollegen herausgefunden, die man beim Versuch, das Land zu verlassen, in Gewahrsam genommen hatte. Die meisten waren, allem Anschein nach, entlassen worden, nachdem sie eine Nacht im Gefängnis von Ramadi verbracht hatten und ein Richter sie wegen ihrer angeblichen Verstöße zu einer Geldstrafe verurteilt hatte. Ein französischer Fotograf, mit dem ich befreundet war, musste nach Ramadi fahren, wo er mehrere Kollegen gegen die Summe von 40 000 Dollar freikaufte. Sie waren mit ihm nach Bagdad zurückgekehrt. Anderen, wie dem Team von NBC, war die Ausreise gestattet worden, aber Kim Sengupta war gezwungen worden, nach Bagdad zurückzukehren. Beunruhigender war, dass von anderen, die ebenfalls vermisst gemeldet worden waren, immer noch keine Nachricht eingetroffen war. Paul und ich trafen uns ein letztes Mal mit Melinda Liu, John Burns und Tyler Hicks, und wir kamen allesamt zu dem Schluss, dass es, alles in allem, sicherer war, in Bagdad zu bleiben. Wir bezahlten die Mietwagen, die wir bereitgehalten hatten. Danach informierten wir alle unsere Vorgesetzten.

Ich schickte E-Mails an David Remnick und Sharon DeLano, die Redakteurin beim *New Yorker*, in denen ich die neue Lage erklärte. Sie gaben prompt ihr Einverständnis und boten an, meiner Familie während meiner Abwesenheit zur Verfügung zu stehen. Ich war erleichtert, endlich eine Entscheidung getroffen zu haben, und wusste, dass ich mich – was immer auch geschehen mochte – in guter Gesellschaft befand. Viele waren abgereist, aber neben Paul, John und Tyler blieben noch Jim Nachtwey, ein langjähriger persönlicher Freund, und der russische Fotograf Juri Kosyrjew, den ich in Afghanistan kennen gelernt hatte. Auch Anne Garrels vom National Public Radio war geblieben sowie Anthony Shadid von der *Washington Post*, Tim Judah von der *New York Review of Books*, John Daniszewsky von der *Los Angeles Times*, Robert Collier vom *San Francisco Chronicle* und Larry Kaplow und Craig Nelson vom Cox News Service. Erst vor einigen Tagen hatten Robert Collier, Craig Nelson und ich uns alle wiedererkannt und zum ersten Mal seit Jahren getroffen; wir hatten uns zuletzt in den 80er Jahren in Mittelamerika gesehen. Ein neuer Freund war Patrick Graham, ein herzlicher und geistreicher Kanadier, der der Sohn des kanadischen Außenministers war, ein Umstand, um den er möglichst wenig Aufhebens machte. Patrick schrieb für die *National Post,* die Conrad Black gehörte und in großen finanziellen Schwierigkeiten steckte; Patrick witzelte, dass er zwar möglicherweise einen Krieg gefunden habe, über den er Bericht erstatten konnte, aber niemanden hatte, für den er berichten sollte. Ein paar Tage zuvor hatte er mir Sasha Trudeau vorgestellt, der kurioserweise der Sohn des ehemaligen kanadischen Premierministers Pierre Trudeau war. Sasha war ein magerer, eindringlicher Mann Anfang zwanzig, der versuchte, eine Karriere als Dokumentarfilmer zu beginnen. Er spielte ständig mit einer Schnur azurblauer Gebetsperlen. Er habe die Absicht, den Behörden zu entwischen und während des Krieges bei einer irakischen Familie zu leben, hatte er mir flüsternd anvertraut.

In dem ganzen Chaos war es unmöglich, die Zahl der verbleibenden Amerikaner zu bestimmen, aber einige Tage später erfuhr ich aus einer E-Mail von Joel Simon vom Committee to Protect Journalists, dass insgesamt 16 Amerikaner in Bagdad verweilten. Der unnachahmliche Ross Benson vom *Daily Express* und ein paar andere Briten und Kanadier waren ebenfalls geblieben. Dazu zählten John Swain, die *Guardian*-Reporter Suzanne Goldenberg und Jonathan Steele, der langjährige Auslandskorrespondent der Zeitung, Rageh Omar, ein junger, aus Somalia stammender BBC-Moderator, und Lindsey Hilsum von dem Sender ITN. In letzter Minute war Robert Fisk vom *Independent* eingetroffen, der von seinem Haus in Beirut aus durch Syrien eingereist war. Der König der britischen Nahost-Korrespondenten war ein zappeliger, wortkarger Mann mit einem knallroten Gesicht, doch Saddams Leute verehrten ihn regelrecht. Der aus Irland stammende Fisk hat sich immer wieder für den arabischen Raum eingesetzt. Seine scharfe Kritik an der westlichen Nahost-Politik hat ihn in der Region außerordentlich populär gemacht. Am selben Nachmittag tauchte auch Fisks Kollege, der glücklose Kim Sengupta, wieder auf. Er hatte nach der Leibesvisite keinen Penny mehr und sah erschöpft aus, aber er bewahrte dennoch eine stoische Ruhe. Der winzige Peter Arnett war ebenfalls noch da. Wichtigtuerisch erzählte er jedem, der es hören wollte, von seiner Berichterstattung aus Bagdad während des Golfkriegs von 1991.

Arnett wurde von den meisten westlichen Kollegen als Paria angesehen, doch asiatische und arabische Fernsehsender begegneten ihm immer noch mit Ehrfurcht. Ich sah ihn häufig in der Eingangshalle Interviews geben, seine Stimme hatte dabei einen unheilvollen Klang. Alles in allem waren rund 200 Journalisten geblieben, die etwa 30 Nationalitäten repräsentierten, darunter eine zahlreiche und anscheinend unverhältnismäßig große Gruppe von Spaniern, Franzosen und Griechen. Den verrückten russischen Fotografen in der Fallschirmspringeruniform konnte ich nirgends entdecken. Ich ging davon aus, dass er den weisen Entschluss gefasst hatte, der Gefahr aus dem Weg zu gehen.

Nach einer unentschuldigten Abwesenheit von mehreren Tagen tauchte mein Aufpasser Muslim auf einmal wieder im Al-Raschid auf. Er sagte mir, dass er seine Familie in ein Dorf außerhalb von Bagdad gebracht habe, wo sie seiner Ansicht nach sicherer waren, und bat mich um etwas Geld, damit er Vorräte kaufen konnte. Er werde bei ihnen bleiben, erklärte er, »bis der Krieg vorbei ist«. Er fragte mich, ob ich den Krieg über bleiben würde. Ich bejahte das. Er schien sich darüber zu freuen und gab mir die Hand. Ich gab ihm Geld und wünschte ihm Glück. Es war das letzte Mal, dass ich ihn sah.

Ich kam ins Gespräch mit Saad, dem neuen Aufpasser von John Burns. Das Informationsministerium hatte John den neuen Mann einige Tage zuvor vor die Nase gesetzt. Er machte kein Hehl aus dem Umstand, dass er Johns Aktivitäten überwachen sollte. John hatte im Herbst überaus kritische Berichte über Saddams Regime geschrieben. Außerstande, ein normales Pressevisum zu bekommen, waren John Burns und Tyler Hicks mit fragwürdigen Visa als »Friedensarbeiter«, für die sie hohe Schmiergelder gezahlt hatten, in den Irak zurückgekehrt. Einige Tage lang hatten sie sich bedeckt gehalten, bis Udai al-Taiee vom Informationsministerium verlangt hatte, dass sie sich bei ihm meldeten. Al-Taiee hatte John gesagt, dass er ihm den Aufenthalt gestatten werde, aber von ihm erwarte, dass er über die Opfer in der Zivilbevölkerung berichte, sobald die Bombardierung beginne. Es war nicht zu übersehen, dass John unter besondere Beobachtung gestellt wurde. In der Öffentlichkeit scharten sich stets Männer um ihn, die ihn wachsam beobachteten und wahrscheinlich Sicherheitsbeamte waren. Al-Taiee lobte John gern öffentlich und erklärte ihn im gleichen Atemzug zum »gefährlichsten Mann im Irak«. Er verfolgte ganz eindeutig die Absicht, John zu verunsichern. John gab sich demonstrativ gleichgültig und freundlich, aber es lag auf der Hand, dass er unter noch größerem Druck stand als wir anderen in Bagdad.

Johns Aufpasser Saad war ein ehemaliger Militäroffizier Mitte fünfzig. Er machte ein ernstes Gesicht, als er mir versicherte: »Amerika begeht einen großen Fehler. Es wird die Atombombe einsetzen müssen, um den Irak zu besiegen. Die Menschen sind alle zum Kampf bereit; jeder ist zum Kampf bereit. Das wird ein sehr langer Krieg werden.« Ich nickte unverbindlich, da ich nicht recht wusste, was ich erwidern sollte. Er redete eine Zeit lang in diesem Tenor weiter, wiederholte die offizielle baathistische Version der Geschichte, nach der die Amerikaner beim Golfkrieg besiegt worden seien und die Vereinigten Staaten, nicht der Irak, um Frieden gebeten hätten, nachdem sie mit der furchtbaren Kampfkraft der Republikanischen Garde konfrontiert worden wären. All das sagte er, ohne mit der Wimper zu zucken. Ich wusste nicht, ob Saad wirklich glaubte, was er sagte, oder ob er einfach nur seinen Job erledigte.

Gegen 17 Uhr sagten die Männer, die das Internetzentrum betrieben, dass sie an diesem Tag zwei Stunden früher als üblich schließen würden, also schon in zwei Stunden. Sobald die Kunden an den Rechnern fertig waren, schalteten sie die Geräte aus, zogen die Stecker raus und verpackten sie in Kartons. In der Eingangshalle fiel mir auf, dass man sämtliche Terrassenfenster, die zum Garten hinausgingen, beklebt hatte. Im Foyer, gegenüber dem Kelim-Shop, wo sonst ein als Beduine gekleideter Verkäufer auf einem Teppich in einem Zelt saß und vorübergehende Gäste zu sich winkte und zum irakischen Kaffee einlud, waren die Fenster nicht nur beklebt, sondern auch mit wunderhübsch gewebten Wandteppichen behängt. Es war, als ginge man durch ein vornehmes Beduinenzelt.

Etwa eine Stunde vor Sonnenuntergang fuhren Paul, Sabah und ich durch die fast verlassenen Straßen. Nur sehr wenige Zivilisten waren draußen. Sicherheitsleute waren jedoch allgegenwärtig und sichtlich auf der Hut. Bewaffnete Soldaten kauerten sich in Gruben mit Sandsäcken; Gruppen wachsam wirkender Männer in Zivil patrouillierten durch die Straßen und sahen sich die Insassen vorbeifahrender Autos genau an, und an den Kreuzungen hatten die Verkehrspolizisten – normalerweise gutmütige bäuerliche Typen in altmodischen geknöpften Uniformen und Pickelhauben, wie sie die Preußen hatten – nunmehr Sturmgewehre in der Hand. In den Staub einer Lehmhütte war in einer geschwungenen Linie aus weißgewaschenen Ziegeln auf Arabisch das Wort »Sieg« zu lesen. Die untergehende Sonne, die von dem gelben Staub verhüllt wurde, war blass. Sie sah aus wie eine große geschälte Kumquat, und einen Moment lang verwechselte ich sie mit dem Mond.

Hier und da luden Familien Kühlschränke, Gaskanister und andere Habseligkeiten auf die Ladeflächen ihrer Kleinlaster und bereiteten sich auf die Ausreise vor. An einer Ecke der leeren Einkaufsstraße von Mansur machten wir kurz Halt, um eine Gruppe Männer zu beobachten – drei Generationen derselben Familie, angeführt vom wortkargen, förmlich gekleideten Großvater –, die auf Stühlen auf dem Gehsteig saßen und vor einem Goldschmiedegeschäft mit heruntergelassenen Rollläden Domino spielten. Sie lächelten uns freundlich zu, sagten aber nichts und setzten ihr Spiel fort. Ein Straßenverkäufer in der Nähe mit einem bunt angemalten Karren, der mit selbst gebrauten Getränken beladen war, sah plötzlich auf und brüllte unheilvoll, aber ohne besondere Leidenschaft: »Irak! Irak!« Er wies auf die Dämmerung. In seinem Mund steckte eine angezündete Zigarette, die er rauchte, ohne die Hände zu benutzen.

Wir verließen die Einkaufsgegend und fuhren durch einige Seitenstraßen. Die meisten großen prächtigen Gebäude in Mansur schienen unbewohnt. Das waren die Häuser wohlhabender Iraker, Menschen mit Zugang zu Bargeld und Pässen, die es ihnen ermöglicht hatten, auszureisen oder zumindest ihre Familien nach Damaskus oder Amman in Sicherheit zu bringen. Ein einsames Dienstmädchen ging eine Straße entlang und trug ein paar Laibe des großen runden Fladenbrotes auf der Schulter. Ihre Arme bauschten die schwarze Abaja wie Schwingen aus. Wieder auf der Hauptstraße, hielten wir am Straßenrand an, wo einige Leute in letzter Minute ein paar Dinge von Männern und Frauen kauften, die neben kleinen Stapeln standen: Kerosinlampen, Dosen mit Milkyland-Babynahrung aus Ägypten, löslicher Kaffee, Wiener Würstchen, Konserven mit libanesischem Hühnerfleisch und Fünf-Liter-Plastikkanister mit Sojaöl, auf denen das Logo des World Food Programme prangte. Während ich auf sie zutrat, rief eine Beduinenfrau mit einem tätowierten Gesicht, die Mehl und Öl verkaufte, mir etwas zu, legte ihre Hände zusammen und hob sie flehentlich zum Himmel. Zwei junge Männer, die sich hinter den improvisierten Verkaufsständen postiert hatten, sahen mich überrascht an und zeigten zum Himmel. Einer fragte mich in gebrochenem Englisch, ob ich während des Krieges im Irak bleiben würde. Ich zuckte die Achseln und nickte, da lächelte er und sagte, er hoffe, dass ich nicht getötet würde. Wir gaben uns die Hand. Ich sagte zu ihm, ich hoffe, er würde ebenfalls nicht getötet.

Ich ging wieder zum Auto zurück, wo mich eine Verkäuferin, eine stämmige Marktfrau mit zwei Knaben, anhielt und auf Arabisch zur Rede stellte. Ich sagte: »Hello« – ein englisches Wort, das auch in den irakischen Wortschatz Einzug gehalten hat und sowohl für »Hallo« als auch für »Tschüs« verwendet wird. Verblüfft fing sie an, etwas auf Arabisch zu rufen, und ein Mann trat hilfsbereit hinzu, um zu übersetzen, was sie sagte. Aber sie schrie auch ihn an, und er sagte zu mir: »Sie möchte nicht, dass ich übersetze, was sie sagt.« Auf mein Drängen hin erklärte er, sie habe gesagt: »Hello? Was soll das heißen, hello? Jetzt ist nicht die Zeit für hello. Die Bomben werden demnächst fallen! Wieso kommen eure Länder und greifen uns an?« Ich bat den Mann, ihr klar zu machen, dass ich zwar aus dem Westen käme, dass ich mich aber wie sie in Bagdad aufhielte und in derselben Gefahr schwebe wie sie. Sie wurde daraufhin sichtlich sanfter und lächelte sogar. Sie hörte auf zu brüllen und fragte: »Gibt es denn irgendwelche Neuigkeiten? Wird heute Abend ein Angriff kommen?« Ich bejahte das, es habe ganz den Anschein, als werde ein Angriff kommen, und drängte sie, auf ihre Jungs aufzupassen.

Auf unserer Weiterfahrt kamen wir an einem alten Mann vorbei, der einen einsamen Spaziergang machte, die Hände auf dem Rücken verschränkt, eine Schnur mit Gebetsperlen baumelte hinter ihm. Er schien tief in Gedanken versunken. Er schlenderte, ohne davon Notiz zu nehmen, an einem Jugendlichen vorbei, der die glühenden Kohlen unter dem feuerroten Fleischspieß in seinem fahrbaren Shawarma-Karren entfachte, als würde er jeden Moment Kunden erwarten.

Als die Dunkelheit anbrach, wurde es kühl, und auf den dunklen Straßen wurde mir auf einen Schlag wieder bewusst, dass ich, ein Amerikaner, am Vorabend einer amerikanischen Invasion in Bagdad unterwegs war – ein seltsames, beunruhigendes Gefühl. Meine Verunsicherung verstärkte sich noch, als wir an einer Ampel anhielten und der Mann in dem Auto neben uns, ein rustikaler Typ mit einem rotweiß karierten Kaffijeh, einem Kopftuch, eine Kalaschnikow aus dem Fenster steckte und sich mit einem langen Seitenblick auf uns anschickte, den Patronenstreifen zu laden. Er tat das mit einem einzigen kraftvollen Stoß, und ich hörte das metallische Einrasten. Das Gewehr war jetzt geladen. Er warf uns noch einen Blick zu, dann, als die Ampel umschaltete, nahm er das Gewehr wieder weg. Ich bat Sabah, langsamer zu fahren, damit sich der Abstand zwischen uns und dem Mann mit dem Gewehr vergrößerte. Sabah schnaubte verächtlich und sagte: »Kein Problem, Mr. Jon.« Lächelnd griff er nach unten, zog eine Pistole aus dem Seitenfach der Fahrertür und zeigte sie mir. »45er Colt«, sagte er stolz. »Aus den USA. Superwaffe«

Eine Stunde nach Sonnenuntergang fielen mir einige Soldaten auf, die in letzter Minute noch einen Graben in dem Mittelstreifen des Boulevards aushoben, der am Al-Raschid vorbeiführte. Auf den Seitenstraßen in der Nähe des Al-Safir, dessen Erdgeschossfenster inzwischen mit Brettern vernagelt waren, schien alles wie immer: Einige Kinder spielten, und ein alter Mann saß beschäftigungslos in einem der Narghile-Häuser herum. Auf einem unbeleuchteten Platz an der Abu-Nawas-Straße hielt der Jugendverband der Baath-Partei spontan eine Kundgebung vor Masguf-Restaurants mit heruntergelassenen Rollläden ab. Ich hielt an, um mir das näher anzusehen, aber es standen zu viele aufgeregte Männer mit Gewehren in der Hand herum. Es schien nicht ratsam, länger zu bleiben. Also kehrten wir zum Al-Raschid zurück und warteten.

KAPITEL SECHS

Bagdad war in dieser Nacht ungewöhnlich ruhig. Ich blieb bis in die frühen Morgenstunden in meinem komfortablen neuen Zimmer im Al-Raschid auf und schrieb E-Mails. Bevor Paul gegen ein Uhr zu Bett ging, beklebte er noch die Fenster unserer Zimmer mit großen x-förmigen Kreuzen aus Klebeband und füllte die Plastikbehälter mit Wasser auf. Um 3.30 Uhr, als Präsident Bushs Frist allmählich ablief, hörte ich nur gelegentlich das Geräusch eines vorübersausenden Autos und bellende Hunde. Um 5 Uhr legte ich mich ins Bett und versuchte zu schlafen, weil ich müde war und dachte, dass der Angriff vielleicht doch nicht in dieser Nacht beginnen würde. Etwa eine halbe Stunde später schlummerte ich gerade langsam ein, als ich einen lauten, aber gedämpften Knall hörte. Mein Bett zitterte, als sei in einiger Entfernung ein Erdbeben ausgebrochen. Dann glaubte ich einen Düsenjäger hoch in der Luft vorbeifliegen zu hören. Ich sprang auf und weckte Sabah und Paul. Unterdessen waren lautere, schnell aufeinander folgende Geräusche zu hören, Bomben oder Flakfeuer – das konnte ich nicht sagen –, und dann Luftwarnsirenen. Als Paul und Sabah aufgestanden waren, ertönte stärkeres Geschützfeuer. Einige Autos rasten vorüber, Männer brüllten, und ein paar Minuten später waren weitere Detonationen zu hören, und dann setzte rings um uns das Geknatter der Flakgeschütze ein. Eine sehr laute Bombe schlug ein – eine furchtbare Detonation –, noch mehr Geschütze knatterten. Um 6 Uhr brach ein hellblauer Morgen an, und es herrschte Stille, abgesehen von dem Krähen eines einzigen Hahnes, dem Gesang der Vögel und einem Muezzin, der »Allahu Akbar« rief, immer wieder. Die Detonationen hatten aufgehört.

Wenige Minuten später erhielt Paul einen Anruf von seinem Chefredakteur in Sydney. Er teilte ihm mit, das australische Außenministerium habe ihn soeben benachrichtigt, dass wir dringend aus dem Al-Raschid ausziehen sollten, weil es ein »wichtiges Bombenziel« sei, und ins Palestine gehen, das »sicher« sei.

Wir versuchten, John Burns in seinem Zimmer anzurufen, um ihn zu warnen, dann rannten wir runter und klopften an seine Tür. Es kam keine Antwort. Nachdem wir die wichtigsten Habseligkeiten zusammengerafft hatten – unsere Satellitentelefone, Laptops, Geld und ein paar Kleider –, rannten wir zu Sabahs Wagen. Wir wiesen Mohammed, Pauls Fahrer, an, den Generator, Benzin und die Wasserkanister in seinen Wagen zu bringen. Wir machten an der Rezeption Halt, um den Empfangschef zu warnen. Es war kaum Personal da und keine anderen Gäste. Der Empfangschef schien nicht zu begreifen, was wir ihm zu sagen versuchten. Er wiederholte ständig, etwas dümmlich, es sei sein Job, dort zu bleiben, wo er sei, dass seine »Bosse« wütend würden, wenn er ginge. Er wies darauf hin, dass es im Al-Raschid einen Luftschutzbunker gebe, in dem er sicher sei. Wir sagten ihm, dass die Amerikaner über bunkerbrechende Bomben verfügten; dort sei er nicht geschützt. Wir rieten ihm, in den Park zu gehen, sobald er Flugzeuge oder Sirenen höre. Er nickte, sah aber nicht überzeugt aus. Er fragte uns nach der Rechnung. Aufgebracht sagte ich ihm, dass wir unsere Zimmer vorläufig behalten würden und dass er sich jetzt nicht wegen der Rechnung sorgen solle. Wir gingen und fuhren durch leere Straßen zum Palestine. Ich war müde, hatte wegen des Schlafmangels verquollene Augen und empfand eine irrationale Wut darüber, dass wir unsere nette Suite im Al-Raschid verlassen mussten.

Nachdem wir das elende kleine Zimmer im Palestine wieder bezogen hatten, schickte ich Sabah nach Hause zu seiner Familie. Ich überließ es Paul, verschiedene Dinge zu regeln, und fiel vor Erschöpfung ins Bett. Als Sabah nach ein paar Stunden zurückkehrte und mich weckte, fragte ich ihn, wie es seiner Familie gehe. Die Tränen traten ihm in die Augen. Er deutete mit der Hand seine kleinsten Enkel an und sagte stockend, dass die Bomben ihnen furchtbare Angst eingejagt hätten und dass sie die Nacht mit ihren Eltern, seiner Frau und ihrer Mutter zusammengekauert im dunklen Wohnzimmer verbracht hätten. Er sah zum Himmel auf und sagte mit leiser Stimme in seinem gebrochenen Englisch: »Bomben auf Saddam okay, aber nicht auf irakisches Volk. Eine Bombe – alles vorbei, gut.«

Ungefähr eine Woche vorher hatte Sabah mich zum ersten Mal zu sich nach Hause eingeladen und mir seine Frau und viele Verwandte vorgestellt. Er lebte in einem Arbeiterviertel, hatte aber eines der hübschesten Häuser in seiner Straße. Bezahlt hatte er es mit dem Geld, das er als Fahrer für CNN während des Golfkriegs verdient hatte. Wie viele Iraker hatte er seinen unmittelbaren Clan um sich geschart. Er lebte mit seiner Frau und den jüngsten seiner sechs Kinder in einem Haus, und gleich nebenan, mit einem gemeinsamen Garten, lebten seine Mutter und mehrere verheiratete Söhne und Brüder von ihm, ihre Frauen, seine Enkel, Nichten und Neffen. Sabah war nicht der älteste Sohn, aber er hatte am meisten verdient und ernährte im Wesentlichen den ganzen Clan. Insgesamt lebten 22 Menschen in den beiden bescheidenen Häusern. Die zwei erwachsenen Söhne Sabahs, Safaar und Dijah (an dessen Hochzeit ich teilgenommen hatte), lebten einen Block weiter in einem Haus, das Sabah für sie gemietet hatte.

Ich sagte zu Sabah, er könne ruhig bei seiner Familie bleiben, wenn ihm das lieber sei, aber er lehnte ab. Er wollte bei mir bleiben. Für seine Familie sei gut gesorgt, erklärte er, und er werde nach ihnen sehen, sooft es ihm möglich sei. Im Übrigen seien dort zu viele laute kleine Kinder, die ihn um den Verstand brächten. Für Sabah war kein Platz in der winzigen Kammer, in der

Paul und ich nun hausten, und im ganzen Palestine war auch kein Zimmer mehr frei. Er sagte, er werde fragen, ob er sich mit einem befreundeten Fahrer, der ebenfalls im Palestine untergebracht war, das Zimmer teilen könne; ansonsten werde er im Auto übernachten.

Irgendwie hatte Patrick Dillon erfahren, dass ich Bagdad nicht verlassen hatte. Während ich schlief, war er zu unserem Zimmer gekommen und hatte unter der Tür einen Zettel durchgeschoben. Darauf stand: »Jon. Albert Camus hat gesagt: ›Um vier Uhr morgens befinden sich alle auf der Welt genau an dem Ort, wo sie sein sollen.‹ Es freut mich unheimlich, dass du an dem Ort bist, wo du sein sollst …« Paul hatte endlich John Burns aufgespürt, der, wie sich herausstellte, unsere Rufe und Klopfen an der Tür nicht gehört hatte, weil er bis zum Morgengrauen aufgeblieben war, einen Artikel über die Bombardierung geschrieben hatte und sich dann mit Ohrstöpseln schlafen gelegt hatte, um den ganzen Lärm nicht hören zu müssen. Er und Tyler zogen ins Palestine um, genau wie alle anderen auch. Mittlerweile hatten auch andere Quellen, darunter das Pentagon, vor dem Aufenthalt im Al-Raschid gewarnt. Auch das Hotel Mansur, das in der Nähe des Informationsministeriums lag, wurde als gefährlich bezeichnet, weil das Ministerium ein wichtiges Bombenziel sei. In einem geheimen Treffen mit amerikanischen Journalisten hatte das Pentagon erklärt, dass die Medienunternehmen, die noch in Bagdad vertreten waren, ihren Korrespondenten raten sollten, sich in den nächsten 48 Stunden vom Ministerium fernzuhalten.

Gegen Mittag fuhr ich zurück zum Raschid, um noch ein paar Dinge zu holen. Einmal mehr war das Hotel verlassen. Ich nahm eine heiße Dusche und rief meine Familie an, um ihnen zu sagen, dass es mir gut gehe. Ich sah auf meinem Laptop im Internet nach und las, dass die Luftschläge am Morgen das Ziel gehabt hatten, die irakische Führung zu »enthaupten«, und gegen einen Schlupfwinkel Saddams außerhalb von Bagdad gerichtet waren. Amerikanische Regierungsvertreter und Journalisten spekulierten bereits, dass Saddam möglicherweise bei den Angriffen getötet worden sei. Ein oder zwei Stunden lang überlegte ich, ob Saddam tatsächlich tot sein könne. In dem Fall, so dachte ich, würde es doch nicht zum Krieg kommen – eine Vorstellung, die mich kurzzeitig in Hochstimmung versetzte. Auf dem Rückweg zum Palestine, am Nachmittag, sah ich, dass wieder Autos auf der Straße waren und dass sogar einige Busse fuhren, aber so gut wie niemand lief herum. Um 15.15 Uhr hörte ich ein paar ferne Bombeneinschläge, aber das war schon alles – nichts weiter.

Als ich wieder in die Eingangshalle des Palestine und durch das Gewühl umherirrender Journalisten, Aufpasser, Muchabarat-Agenten und menschlicher Schutzschilde ging, die anscheinend hier ständig Position bezogen hatten, fiel mir eine Traube von Menschen um einen Fernseher auf. Ich drängelte mich zu ihnen durch und entdeckte, dass Saddam in einer schlechten Videoaufzeichnung zu sehen war. Soweit ich es heraushörte, sagte er Dinge, die belegten, dass man das Video erst vor kurzem und nach den Luftschlägen aufgenommen hatte. Also war er wohl doch noch am Leben. Während wir weggingen, fragte ich Sabah, was er davon hielt. Er war unsicher. Er sagte, es sei möglich, dass der Mann in dem Video nicht Saddam sei, sondern einer seiner »Doppelgänger«. Sabah sagte skeptisch: »Er hatte größere Ohren, sah alt aus und trug eine Brille. Vielleicht ist das nicht Saddam.«

Unser Zimmer im Palestine überragte Patricks Hotel, das Al-Fanar, das zur Heimat der Friedensaktivisten von Kathy Kelly und einer bunten Mischung anderer Menschen geworden war. Da wir annahmen, dass das Bombardement am selben Abend wieder aufgenommen wurde, hielten Paul und ich Wache. Unser Balkon hatte einen Blick auf einen Teil des Flusses, mehrere Brücken, die ihn überspannten, und einen Teil des Palastkomplexes am anderen Ufer. In der Ferne konnten wir auch das Hauptquartier der Baath-Partei erkennen, das Hotel Al-Raschid sowie das Informations- und das Außenministerium. Noch weiter hinten konnten wir den Fernmeldeturm sehen und die gewaltigen Kuppeln von Saddams halb fertig gebauter Moschee, die mich immer an ein Atomkraftwerk erinnerte und auf dem Gelände einer früheren Trabrennbahn stand.

Das Bombardement begann wieder gegen 18.30 Uhr. Plötzlich waren drei gewaltige Explosionen am anderen Flussufer zu sehen. Mehrere Palastgebäude und Ministerien schienen getroffen, aber nach den anfänglichen Feuerbällen war kaum noch etwas zu erkennen. Im Planungsministerium, einem großen ockerfarbigen Gebäude am Rand des Palastkomplexes in der Nähe der nächsten Brücke, brannten allem Anschein nach die unteren Stockwerke. Hier und da flackerten Flammen auf, und dunkle Rauchsäulen stiegen in den Nachthimmel. Aber die großen Prachtbauten, die Saddams Herrschaft versinnbildlichten, standen offenbar noch, genau wie das Al-Raschid. Nach dem kriegerischen Bombenlärm senkte sich Stille über die Stadt.

Ich blickte vom Balkon aus nach unten und sah nach, ob ich Patrick auf seinem Balkon im Al-Fanar erkennen konnte. Ich sah ihn nicht, aber ich sah andere Gäste, europäische oder amerikanische Friedensaktivisten, auf ihren Balkonen sitzen. Einer von ihnen, der zusammengekauert dasaß und nach draußen starrte, hatte eine weiße Flagge gehisst, die schlaff an einem Mast über der Straße hing. Einige Türen weiter unten, auf dem Gehsteig vor dem Eingang eines anderen kleinen Hotels, den Al-Rabe Tourism Apartments, saß ein gutes Dutzend Iraker auf Liegestühlen, wie eine Familie, die die frische Abendluft genießen möchte. Ich sah ein paar Autos umherfahren, auch über die Brücken. Hunde bellten, und der Fluss sah so ruhig aus wie Olivenöl, mit einer kaum merklichen Bewegung an der Oberfläche.

Ein paar Stunden später erhielt ich eine E-Mail-Nachricht von Sharon DeLano in New York, die eine vertrauliche Medienmitteilung vom Pentagon erhalten hatte. Der Warnung war zu entnehmen, dass weit schwerere und nachhaltigere Luftschläge geplant seien und in den nächsten Stunden beginnen könnten. »Wenn ihr euer Trommelfell retten wollt«, hieß es, »dann haltet euch mindestens drei Kilometer südlich der Straße des 14. Juli und des Bahnhofs auf, insbesondere in der Nähe der Al-Asamijah-Brücke, von zwei Uhr morgens Donnerstagnacht (Freitag nach Bagdader Zeit) an 48 Stunden lang, und meidet etwa eine Woche lang den Bezirk Al-Karamah.« Kurz danach leitete Sharon eine zweite Nachricht weiter und schrieb dazu: »Ich habe soeben von einem Pentagon-Informanten, der bemerkt hatte, dass immer noch Journalisten zum Informationsministerium in Bagdad gehen, folgende Nachricht erhalten: Weist eure (Bagdader) Teams an, dass sie sich auf den Straßen nicht allzu sicher fühlen sollten.« Ich war perplex: War alles, was wir in Bagdad taten, für ein allsehendes amerikanisches Auge sichtbar? Oder hatte das Pentagon bereits Leute vor Ort, die Bericht erstatteten?

Ich legte mich für ein Stündchen aufs Ohr, bis Paul mich kurz vor 2 Uhr weckte. Ein paar Minuten danach klopfte jemand an unsere Tür und warnte uns, dass Sicherheitsleute einige Kameraleute und Fotografen übel zugerichtet hatten, die sich auf das Dach des Palestine geschlichen hatten. Unter ihnen befand sich Jim Nachtwey, dessen Digitalkamera vom Dach des 18-stöckigen Gebäudes geworfen wurde. (Erstaunlicherweise fand er die Kamera später wieder und stellte fest, dass sie noch funktionierte.) Dazu kam die Meldung, dass CNN, mit sofortiger Wirkung aus dem Irak ausgewiesen wurde, weil der Sender live vom Palestine aus über das abendliche Bombardement berichtet hatte. Angeführt von CNN hatten die Fernsehsender mehrere Tage lang Udai al-Taiee vergeblich um die Erlaubnis gebeten, vom Palestine aus zu übertragen. Sie wiesen darauf hin, dass die

Arbeit im Informationsministerium lebensgefährlich war. Er hatte sie rundweg abgewiesen und darauf bestanden, dass das Ministerium der einzige Ort sei, von dem aus sie arbeiten durften. Er hoffte ohne Zweifel, dass ihre Anwesenheit seinem Ministerium die Zerstörung ersparen würde. Außerdem wurden wir gewarnt, dass der Muchabarat unser Hotel Stockwerk für Stockwerk nach Satellitentelefonen durchsuche. Zum Glück war Sabah noch zur Stelle. Rasch packte er unsere beiden Satellitentelefone in eine Tasche und rannte über die Personaltreppe hinunter auf die Straße, wo er die Tasche im Kofferraum seines Wagens verstaute. Wir warteten eine Stunde lang angespannt, und als niemand kam, holte Sabah die Telefone wieder hoch. Der Rest der Nacht verlief friedlich. Gegen 4 Uhr fiel ich in tiefen Schlaf und wachte erst nach sieben Stunden wieder auf.

Es war ein klarer, sonniger Morgen. Busse verkehrten, Autos fuhren, und sogar ein Eselskarren klapperte vorbei. Aus den Ruinen eines Gebäudes am anderen Ufer, das in der Nacht getroffen worden war, stieg noch Rauch auf. Bei Tageslicht konnte ich erkennen, dass nicht das Planungsministerium bombardiert worden war, sondern ein kleineres Gebäude direkt daneben, innerhalb des Palastgeländes.

Ich war noch nicht lange wach, als Patrick Dillon an meiner Tür auftauchte. Seine »somalische Zahnbürste« – ein Stab aus den Zweigen einer afrikanischen Heilpflanze – ragte aus seinem Mundwinkel, und er strotzte vor Tatendrang. Da er angenommen hatte, dass er mich nicht antreffen würde, hatte er einen Zettel für mich geschrieben, den er mir nun überreichte. Er erzählte mir, dass er am Vortag, nach der ersten Angriffswelle, bei Madschid, dem Geiger, gewesen sei, der am Ende nicht mit seiner Familie nach Jordanien abgereist war. Während Patricks Besuch waren einige Polizisten aufgetaucht und hatten sie beide eine Stunde lang verhört. Patrick begriff überhaupt nicht, was das Ganze sollte, aber ich vermutete, dass Patricks seltsame Erscheinung ihre Aufmerksamkeit erregt hatte. Patrick war in Eile, wollte noch etwas filmen, wie er sagte. Ich riet ihm, wie schon so oft, auf sich aufzupassen und wenn möglich einen Hut zu tragen, der seine Tätowierung bedeckte. Wir versprachen, uns später am selben Tag oder am nächsten Morgen zu sehen.

Nachdem er gegangen war, sah ich auf den Zettel. Darauf stand: »Jon Lee: Dieser Ex-Militärpolizist, den ich kenne, war an dem Gefechtsstand oben in der entmilitarisierten Zone stationiert. Jede Nacht, so gut wie, nahmen die VC [Vietcong] exakt um 3.30 Uhr seinen Arsch unter Beschuss. Er sagte, er habe Jahre gebraucht, bis er wieder schlafen gelernt hat. Vielleicht hat das Pentagon das eine oder andere von Onkel Ho gelernt und hier angewandt. Ich jedenfalls habe geschlafen, als ob mir jemand Nägel in den Kopf geschlagen hätte, und hoffe, du auch, denn wie mein Freund Michael sagt: Sobald die Bombardierung wieder beginnt, könnte das Ganze verdammt lang dauern.«

Sabah kreuzte auf. Er war noch verschlafen, da er nur ein paar Stunden in seinem Wagen gedöst hatte, bevor er zu seiner Familie gefahren war. Es gehe allen immer noch gut, sagte er und teilte mir mit, dass alle, die er getroffen habe, seine Freunde und Verwandte und Nachbarn, sehr verwirrt seien. Sie fragten sich alle, wieso die amerikanische Bombardierung so schwach gewesen war. »Sie sagen: ›Saddam ist immer noch da, stark. Wo sind die Amerikaner? Wieso haben sie nicht Basra, Kirkuk, Mossul eingenommen?‹« Wenn heute Nacht nicht wieder bombardiert werde, sagte er, hätten die Ladenbesitzer die Absicht, wieder in ihre Geschäfte zu gehen und sie zu öffnen, weil das Regime ihnen das befohlen habe. Sabah schien verwirrt und besorgt. Er erwähnte die Meldung, dass der Irak einige Raketen nach Kuwait abgefeuert habe, und schüttelte besorgt den Kopf.

Als ich ihm die Version der Ereignisse schilderte, die ich gehört hatte – von Nachrichtensendern außerhalb des Irak –, dass amerikanische und britische Truppen im Norden, Süden und Westen des Landes auf dem Vormarsch seien, sagte Sabah: »Gut«, wirkte aber immer noch nicht überzeugt. Ganz offensichtlich hatte er davon nichts gehört. Er schien sich bei seinen Informationen ausschließlich auf die offiziellen irakischen Nachrichten und Gerüchte zu verlassen.

Sabah fuhr mich wieder zum Al-Raschid, weil ich meine letzten Habseligkeiten mitnehmen und mich duschen wollte. (Die Strom- und Wasserversorgung im Palestine setzte täglich mehrfach aus.) John Burns kam ebenfalls vorbei, und danach riefen wir jeder über sein Satellitentelefon unsere Frauen in England an. Das war für uns beide eine sehr willkommene Abwechslung. Wir waren uns bewusst, dass dies der letzte relativ ruhige Augenblick auf lange Zeit sein könnte. Ebenso klar war uns, dass wir uns in einem Gebäude befanden, das binnen weniger Stunden in Schutt und Asche liegen könnte. Es war ein herrlicher Tag, sehr frühlingshaft, mit einem klaren blauen Himmel, und ich bemerkte, dass im Park unten mittlerweile Blumen blühten, die im staubigen Grün rosa und rot leuchteten. Die Gärtner, die dort noch bis vor ein, zwei Tagen ständig gewässert und geschnitten hatten, waren weg. An ihre Stelle waren Gruppen von Sicherheitsleuten getreten. John und ich sahen eine Zeit lang zu, wie die Männer kamen und gingen. Dabei nutzten sie etwas, das wie ein geheimer Durchgang durch die sehr dicke befestigte Mauer aussah, die das Hotel umgab.

Unten in der Eingangshalle waren zwei Kassierer noch im Dienst, genau wie ein paar Direktionsassistenten und Sicherheitsleute. Bizarrerweise hatte der Kelimladen im Foyer wieder geöffnet. In dem Hotel waren keine Gäste mehr, abgesehen von einer seltsamen Gruppe französischer und deutscher Journalisten, die wir im Restaurant beim Essen antrafen, und einem italienischen Reporter, der soeben erst in Bagdad eingetroffen war. Er kam zu uns und fragte uns, ob es unserer Meinung nach ungefährlich sei, im Al-Raschid zu bleiben. Er erklärte, dass er im Palestine kein Zimmer gefunden hätte und hierher geschickt worden sei. Wir rieten ihm dringend ab. Im Restaurant hatte man die Speisekarte auf ein Kriegsmenü aus Hühner- und Lamm-tikka gekürzt. Munir, mein Lieblingskellner, war da und brachte mir den mittelsüßen doppelten türkischen Kaffee, den ich so gerne mochte. Ich leitete die Warnung, die wir wegen der möglichen Bombardierung des Hotels erhalten hatten, an ihn weiter, und er hörte aufmerksam zu und sagte leise, dass er verstanden habe; er werde über Nacht nach Hause gehen.

Bevor wir gingen, machten wir an der Rezeption Halt und unterhielten uns mit Salman, dem etwas schleimigen Manager, der gut Englisch sprach. Er tadelte uns freundschaftlich: »Wieso habt ihr uns alle verlassen? Wir haben Angst so allein hier.« Er beugte sich vor und fragte: »Ist es wahr, was wir gehört haben? Dass die Amerikaner uns möglicherweise heute Nacht bombardieren?« Wir sagten ihm, dass dies durchaus passieren könne und dass er dafür sorgen sollte, nach Einbruch der Dunkelheit draußen zu sein. Mit einem Seitenblick auf einen seiner Bosse, die in einiger Entfernung außer Hörweite von uns standen, sagte er: »Ich kann nicht. Das ist mein Job. Hier zu sein. Ich bin Manager. Sehen Sie«, sagte er und zeigte auf die Telefonreihe, wo ein Apparat klingelte. »Selbst jetzt kommen Anrufe von Menschen, die unsere Gäste sprechen wollen. Jemand muss sie beantworten.« Wir rieten Salman dennoch, möglichst zu versuchen, sich nach Einbruch der Dunkelheit außerhalb des Gebäudes aufzuhalten. »Ich werde es versuchen.« Er nickte und blickte unsicher noch einmal zu seinem Boss. Dann sagte er: »Dieses Gebäude ist allerdings sehr hart, genauso hart wie die Amerikaner.« Er kicherte. »Stimmt es, was ich gehört habe, dass sie diesen Ort für sich in Beschlag nehmen und hier bleiben wollen?« Sein Gesicht strahlte Hoffnung aus. Wir sagten ihm, dass wir dieses Gerücht ebenfalls gehört hätten. Er lachte wiederum und sagte: »Gut.

Wenn sie kommen, dann habe ich nichts dagegen. Amerikaner, Iraker, das spielt keine Rolle. Solange das Hotel nicht leer ist. Ich bin Dienstleister.«

Ich ging Ala Bashir besuchen, den ich zwei Tage lang nicht gesehen hatte. Er saß in unerschütterlicher Ruhe in seinem kleinen Büro und erledigte seine alltägliche Arbeit. Sundus, eine Frau um die dreißig mit einem schlimm verbrannten Gesicht und einem wunderbaren Lächeln, brachte uns kleine Tassen türkischen Kaffee, und nur wenige Minuten später kleine Gläser süßen Tee. Sundus hatte man vor Jahren nach einem schrecklichen Brandunglück, das einen großen Teil ihres Gesichts verunstaltet hatte, ins Hospital gebracht. Bashir hatte ihr mehrere Hautstücke eingepflanzt, erklärte er, und alles in seinen Kräften Stehende für sie getan. Sundus' Familie hatte jedoch nie wieder nach ihr gefragt, und er hatte sie »adoptiert«. Sie wohnte im Hospital, schlief auf einem Feldbett in seinem Vorzimmer, und sie machte für ihn und seine engeren Mitarbeiter sauber und kochte Tee. Es war offensichtlich, dass sie ihm völlig ergeben war.

Mir fiel auf, dass Bashirs Computer weg war. Er erklärte, das Gerät sei aus Sicherheitsgründen entfernt worden. Während wir uns über die nächtlichen Ereignisse unterhielten, wurde er von einem Telefonanruf unterbrochen. Er sprach ein paar Minuten lang Arabisch und legte wieder auf. Er wandte sich mir wieder zu, seufzte und erklärte, das sei seine Tochter Amina gewesen, die aus Jordanien anrief. »Sie ruft mich alle Viertelstunde an, völlig aufgelöst. Ich sage ihr ständig, dass es mir gut geht und dass sie mit ihren Anrufen ihr ganzes Geld verschwendet.« Er sagte das in einem gespielt aufgebrachten Tonfall und lächelte. Das Telefon klingelte wieder. Diesmal war es seine Frau, die etwas gelassener war.

Bashir sagte mir, er habe gehört, dass die Amerikaner in Kurdistan gemeinsam mit den kurdischen Peschmerga-Milizen in

Richtung Süden vorrücken würden. Sie marschierten vermutlich auf die ölreiche Stadt Kirkuk zu. Amerikanische und britische Kommandotrupps hatten angeblich auch die Wüste im Westen erreicht und versuchten, dort eine Basis zu errichten. Im Süden waren sie ein Stück ins Landesinnere vorgestoßen, nachdem sie die Hafenstadt Umm Kasr besetzt hatten, und rückten Richtung Faw vor, indem sie Basra umgingen. Mit einem schwachen Lächeln bemerkte er: »Es ist interessant, dass sie genau derselben Route folgen wie die Briten, als sie im Jahr 1914 in den Irak einmarschiert sind.« Wir wurden von einem weiteren Anruf unterbrochen. Danach sagte er: »Das war ein Freund von mir, der im Ausland ist. Er hat angerufen, um mir mitzuteilen, dass einige B-52-Bomber vor ungefähr zwei Stunden in Europa gestartet sind.« Er warf einen Blick auf die Uhr an der Wand. »Das heißt, dass sie gegen 20 Uhr heute Abend im irakischen Luftraum sein werden, also ungefähr in sechs Stunden.«

Es klopfte an der Tür. Ein uniformierter Militäroffizier kam herein und setzte sich auf den Stuhl neben mir. Der Offizier gab mir die Hand und lächelte, als Bashir uns bekannt machte. Er sprach einige Minuten lang auf Arabisch mit Bashir, der für mich übersetzte. »Er sagte, die Amerikaner lügen; Umm Kasr ist nicht gefallen. Er hat gerade einen Anruf von einem Freund erhalten, der dort Offizier ist, und der sagt, alles ist ruhig.« Der Offizier fuhr fort. »Er sagt, es sei auch nicht wahr, dass sie einen Stützpunkt in der westlichen Wüste eingenommen hätten. In Wirklichkeit, sagt er, hätten sie einige britische und amerikanische Kriegsgefangene gemacht und man werde sie im Fernsehen zeigen.« Ein paar Minuten später verließ uns der Offizier. Bashir sah mich ausdruckslos an und sagte mit sanfter Stimme: »Ich glaube nicht, dass das stimmt, was er sagt. Die Amerikaner sind nicht so dumm, dass sie einfach lügen würden. Wieso sollten sie behaupten, Umm Kasr eingenommen zu haben, nur um widerlegt zu werden, falls es nicht stimmt?«

Wir sprachen über Saddams kurzen Fernsehauftritt nach den ersten Luftschlägen. »Er sah sehr zittrig aus, fand ich«, sagte Bashir. »Vielleicht war er in unmittelbarer Nähe der Bombeneinschläge.« Ich fragte ihn, ob er glaubte, dass es wirklich Saddam war oder ein Doppelgänger, wie manche mutmaßten. »Er war es, kein Doppelgänger«, versicherte er mir. »Ich kenne diesen Mann. Seine Worte, seine Sprache, alles war seine Art. Normalerweise schreibt er alle seine Reden selbst und nimmt sich die Zeit, die Wörter in sehr großen Buchstaben zu schreiben, damit er seine Brille nicht braucht. Offensichtlich hat er das sehr rasch geschrieben und vergessen, es in großen Buchstaben abzuschreiben, und deshalb musste er von einem Blatt ablesen, mit Brille. Und sein Barett saß nicht wie sonst auf seinem Kopf. Es sah aus, als hätte man es ein wenig nachlässig aufgesetzt. Das sind Dinge, auf die er normalerweise großen Wert legt. Er war es, aber er war nicht er selbst.«

Bashir war in einer nachdenklichen Stimmung und wollte offenbar unbedingt noch länger mit mir plaudern. Er fing an, über den Fall des Kommunismus zu sinnieren, wie er vor gut 20 Jahren die Sowjetunion und China besucht hatte und zu der Schlussfolgerung gelangt sei, dass die Systeme, die sie oktroyiert hätten, die schlimmsten wären, die die Menschheit jemals geschaffen hätte. »Es spielt keine Rolle, ob man jemanden ernährt oder ihm eine kleine Wohnung zum Leben gibt, wenn er keine Freiheit hat«, sagte er. »Das ist ein elementares menschliches Bedürfnis. Ohne die Freiheit ist das Leben nichts wert. Das ist so, wie man seinen Hund behandelt. Man gibt ihm zu essen und einen Schlafplatz, aber er ist doch nur ein Hund.« Als Nächstes kam er auf Kuba zu sprechen, das er ebenfalls besucht hatte. Es habe ihm nicht sehr gefallen, sagte er. Es hatte ihn zu sehr an den Irak erinnert. Er sagte, es sei ihm ein Rätsel, wieso die Vereinigten Staaten Fidel Castro gestattet hätten, so lange an der Macht zu bleiben. Bashir betrachtete die Vereinigten Staaten ganz ein-

täglich aufsuchen.« Er sagte mir, er werde mich anrufen und mir Bescheid geben, wann ich kommen solle.

In dieser Nacht begann die Bombardierung der Operation *shock and awe*, Angst und Schrecken, erst richtig. Um 20.15 Uhr fingen die Sirenen an zu heulen, gefolgt von Flakfeuer und einem Geräusch, das nach Luft-Boden-Raketen klang. Weiße und rote Leuchtspurraketen schossen von verschiedenen Punkten in den Himmel und bildeten eine Art Raster. Die ersten Bomben schlugen exakt um 21 Uhr ein, und wir hatten von unserem Balkon aus freie Sicht auf das Inferno. Es gab gewaltige Detonationen, gleichzeitige Erschütterungen und Nachbeben, die uns aufspringen und vor Schreck unwillkürlich aufschreien ließen. Alle um mich herum – Paul, John Burns und Tyler sowie Matt und Moises von *Newsday,* die sich wegen der guten Aussicht auf unserem Balkon versammelt hatten – schrien und gafften. Ein Hauptpalast auf der anderen Seite des Flusses und ein hässliches zikkuratförmiges Gebäude mit etwa 10 Stockwerken wurden mehrere Male getroffen und brannten lichterloh. Mehrere andere Explosionen erschütterten das riesige Gebäude des Ministerrats, wo ich zuletzt Tariq Asis interviewt hatte. In der ganzen Stadt flackerten Brände auf. In der Ferne schlugen weitere Bomben ein. Es hatte den Anschein, als sei das Hauptquartier des Muchabarat getroffen worden. Auf Feuerbälle folgten weiße Blitze, die den Himmel erleuchteten. Wo Gebäude direkt getroffen wurden, flogen nach den Detonationen Trümmer durch die Luft. Wir sahen, wie sich eine Cruise-Missile in das flache Dach des Ministerratsgebäudes bohrte, das bereits in Flammen stand, und ein großer neuer orangefarbener Feuerball stieg auf.

Dieses Bombardierungsfeuerwerk dauerte etwa 30 Minuten; symphonische Crescendi voller Detonationen und Lärm wechselten sich mit Augenblicken der Stille ab, bis die nächste Explosionswelle einsetzte. Bei jeder Explosion wurden auch Alarmanlagen in Autos ausgelöst und heulten kurze Zeit auf den Straßen.

Als es vorbei war, fiel mir auf, dass die Stromversorgung in der Stadt noch funktionierte; die Parks waren von Straßenlaternen erleuchtet, die ein romantisches gelbes Licht abgaben. Auf den Straßen konnte ich Menschen sehen – Soldaten und Zivilisten –, die herumstanden und schauten. Einige Autos rasten ohne Licht umher. Ein großer weißer Hund sprang munter mitten auf der Abu-Nawas-Straße, Minuten später gefolgt von einem Mann auf einem Fahrrad, der in die Pedale trat und es gar nicht eilig hatte. Ein Krankenwagen fuhr vorbei, gefolgt von einem Polizeiauto. Ich hörte einen Esel schreien. In den tiefblauen Nachthimmel stiegen unzählige schwarze und graue Rauchsäulen auf. Das Al-Raschid stand noch.

Die Verschnaufpause dauerte 40 Minuten. Um 22.35 Uhr standen wir auf dem Balkon, als ein ohrenbetäubendes, zischendes metallisches Geräusch über unsere Köpfe hinwegsauste. Wir duckten uns alle und warfen uns auf den Boden. Einen Augenblick später, als wir das Ding in der Ferne in einem Gebäude einschlagen sahen, erkannten wir, dass es bestimmt eine Cruise-Missile war, die unmittelbar an uns vorbei durch den Luftkorridor zwischen dem Palestine und dem Al-Fanar geflogen war. Innerhalb der nächsten fünf Minuten schlugen fünf weitere Marschflugkörper in die Paläste vor uns ein, dann begann ein neuerlicher Bombenhagel. Die Raketen und Bomben trafen bislang unversehrte Teile des Präsidentenkomplexes und Gebäude in der ganzen Stadt. Ich rannte in ein Zimmer auf der anderen Seite des Hotels, um mir einen Palast Saddams anzusehen, der lichterloh brannte. Rauch stieg von Explosionen in der Ferne auf. Die brutale Stärke, Reichweite und Präzision der Angriffe waren zugleich schrecklich und beängstigend und versetzten uns in eine Gemütsverfassung, in der uns fast alles möglich schien. Gegen 5 Uhr morgens schlief ich ein.

KAPITEL SIEBEN

Als ich am Samstag, dem 22. März, nach vier Stunden Schlaf aufwachte, fand ich eine weitere Nachricht von Patrick Dillon unter der Tür. Darauf stand: »Jon: So, ich bin raus. Ich bin gestern dem Ziel eines Raketenangriffs zu nahe gekommen ... ohne es zu ahnen. Die Bullen meldeten mich, und mein Mentor im Außenministerium war gezwungen, mein Visum ›zu meiner eigenen Sicherheit‹ aufzuheben ... Mein Krieg ist vorbei, Jon. Ich weine gerade, da ich jetzt über die Mauer klettere wie Chief Broom, der Häuptling aus ›Einer flog über das Kuckucksnest‹. (Und die fünf Raketen unmittelbar gegenüber vom Fanar taten überhaupt nicht weh.) Bitte sag der Macht weiter die Wahrheit ins Gesicht und sei deinem eigenen Kurtz der Marlowe, o.k.? Alles Liebe, Patrick.«

Zwei Tage später erhielt ich eine E-Mail von Patrick. Er hatte Amman sicher erreicht. »Jon Lee: Diese zwei Zigeunerbrüder, die mit einem Chevrolet-Kombi Taxi fahren, haben eingewilligt, die Fahrt für das kleine Vermögen von 100 Dollar zu machen. Wir fuhren los, und in den folgenden 36 Stunden zogen wir die Köpfe ein und wichen den US-Raketen aus, die den Highway trafen, und den bis an die Zähne bewaffneten lokalen Milizen und verrückten Ali Babas und regionalen Muchabarat-Agenten in Toyotas. Meine Kumpane, Ali und sein Bruder Dschaffah, waren echt verwegene Burschen, hatten aber vor den Yankees zu viel Schiss, um bis zur Grenze zu fahren, deshalb setzten sie mich auf dem Highway ab, und ich ging die letzten fünf Kilometer zu Fuß und machte mir dabei schier in die Hose, vorbei an zwei ziemlich belämmerten irakischen Soldaten, ein paar höflichen Stemplern, und dann die letzte Meile entmilitarisierte Zone nach Jordanien auf den guten alten Schusters Rappen und heulte den ganzen Weg. Bin jetzt in Amman, hecke einen Plan, wenn möglich, für die Rückkehr aus … Denke jetzt an dich und alle meine anderen Freunde, bin wirklich in Sorge, dass die euch zusammentreiben, sobald die Schlinge sich enger zieht, hoffe aber, die Nachricht erreicht dich noch heil … Su Hermano [Bruder], Patricio.«

Ich war eher erleichtert als traurig darüber, dass Patrick gegangen war. Ich hatte immer befürchtet, dass er in Bagdad irgendwann in Schwierigkeiten geraten würde, und das war er am Ende ja auch. So wie das Ganze klang, hatte Patrick großes Glück gehabt. Es hätte viel schlimmer kommen können. Jetzt war er in Sicherheit.

Nach dem spektakulären Bombardement in der Freitagnacht herrschte in Bagdad eine schizophrene Stimmung. Auf den Straßen lief der Verkehr, aber überall waren Soldaten. In Saddams Palastkomplex wimmelte es nur so von rauchenden Ruinen. Mir fiel auf, dass die Iraker überhaupt nicht zusammenkamen, um sich den Schaden genau anzusehen, sondern nur flüchtige Seitenblicke darauf warfen. Es war, als ob sie immer noch keine Notiz von den Palästen nehmen würden. Als ich Sabah, der die Nacht in dem Hotelzimmer eines Freundes verbracht hatte, fragte, was er von den Bombardements gehalten habe, da schüttelte er nur den Kopf. Ich neckte ihn und fragte, ob er sich immer noch wunderte, wieso die amerikanische Bombardierung so »schwach« gewesen sei, wie er es am Vortag noch genannt hatte. Er warf mir einen gekränkten Blick zu, und mir wurde augenblicklich klar, dass mein Kommentar gefühllos und überheblich geklungen hatte; allein das Ausmaß und die Stärke der nächtlichen Luftschläge gegen das Zentrum der Staatsmacht muss ein Iraker als zutiefst erniedrigend empfunden haben, was immer er von Saddam Hussein halten mochte. Sabah gab sich abweisend; er wollte nicht darüber sprechen.

Noch etwas war geschehen: Das Informationsministerium war augenscheinlich zu uns ins Palestine gezogen. Udai al-Taiee und sein elender Stellvertreter Mohsen hatten Zimmer in einem oberen Stockwerk bezogen, und ich entdeckte ziemlich viele Helfershelfer des Ministeriums in der Eingangshalle. Sie hatten einen Informationstisch mit einer Anschlagtafel für Journalisten aufgestellt. Merkwürdigerweise erwähnte kein einziger von ihnen das nächtliche Bombardement. Sie taten so, als ob es einfach nicht stattgefunden hätte, bis sie, am frühen Nachmittag, eine Busreise für Reporter arrangierten, um einige Opfer der Angriffe zu zeigen.

Wir wurden zur Medizinischen Hochschule Mustansirijah gebracht, die einige der ersten zivilen Opfer von Bagdad aufgenommen hatte. In den 48 Stunden seit Beginn des Krieges, teilte mir ein Arzt dort mit, hatte das Krankenhaus 107 verwundete Patienten aufgenommen. Drei von ihnen waren gestorben. Viele Patienten hätten traumatische Verwundungen von Granatsplittern erlitten, sagte er, daneben einige Brandwunden. Auch Kinder waren darunter, viele mit furchtbaren Wunden, sie lagen passiv in den Betten, bewacht von stummen, bedrückt aussehenden Eltern. Auf einer überfüllten Station kreischte ein kleines Mädchen, vier oder fünf Jahre alt, vor Schmerzen auf einem Bett, während ihre Eltern sie zu trösten versuchten. Der Arzt sagte mir, sie sei von Splittern in den Rücken getroffen worden. Im Nachbarbett lag eine dicke Beduinin mit einem tätowierten Gesicht. Sie hielt ihre bandagierten Hände hoch, um die Wunden zu zeigen. Ihre fleischigen Arme waren von blauen Flecken übersät. Ein kleiner Junge lag still in einem anderen Bett. Er gab alle paar Sekunden einen krampfartigen Klagelaut von sich. Seine Knöchel und Fersen waren bandagiert, aber ich konnte seine nackten Zehen herausragen sehen. Sie waren aufgerissen und bluteten stark. Seine Mutter, in einer schwarzen Abaya und grünem Kopftuch, stand neben seinem Bett, sagte nichts und hielt seine Hand.

Ein kleiner Tumult entstand, als der irakische Gesundheitsminister eintraf und die äußere Eingangshalle betrat. Er trug eine Militäruniform und ein Barett und sah sehr ernst aus. Ärzte in weißen Kitteln und Schwestern fingen zur Begrüßung an, rhythmisch »Hurra Saddam« zu skandieren.

Ich betrat eine andere Station, wo ich einen Fernsehreporter von Sky bei einer Aufzeichnung antraf. Er hatte sich vor einem kleinen verwundeten Jungen postiert, der auf einem Bett mit ausgebreiteten Armen auf dem Rücken lag. Der Mann im nächsten Bett, ein korpulenter Mittfünfziger, war von einem umherschwirrenden Metallstück in den Eingeweiden getroffen worden, und er lag mit freiem Oberkörper im Bett. Die Brust hob und senkte sich stark unter seinen kurzen, heftigen Atemzügen. Der Mund stand offen, die Augen waren geweitet und voller Angst. In seinen Magen war ein Schlauch eingeführt. Seine Frau wachte neben dem Bett und hielt seine Hand. Auch sie sah verängstigt aus. Ein Arzt flüsterte mir zu, dass dies einer der am schwersten verwundeten Patienten sei, und ich hatte den Eindruck, dass er möglicherweise nicht überleben würde.

Plötzlich fing der Sky-Reporter an, in die Kamera zu brüllen: »Der Irak sagt, diese Menschen seien die unschuldigen Opfer der Bombardements vergangene Nacht. Wir haben darum gebeten, uns die Orte anzusehen, die bombardiert wurden, wurden aber bislang abgewiesen.« Der Reporter machte mehrere Aufnahmen und wiederholte den Satz vier- oder fünfmal laut, bis er zufrieden war und weiterging.

In der Station für Verbrennungen hatte ein stattlicher Mann um die vierzig schreckliche Brandwunden an seinem Hintern, in der Leiste und an den Beinen erlitten. Er war nackt bis auf seinen Unterleib, der in weiße Binden gewickelt war – das Blut sickerte bereits durch. Er hockte auf allen vieren im Bett, während zwei Verwandte ihm vorsichtig mit einem Schwamm den Rücken wuschen. Mir fiel auf, dass er nicht gestützt wurde, sondern sich selbst auf Händen und Knien hielt, und er schien bereits in einem fortgeschrittenen Stadium der Erschöpfung. Mehrfach schwang sein Kopf vor und zurück, ungefähr so, wie Bären es tun, wenn sie in kleinen Käfigen gehalten werden.

Ich ging Richtung Krankenhauseingang zurück, wo der Gesundheitsminister zur Presse sprach, umgeben von Ärzten, Schwestern und Angehörigen der Patienten. Während ich mir noch den Weg zurück durch die Station nach draußen suchte, sprang eine Gruppe Putzfrauen auf und ab und sang Lobeshymnen auf Saddam und kicherte dann, als sie fertig war. Dazu schienen Iraker sich verpflichtet zu fühlen, wann immer ein öffentliches Ereignis stattfand und wann immer Journalisten anwesend waren. Auf dem Parkplatz draußen liefen unzählige Ärzte, Schwestern und Angehörige durcheinander, unterhielten sich und warteten. Ein Mann begann, lautstark seine Loyalität zu Saddam zu verkünden und die Perfidie der Amerikaner und Briten anzuprangern und dergleichen mehr. Als sich eine Schar Zuhörer um ihn versammelte, wurde seine Stimme immer lauter, und am Ende verfiel er in einen rhythmischen Gesang und fing an, im Einklang mit seiner Stimme auf und ab zu hüpfen, die eine Hand hoch erhoben. Viele andere Iraker in der Nähe lächelten und schlossen sich ihm an.

Als Nächstes wurden wir zu einer grasbewachsenen Fläche am Tigris gegenüber der Universität von Bagdad gefahren. Dort hatten drei Cruise-Missiles – so sagte man uns – ein Erholungszentrum getroffen. Unter einigen Eukalyptusbäumen sahen wir Kinderschaukeln und Gartentische und die Überreste eines kleinen Straßencafés. Das Ganze war zu einem nicht wiederzuerkennenden Wirrwarr aus Baumstümpfen, Styropor, zerfetzten Zinnblechen und Mauerresten gebombt worden. Ein Dutzend

Männer hatte sich auf den Trümmern aufgestellt und hielt Saddamplakate hoch. Als wir ankamen, fingen sie an, das Lied »O Saddam« zu singen und zu tanzen. Dabei richteten etliche Beleidigungen an Präsident Bush. Ein Mann, der sich als Raad Abdel Latif Mehdi vorstellte, der Manager des Komplexes, sagte, dass er um 22.30 Uhr vorige Nacht mit seinen Mitarbeitern ferngesehen hätte, als die Raketen einschlugen. »Wir sahen Feuer vom Himmel, und wir rannten weg«, sagte er. Zum Glück sei niemand getötet oder verwundet worden. Aber sie hätten sein Restaurant und das Büro zerbombt, sagte er. Er wies auf Tausende von Papierzetteln, die über den ganzen Rasen verstreut waren. »Das waren die Rechnungen«, sagte er. »Wir wissen nicht, warum die Amerikaner und Briten die ganze Zeit in den Irak kommen. Dies war ein Touristenort, kein militärischer. Das ist kein kultiviertes Verhalten.«

Ich schlenderte weg und stieg ein paar Stufen zu dem Betonwall am Flussufer hoch, weil ich neugierig war, was von dort aus zu sehen war. Ich bemerkte, dass wir ganz in der Nähe eines Palastes von Saddam waren. Ein Militär kam herüber und winkte unfreundlich mit den Armen. Er versuchte ganz offensichtlich, mich zu verjagen. Ich sah, dass noch andere Soldaten die Ufermauer entlangpatrouillierten. Ich weigerte mich. Der Offizier machte wütende Bewegungen, als wolle er mich die Stufen hinunterstoßen. Ich wich langsam zurück. Er brüllte gebieterisch einem Aufpasser des Informationsministeriums etwas zu, der rasch herbeilief und mich wegführte, als ich die Stufen herabkam. Ich war empört und fragte ihn, weshalb der Soldat mich gezwungen hatte, die Ufermauer zu verlassen. Ich sei doch kein Tier auf einem Bauernhof, das man einfach verscheuchen dürfe, sagte ich. Er flüsterte mitfühlend: »Tut mir sehr, sehr Leid. Er ist besorgt wegen der anderen Gebäude in der Gegend. Wichtige Gebäude. Sie verstehen, was ich meine.«

Wir fuhren auf einem Umweg zurück zum Palestine. Als wir

durch ein Viertel kamen, das ich nicht kannte, hielten die Busse neben einem langen Graben unter einem Streifen von Eukalyptusbäumen am Straßenrand. Der Graben war voller Soldaten, die sich in Pose warfen und ihre Waffen drohend schwangen, als sie die Kameras sahen. Etwa fünf Minuten später flogen ein paar Düsenjäger hoch in der Luft über unsere Köpfe hinweg und feuerten offenbar ein paar Raketen ab, sie schlugen aber außerhalb unserer Sicht ein, weit entfernt, vielleicht am Stadtrand. Doch die Soldaten drehten fast durch. Einige suchten verzweifelt nach Deckung; andere rannten umher. Alle schrien und brüllten. Unsere Aufpasser befahlen den Busfahrern rasch, den Ort zu verlassen und uns zum Hotel zurückzufahren.

Später beschlossen John, Paul und ich, dem Al-Raschid noch einen Besuch abzustatten, und baten Sabah, uns hinzufahren. Er war sehr aufgebracht deswegen und diskutierte mit mir während der ganzen Fahrt. Er hatte dieselben Düsenjäger gesehen, die wir zuvor entdeckt hatten, und fürchtete, dass sie zurückkehren und Bomben werfen würden. Als wir ankamen, weigerte er sich, ins Hotel mitzukommen. Salman, der Empfangschef, war hocherfreut, uns wiederzusehen. Wir scherzten mit ihm, dass womöglich schon bald amerikanische GIs in dem Pool schwimmen würden. Wegen Sabahs Nervosität trödelten wir jedoch nicht lange, sondern fuhren zu dem einzigen Restaurant weiter, das noch geöffnet hatte: das Lathikia in dem östlichen Vorort Ahrasat.

Während wir auf unser Essen warteten, trat Udai al-Taiee mit ein paar Untergebenen ein. Er schlenderte durch das Restaurant und setzte sich an einen Tisch neben uns. Er bemerkte uns, grüßte uns aber nicht. Vielmehr fing er, kaum dass er sich gesetzt hatte an. mit überlauter Stimme auf Englisch über »das große Verbrechen, das die Amerikaner an der Zivilisation begingen« herzuziehen. Sein Blick streifte umher. Ohne irgendjemanden direkt anzusprechen, aber ganz offensichtlich für unsere Ohren bestimmt, sagte er: »Sie denken, das ist ein Picknick, mit Pepsi und Coca-Cola, aber sie werden schon sehen, wir werden es ihnen zeigen. Das wird ein Gemetzel werden, sage ich Ihnen! Ein Gemetzel!« Die Intensität seines Auftritts wäre einer Shakespeare'schen Tragödie würdig gewesen. Al-Taiee lächelte, als sei er zufrieden mit seiner kleinen Vorstellung. Indem er den Blick uns zuwandte, gab er bekannt, dass die Iraker zwei amerikanische Piloten »gefangen« hätten. Bevor einer von uns auch nur fragen konnte, ob man die Piloten präsentieren würde, erschienen zwei französische Reporter, ein Mann und eine Frau, an al-Taiees Tisch und setzten sich zu ihm. Er und die Frau küssten sich auf die Wange. Danach ignorierte al-Taiee uns. Als er endlich zum Gehen aufstand, fragte ich ihn laut nach den Piloten. Würden sie uns vorgeführt werden? Al-Taiee warf mir einen Seitenblick zu, antwortete aber nicht. Er legte einen Finger an die Lippen und hob dann die Hände in die Luft, als wolle er sagen, er könne oder wolle nicht darüber sprechen.

Auf dem Rückweg ins Palestine bemerkten wir große schwarze Rauchschwaden am Himmel. Ich wies Sabah an, dorthin zu fahren, aber er weigerte sich hartnäckig. Er sagte, wir würden mit dem Muchabarat Schwierigkeiten bekommen und ihn würde man einlochen. Ich gab nach, und wir kehrten ins Hotel zurück. Dort lief mir mein ehemaliger Aufpasser Salaar über den Weg, der sich in Indien aufgehalten hatte. Nach Saddams Referendum hatte man ihn dort zur irakischen Botschaft geschickt. Er erklärte, er sei zurückgekehrt, um während des Krieges bei seiner Familie zu sein, und sei wie alle anderen im Palestine untergebracht worden. Er teilte mir mit, dass das Ministerium seinen Sitz von nun an im Hotel haben werde. Ich fühlte mich erleichtert, Salaar zu sehen. Auch wenn wir uns nie wirklich vertraulich unterhalten hatten, sah ich etwas in seinen Augen, das ich mochte und dem ich vertraute. Auf meine Frage, was er denn von dem großen Kontingent an Agenten Kussai Husseins halten

und hatte einem Träger gewunken, den er für seinen Kauf angeheuert hatte: ein Set aus Tisch und zwei Stühlen in einem Lippenstift-Malvenrot, das sofort ins Auge sprang. In den folgenden Tagen blieb fast jeder, der mich an dem Tisch arbeiten sah, stehen und sah ihn sich verwundert an oder machte Witze darüber. Als ich aus Bagdad abreiste, schenkte ich das Set Sabah, damit er es bei sich zu Hause als Gartenmöbel verwendete, was wohl von Anfang an sein heimlicher Wunsch gewesen war.) Paul hatte sich von der Farbe von Sabahs Band nicht abschrecken lassen und damit jede Glasfläche in dem Zimmer beklebt. Die Spiegel, den Fernsehbildschirm, sogar die vom Hotel aufgehängten gerahmten Drucke eines französischen Impressionisten und eine Zeichnung des alten Bagdad waren mit einem großen pinkfarbenen X und Querstreifen bedeckt, so dass sie dem Union Jack frappierend ähnlich sahen. Die Glasschiebetüren zum Balkon waren mit einem komplizierten Fischgrätenmuster bepflastert. »Wenn eine Bombe einschlägt, wird man nicht in Stücke geschnitten«, sagte Paul. Als Nächstes hatte er die zwei Einzelbetten auseinandergenommen und ihr Untergestell in einer L-Form auf die Seite gestellt, um ein schützendes Bollwerk zwischen dem Balkon und den Matratzen zu schaffen, die er hintereinander auf den Fußboden legte. Wir schliefen Kopf an Fuß darauf. Jeder Fleck in unserem voll gestopften Raum war mit dem pulverförmigen rötlichgelben Staub des Turab bedeckt.

Im Bad war kaum noch Platz, weil wir dort unsere fünf 20-Liter-Kanister verstaut hatten. Sie waren mit Badewasser gefüllt für den Fall, dass Strom und Wasser ausgingen. Im ganzen Zimmer hatten wir Kerzen, Taschenlampen und Kopflampen mit frischen Batterien verteilt und in den Toiletten unsere Schutzanzüge und Gasmasken für chemische und biologische Waffen, unsere Atropin-Injektionen, Pauls 14-tägigen Vorrat an Militär-Fertiggerichten sowie unsere Schutzwesten und kugelsicheren Kevlar-Helme verstaut. Für uns hatten wir kleine Arbeitsplätze freigeräumt. Ich benutzte einen schmalen Schreibtisch in der Nähe der Tür, Paul hingegen arbeitete an einem kleinen Kaffeetisch in einer anderen Ecke. Ein Wirrwarr an Drähten, Antennen und Anschlusskabeln bedeckte den größten Teil des freien Bodens.

Am Abend gab Udai al-Taiee, den ich mittlerweile »Goebbels« nannte, eine Pressekonferenz in der Eingangshalle des Palestine. Er gab bekannt, dass jeder, der dabei erwischt werde, dem ausgewiesenen Sender CNN ein Telefoninterview zu geben, ebenfalls ausgewiesen werde. Er ermahnte jeden, dass der Gebrauch von Satellitentelefonen nur im Informationsministerium gestattet sei. »Spricht jemand mit CNN, so fliegt er raus; wird jemand mit einem Satellitentelefon erwischt, fliegt er raus«, erklärte er unheilvoll. Alle fürchteten, dass al-Taiee damit eine weitere Durchsuchung durch die Sicherheitsagenten ankündigte. Nach dem Handgemenge mit Jim Nachtwey und den anderen Fotografen auf dem Dach zwei Nächte zuvor, der Ausweisung von CNN und Patricks Deportierung wussten wir, dass er es ernst meinte. (Ein paar Tage zuvor hatte man an einem Reporter des *Boston Globe* ein Exempel statuiert und ihn ausgewiesen, nachdem man ihn dabei erwischt hatte, wie er sein Satellitentelefon im Al-Raschid benutzt hatte.) Zum x-ten Mal versteckten Paul und ich unsere Satellitentelefone. Dieses Mal beschlossen wir, sie im Zimmer zu verstecken, statt Sabah wieder zu seinem Wagen zu schicken. Paul machte einen großen Karton voller Fertiggerichte auf und versteckte sein Telefon auf dem Boden. Dann stemmten wir das Fußende eines Bettes auf, das uns als Schutz gegen die Druckwelle diente, und zogen so viel Füllung heraus, bis das Loch groß genug für mein Telefon war. Danach waren wir erschöpft, und unsere Nerven lagen blank, aber wir mussten wach bleiben, weil wir beide dringend unsere Satellitentelefone brauchten, um mit unseren Redakteuren und Familien zu sprechen. Nach ein paar Stunden beschlossen wir, es zu riskieren, sie hervorzuholen und zu verwenden. Sobald wir fertig waren, versteckten wir sie wieder. Mittlerweile hatten wir mit mehreren Reportern in benachbarten Zimmern und auf anderen Stockwerken ein Nachrichtenmeldesystem eingerichtet, ganz ähnlich wie Gefängnisinsassen in geschlossenen Zellen, um Warnungen weiterzuleiten, wenn die Wärter kommen, und danach Entwarnung zu geben. Bislang hatten wir Glück gehabt, und auch in dieser Nacht kamen keine Sicherheitsleute an unsere Tür.

Kurz nach 23 Uhr gingen die Luftwarnsirenen wieder los, und 30 Minuten später waren heftige Detonationen zu hören. Von unserem Zimmer aus konnten wir nicht sehen, wo die Bomben eingeschlagen waren. Ich machte ein kurzes Nickerchen, konnte aber bei dem anhaltenden Lärm der in der Ferne fallenden Bomben nicht richtig schlafen. Um 2 Uhr morgens wachte ich nach mehreren neuen Explosionen in der Nähe auf. Danach schlief ich noch ein paar Stunden bis kurz nach Sonnenaufgang.

Der Himmel über Bagdad war mit einem merkwürdigen rötlichen Schleier überzogen. Ich erkannte, dass das vermutlich der Rauch war, der von den Ölfeuern aufstieg. Das Informationsministerium ließ verlauten, dass Journalisten sich in einer Stunde bereithalten sollten, um »etwas Besonderes« zu besichtigen. Ich fragte mich, ob es womöglich die gefangenen amerikanischen Piloten waren, mit denen al-Taiee gestern geprahlt hatte. Ich hörte Meldungen, dass amerikanische Soldaten, die von Süden her einmarschiert waren, die Stadt Nadschaf erreicht hätten, zwei Stunden von Bagdad entfernt, aber auch, dass sie überall auf hartnäckigen Widerstand stoßen würden, insbesondere in Nassirijah. Sabah teilte mir mit, die Leute auf der Straße würden sich erzählen, südwestlich von der Stadt sei ein Flugzeug abgestürzt und der Pilot, ein Amerikaner, sei gefangen genommen worden. Ein weiteres Gerücht besagte, dass 45 amerikanische und britische »Kommandotrupps« gefangen genommen worden seien, nachdem sie in der Nähe von Ramadi, westlich von Bagdad, mit dem Fallschirm abgesprungen wären, und dort in Gewahrsam gehalten würden. Weitere 15 amerikanische Soldaten seien in Nassirijah in Gefangenschaft, sagte er. Während er mir das alles erzählte, lächelte Sabah und sah regelrecht stolz aus.

Das »Besondere« entpuppte sich als eine Pressekonferenz des irakischen Vizepräsidenten Taha Jassin Ramadan im Informationsministerium. Abgesehen von Saddams stockendem, im Voraus aufgezeichneten Auftritt im irakischen Fernsehen hatte sich seit Beginn des Bombardements kein ranghoher Regierungsvertreter in der Öffentlichkeit gezeigt. Als die Bombardierungen am Donnerstag und Freitag, der Nacht von »shock and awe«, und dann am Samstag angehalten hatten, fingen viele Menschen in Bagdad bereits an zu mutmaßen, dass Saddam bereits getötet worden sei. Hartnäckig hielten sich auch die Gerüchte, dass Nadschi Sabri und Tariq Asis umgekommen waren.

Ramadan war sehr klein und stämmig, er hatte die Nase eines Dachses und dunkle, tief liegende Augen. Er trug das gewohnte Barett und die schneidige Uniform der Baath-Führung, aber er sah erschöpft aus. Es schien mir bedeutsam, dass die Konferenz nicht wie üblich im Hauptgebäude des Ministeriums stattfand, sondern in einem kleineren, wohl weniger auffälligen Gebäude nebenan. Im Foyer hatte man ein kleines Podium aufgebaut, nur wenige Meter vom Ausgang entfernt, vor einem Saddam-Porträt und einer Irak-Flagge. Flankiert von mehreren Leibwächtern und mit Udai al-Taiee an seiner Seite begann Ramadan mit einer ebenso leisen wie samtweichen Stimme: »Der Krieg nimmt einen ausgezeichneten Verlauf für uns. Die Vereinigten Staaten und das Vereinte Königreich haben ihre Strategie auf die Informationen von Verrätern gestützt.« Ramadan tat die amerikanischen Meldungen von Fortschritten verächtlich ab. »Lasst sie nur in Richtung Bagdad marschieren. Wir werden sie nicht belästigen. Aber wenn sie versuchen, unterwegs irgendwelche Städte zu betreten, so werden sie mit denselben Schwierigkeiten wie in Nassirijah und Basra zu kämpfen haben.« Mit seiner beruhigenden Stimme versprach er: »In wenigen Stunden werden Sie die Gefangenen im Fernsehen sehen.« Ramadan sagte, das ganze Geschehen erinnere ihn stark an den arabischen Aufstand von 1920, »als wir Abu Nadschi « – ein umgangssprachlicher Ausdruck für die Briten in jenen Tagen – »eine Lektion erteilten«. Dabei grinsten Ramadan und alle Iraker in der Menge und glucksten. »Sie haben gesagt, sie würden in der Wüste nach Belieben umherstreifen«, fügte er hinzu. »Wir haben ihnen erlaubt, in der Wüste umherzustreifen. Wir hoffen, dass sie nach Bagdad kommen, damit wir dieser bösen Regierung eine Lektion erteilen können.«

Ramadan kam in Fahrt und erzählte einige Storys von der Front. »Iraker haben in Basra vier Panzer der Amerikaner zerstört und eine ganze Reihe ihrer Söldner getötet«, sagte er. »Und die Übrigen sind wie die Ratten geflohen. Und jetzt umstellen die Milizen diese Ratten.« Überall in den Sümpfen im Süden hätten »arabische Stammesangehörige und Baath-Krieger« amerikanische Fallschirmspringer gefangen genommen und getötet, und eine feindliche Drohne sei abgeschossen worden. Ramadan zog einige Minuten lang über die Vereinten Nationen her, weil sie, wie er sagte, »nichts tun, um die Aggression zu stoppen«. Es sei die Pflicht der UNO, »aus humanitären Gründen, im Namen der 26 Millionen Menschen im Irak« ein Ende des Krieges zu fordern. Er forderte Kofi Annan auf, »sich nicht länger so zu verhalten, als sei er ein Diener der Vereinigten Staaten«. Ramadans Tonfall war keineswegs wehmütig, doch was er sagte, klang nicht gerade hoffnungsfroh. Als er vom Podium stieg, stolperte er und fiel, aber er rappelte sich rasch wieder auf.

Wenige Minuten nach Ramadans Abgang setzte ein Tumult ein, weil Gerüchte kursierten, dass ein amerikanisches Kampfflugzeug abgeschossen worden und der Pilot nur einen Block weiter mit dem Fallschirm im Tigris gelandet sei. Ich schloss mich einer riesigen Menge Iraker an, die aufgeregt in Richtung Ufer rannte. Dort angelangt, erblickte ich mehrere Hundert Menschen, überwiegend Männer und Jungs, die starrten, durcheinander riefen und aufgeregt auf den Fluss zeigten. In Kürze liefen noch mal Hunderte auf dem Gehweg der Brücke zusammen, die dort den Fluss überspannte. Der Verkehr auf der Brücke geriet ins Stokken, weil Autos anhielten und ihre Fahrer ausstiegen, um sich den neugierigen Gaffern anzuschließen. Der Fluss strömte friedlich dahin.

Ich konnte nichts sehen, und jeder, mit dem ich in der Menge sprach, wusste eine andere Story. Kein Einziger hatte mit eigenen Augen gesehen, was geschehen war, wenn überhaupt etwas geschehen war. Jemand erzählte mir, zwei Flugzeuge seien zusammengestoßen. Er zeigte auf die Stelle, wo sie angeblich unter der Wasseroberfläche verschwunden waren. Ein anderer Mann erzählte mir, ein oder vielleicht sogar zwei Piloten würden sich irgendwo verstecken. Jemand hatte sie wegschwimmen sehen. Männer und Jungen durchsuchten mit Stöcken das Binsengras. Ein Getränkehändler lenkte seinen Wagen an das Ufer und bot seine Waren feil. Schon bald entwickelte die Szenerie eine Art Karnevalsatmosphäre, weil immer mehr Menschen zusammenkamen und sich gegenseitig aufstachelten. Wenig später tauchten Militärs auf und fingen an, in kleinen Motorbooten über den Fluss zu flitzen. Einige hatten Gewehre im Anschlag und schossen in das Schilf, das entlang dem Flussufer wuchs. Männer und Jungen zogen ihre Schuhe aus und fingen an, barfuß das Schilf zu durchsuchen. Einige kappten die Halme mit Macheten. Andere steckten das Schilf in Brand. Das Ganze dauerte mehrere Stunden. Ich bemerkte, dass der Himmel wieder blau war und eine leichte Brise wehte, auch wenn der Rauch der Ölfeuer immer noch die Luft trübte. Im Westen der Stadt wurde eine B-52-

Bombe abgeworfen, doch am Fluss schien niemand davon Notiz zu nehmen.

Schließlich ging ich weg, überzeugt, dass es sich um einen Fall von Massenhysterie handelte und dass der Pilot, nach dem alle suchten, nur ein Phantom war. Die glühende Bereitschaft der Menschen zu glauben, dass sie einen feindlichen Piloten um ein Haar in ihre Gewalt bekommen hätten, rührte mich fast. Doch die rudelartige Hysterie konnte einem auch Angst machen; ich zweifelte nicht daran, dass der Pilot, wenn er sich wirklich im Schilf versteckt hätte, in Stücke gerissen worden wäre. Ich fragte mich, ob das Ganze vielleicht auf ein kollektives Ohnmachtsgefühl zurückzuführen war. Denn in den letzten Tagen schien das Schicksal der Iraker ausschließlich in den Händen der ausländischen Piloten zu liegen, die hoch am Himmel, außerhalb jeder Reichweite, flogen und nach Belieben ihre Bomben abwarfen.

Zu dem Zeitpunkt, als ich ging, flackerten mehrere muntere Feuer und verkohlten die wunderschönen grünen Schilfbette. Von der Menge angetrieben, streiften die Militärs immer noch in den Booten auf dem Fluss umher und hielten eifrig nach dem darin verborgenen Feind Ausschau.

An jenem Nachmittag schlug die Stimmung in der Stadt erneut um. Eine erhöhte Anspannung schien in der Luft zu liegen, es knisterte geradezu. Agenten des Muchabarat tauchten auf den Straßen auf. Sie standen an allen größeren Kreuzungen neben den Soldaten und Polizisten, hielten Autofahrer an und verlangten ihre Ausweise. Nachdem wir eine solche Straßensperre passiert hatten und eine Straße entlangfuhren, die an den Toren des Palasts der Republik vorbeiführte, stießen wir auf eine Gruppe der Präsidentengarde, die mit der Waffe im Anschlag umherrannte und ängstlich zum Himmel sah. Sie schienen uns überhaupt nicht zu bemerken, aber Sabah trat dennoch aufs Gas.

Eine Minute später sagte Sabah mir, dass er soeben einen amerikanischen Soldaten gesehen habe, der mit dem Fallschirm in den Präsidentenkomplex gesprungen sei. Ich war mehr als verblüfft. Wann? War er sicher? Ja, beteuerte Sabah. Der Fallschirmspringer sei gerade heruntergekommen, als wir an dem Palast vorbeifuhren. Ob ich ihn denn nicht gesehen hätte? Ich verneinte. Mehrmals fragte ich ihn, ob er ganz sicher sei, dass er das gesehen habe. Sabah schwor immer wieder, dass er einen Amerikaner gesehen hatte. Ich konnte es nicht glauben und sagte ihm, dass er verrückt werde. Wieso sollte ein amerikanischer Soldat, auf sich gestellt, am helllichten Tage mit dem Fallschirm in Saddams Palast springen? Sabah zuckte die Achseln. Er wisse nicht, wieso, gab er zurück, aber er habe ihn gesehen. Ich starrte Sabah lange an und fragte mich, ob er vielleicht einen Scherz machte. Doch das tat er eindeutig nicht. Meine Frage, ob er die Story erfunden hatte, machte ihn sichtlich wütend. Er wich meinem Blick absichtlich aus und starrte stur nach vorn, während er fuhr. Er schien beleidigt. Ich beschloss, das Thema vorläufig fallen zu lassen, fragte mich aber, was da vor sich ging. Entweder hatte Sabah Halluzinationen, oder er sagte die Wahrheit. Ich wusste nicht, was ich glauben sollte.

Als wir ins Palestine zurückkehrten, stand eine große Menge vor dem Fernseher in der Eingangshalle. Al-Dschasira hatte anschauliche Bilder von toten amerikanischen Soldaten aufgenommen. Und dann wurden Bilder von mehreren gefangen genommenen Amerikanern gezeigt, männlich und weiblich, die verhört wurden. Sie sahen alle verängstigt aus, aber besonders berührte mich der verständnislose Schrecken im Gesicht einer jungen afroamerikanischen Soldatin. Die Bilder kamen zeitgleich mit Nachrichtenmeldungen, die das bestätigten, was Ramadan behauptet hatte: dass die Amerikaner an mehreren Stellen im Süden in Kämpfe verwickelt worden waren und Opfer zu beklagen hatten. Ferner kursierten Gerüchte, dass im Norden und

Süden des Irak Journalisten getötet worden seien. Ein Freund von mir, Thomas Dworzak, der bei den kurdischen Truppen im Nordirak war, schickte mir eine E-Mail, dass sich ein Selbstmordattentäter am Vortag an einer Straßensperre in die Luft gesprengt und dabei Paul Moran getötet hatte, einen australischen Kameramann. Mehrere andere Bekannte, die auf eigene Faust durch den Süden gefahren waren, waren von irakischen Truppen angegriffen worden und wurden seither vermisst. (Sie überlebten alle und wurden später von amerikanischen Soldaten gerettet.) Ein britischer Fernsehreporter, Terry Lloyd, war ebenfalls im Süden umgekommen, allem Anschein nach von »freundlichem Feuer«.

Als wir diese schlechten Nachrichten vernommen hatten, geschah etwas völlig Bizarres: Ein französisches Fernsehteam traf in einem mit Staub bedeckten Yukon-Geländewagen, der mit der Ausrüstung schwer beladen war, an der Eingangstür des Palestine ein. Am selben Tag waren sie von Kuwait aus einfach direkt bis nach Bagdad durchgefahren. Offenbar hatte niemand sie angehalten. Iraker und Ausländer standen um das Gefährt herum, starrten die kuwaitischen Kennzeichen an und fragten sich, was das wohl über die irakische Verteidigung Bagdads aussagte. Da Udai al-Taiee wohl peinlich berührt war, ordnete er unverzüglich an, dass die Kennzeichen des Fahrzeugs mit Karton abgedeckt werden müssten, und ließ die Franzosen rasch auf ein Zimmer im Palestine bringen.

Am Abend wurden die Journalisten in einen Bankettsaal im Erdgeschoss des Sheraton gerufen, um sich den Bericht des irakischen Verteidigungsministers, General Sultan Hashim Ahmed, über den Kriegsverlauf anzuhören. Hashim saß auf einer Bühne vor einem Saddam-Porträt und einer großen militärischen Karte des Irak und wiederholte Ramadans überschwängliche Einschätzung. Er sagte uns, dass die Amerikaner sich eine blutige Nase geholt hätten, zum Beispiel im Süden des Landes, wo es ihnen nur gelungen sei, einen wackeligen Brückenkopf außerhalb von Basras Flughafen zu errichten. An allen anderen Fronten, behauptete er, habe man heftige Schläge gegen die einmarschierenden Truppen geführt und sie gezwungen, sich zurückzuziehen, oder sie wurden umstellt und stünden kurz davor, eliminiert zu werden. Falls die Amerikaner und Briten hartnäckig an ihrem Feldzug festhielten, schwor er, werde man ihnen großes Leid zufügen. »Wir werden sie auf eine Weise bekämpfen, die uns stolz macht, und auf eine Weise, die unsere Kinder auf uns stolz macht«, sagte er. »Gewiss, es mag ihnen gelingen, irgendein Gebiet zu besetzen, aber zu welchem Preis? Wenn sie Bagdad einnehmen wollen, dann müssen sie bereit sein, den Preis zu zahlen.«

Im Anschluss daran gab Udai al-Taiee mit demonstrativer Großmütigkeit bekannt, dass es uns künftig gestattet werde, die Satellitentelefone auf unseren Zimmern im Palestine zu benutzen. Das war eine enorme Erleichterung und deutete darauf hin, dass das Informationsministerium sich wiederum die Befugnis über seinen Kompetenzbereich gesichert hatte. Auf einen Schlag war die Atmosphäre nicht mehr so bedrohlich. Da ich mein Satellitentelefon nun aus dem Versteck holen konnte, baute ich es auf einer gelben Milchkiste aus Plastik auf, die ich auf einen Sims unter der Brüstung unseres Balkons stellte, und stützte die flache, buchförmige Antenne mit Patrick Dillons Exemplar von »Herz der Finsternis« ab, genau im richtigen Winkel zu dem Satelliten Inmarsat über dem östlichen Atlantik. (Menschen auf der anderen Seite des Gebäudes benutzten den im Süden liegenden Satelliten über dem Indischen Ozean.) Wegen der Sandstürme, die alle paar Tage wehten, fixierte ich das Ganze mit dem pinkfarbenen Klebeband.

Die Bomber kamen gegen 22.30 Uhr wieder. Mindestens ein Gebäude im Palastkomplex wurde getroffen und eine gewaltige Explosion ausgelöst. Wenige Minuten danach begann in der

Abu-Nawas-Straße ein wahres Tohuwabohu. Ich hielt Ausschau und entdeckte eine Einheit irakischer Soldaten, die die Straße entlangrannte und dabei schrie und auf die Büsche in dem verwüsteten Streifen zeigte, der zwischen der Straße und dem Flussufer lag. Einige schossen sogar, und dann begannen andere, ebenfalls zu schießen. Sie schienen sehr verwirrt und in Panik zu sein. Ein paar Soldaten rannten auf das Gelände des Palestine zu und duckten sich, versteckten sich eine Weile. Die Schüsse hielten an, entfernten sich aber stetig. Wir erfuhren von Freunden in Zimmern auf der anderen Seite des Hotels, dass man die Soldaten von dort aus dabei beobachten konnte, wie sie das Flussufer absuchten und in das Schilf schossen. Es sah ganz so aus, als würde die Suche nach dem Phantompiloten fortgesetzt werden. Um 23 Uhr explodierte noch eine sehr große Bombe irgendwo in der Innenstadt, löste Alarmanlagen aus und erschütterte das Hotel. Danach verschwanden die meisten Soldaten. Um 3 Uhr kehrten die Bomber zurück.

Am nächsten Morgen, dem fünften Kriegstag, war der Himmel sehr dunkel, und die Luft hatte sich wieder abgekühlt. Eine riesige Wolke aus schwarzem Rauch hing wegen der brennenden Ölfässer über der ganzen Stadt und verdunkelte die Sonne.

Sabah traf später als üblich bei uns ein und sah besorgt aus. Auf meine Frage, was denn los sei, erklärte er, dass eine seiner Töchter, die im dritten Monat schwanger war, eine Fehlgeburt gehabt und ihr Kind verloren hätte. Es war nach der schweren Bombenexplosion um 23 Uhr passiert. Sie hatte einen Schock erlitten, und eine Blutung setzte ein. Im Morgengrauen hatte Sabah sie ins Krankenhaus gebracht, wo man ihr eine Bluttransfusion legte. Er war bei ihr geblieben, bis man ihm mitteilte, dass sie sich wieder erholen würde. Sabah seufzte schwer und wischte sich minutenlang die Tränen aus den Augen, er war ganz erledigt.

Wie fast jeden Morgen reichte Sabah mir eine Thermoskanne, gefüllt mit heißem türkischen Kaffee und einen Stapel warme Reistortillas, frisch gebacken von seiner Frau, die er Madame Sabah nannte. Das war ein Ritual, das schon in den Tagen vor dem Krieg begonnen hatte und jetzt noch lebenswichtiger geworden war, da die meisten Restaurants der Stadt geschlossen waren. Madame Sabahs Gebäck wurde uns entweder von Safaar oder Dijah gebracht, den beiden erwachsenen Söhnen. Häufig schickte sie auch einen Topf oder Behälter mit einer Portion der Mahlzeit, die sie an jenem Tag für die Familie gekocht hatte: Brathähnchen mit gewürzten Kartoffeln, ein Spinatgericht oder Linsen- und Tomateneintopf. Sabah wärmte die Gerichte für uns auf einem kleinen chinesischen Kocher auf, den ich vor dem Krieg auf dem Basar entdeckt hatte. Mitten auf dem Boden des Hotelzimmers entstand so eine kleine Behelfsküche.

Als Tariq Asis an diesem Abend den Bankettsaal des Sheraton betrat, ging ein aufgeregtes Raunen durch den Raum voller Journalisten. Wir waren mal wieder zusammengetrommelt worden, ohne zu wissen, was oder wer uns erwarten würde. Der kleine stellvertretende Regierungschef mit dem selbstbewussten Gang eines kleinen Kampfhahns hatte sich seit dem 19. März, dem Vortag des Kriegs, nicht mehr in der Öffentlichkeit gezeigt. Asis setzte sich an einen erhöhten Tisch, der mit einem weißen Samttuch bedeckt war und unter einem riesigen goldgerahmten Porträt von Saddam Hussein stand. Er trug Militäruniform und Barett und setzte zu einer Einschätzung der Ereignisse an, die zum Krieg geführt hatten. Er sprach mit ruhiger, aber müde klingender Stimme auf Englisch. Hinter ihm stand ein unrasierter Leibwächter mit dem Keffijeh-Tuch auf dem Kopf. Andere Wächter hatten sich rings um den Saal aufgestellt und behielten die Zuhörer im Auge. Asis argumentierte, wie schon unzählige Male zuvor, dass die Vereinigten Staaten und Großbritannien es bei ihrem Krieg gar nicht auf Iraks Massenvernichtungswaffen abgesehen hätten – denn sie wüssten genau, dass Irak keine mehr habe –, sondern auf seine riesigen Ölreserven, die er zu den größten auf der ganzen Welt erklärte – über 300 Milliarden Barrel.

»Sie haben beschlossen, den Irak zu besetzen und zu kolonisieren«, sagte Asis. »Sie wollen die ganze Region im Sinne Israels neu gestalten.« Er sagte, die US-Regierung befinde sich in der Gewalt einer kleinen Hand voll von Juden und christlichen Zionisten, der Ölkonzerne und der militärisch-industriellen Lobby, die den Krieg im Irak für ihre eigenen Ziele vorangetrieben hätten. In den folgenden 40 Minuten widmete er sich den Behauptungen der Bush-Administration, was sich auf den Schlachtfeldern abspiele. »Zuerst sagten sie, dieser Krieg werde vernichtende Folgen haben, die irakischen Streitkräfte und die Führung außer Kraft setzen, und die Menschen würden rebellieren«, sagte Asis. »Und Cheney hat gesagt, dass die Menschen die amerikanischen Soldaten mit ›Musik und Blumen‹ empfangen würden. Zu diesem Punkt erinnere ich mich, habe ich den US-Medien gesagt: ›Macht euch selbst und der Öffentlichkeit nichts vor: Die Soldaten werden nicht mit Blumen empfangen, sondern mit Kugeln.‹«

Asis ließ ein lakonisches »Ich hab's doch gesagt«-Grinsen aufblitzen. »Sie haben gesagt, Saddam Hussein sei völlig isoliert und werde nur von Tikritern [den Menschen seiner Heimatstadt] und der Republikanischen Garde unterstützt. Aber in Umm Kasr waren keine Republikanischen Garden. Das Regiment, das dort gegen die Amerikaner und Briten kämpft, ist ein ganz gewöhnliches irakisches Regiment ... Und die Kämpfer in Nassirijah und Basra, Nadschaf und Samawa sind keine Tikriter. Die Mehrheit dieser Menschen sind Schiiten, nicht Sunniten oder Tikriter. Jedenfalls sind schon nach wenigen Tagen all diese falschen Einschätzungen und Unterstellungen widerlegt. Das ist schamlos, verzeihen Sie mir, denn ich möchte nicht zu hart sein, aber sie verhalten sich auf eine sehr schamlose Art und Weise ...«

Trocken fügte Asis hinzu: »Als sie am Mittwoch die Gelegenheit ergriffen und versuchten, ›die irakischen Führer zu enthaupten ...‹« Asis machte eine Pause, um die Worte zu unterstreichen, und fügte hinzu: »Bitte beachten Sie den Ausdruck, als wären wir eine Schar Hühner, die geköpft werden müsse.« Asis machte erneut eine Pause und lächelte, als die Zuhörer kicherten. »Sie haben gesagt, dass Saddam Hussein, Gott behüte, getötet oder verwundet worden sei; das wollten sie ihren armen Soldaten mitgeben, die sie aufs Schlachtfeld geschickt haben. Und doch sind wir noch da.«

Asis genoss seinen Auftritt jetzt sichtlich. Er erwähnte, er habe gehört, dass General Tommy Franks gesagt habe, er habe momentan »nicht die Absicht«, Basra einzunehmen. Asis lächelte jovial. »Ich habe gelacht, als ich das hörte. Es erinnerte mich an die Geschichte von dem Fuchs und den Trauben, als man den Fuchs fragte: ›Warum nimmst du die Trauben nicht und isst sie?‹, und er sagte: ›Weil sie sauer sind.‹« Asis wollte damit sagen, dass General Franks wegen des heftigen Widerstands, den Iraker dort leisteten, Angst habe, in Basra einzumarschieren. Er warnte: »Überall, wo die Amerikaner kämpfen, kämpfen sie noch nicht einmal gegen die Republikanische Garde. Im Süden sind die Krieger Schiiten. So ist der Irak. Wir haben ihnen gesagt: ›Macht euch nichts vor. Das irakische Volk ist unter Saddam Hussein und der Arabischen Sozialistischen Baath-Partei vereint.‹ Wir haben das nicht ohne Grund gesagt: Immerhin regieren wir dieses Land seit Jahrzehnten.«

Draußen fing eine Luftwarnsirene zu heulen an und warnte vor einem neuen Bombenangriff auf Bagdad, aber Asis ignorierte sie und fuhr fort. Er erzählte von dem irakischen Bauern, der am Vortag angeblich mit einem uralten Gewehr einen amerikanischen Kampfhubschrauber vom Typ Apache abgeschossen hatte. Der Bauer war sofort zum Helden erklärt worden, wurde im irakischen Fernsehen interviewt, und Asis pries ihn nun wiederum: »Dieser Bauer hat seine alte tschechische Brünner benutzt – noch vor der Zeit Havels und seinesgleichen angefertigt –, um die Amerikaner willkommen zu heißen. Nicht mit Musik, nicht mit Blumen. Er hatte keine Instrumente, nur das Gewehr, und er hat es auf die beste irakische Art benutzt, um die Invasoren zu empfangen.«

Ein Journalist fragte Asis, welche Zugeständnisse die irakische Regierung machen könne, um Bagdad das Blutvergießen einer Belagerung zu ersparen. »Ich habe keine Bonbons zu bieten, nur Kugeln«, sagte er. Ein anderer Reporter fragte ihn, wie das irakische Regime denn Bagdad zu verteidigen gedenke. »Bleiben Sie in Bagdad, dann werden Sie schon sehen«, sagte er spielerisch und verließ den Saal. Die Sicherheitsmänner schlossen die Saaltüren hinter Asis, damit wir nicht sahen, in welche Richtung er ging.

Am Donnerstag, dem 25. März, dem sechsten Tag der Angriffe, versank Bagdad in einem weiteren Turab. Gelber Staub vermischte sich mit dem Rauch der Ölfeuer, die schon seit mehreren Tagen brannten. Der Himmel war schwärzlich purpurfarben. Es hatte den Anschein, als würde die Stadt einen atomaren Winter durchmachen. Ich konnte irgendwo Bomben explodieren hören, aber ich konnte sie nicht mehr sehen.

Seit einigen Tagen folgte der Krieg einem neuen Muster. Bis Sonntag waren die Bomber nur nachts gekommen. Mein Schwager in England hatte mir per E-Mail durchgegeben, wann die amerikanischen B-52-Bomber morgens von ihrem Stützpunkt bei Fairfield starteten. Anhand dieser Information war ich imstande, mehr oder weniger genau zu berechnen, wann die Bomber abends über Bagdad eintreffen würden. Paul und ich aßen nach Möglichkeit immer schon vorher und wechselten uns beim

Waschen im Bad ab, weil man sich auf die Stromversorgung kaum verlassen, geschweige denn irgendetwas unternehmen konnte, sobald das Bombardement begann.

Seit Sonntag aber griffen die Bomber rund um die Uhr an, und unser Rhythmus war vollkommen durcheinander geraten. Jetzt erfolgten zu jeder Tag- und Nachtzeit Explosionen. Für gewöhnlich heulten die Sirenen, und etwa 20 Minuten später ertönte eine Reihe von Geräuschen, ein lautes, widerhallendes Krachen, das in ein knirschendes Grollen überging. Manchmal schlugen die Bomben in der Nähe ein und manchmal in weiter Ferne. Es gab bestimmt ein Muster für die Bombardierung, aber ich konnte es nicht erkennen. Die Donnerschläge schienen willkürlich auf diesen oder jenen Teil der verdunkelten Landschaft niederzugehen.

Am Dienstagvormittag war die Stimmung auf der Straße gedrückt. Die Menschen schienen resigniert zu sein, ähnlich wie die Menschen in der Karibik, bevor ein tropischer Sturm über sie hinwegfegt. Zivilisten waren in ihren Häusern geblieben, und selbst die Soldaten schienen in dem Zwielicht zu verschwinden. Kräftige Winde peitschten die Dattelpalmen, rissen von den Bäumen Äste ab und rüttelten an den Ladenschildern. An den meisten Geschäften waren die Rollläden heruntergelassen. An der Sadunstraße hatten nur wenige Etablissements geöffnet: ein paar billige und lebendige Kebabbuden, eine oder zwei Apotheken und, seltsamerweise, ein Koffergeschäft. Während ich die Straße entlangfuhr und nach bekannten Läden und Restaurants Ausschau hielt, verlor ich die Orientierung. Mehrere Orte, die ich gut kannte, schienen verschwunden. Nicht dass sie zerbombt oder geschlossen gewesen wären. Sie waren einfach weg. Dann erblickte ich das Schild eines Restaurants, das ich kannte, und entdeckte, dass dort, wo die Eingangstüren und Fenster aus Glas gewesen waren, eine Ziegelmauer stand. Sie deckte die ganze Front des Etablissements ab. Während wir weiterfuhren, sah ich noch mehr Geschäfte, die man zugemauert hatte. Es war, als wollten sie vermeiden, dass man sie bemerkte, wie Soldaten in Tarnuniform.

An diesem Morgen ging ich zu meiner ersten Stunde Krankengymnastik, die Ala Bashir für mich arrangiert hatte. Die Behandlung war nicht bloß ein Vorwand, weil ich im unteren Rückenbereich in der Tat chronische leichte Schmerzen hatte. (Einige Monate zuvor hatte ich einen akuten Muskelkrampf erlitten, nachdem ich Bagdad verlassen hatte, und in Amman 10 Tage lang flach auf dem Rücken gelegen, um mich behandeln zu lassen.) Als ich ankam, wies Bashir einen seiner Pfleger an, mich über die Straße zur benachbarten Al-Wija-Entbindungsklinik zu führen, wo der Physiotherapeut mich erwartete. Er bat mich, nach der Sitzung vorbeizuschauen.

Der Therapeut, ein sympathischer Mann namens Nabil, behandelte mich mit Wärme und leichten Stromstößen. Auf seiner Station, einer grauen, schlecht beleuchteten Abteilung voller leerer Betten, schienen keine anderen Patienten zu liegen. Nabil erklärte, dass die Abteilung für die Aufnahme von Bombenopfern vorbereitet sei, doch bislang seien noch keine Patienten gebracht worden. Er fragte mich, ob ich die Absicht hätte, in Bagdad zu bleiben. Als ich bejahte, lachte er und sagte: »Al-hamdulillah«, was »Gelobt sei der Herr« heißt und bedeutet, dass das Schicksal nicht in der eigenen Hand liege. Ich hatte den Satz in den letzten Tagen häufig gehört. Nabil sagte, er sei verheiratet und habe mehrere Kinder. Ich fragte, wie es ihnen gehe. »Sie wissen doch, wie das ist«, sagte er vertraulich. »Kleine Kinder verstehen es nicht. Für Männer ist es okay. Aber es ist schwer für Frauen und Kinder.«

Als Nabil fertig war, begleitete er mich aus dem Krankenhaus auf die Straße. Ein paar Regentropfen gingen nieder und wirbelten Staub auf. Nabil wandte sich mir zu und sagte: »Heute hat der Turab sein Gutes. Ich hoffe, es regnet nicht. Regen wird den

Himmel klar machen, und es erleichtern, Bomben zu werfen. Ich bete darum, dass es nicht regnet.« Er lächelte und gab mir die Hand. Am nächsten Tag solle ich zur zweiten Behandlung kommen, sagte er.

Mehrere Ärzte saßen in Ala Bashirs Büro. Sie diskutierten über die widersprüchlichen Meldungen über die Kämpfe an Orten wie Umm Kasr, Nassirijah und Basra. Sie blieben ruhig dabei und tauschten Informationen aus, die sie im Rundfunk und von Freunden oder Verwandten gehört hatten. Unter ihnen war ein in Großbritannien ausgebildeter Herzchirurg. Er war ein vornehmer Mann, der einen konservativen grünen Tweed-Blazer und eine diagonal gestreifte Krawatte trug und ausgezeichnet Englisch sprach. Er erwähnte, dass er am Vormittag telefonisch mit einem Kollegen in einem Krankenhaus in Basra gesprochen habe. Es sah dort nicht gut aus. Britische Soldaten lieferten sich Artilleriegefechte mit den Irakern, und es gab viele tote und verwundete Zivilisten. Zu mir gewandt sagte er: »Sie haben geglaubt, das würde ein Spaziergang, ein Cakewalk – das ist doch der amerikanische Ausdruck dafür, nicht wahr? –, aber es ist keiner, und jetzt müssen die irakischen Zivilisten den Preis bezahlen.« In seiner Stimme schwang ein leichter Vorwurf mit, doch er beließ es dabei.

Ala Bashirs Stellvertreter, Dr. Walid Abdulmadschid, ein untersetzter Mann mit freundlichen braunen Augen, den ich schon mehrmals getroffen hatte, fragte, ob ich vielleicht wüsste, was passieren würde. Ich sagte, dass ich vermutlich nicht mehr wisse als er, aber ich fürchtete, dass eine blutige Belagerung Bagdads unmittelbar bevorstehe. Der Führer des Irak, sagte ich, habe offenbar eine Überlebensstrategie gewählt, die mit dem größtmöglichen Blutvergießen verbunden sei. Indem er die Streitkräfte in Städten stationierte, versuche er, die Koalitionstruppen in Situationen zu verwickeln, in denen sie gezwungen wären, so viele irakische Zivilisten zu töten, dass der Krieg angesichts der internationalen Proteste nicht mehr vertretbar wäre. Die Ärzte hörten zu und nickten. Bashirs Dienerin, Sundus, die Frau mit dem verbrannten Gesicht, brachte uns Tee.

Am Nachmittag statteten John Burns, Paul und ich dem Al-Raschid noch einen Besuch ab. Wir hatten gehört, dass ein paar Griechen und Spanier, vielleicht in Unkenntnis der Warnungen des Pentagons, wieder eingezogen waren, und wollten ihnen Bescheid geben. Wir fanden sie zwar nicht, aber wir trafen einen Italiener, einen älteren Mann, der zu diesem Zeitpunkt scheinbar der einzige Gast war. Er hatte absolut keine Ahnung. Nachdem wir mit ihm gesprochen hatten, sagte er, er werde sofort ausziehen. Wir machten uns immer noch Sorgen um die anderen Reporter und baten einen jungen Bediensteten an der Rezeption, die Warnungen weiterzuleiten, und rieten ihm, sich nach Einbruch der Dunkelheit möglichst außerhalb des Hotels aufzuhalten. Er nickte verständnislos.

Als Nächstes fuhren wir zum Informationsministerium, weil wir gehört hatten, dass ein paar Fernsehteams wegen ihrer Live-Sendungen immer noch dorthin fuhren. Wir fanden es verlassen vor, bis auf drei türkische Journalisten, die im Scheinwerferlicht auf dem Dach standen und einen Live-Bericht drehten. Es war ein bizarres Schauspiel. Der Turab fegte vorüber, blies Sand und Staub und Müll überallhin, und der Himmel verdunkelte sich rasch. Die Türken hörten uns zu und sagten, sie würden gehen, sobald sie die Übertragung beendet hätten. Schließlich hielten wir an einem kleinen Gemischtwarenladen namens »Pyramiden« an, um unsere Vorräte aufzufrischen; es war der einzige noch geöffnete Lebensmittelladen im Zentrum von Bagdad, den wir kannten.

Als wir wieder im Palestine waren, hörten wir die beunruhigende Neuigkeit, dass in der vorigen Nacht mehrere Reporter von Sicherheitsbeamten in ihren Zimmern verhaftet und weggebracht worden waren. Unter ihnen waren unsere Freunde

Matthew McAllester und Moises Saman, die amerikanische Fotografin Molly Bingham, dazu ein amerikanischer Friedensaktivist und ein dänischer Fotograf. Angeblich hatte man sie in einen Bus gesetzt, der in Richtung syrische Grenze fuhr. Da sie allesamt mit den fragwürdigen Visa für Friedensaktivisten in den Irak eingereist waren, nahmen wir an, dass man sie aus diesem Grund nun auswies. Aber das war nur eine Vermutung; keiner wusste, was wirklich passiert war. Ihre Zimmer waren leer, ohne jedes Anzeichen, dass sie sich jemals hier aufgehalten hatten, und auch das Hotelpersonal hatte sie nicht beim Auschecken gesehen. Die anwesenden Vertreter des Informationsministeriums erklärten, sie wüssten nichts über ihren Verbleib. Aber einige Reporter, die in den frühen Morgenstunden auf gewesen waren, flüsterten, sie hätten Sicherheitsbeamte auf den Korridoren gesehen und, in einem Fall, das Klopfen an Molly Binghams Tür gehört.

Der Sonnenuntergang setzte frühzeitig ein, als würde ein schwarzer Vorhang fallen, und das lange vor 17 Uhr. Eine halbe Stunde später hob sich der Vorhang für kurze Zeit, und ein paar fette Regentropfen fielen und verwandelten den Staub auf den Autos in Schlamm. Gegen 23 Uhr heulten kurz die Sirenen, gerade als ein feuchter Nebel aufzog. Die Luft roch seltsam nach Dreck, und es war so finster, dass man selbst dort, wo Straßenlaternen brannten, nur ein paar Häuser weiter sehen konnte.

Irgendwo außerhalb der Stadt wurden Bomben abgeworfen. Man hatte uns mitgeteilt, dass die Vorhut der amerikanischen Invasionsstreitmacht bis auf 80 Kilometer vor Bagdad vorgerückt sei und dass B-52-Bomber am Südrand der Stadt Einheiten der Republikanischen Garde bombardieren würden. In dieser Nacht war fast kein Geräusch zu hören, abgesehen von den Bomben und dem Brummen eines Generators in einem nahe gelegenen Gebäude. Keine menschlichen Stimmen, keine bellenden Hunde. Ein- oder zweimal hörte ich die Reifen eines Autos langsam über die nasse Straße vor meinem Fenster rutschen.

Am nächsten Morgen war Bagdad mit einer Schicht von gelbem Staub bedeckt; der Tag hatte ein phosphoreszierendes weißes Leuchten, beinahe so, als hätte es geschneit. Der Sturm hatte ein wenig nachgelassen, aber es blies noch ein kalter Wind, und immer wieder nieselte es. Folglich wurde der Staub zu Lehm, dann wieder zu Staub, es war ein elender Kreislauf. Die Menschen trugen ihre Keffijeh-Tücher als Masken, um Mund und Nase zu bedecken. Die Irakische Rundfunk- und Fernsehgesellschaft, die 800 Meter entfernt von uns lag, war in der Nacht bombardiert worden. Ich hatte das um 3 Uhr morgens erfahren, als John Burns bei mir im Zimmer anrief und fragte, ob mein Fernsehgerät noch funktioniere. Ich hatte das geprüft und nur Flimmern auf dem Bildschirm gesehen. Er sagte, er habe soeben von Dan Rather in New York City von dem Angriff erfahren. Rather hatte ihn gebeten, die Ereignisse für *CBS Evening News* zu kommentieren, und wartete auf Johns Antwort.

Um die Mitte des Vormittags versammelte sich eine Menschentraube vor dem Fernseher in der Eingangshalle und sah das flimmernde Bild eines irakischen Nachrichtensprechers in Uniform. Die Übertragung komme, so erfuhr ich, von einem Notsender, den man in den letzten Stunden in Betrieb genommen hatte.

Ich ging zu meiner zweiten Behandlung in die Al-Wija-Klinik, doch Nabil war an diesem Morgen nicht imstande gewesen, zur Arbeit zu kommen. Also nutzte ich die günstige Gelegenheit, auf der anderen Straßenseite vorbeizuschauen und Ala Bashir einen Besuch abzustatten. An diesem Morgen waren wir unter uns, folglich sprachen wir offener über die Ereignisse der letzten Tage, insbesondere über die Nachricht, dass amerikanische und britische Invasionstruppen bei ihrem Marsch auf Bagdad in den

Provinzen in Kämpfe verwickelt worden seien. Er lachte verächtlich darüber. »Seien wir doch realistisch«, sagte er. »Welchen Hauch einer Chance hat der Irak wirklich, diesen Krieg zu gewinnen? Null. Diese Kämpfe in Umm Kasr und Basra und Nassirijah, das sind Kleinigkeiten, die in einem Krieg immer vorkommen. Genau das ist Krieg, Töten und Sterben. Es dauert erst ein paar Tage, und sie stehen bereits ... 80 Kilometer vor Bagdad? Ich glaube nicht, dass irgendetwas, was die irakische Armee unternimmt, das Ergebnis am Ende ändern wird, nicht bei all den Waffen und der Feuerkraft, über die Amerikaner und Briten verfügen.«

Er sagte eine blutige Schlacht um Bagdad voraus. Dann wies er mit einem Nicken auf die Saddam-Büste auf seinem Schreibtisch: »In meinen Augen ist es offensichtlich, dass er so viele zivile Opfer wie möglich provozieren will. Er hat es auf ein möglichst großes Blutvergießen angelegt. Das ist seine Art.« Am Vorabend eines vorherigen Krieges, so teilte Bashir mir mit, hatte Saddam angekündigt: »›Lasst die Invasoren nur kommen. Aber wenn sie in Bagdad ankommen, werden sie nur Schutt und Asche vorfinden.‹ Das hat er gesagt.« Für Bashir stellte sich nur noch die Frage, wie viel Widerstand die Republikanische Garde leisten würde. Diesbezüglich herrsche eine große Angst, sagte er mir, nicht nur unter gewöhnlichen irakischen Zivilisten, sondern auch unter den Soldaten – und das mit gutem Grund. Er sagte, er habe in der Nacht zuvor die Nachrichten im irakischen Fernsehen gesehen. Man hatte ein Mitglied der Saddam Fedajin, der Furcht erregenden, Balaclavas tragenden Brigade von Kämpfern, die von Saddams älterem Sohn Udai befehligt wurde, in der nördlichen Stadt Mossul interviewt. Der Fedajin hatte gesagt: »Wir sind in erster Linie hier, um Amerikaner zu töten, und in zweiter Linie, um jeden Iraker zu töten, der nicht gegen sie kämpft.« Bashir sah mich an. »Das war eine Botschaft, die an jeden in der Armee gerichtet war: Kämpf oder stirb. Verstehen

Sie?« Saddams Zwangsmaßnahmen, um die Armee zusammenzuhalten, könnten funktionieren, argumentierte er, wenn die Koalitionstruppen allzu lange bräuchten, bis sie Bagdad erreichten, und weiterhin Schwierigkeiten hätten, die Städte im Süden einzunehmen. Aber wenn es ihnen gelänge, diese Orte rasch zu erobern und Bagdad zu umstellen, dann würde die Einheit der Armee allmählich auseinander fallen. Die Amerikaner und Briten hätten psychologisch wieder die Oberhand, und viele irakische Soldaten würden erkennen, dass Widerstand zwecklos wäre. Trotz allem werde es zu einer Schlacht um Bagdad kommen, meinte er. »Sie wird sehr blutig.«

Ungefähr um 11.30 Uhr hörten wir zwei kurze, scharfe Explosionen im Norden. Daran war nichts Außergewöhnliches. Wir machten nur eine kurze Pause und setzten unser Gespräch fort. Wenig später blies ein Windstoß, und ein Strom kühle Luft kam ins Zimmer. »Der Sandsturm kommt zurück«, bemerkte Bashir. Ich fragte ihn, woran er das merke, und er schnüffelte in der Luft. »Man kann es riechen«, sagte er. »Es riecht nach Erde. Jedes Mal wenn ich diesen Geruch rieche, erinnert er mich an die Toten. Denken Sie darüber nach. Denken Sie an die irakische Geschichte. Was ist diese Geschichte anderes als Tausende von Jahren voller Kriege und Töten? Das ist etwas, das wir schon immer sehr gut und sehr oft gemacht haben, bis zurück in die Zeit der Sumerer und Babylonier. Millionen von Menschen sind auf diesem Boden gestorben und ein Teil von ihm geworden. Ihre Leichen sind Teil des Landes, der Erde, die wir atmen.«

Ein paar Stunden später schaute ich beim Informationsministerium vorbei. Ich hatte gehört, dass sich etwas Wichtiges ereignet hatte und dass sich die Menschen dort versammeln würden. Eine Menge Journalisten irrte verwirrt umher und fing an, in einige Busse einzusteigen. Ich schloss mich kurzerhand an. Die vom Ministerium organisierten Ausflüge führten stets zu neu bombardierten Orten, die zivile Opfer gefordert hatten; das war seit Kriegsbeginn zu einem täglichen Ritual geworden. Aber uns wurden nie irgendwelche Schäden gezeigt, die an militärischen Einrichtungen oder an Gebäuden im Präsidentenkomplex entstanden waren. Ich hatte bei einigen Ausflügen mitgemacht und war anderen ferngeblieben. Diese Touren wurden sehr kurzfristig angesetzt, und wir erhielten im Voraus kaum Informationen, lediglich kryptische Andeutungen von Aufpassern oder Ministerialbeamten: »Wir werden eine Schule sehen«, »ein Krankenhaus« oder »eine Einschlagstelle«.

Nun also kursierte das Gerücht, dass man uns an einen Ort bringen werde, an dem nur ein paar Stunden zuvor viele Zivilisten gestorben waren. Die Busse krochen durch das trübe Zwielicht. Der Turab wehte wieder mit voller Wucht, und es regnete, doch das Wasser hatte den Himmel nicht vom Staub gesäubert. Der Tag dunkelte, nur von einem schaurigen orangefarbenen Licht erhellt. Wir fuhren durch verwahrloste Vororte auf der Hauptstraße, die von Bagdad Richtung Norden nach Kirkuk führt. Unterwegs kamen wir an mehreren Ölfeuern vorbei, die in Löchern brannten, die man auf dem breiten Mittelstreifen gegraben hatte. Nach etwa 20 Minuten hielten die Busse neben schmuddeligen Mietshäusern im Arbeiterviertel Al-Shaab, in deren Erdgeschossen Werkstätten eingerichtet waren. Auf beiden Seiten der Straße herrschte ein großes Gewühl aus Männern und Jungen. Auf den ersten Blick, in dem sonderbaren Licht und dem schlammigen Regen, konnte ich nichts Besonderes entdecken, doch dann fiel mir etwas ins Auge, und ich bemerkte, dass Teile der Gebäude auf beiden Seiten der Straße versengt waren. Die Fenster von anderen Gebäuden waren gesplittert, die Fassaden besprenkelt und zum Teil zerstört. Der ganze Boden war von Trümmern übersät, sah aus wie umgegraben, als wäre ein gigantischer Rechen dahergekommen und hätte die oberste Schicht der Erde aufgerissen. Verbogene Aluminiumbleche lagen überall umher. Die Sirene eines nahenden Streifenwagens heulte.

Ich trat mitten in das Gewühl; Gruppen schoben sich halb geschockt, halb neugierig hierhin und dorthin und suchten sich dabei vorsichtig ihren Weg über die Trümmer. Am Straßenrand war ein Krater, wo eine Rakete eingeschlagen hatte; der Asphalt der Straße war ringsum in Furchen aufgerissen. Eine Familie trug Möbelstücke und andere Gegenstände aus ihrer Wohnung und lud sie in einen kleinen Lastwagen. Ich sah etwas, das ich für einen Strauß weiße Nelken hielt, die auf dem Gehweg lagen, doch es waren tote Hühner. Männer starrten wortlos in das aufgerissene Innere von Werkstätten, deren Einrichtungsgegenstände wie von einem Tornado umhergeschleudert und verbogen waren. Ein Auto hatte es erwischt und auf den Kopf gestellt; einige Leute sahen sich das an. Eine Gruppe Männer stand um einige schwarze, völlig verkohlte Fahrzeuge herum und fing an zu singen und zu tanzen, einige davon hielten Kalaschnikows hoch und sangen ein Liedchen, das dort, wo Fernsehteams eintrafen, zum Pflichtprogramm geworden war: »Lang lebe Saddam, wir werden uns für dich opfern«, dazu etliche arabische Schmähreden auf Bush und Blair. Niemand schien aufgebracht über die Ankunft von Westlern; sie sahen uns neugierig an, und einige traten heran, um zu erklären, was passiert war, sichtlich bemüht, uns zu helfen.

Ich überquerte den Boulevard durch sechs Spuren zäh fließenden Verkehr, um zu der Menge auf der anderen Seite zu gelangen. Eine weitere Rakete war dort eingeschlagen und hatte eine flache Grube hinterlassen. Die an den Wohnungen und Werkstätten angerichtete Zerstörung glich der auf der anderen Seite. Es lagen Unmengen von Trümmern umher, über die ich steigen musste: Putz und Mörtel und noch mehr verbogenes Aluminiumblech. Während ich mich vortastete, bemerkte ich ein paar junge Männer in der Nähe. Sie waren wohl noch keine zwanzig. Einer stand bewegungslos und starrte in die Leere. Während ich ihn beobachtete, fing er an zu würgen. Ein Freund nahm ihn am Arm und führte ihn weg. Gleich daneben standen einige Dutzend Männer in einem Kreis und betrachteten etwas. Ich schob mich zu dem Kreis durch, bis ich sehen konnte, was es war: die unterhalb dem Gelenk abgetrennte Hand eines Mannes. Wie ein makabres Requisit lag sie auf einem grünen Metallrollladen, der auf ein paar Stufen lag. Die Hand war dick und grau, und das rote und weiße Innere quoll am abgerissenen Stumpf wie elektrische Leitungen aus einem grob abgeschnittenen Kabel hervor. Scharlachrotes Blut hatte die Stufen darunter getränkt. Ein junger Mann kauerte direkt daneben und starrte die Hand an, sein Gesicht war kaum einen Meter entfernt. Er blieb lange dort. Jemand sagte mir, dass das Gehirn des Mannes zu sehen sei, auf dem Fußboden gleich in der nächsten Werkstatt, aber ich beschloss, mir das nicht anzusehen.

Ich ging weg und kam mit einem jungen Mann ins Gespräch, der freundlich aussah und allein bei einem Trümmerhaufen stand. Er sprach ein wenig Englisch und erklärte, er sei Student an der Bagdader Universität. »In der Anglistik«, fügte er mit einem stolzen Lächeln hinzu. Er fragte mich, wo ich herkomme. Als ich antwortete, sagte er, immer noch mit einem höflichen Lächeln: »Willkommen.« Wir gaben uns die Hand. Er erklärte, dass er noch nicht da gewesen sei, als die Raketen einschlugen; er sei nur von seiner Wohnung, ein paar Häuser von hier, hergekommen, um nachzusehen, was passiert war. Ziemlich viele Menschen, womöglich an die dreißig, seien ums Leben gekommen, sagte er, viele in ihren Autos. Wir sahen uns beide um. Auf beiden Seiten der Straße stand ein gutes Dutzend zerstörte Fahrzeuge. Unter den Toten sei auch eine fünfköpfige Familie gewesen, fügte er hinzu und zeigte auf die ausgebrannt aussehende Wohnung direkt über uns. Alle Leichen hatte man bereits ins Leichenschauhaus gebracht, und die vielen Verwundeten hatte man in Krankenhäuser gefahren. Ich fragte ihn, was er empfinde. Er sagte in klarem, sorgfältigem Englisch: »Es tut mir nur sehr Leid um die Menschen, die gestorben sind.«

Ein anderer Mann, ein wenig älter, trat zu mir. Er hatte ein offenes, freundliches Gesicht und sprach ebenfalls ein wenig Englisch. Er stellte sich als Mujad vor und sagte, dass er »Bibliothekar« sei. Vielleicht war er auch Schreibwarenhändler, denn er erklärte, dass er Schulhefte verkaufe und auch einen Fotokopierer habe. Er zeigte diagonal über die Straße zum nächsten Häuserblock, wo er lebte. Ich fragte ihn, ob er eins der Opfer gekannt hätte. Er nickte und zeigte auf einen der verkohlten Wagen auf der anderen Straßenseite. Der Wagen sei bombardiert worden, als der Mann, ein Mechaniker, daruntergelegen und daran gearbeitet hatte, erklärte er. »Er hieß Abu Sajaff; er war mein Freund.«

Wir schwiegen lange, während ich mitfühlend nickte und darüber nachdachte. Mujad meldete sich wieder zu Wort: »Bush und Blair ... sie haben gesagt, das würde ein sauberer Krieg werden.« Er lächelte zaghaft. Ich wartete auf seine Fortsetzung. Er sagte: »Das ist nicht sauber. Das ist schmutzig – ein schmutziger Krieg.«

Er lächelte immer noch. Dann fragte er mich, woher ich komme. »Amerika«, sagte ich zu ihm. Er wandte sich einen Augenblick ab und sah mich dann wieder an. Er sagte: »Willkommen.« Ich sagte ihm, dass mir das Vorgefallene Leid tue. Er sagte: »Nein, das braucht Ihnen nicht Leid zu tun. Es ist nicht das amerikanische Volk, das wissen wir. Die meisten sind gegen diesen Krieg, wir wissen das.« Er fügte, wie zur Erläuterung, hinzu: »Ich habe den Regisseur Michael Moore gestern Abend im Fernsehen gesehen.« Ich war verdutzt. Ich hatte keine Ahnung, worauf Mujad anspielte. Er muss meine Verwirrung bemerkt haben, denn er erzählte mir von der Oscar-Verleihung, bei der Moore sich gegen den Krieg ausgesprochen hatte. Mujad erklärte, dass er sich häufig amerikanische Filme ansehe, auf diese Weise habe er auch

Englisch gelernt. Er mochte amerikanische Filme sehr. Ich fragte Mujad, was seiner Meinung nach als Nächstes geschehen würde; glaubte er, dass der Krieg gestoppt werden könnte? »Nein«, erwiderte er. »Nichts kann das stoppen. Nur Gott.« Dann fügte er mit einem hoffnungsvollen Ausdruck hinzu: »Gott wird Bushs Armee aufhalten.«

Ich verabschiedete mich von Mujad und ging weg. Ich sah ein Paar junger Männer. Einer von ihnen, der ein Keffijeh-Tuch wie eine Maske über dem Gesicht trug und eine Kalaschnikow hatte, sah mich an und sagte auf Englisch: »Willkommen.« Ich winkte, um seinen Gruß zu erwidern, und ging weiter. Sein Freund lief mir nach und hielt mich an. Er zeigte auf meine Gesäßtasche, in der mein offenes Notizbuch steckte. Er zeigte auf den Himmel und auf den schlammigen Regen. Ich verstand: Er wollte mir mitteilen, dass meine Notizen bei dem Regen ganz verschmiert wurden. Ich dankte ihm, und er sagte: »*Afwan*«, was ungefähr so viel heißt wie: »Keine Ursache«.

Am Abend hatte Mohammed Said al-Sahaf, der Informationsminister, seinen ersten Auftritt, denn von nun an sollte er täglich vor der Presse erscheinen. Sahaf war ein kleiner, korpulenter Mann Mitte sechzig, der großen Wert auf sein Äußeres legte. Er trug eine große Brille, sein Haar war pechschwarz gefärbt, und sein scharf geschnittenes Gesicht war fein säuberlich enthaart. Er hatte auch sehr buschige Augenbrauen und dicke, fast weibliche Lippen. Mit seiner Uniform, dem Barett und Pistolenhalfter sah Sahaf wie ein älterer Schauspieler aus, der eine Rolle spielte, die nicht zu ihm passte. Er sprach Englisch mit einem drolligen, leicht altmodischen britischen Akzent, aber er verfügte über einen reichhaltigen Wortschatz und hatte eine amüsante Vorliebe für dramatische Auftritte. Er genoss es, Amerikaner und Briten als »Schurken, Söldner und Kriegsverbrecher« zu bezeichnen. Gemeinsam mit seinem Stellvertreter Udai, der finster neben ihm stand, hob Sahaf etwas hoch, das wie eine Radkappe aussah, und verkündete, es handle sich um ein Teil von einer amerikanischen Rakete. »Wir haben sie abgeschossen«, prahlte er. Er erklärte, das sei eine der vielen Raketen, die im Laufe der Nacht auf das mittlerweile in Schutt und Asche liegende Gebäude der irakischen Rundfunk- und Fernsehgesellschaft abgefeuert worden waren. Dort – gleich neben dem Informationsministerium – hatte früher der Dichter Faruk Sallum gearbeitet.

Sahaf sprach verächtlich von den Bomben, die am Nachmittag in Al-Shaab eingeschlagen waren. Das dortige Blutbad, behauptete er, sei von Splitterbomben angerichtet worden, deren Einsatz beweise, dass die Briten und Amerikaner wegen ihrer Rückschläge im Krieg »hysterisch« geworden seien. Sie hätten es nicht einmal geschafft, Umm Kasr einzunehmen, die erste Hürde auf dem Weg in den Irak, krähte er. »Wir haben jetzt den siebten Tag der Invasion« – Sahaf kicherte – »und sie sind jetzt, bis jetzt, erst bei Dock Nummer 10 angelangt, nicht einmal in der Innenstadt. Sie sind in einer wirklich schlimmen Lage. Sie sitzen jetzt in der Falle. Wir werden sie ertränken, und warum auch nicht? Das ist eine Fallstudie und sollte an den Militärakademien gelehrt werden –« Sahaf wurde von dem Lärm explodierender Bomben in der Stadt unterbrochen. Die Lampen im Konferenzsaal flackerten kurz. Nach einer Pause fuhr er fort: »Gestern hörten wir diesen Gauner namens Rumsfeld. Er ist selbstverständlich ein Kriegsverbrecher und einer der schlimmsten amerikanischen Politiker. Er hat gesagt, die amerikanischen und britischen Söldner würden sich innerhalb des Irak verteidigen. Meinen Glückwunsch, Herr Gauner, dafür, dass Sie sich in unserem Land verteidigen! Wir werden Ihnen zeigen, was Verteidigung heißt.«

Der Turab hatte im Laufe der Nacht nachgelassen, und der nächste Tag, Donnerstag, der 27. März, war frisch und klar. Bagdad war immer noch von einer blassgelben Staubschicht bedeckt, aber hier und da waren die Menschen bereits herausgekommen, um sauber zu machen. Sie schütteten Eimer voller Wasser über ihre Autos, die Schaufenster und die Gehwege vor ihren Häusern. Die Saddam-Statuen, die über die ganze Stadt verstreut waren, blieben jedoch von Staub bedeckt; die Arbeiter, die man früher beim Putzen der neuen Bronzestatue gesehen hatte – Saddam auf einem Sockel in der Verkehrsinsel des Fardus-Platzes, gleich beim Hotel Palestine –, waren verschwunden. Einige Geschäfte in der Innenstadt hatten wieder geöffnet, und überall waren Autos und Menschen auf den Straßen. Die Geldwechsler, die während des größten Teils der letzten Woche die Stuben geschlossen hatten, tauchten ebenfalls wieder auf; der Dinar war gegenüber dem Dollar drastisch gefallen, von etwa 2500 auf 3000 Dinar für einen Dollar. Die Preise in den kleinen Läden an den Straßenecken waren gestiegen. Da die Mehrzahl der Ladenbesitzer und ihre Familien jedoch in Dörfer und Städte gezogen waren, beschränkte sich der Handel innerhalb Bagdads größtenteils auf Bauern, die auf dem Gehweg ihre Produkte verkauften. Männer standen hinter Haufen von frisch geernteten Zwiebeln, Kopfsalat, Roter Beete, Kartoffeln, Auberginen und Tomaten, die in kleinen Gemüsegärten auf leer stehenden Plätzen wuchsen sowie auf vereinzelten bebauten Feldern in der Stadt.

Im Irak gibt es keine klar umrissenen Grenzen zwischen Stadt und Land. Und im Herzen Bagdads, das riesig und weitläufig ist und eigentlich gar nicht »urban« im herkömmlichen Sinne, halten sich ländliche Lebensweisen außerhalb des Stadtzentrums immer noch hartnäckig. Nur einen Häuserblock vom Informationsministerium entfernt wird auf einer leer stehenden Fläche Gemüse angebaut, und nur ein paar Kilometer weiter stehen Obstgärten mit Dattelpalmen, teils sogar ziemlich große. Die Iraker sind sehr stolz auf ihre Datteln, von denen sie sagen, sie wären die besten und süßesten auf der ganzen Welt. Sie werden als Delikatessen in andere Länder im ganzen Nahen und Mittleren Osten exportiert. Nicht weit vom Palestine schreit irgendwo ein Esel mehrmals am Tag laut. In den frühen Morgenstunden habe ich Hähne krähen gehört.

Bagdad hat keine glitzernden Wolkenkratzer aus Glas und Stahl, wie sie in den vergangenen Jahrzehnten in den meisten Landeshauptstädten aus dem Boden geschossen sind. In der Saddam-Ära wurde alles »Moderne« aus Stahlbeton gestaltet, und abgesehen von ein paar 10- oder 20-stöckigen Ministerien und Hotels wie dem Palestine und dem Sheraton, besteht der größte Teil der Stadt aus niedrigen Einfamilienhäusern und gedrungenen drei- bis fünfstöckigen Mietshäusern. Die Mehrzahl der großen Bauten Bagdads – die beiden nicht fertig gestellten großen Moscheen und die grandiosen Paläste und Denkmäler für den Krieg und für Saddam – lagen auf dem Westufer des Tigris, und in der Woche zuvor waren etliche von ihnen in leer stehende Ruinen verwandelt worden. Viele zerbombte Gebäude waren in sich zusammengefallen, wobei Trümmer auf die Straßen geschleudert wurden, oder ihr Inneres war ausgehöhlt worden, doch die Grundstruktur war noch intakt. Das Al-Raschid war bislang verschont geblieben, doch direkt neben ihm war ein kleines Gebäude, dem Vernehmen nach ein Computerzentrum der Polizei, völlig dem Erdboden gleichgemacht worden. Die Betonplatten waren wie bei einem Sandwich aufeinander geschichtet. Auf der anderen Straßenseite war ein anderes großes Gebäude, in dem angeblich eine Abteilung des Muchabarat untergebracht war, ebenfalls getroffen worden. Eine Telefonzentrale neben dem Saddam-Turm war in der Nacht zuvor getroffen worden, und sämtliche Telefone im Westen der Stadt waren lahm gelegt. Die Zentrale war von Sprengköpfen ausgehöhlt worden, die durch das Dach eingedrungen waren. Mehrere Wohnblocks ganz in der Nähe waren so gut wie unversehrt; ihre Seiten waren leicht von dem Staub der Detonation besprenkelt, und ein paar Fensterscheiben fehlten. Mir fiel auf, dass die Menschen an diesen Orten immer noch vorbeigingen, als ob nichts passiert wäre. Sie stiegen um die neuen Trümmerhaufen herum, wie sie um einen Baum herumgehen würden, den ein Sturm geknickt hatte.

Die Menschen in Bagdad schienen sich auf die neue Situation eingestellt zu haben. Bislang waren hauptsächlich Gebäude bombardiert worden, die mit Saddam Hussein und seiner Macht in Verbindung gebracht wurden. Aber viele glaubten auch, dass der Angriff auf zivile Ziele in Al-Shaab einen ersten Vorgeschmack auf das, was noch kommen sollte, lieferte. Hinzu kamen die Berichte, dass die Invasion langsamer vorankomme, sowie das Wiederauftauchen Saddams und Tariq Asis' und ihre trotzigen Versprechen, die amerikanischen und britischen Invasoren blutig zu empfangen. Die Vermutung lag also nahe, dass es zu einer langwierigen Belagerung kommen würde.

Am Donnerstagnachmittag ging ich, zum zweiten Mal innerhalb von zwei Tagen, wieder zu dem kleinen »Pyramiden«-Laden und kaufte Lebensmittel ein. Diesmal kaufte ich langfristig lebenswichtige Dinge wie Nudeln und Zucker und Tomaten in Dosen und sogar ein paar Flaschen Wasser. Ich hatte mich allmählich darauf eingestellt, dass ich, wenn es zu einer längeren Belagerung Bagdads kam, möglicherweise mehrere Wochen oder sogar Monate festsitzen würde. Ich ging wieder zu Nabil, dem Physiotherapeuten, zu einer zweiten Behandlung. Danach schaute ich bei Ala Bashir vorbei, doch er war beschäftigt. Er hatte einen 24-stündigen Bereitschaftsdienst und schlug vor, dass ich später, am Abend, noch einmal käme, damit wir miteinander redeten.

Kurz nach meiner Rückkehr ins Palestine beobachtete ich in

der Ferne zwei starke Explosionen, in der Nähe von Saddams prächtigem Palast Al-Salaam – dem mit den vier riesigen Bronzebüsten von Saddam und dem Helm, der den Felsendom in Jerusalem darstellte. Der Palast war bereits zum Teil zerstört worden. Einige Minuten zuvor hatte ich Sabah in jene Richtung geschickt, um aus einem Restaurant in derselben Gegend, das noch geöffnet hatte, für uns das Mittagessen zu holen. Als er etwa eine Stunde später zurückkehrte, sagte er, er sei gerade in der Nähe des Palastes vorbeigefahren, als die Bomben einschlugen. Aufgrund der Erschütterung habe sich sein Wagen mehrere Zentimeter von der Straße gehoben. Wenig später sah Paul McGeough, der sich zu der Zeit in einem Raum auf der Südseite aufhielt, etwas, das wie eine wärmegelenkte Abwehrrakete aussah, die aus einem Gebäude ein paar Blocks weiter abgefeuert wurde und in den Himmel sauste. Vermutlich kreiste irgendwo dort oben ein Bomber, aber wir konnten ihn nicht sehen.

An diesem Abend war an einen Besuch bei Bashir nicht zu denken. Unzählige Bomben wurden abgeworfen, darunter eine, die spektakulär explodierte, als sie ein Gebäude in dem Präsidentenkomplex traf. Die Bomben folgten keinem erkennbaren Muster. Gelegentlich fielen nur eine oder zwei Bomben, gefolgt von einer langen Pause. Ein andermal kamen sie in Wellen. Doch mir fiel auf, dass ich jedes Mal, wenn das Bombardement einsetzte, ein Klagelied von männlichen Stimmen hörte, die tief und innig in einer nahen Moschee »Allahu Akbar« anstimmten, immer wieder in einem stetig anschwellenden Crescendo.

In dieser Nacht schlief kaum jemand richtig. Die Bomben gingen weiterhin auf die ganze Stadt nieder, bis kurz nach Sonnenaufgang, als eine gewaltige Detonation folgte, die alle Gebäude im Zentrum erschütterte, auch das Palestine. Eine Serie von über 2000 Kilogramm schweren bunkerbrechenden Bomben und Marschflugkörpern hatte mehrere Telekommunikationseinrichtungen Bagdads getroffen. Wir inspizierten die Telefonzentrale Al-Wija, etwa drei Blocks vom Hotel entfernt. Von der Vorderseite aus betrachtet wirkte das Gebäude unversehrt. Aber auf der Rückseite, wo es getroffen worden war, klaffte ein riesiges Loch. Mehrere Stockwerke waren freigelegt und das Innere auf die Straße geschleudert worden. Die Bombe war tief eingedrungen, hatte eine gut neun Meter tiefe Grube gebohrt und einen Schlackehaufen aus Mauerwerk und verbogenem Metall hinterlassen. Ein ständiges Klingeln, das mir bekannt vorkam, war aus dem Inneren zu hören. Es dauerte ein oder zwei Sekunden, bis ich darin das Tuten eines nicht aufgelegten Telefons erkannte, nur viel, viel lauter, als ob man bei Hunderten von Telefonen den Hörer abgenommen hätte.

Der irakische Minister für Transport und Kommunikation, Ahmed Murtasa Ahmed, kam, um den Schaden zu inspizieren. Er war sehr wütend und erklärte: »Wir werden bis zum Ende kämpfen. Wir werden sie für immer bekämpfen. Wir werden die amerikanischen Soldaten bekämpfen, wir werden die britischen Soldaten bekämpfen. Wir werden sie nicht in den Irak lassen. Wir werden bis zum letzten Blutstropfen kämpfen.«

Die Angriffe verwandelten Bagdad in eine Stadt, die mit jedem Tag weniger wohnlich wurde. Drei Nächte lang bombardierten die Amerikaner die Telekommunikationseinrichtungen von Bagdad, und zwar massiv. Manchmal kehrten sie ein zweites und drittes Mal zu Orten zurück, die sie bereits getroffen hatten. Binnen drei Tagen versagten so gut wie alle Telefone in Bagdad ihren Dienst. Zum Glück gab es noch Strom und fließend Wasser. Bei Nacht leuchteten in den Parklandschaften innerhalb des verwüsteten Präsidentenkomplexes weiterhin Hunderte von gelblichen Straßenlaternen. Da so gut wie alle Regierungsbehörden geschlossen waren, hatte man die Funktionen des irakischen Staatswesens auf das Allerwichtigste beschränkt: Verteidigung und Sicherheit. Bagdads Parkanlagen, leer stehende Plätze und

Mittelstreifen waren zu bewaffneten Biwaklagern geworden, in denen sich Tausende von Soldaten, Polizisten und Milizionären in Schutzlöchern und Gefechtsständen versammelten. Panzer und gepanzerte Transportfahrzeuge standen auf Verkehrsinseln, getarnt unter abgerissenen Ästen.

Das Hotel Palestine war jetzt zum öffentlichen Gesicht des Regimes geworden, zumindest von dem, was noch davon übrig war. So gut wie alle in Bagdad gebliebenen Westler waren hier oder in einem der beiden kleineren Hotels Al-Fanar (Patrick Dillons ehemalige Behausung) und Al-Andalus versammelt. Die Mehrheit davon waren Journalisten, aber es gab auch noch einige menschliche Schutzschilde und Friedensaktivisten, unter ihnen eine verloren wirkende Gestalt mit langen Rastalocken und gepiercten Ohren, die eine bestickte Jacke und schwarze kurdische Pantalons mit einem weiten, sackartigen Gesäßteil trug. Ich hörte, dass die beiden Türken, die sich vor Kriegsbeginn an die Bäume an der Abu-Nawas-Straße gekettet hatten, immer noch in der Stadt waren, aber ich sah sie nicht mehr an ihrem üblichen Posten. Ich nahm an, dass sie ihren Baumprotest aufgegeben hatten. Auf dem Fardus-Platz, an den Steinsäulen, die um die Verkehrsinsel mit der Saddam-Statue standen, hatten Mitglieder einer koreanischen feministischen Gruppe ein Banner aufgehängt, auf dem sie gegen sexuellen Missbrauch protestierten. Auch ein ansehnliches Kontingent japanischer Schutzschilde war vertreten. Sie verbrachten anscheinend einen ungewöhnlich großen Teil ihrer Zeit in der Eingangshalle des Palestine, wo sie sich gegenseitig fotografierten, oder marschierten mit Antikriegsbannern über den Parkplatz.

Rund ein Dutzend muslimische Dschihadisten – also Kämpfer für den heiligen Krieg – aus anderen arabischen Ländern waren ebenfalls bei uns eingezogen. Zum ersten Mal waren sie mir ein paar Tage zuvor aufgefallen, als ich den Aufzug des Palestine benutzte. Sie hatten andere Gesichtszüge als Iraker und Bärte und den glühenden Ausdruck wahrer Gläubiger. Sie trugen Kaftane und Kopftuch oder paramilitärische Kleidung und blieben unter sich. Sie waren nicht offen feindselig, doch ihre unerklärte Anwesenheit in unserer Mitte machte mich nervös. Ich holte Erkundigungen ein und fand heraus, dass die meisten Kollegen sie ebenfalls gesehen hatten und ähnlich beunruhigt waren. Als ich einen Aufpasser des Informationsministeriums nach den Dschihadisten fragte, bezeichnete er sie als harmlos. »Sie sind hierher gekommen, um beim Töten von amerikanischen Soldaten zu sterben, nicht von Journalisten«, versicherte er mir und tippte sich mit dem Finger an die Schläfe, um anzudeuten, dass er sie für verrückt hielt. »Glauben Sie mir, die Regierung wird sie nicht ein Haar eines Journalisten krümmen lassen, und momentan ist die Regierung stark. Machen Sie sich keine Sorgen, ich habe ein großes Gewehr bei mir im Zimmer.« Er lachte.

Ich fühlte mich überhaupt nicht beruhigt, vor allem seit dem mysteriösen Verschwinden unserer Freunde Matthew, Moises und Molly am Montagabend. Am Ende hatte man sie wohl doch nicht in einen Bus nach Syrien gesetzt, noch waren sie irgendwo wieder aufgetaucht. Die Iraker stritten weiterhin ab, irgendetwas über sie zu wissen. Wir machten uns allmählich ernste Sorgen um ihre Sicherheit. Unter der Führung Larry Kaplows vom Cox News Service trafen sich einige von uns, um Informationen auszutauschen und sie an Leute außerhalb des Irak weiterzuleiten, von denen wir uns Hilfe erhofften. Wir erfuhren, dass man Kontakt zum Internationalen Roten Kreuz aufgenommen und Hilfegesuche an Menschen gerichtet hatte, die in der Vergangenheit gute Beziehungen zu Saddam hatten und als Vermittler fungieren konnten. Unter ihnen waren Ramsey Clark, der ehemalige britische Labour-Abgeordnete Tony Benn, der sich kurz vor Kriegsausbruch mit Saddam getroffen hatte, und der umstrittene schottische Abgeordnete George Galloway, der seit langem eine enge Beziehung zum irakischen Regime pflegte. Außerdem hielten wir über Telefon und E-Mail regelmäßig und diskret Kontakt zu Joel Simon vom Committee to Protect Journalists in New York, der versuchte, die Bemühungen zu koordinieren.

Die Friedensgruppe Voices in the Wilderness, die von Kathy Kelly angeführt wurde, war ins Al-Fanar eingezogen. Sie hatten von einem oberen Stockwerk aus ein langes weißes Banner aufgehängt, auf dem auf Englisch stand: LIFE IS SACRED. Von einigen Balkonen hatten sie auch Aufnahmen irakischer Kinder in Postergröße aufgehängt. Kelly und ihre Mitstreiter führten so genannte Friedenspatrouillen durch, suchten Krankenhäuser und Einschlagstellen auf und statteten Zivilisten, die in betroffenen Vierteln lebten, Besuche ab. Ich erfuhr von einem ihrer Anhänger, dass auch sie mittlerweile der Kontrolle von Kussai Husseins Sicherheitsapparat unterstanden und Schwierigkeiten hatten. Ihr Aufenthaltsrecht wurde in Frage gestellt, und ihre Bewegungsfreiheit in der ganzen Stadt war eingeschränkt worden. Kelly hatte man mitgeteilt, dass sie »zu viele Menschen« in Bagdad habe, dass ihre Gruppe verkleinert werden müsse. Es hatte den Anschein, dass mittlerweile auch sie misstrauisch beäugt wurde.

Am neunten Kriegstag fielen einige Bomben, aber planlos und überwiegend am Stadtrand. Prompt herrschte für kurze Zeit wieder der Anschein der Normalität auf den Straßen. Einige Menschen kamen aus den Häusern und gingen einkaufen, und ein paar Geschäfte hatten wieder geöffnet, doch überwiegend lief der Handel immer noch über Straßenverkäufer. An der Sadunstraße waren Kerosinlampen sowie Plastikkanister für Wasser und Benzin die am häufigsten angebotenen Waren.

Am späten Nachmittag machte ich mit Paul und John Burns eine kleine Fahrt. Ein paar Menschen waren noch auf der Straße, kauften von den Standinhabern rings um den Al-Tahrir-Platz Brot und Eier und Gemüse für ihre Familien. Auf einem staubigen Parkstreifen spielte eine Gruppe Jugendlicher Fußball, und ein Mann putzte Schuhe. Ein paar Läden, die gebrauchte Militäruniformen verkauften, schlossen gerade. Bei Sonnenuntergang hielten wir an einem alten Kaffeehaus in der Al-Raschid-Straße im alten jüdischen Viertel. Es war voller alter Männer, die Domino spielten und Narghile (Wasserpfeifen) rauchten. Einige sahen auf das Fernsehgerät, das Bilder von irakischen Zivilisten und Soldaten im ganzen Land zeigte, die tanzten und Waffen schwangen und dabei Loblieder auf Saddam Hussein sangen und Parolen gegen George W. Bush skandierten. In dem Café herrschte eine ruhige, besinnliche Atmosphäre. Abgesehen von den Fernsehbildern hätte man fast meinen können, es sei gar kein Krieg.

Gegen 21 Uhr, nach dem Abendessen in einem der beiden Bagdader Restaurants, die noch geöffnet waren, kam uns zu Ohren, dass eine Bombe angeblich viele Zivilisten getötet hätte. Wir fuhren eilig zu dem Ort, der am Nordrand von Bagdad lag. Etwa 20 Minuten später trafen wir beim Al-Nur-Generalkrankenhaus in dem Vorort Al-Shulla ein, wo uns der Direktor Dr. Haq Ismael Rasuki in seinem Dienstzimmer empfing und mitteilte, dass ein Kampfflugzeug einen nur ein paar hundert Meter entfernten Marktplatz getroffen hatte. Rasuki war höflich, aber zornig; er sagte uns, seiner Ansicht nach sei der Angriff absichtlich erfolgt. Die Bombe war vor einigen Stunden eingeschlagen, zu der Zeit, als die Menschen für ihre abendlichen Einkäufe auf der Straße waren. 35 tote und 47 verwundete Menschen habe man in sein Hospital gebracht, sagte er, aber noch mehr seien anderswo hingebracht worden. (Die endgültige Todeszahl lag bei 62.) Rasukis Assistent führte uns in das Hospital, durch Korridore voller Menschen – Soldaten, Angehörige – und hinaus in einen Garten. Dort gingen wir an einem Mann vorbei, der das Gesicht zur Wand gedreht hatte. Er schluchzte laut und gramgebeugt in die verschränkten Arme. Wir gingen weiter. Einige Augenblicke danach lief er uns, immer noch schluchzend, nach, dann rannte er schneller und überholte uns.

Wir kamen zu einer Aluminiumhütte. Der weinende Mann war da, mit einigen anderen Männern. Sie standen bei einem jungen Bediensteten, der einen schmutzigen Krankenhauskittel trug. Der Bedienstete öffnete die Tür, und ein kalter Luftzug strömte herein. Es war das Leichenschauhaus. Der weinende Mann stürzte hinein und heulte untröstlich, doch ein anderer Mann, wohl ein Freund, zog ihn wieder zurück und weg von der Tür. Im Innern konnte ich vier Tote sehen. Ihre Körper waren zerfetzt und bluteten, ihre Haltungen verkrampft, die Kleider zerrissen und schmutzig. Auf dem Fußboden sah ich Blutspuren. Einige Schwestern tauchten auf: ältere Frauen mit weißen Kopftüchern, und sie fingen leise an zu klagen.

Ein Toter wurde auf eine Metallbahre gelegt und hinausgetragen. Andere Männer trugen einen einfachen Holzsarg und legten den Toten hinein. Mehrere Männer brachen in Tränen aus und fassten sich an den Kopf, als das geschah, und riefen immer wieder den Namen des Toten: Hajdar. Sie setzten den Deckel auf den Sarg und hoben ihn auf ihre Schultern. Als sie losgingen, fingen alle an zu singen: »La-Illaha-Ila-Allah« – »Es gibt nur einen Gott«. Der Bedienstete des Leichenhauses kam und stellte sich neben mich, und mich würgte es von dem Gestank, der von ihm ausging – nach totem Fleisch.

Am Ende der Straße, in der Moschee, wo die Verwandten ihre Toten für die Waschung und die Gebete hinbrachten, standen die Menschen still umher. Männer rauchten oder starrten einfach vor sich hin. Niemand sagte viel. Ein schwarzes Banner an der Innenwand war anschaulich illustriert mit dem abgeschlagenen und blutenden Kopf von Imam Hussein, dem großen Märtyrer des schiitischen Glaubens. Ich folgte einem Sarg, der herausgebracht wurde. Die Träger sangen immer noch, wie zuvor im Krankenhaus, ihr Lobpreis Gottes. Auf einem freien

Platz direkt vor der Moschee setzten sie den Sarg ab und beteten zusammen. Rote Leuchtspurgeschosse von einem Flakgeschütz schossen in den Himmel über uns.

Ich verließ sie und ging die Straße entlang zu dem kümmerlichen kleinen Marktplatz, wo die Bombe eingeschlagen war. Ich entdeckte den winzigen Krater, nur ein Meter im Durchmesser, am Rand eines kleinen Platzes, der auf zwei Seiten von winzigen Marktständen umgeben war. Die Stände sahen wüst aus, ihre Blechdächer waren zerrissen, und aus einer gebrochenen Wasserleitung floss Wasser, das einen immer größer werdenden Tümpel bildete. Ich konnte eine Frau im Innern eines Hauses auf der anderen Seite der schmalen Straße, die von dem Marktplatz wegführte, weinen hören. Schon bald fingen auch andere Menschen zu weinen an, unterdessen steigerte sich das Weinen der Frau zu einem Kreischen.

KAPITEL ACHT

Eines Morgens Ende März sah ich Saddam Hussein. Zumindest glaubte ich, ihn zu sehen. Das Informationsministerium hatte uns mit dem Bus nach Adhamijah gebracht, ein altes sunnitisches Viertel, das an einer Schleife des Tigris im Nordwesten Bagdads liegt. Über Nacht hatten mehrere Raketen das örtliche Fernmeldeamt zerstört und dabei ein nahe gelegenes Haus dem Erdboden gleichgemacht. Ein ganzes Wohngebäude und mehrere kleine Behausungen neben dem Fernmeldeamt waren ebenfalls stark beschädigt worden. Inmitten des Trümmerbergs, der einst sein Haus gewesen war, saß ein älterer Mann auf einem Stuhl und beklagte sein Unglück. Er gab George W. Bush die Schuld. Die Presseleute standen beflissen um ihn herum, notierten seine Bemerkungen und fotografierten ihn.

Ich entfernte mich von dem zerstörten Haus und trat an den Rand der breiten Straße, die daran vorbeiführte. Eine Reihe Schatten spendender Bäume war auf dem Mittelstreifen angepflanzt worden, und ein paar Leute gingen oder fuhren vorbei. Ich sah, dass ein paar Geschäfte geöffnet hatten. Es war ein freundlicher sonniger Morgen, wenn auch ein wenig frisch, und abgesehen von den verwüsteten Gebäuden hinter mir schien ein ganz normaler Tag zu beginnen. Ich versuchte, die Straße zu überqueren, doch zu viele Autos fuhren vorbei. Ich wartete auf eine Lücke. Ein olivgrüner Nissan-Patrol-Geländewagen, die Heckscheiben mit grauen Vorhängen verhüllt, rollte langsam heran. Vorn saßen zwei Männer. Die Scheibe auf der Beifahrerseite, die sich direkt neben mir befand, war weit heruntergekurbelt. Der Beifahrer war ein Mann mit kurzen Haaren und Schnurrbart. Er sah aus wie ein Sicherheitsbeamter. Aber er schaute mich nicht an, sondern konzentrierte sich ganz auf den Fahrer. Dessen Gesicht erregte meine Aufmerksamkeit. Er war ein hoch gewachsener Mann, trug ein rotweiß kariertes Keffijeh-Tuch locker um den Kopf geschlungen, wie es die Beduinen tun, und begutachtete die Zerstörung hinter mir. Er lachte, was ziemlich befremdlich wirkte. Und er sah Saddam zum Verwechseln ähnlich. Er war im selben Alter wie Saddam, hatte dasselbe breite Lachen, denselben Schnurrbart und dieselben Wangenknochen. Noch während ich diese Einzelheiten aufnahm, war der Geländewagen schon vorbeigefahren und verschwand langsam aus meiner Sicht. Ich war völlig von den Socken, und als ich die Straße überquerte, fühlte ich mich wie benommen. Ich überlegte, ob ich tatsächlich gerade Saddam Hussein gesehen hatte, und im selben Moment verwarf ich den Gedanken als lächerlich. Doch so recht konnte ich mich von der Vorstellung nicht lösen, denn nach allem, was ich über ihn gehört hatte, war es durchaus Saddams Art, während des Krieges mit dem Auto durch Bagdad zu fahren. Man wusste, dass er gern selber fuhr, alle möglichen gewöhnlich aussehenden Autos verwendete und sich als normaler Bürger verkleidete. Er überraschte die Iraker besonders gern auf der Straße, indem er plötzlich mitten unter ihnen auftauchte. Später erzählte ich meine Geschichte Ala Bashir und mehreren anderen Irakern, die ich kannte, und alle hielten es für wahrscheinlich, dass der Mann, den ich gesehen hatte, Saddam Hussein gewesen war.

Irgendwann im Laufe der Nacht vom Freitag, dem 28. März, gelang es den Amerikanern schließlich, das Informationsministerium zu zerstören. Die Sprengköpfe, die in die oberen Stockwerke eindrangen, zertrümmerten die Satellitenschüsseln und Antennen auf dem Dach, zerstörten die meisten Fenster und verwüsteten einen Großteil des Gebäudeinneren. Auch in den umliegenden Häusern gingen viele Fensterscheiben kaputt. Diese

Bombardierung war angekündigt worden, und die Beamten des Ministeriums hatten sich auf den Augenblick vorbereitet. Als jemand Mohammed al-Sahaf am nächsten Tag fragte, wie sein Ministerium weiterhin funktionieren würde, hörte ich ihn antworten: »*Sie* sind doch das Informationsministerium.«

Sahaf war an jenem Tag guter Laune. Er beschrieb die Amerikaner und Briten als »die neuen condottieri« der Welt und sagte: »Sie kommen und töten Ihre Familie, aber am nächsten Tag nehmen sie an der Beerdigung teil, bekunden ihr Beileid und versichern: ›Wir werden Ihnen helfen.‹« Inzwischen, so fuhr er fort, habe »der patriotische irakische Widerstand« so viele feindliche Soldaten getötet, dass die irakische Regierung ihre Streitkräfte angewiesen habe, »alle getöteten Amerikaner und Briten gemäß den Geboten ihrer Religion auf dem Schlachtfeld zu begraben. Wir können ihre Leichen nicht offen herumliegen lassen oder ins Leichenschauhaus bringen.« Sahafs Gesichtsausdruck verriet morbide Freude.

Später verkündete Udai al-Taiee, wegen der Bombardierung des Ministeriums werde das Palestine künftig offiziell als Pressezentrum dienen. Zusätzlich werde das Sheraton den Journalisten zugänglich gemacht, die dort wohnen wollten, sagte er. Dann legte er neue Regeln fest: Nur in diesen beiden Hotels durften Journalisten überhaupt Quartier beziehen. Von den Zimmern aus durfte jedoch weder gefilmt noch fotografiert werden. Für diesen Zweck stand ein Bereich des Flachdachs auf einem der unteren Stockwerke des Palestine zur Verfügung. Bereits am nächsten Morgen mussten alle Journalisten neue Presseausweise beantragen, alle Fahrer und Aufpasser mussten vom Ministerium neu im Amt bestätigt werden. Bevor wir jedoch akkreditiert werden konnten, hatten wir unsere aufgelaufenen Rechnungen für die »Dienste des Ministeriums« vollständig zu bezahlen. Al-Taiee sagte etwas über die durch den Krieg bedingte Notwendigkeit, eine Art »Kontrolle« über die Verwendung der Satellitentelefone auszuüben. Aber er beließ es bei dieser wohl absichtlich unklaren Ankündigung. Er spielte auch mehrere Male auf mögliche »Ausweisungen« an. Ich hatte den Eindruck, er schaffe sich einen gewissen Spielraum, um Menschen des Landes zu verweisen, deren Anwesenheit die Sicherheitsbeamten irritierte. Wir hatten zwar gehört, dass sieben von Kellys Friedensaktivisten am frühen Morgen ausgewiesen worden waren, erfuhren aber nicht den Grund.

Al-Taiee erklärte uns, dass er eng mit den irakischen Militärbehörden zusammenarbeite, so dass wir an die Front fahren könnten. Vielleicht würde es in zwei Tagen Gruppenreisen mit dem Bus geben, sagte er. Niemand durfte jedoch Bagdad auf eigene Faust verlassen, und es war auch verboten, sich ohne Aufpasser innerhalb der Stadt zu bewegen – »nicht einmal, um essen zu gehen«, fügte er vorsorglich hinzu. Er betonte, dies sei zu unserer eigenen Sicherheit. Da sich die Stadt im Kriegszustand befinde, könne ein Journalist, der allein unterwegs sei, in bestimmten Stadtvierteln zum Beispiel irrtümlich für einen amerikanischen Piloten gehalten werden, und damit sei seine »physische Integrität gefährdet«. Jeder, der gegen diese Regeln verstoße, sagte al-Taiee, werde umgehend ausgewiesen.

Auch Vizepräsident Ramadan kam auf einen Schwatz vorbei. Er strotzte vor Selbstbewusstsein und sagte, der Irak würde den Krieg gewinnen. Er bestätigte die Nachricht, dass ein Selbstmordattentäter am Tag zuvor in Nadschaf vier amerikanische Soldaten mit sich in den Tod gerissen habe, und deutete an, dies sei möglicherweise erst der Anfang vieler solcher Aktionen. »Alle Mittel, dem Feind Einhalt zu gebieten, werden eingesetzt. Wenn sie das vermeiden wollen, sollen sie es doch tun! Warum sind sie in unserem Land? Wir pflegen gern gute Beziehungen, aber müssen wir uns wie Sklaven behandeln lassen?«

Ramadan verteidigte den Einsatz von Selbstmordattentätern, sagte aber, der Begriff »Selbstmord« gefalle ihm nicht. Er sagte, das klinge so »verzweifelt«. Er bevorzuge »Märtyrertum«, denn das bedeute, sein Leben für die Verteidigung seiner Landsleute und seiner Heimat zu geben. »Die arabische Geschichte lebt vom Märtyrertum; es ist eine Geisteshaltung und eine Glaubensfrage ... Die Menschen können im Augenblick nichts anderes tun, als sich selbst in Bomben zu verwandeln. Wenn die B-52-Bomber genug Bomben mit sich führen können, um 500 Menschen zu töten, dann bin ich fest davon überzeugt, dass unsere Freiheitskämpfer 5000 Menschen töten werden.« Ramadan bestätigte auch, dass viele »freiwillige Märtyrer« aus anderen arabischen Ländern in den Irak gekommen waren. Dazu gehörten sicher auch die Typen, die im Palestine herumlungerten, dachte ich.

An jenem Abend schien Sabah ungewohnt gut gelaunt, sogar richtig aufgekratzt zu sein. Er hatte Sahafs und Ramadans Fernsehauftritte verfolgt und glaubte offensichtlich alles, was sie gesagt hatten. Er begann, mich mit seinen eigenen Versionen von Geschichten über angebliche irakische Siege auf dem Schlachtfeld zu unterhalten: Hier explodierte ein amerikanischer Panzer, dort ging eine F-16 nieder. Er grinste zuversichtlich und meinte: »Vielleicht kommt Bush letzten Endes doch nicht nach Bagdad.« Ich fragte ihn, weshalb er das annahm. »Weil die Iraker stark sind«, sagte er, verlieh seiner Stimme einen tiefen Bariton und trommelte sich beherzt auf die Brust. Sabah lachte dabei, doch seine Stimme verriet Stolz. Seine Reaktion war verständlich. Iraker zu sein und in Bagdad zu leben muss zu jenem Zeitpunkt eine sehr demütigende Erfahrung gewesen sein. Sabah glaubte, immer noch wählen zu können – zwischen dem sicheren Leben, das er ungeachtet seines abgrundtiefen Hasses unter Saddams Herrschaft geführt hatte, und dem unbekannten neuen Leben, das die Amerikaner mit ihren schrecklichen Bomben brachten – und er zog instinktiv den Teufel vor, den er kannte.

Nach der Ankündigung, dass das Sheraton nicht länger zum Sperrgebiet gehörte, ergriffen Paul McGeough und ich die Gelegenheit, uns dort einzuquartieren. Am Sonntag, dem 30. März, buchten wir eine geräumige Zwei-Zimmer-Suite im zwölften Stock, zogen mit Sack und Pack über die Straße (und behielten für alle Fälle die Schlüssel für unsere Zimmer im Palestine). Das Sheraton steht dem Palestine direkt gegenüber, und unser Zimmer bot einen traumhaften Blick auf den Tigris und über den gesamten Komplex mit dem Park und den ausgebombten Palästen.

Das Hotel war ein 18 Stockwerke hohes braunes Betongebäude ohne jeden Charme, das im typischen Stil der frühen 80er Jahre mit einem zentralen Innenhof, braun getönten Plexiglasscheiben und knollenartigen Glasaufzügen errichtet worden war. Die Inneneinrichtung der Zimmer sollte an das alte Mesopotamien erinnern: eingerahmte Fragmente alter Kelims hingen an den Wänden, gemusterte Teppiche und Bettbezüge zitierten antike sumerische Vorbilder. Die Zimmer verfügten über Balkone mit durchbrochenen Holzblenden, die offenbar die hängenden Balkone des alten Bagdad nachahmen sollten. Doch das Hotel wirkte ausgehöhlt und seelenlos und hatte trotz seines angesehenen Namens schon vor Jahren die meisten seiner Gäste verloren.

Am Sonntagabend flogen amerikanische Bomber unerwartet heftige Angriffe auf den Palastkomplex und trafen ihn mindestens dreimal. Wenige Minuten später bombardierten sie zwei weitere Ziele in der Stadtmitte, nur sechs oder sieben Blocks von uns entfernt. Die Bomben explodierten in riesigen Feuerbällen, deren schwarzer Rauch sich in den Himmel erhob. Das Sheraton wurde wie von einem Erdbeben erschüttert, seine Fensterscheiben vibrierten, zersplitterten aber nicht.

Am nächsten Morgen wachte ich auf und genoss meinen neuen Ausblick vom Balkon. Es war wieder ein schöner Frühlingstag, und das Wasser des Tigris funkelte in der Sonne, während es gemächlich im sanften Bogen nach Südwesten floss. Ich stellte neue Schäden am Kuppeldach des Präsidentenpalastes auf der anderen Seite des Flusses fest. Es sah aus, als sei das Flachdach um die Kuppeln herum mit Trümmern übersät. Ich zählte 13 brennende Ölquellen, die an verschiedenen Punkten im Westen und Süden riesige Wolken schwarzen Rauchs in den Himmel stießen; hinter mir, auf der anderen Seite des Gebäudes, waren es mindestens genauso viele. Während ich noch aus dem Fenster sah, hörte ich ein lautes Dröhnen, einen grauenhaften Knall und sah, einen knappen Kilometer entfernt, eine Explosion im Palastkomplex, das kurze Auflodern einer Flamme und eine riesige Säule grauen Rauchs. Ein oder zwei Minuten später wiederholte sich das Ganze, und ein zweiter Knall ertönte, der wie ein Gnadenstoß klang. Dann hörte ich ein ratterndes Geräusch und blickte hinunter. Ein Mann mit einem Eselskarren, voll beladen mit Kanistern, klapperte direkt unter mir die Abu-Nawas-Straße entlang.

Später an diesem Montag, dem letzten Tag im März, besuchte ich Dr. Osama Saleh. Er war orthopädischer Chirurg und Leiter des Al-Kindi-Hospitals in Bagdad. Ich hatte ihn ein paar Tage zuvor kennen gelernt, als ich nach dem Bombenangriff auf Al-Shaab einige Verwundete in seiner Klinik besuchte. Saleh sprach nur gebrochen Englisch, aber wir konnten uns auf Spanisch unterhalten. Saleh hatte in den 80er Jahren in Kuba studiert und war ein Schüler des berühmten kubanischen Chirurgen Dr. Rodrigo Álvarez Cambras gewesen, den ich zufällig einige Jahre zuvor in Havanna kennen gelernt hatte. Álvarez Cambras, ein Veteran der kubanischen Revolution und Freund Fidel Castros, hatte mir erzählt, dass er Saddam Hussein wegen verschiedener, der Öffentlichkeit nicht bekannter Krankheiten jahrelang behandelt habe. Er hatte sich nach dem Attentat von 1995 auch um den gelähmten Udai Hussein gekümmert, sagte er und rühmte sich, dass er Saddams Sohn wieder auf die Beine geholfen hatte.

Saleh war ein hoch gewachsener, kräftiger Mann von 48 Jahren mit schütter werdendem Haar und professionellem Auftreten. Über seinem Anzug trug er einen weißen Arztkittel. Ich erklärte ihm, dass ich gern wissen wollte, wie er Kriegsopfer behandele. Als er mich durch die langen Gänge der Klinik zu seinem Büro führte, zündete er sich eine Zigarette an und blies den Rauch in die Luft. Vor einigen Zimmern hockten Frauen in traditionellen schwarzen Abajas auf dem Boden. Die Flure waren überfüllt von Patienten, Schwestern und Besuchern. Wir begegneten drei europäischen Ärzten von Medicus du Monde, die ebenfalls rauchten.

Als wir Salehs Büro erreichten, warteten dort mehrere irakische Frauen in Abajas auf ihn. Er begrüßte sie und bat mich, auf einem Stuhl Platz zu nehmen. Dann griff er nach der Röntgenaufnahme einer seiner Patientinnen und forderte die Frau auf, sich auf ein Bett zu setzen, das im selben Zimmer stand. Eine Schwester brachte einen Paravent und stellte ihn vor das Bett der Patientin, um ihre Intimsphäre zu wahren. Saleh untersuchte sie rasch, und als er fertig war, wandte er sich wieder mir zu. Ohne Umschweife bat er mich, einige Fotografien anzusehen, die seine Assistentin, eine junge Frau, auf ihrem Monitor zeigte.

Auf dem ersten Bild war ein Junge zu sehen, der nackt auf einem Bett im Operationssaal der Notaufnahme lag. Die Beine des Kindes waren unverletzt, aber ein Katheter und ein Schlauch waren mit seinem Penis verbunden. Sein Oberkörper war völlig schwarz, und seine beiden Arme waren verbrannt. Ungefähr ab der Höhe der Oberarme sah das Fleisch verkohlt aus, schwarze groteske Gebilde, eine Hand war verdreht und zu einer Klaue verformt, am anderen, viel kürzeren Arm schien die Hand unterhalb des Ellbogens abgebrannt zu sein, denn es stachen bloß zwei lange Knochen hervor, die aussahen, als seien sie gegrillt worden. Das Gesicht des Kindes war mit einer Maske bedeckt. Saleh sagte: »Das ist Ali, er ist zwölf. Er wurde bei einem Raketenangriff verwundet. Er verlor seine Mutter, seinen Vater und einen seiner Brüder. Das geschah vorletzte Nacht im südöstlichen Teil Bagdads, ungefähr 15 Minuten von hier entfernt. Vier Häuser wurden zerstört; in einem starb die ganze Familie – acht Personen. Insgesamt kamen vier Familien um.«

Es war schwer zu glauben, dass das Wesen auf der Fotografie überlebt hatte. Ich fragte Saleh, ob der Junge noch am Leben sei. Ohne mit der Wimper zu zucken, sagte er leise: »O ja, er lebt. Er ist bei Bewusstsein, aber ich glaube nicht, dass er durchkommt. Nach drei bis vier Tagen stellen sich bei Patienten mit solchen Brandverletzungen Komplikationen ein; dann bekommen sie für gewöhnlich eine Blutvergiftung.« Seine Assistentin zeigte weitere Aufnahmen. Wieder war Ali zu sehen, auf demselben Bett und in derselben Position wie zuvor, doch dieses Mal ohne seine verkohlten Stümpfe. Beide Arme waren amputiert und die Stümpfe weiß bandagiert worden. Seinen geschwärzten Oberkörper hatte man mit einer Art durchsichtiger Salbe eingerieben. Ich sah sein schlafendes Gesicht – die Maske war entfernt worden. Es war schön. Auf einem anderen Bild war Ali wach und starrte in die Kamera. Er hatte wunderschöne haselnussbraune Augen, die jedoch völlig ausdruckslos waren.

Salehs Assistentin holte tief Luft, hielt sich eine Hand vor den Mund und ließ eine Reihe von Bildern durchlaufen, die Alis Familie zeigten, nachdem sie aus ihrem Haus geholt und in das Leichenschauhaus der Klinik gebracht worden war. Ich konnte mir kaum vorstellen, dass es sich um menschliche Wesen handelte. An den verstümmelten Leichen erkannte ich bunte, gemusterte Kleidung – viel auffallendes Rot und Grün –, ab und zu hing sogar Stroh daran, woraus ich schloss, dass es Bauern gewesen waren, die ihre traditionelle Kleidung trugen. Saleh bestätigte diese Vermutung und deutete auf Alis Mutter. Ihr Gesicht war wie von einem riesigen Beil gespalten worden. Ihr Mund stand offen. Auf anderen Bildern, die Saleh zufolge die Leichen von Alis Vater und seinem jüngeren Bruder zeigten, erkannte ich lediglich ein makabres Durcheinander menschlicher Gliedmaßen, die eine verkohlte Masse aus Rot und Schwarz bildeten. Der Körper seines Bruders war unversehrt, doch der Kopf fehlte, er war einfach abgetrennt wie der Kopf einer Gummipuppe. Die Zähne blitzten weiß, und der Mund war geöffnet wie bei einem Menschen, der einen Schrei ausstößt.

»Haben Sie genug gesehen?«, fragte mich die Assistentin. Da ich nichts erwiderte, zeigte sie mir noch mehr Aufnahmen. Einige Minuten später bemerkte Saleh: »Okay. Das ist aber nur ein Teil der Tragödie.« Er fragte mich, ob ich Ali sehen wolle.

Ich ging mit Saleh in die Abteilung für Verbrennungen. Ein paar Männer halfen uns, grüne Kittel anzuziehen, Mundschutz und Gaze-Haarnetz anzulegen und in Überzieher zu schlüpfen. Saleh sagte, ich solle ihm folgen, und wir gingen einen Flur hinunter. Hier herrschte absolute Ruhe. Der Flur erinnerte mich an einen Gefängnisgang. Kein einziges Bild, abgesehen von dem üblichen Saddam-Porträt, hing an der Wand. Saleh öffnete eine Tür, und wir betraten einen zellenartigen Raum, in dem eine ältere Frau, Alis Tante, auf einem Stuhl saß. Sie trug eine schwarze Abaja. In die Wand war ein winziges Fenster eingelassen, durch das ein wenig Sonnenlicht hereinkam. Die Tante saß neben einem Rollbett, über dem eine ringförmige Vorrichtung angebracht war. Über dem Bett lag eine raue graue Decke. Saleh zog die Decke behutsam zurück, und Ali blickte uns entgegen. Ich konnte seine nackte Brust, seine bandagierten Stümpfe und sein Gesicht sehen. Aus der Nähe entdeckte ich grüne Punkte in seinen großen haselnussbraunen Augen, er hatte außerdem lange Wimpern und gewelltes dunkles Haar. Er war ein hinreißender Junge. Ich wusste nicht, was ich sagen oder tun sollte. Saleh fragte Ali, wie er sich fühle. »In Ordnung«, sagte der Junge. Hatte er nicht furchtbare Schmerzen, fragte ich Saleh flüsternd auf Englisch. »Nein«, erwiderte er. »Patienten mit starken Verbrennungen haben keine so große Schmerzen, weil auch ihre Nerven zerstört sind.« Ich starrte Ali an, der Saleh und mich regungslos musterte. Seine Tante erhob sich und stellte sich an das Kopfende des Bettes. Auch sie sagte kein Wort.

Ich bat Saleh, Ali zu fragen, woran er gerade dachte. Ali sagte etwas, mit leiser jungenhafter Stimme. »Er denkt an gar nichts, und er erinnert sich an nichts«, übersetzte Saleh und erklärte mir, Ali wisse noch gar nicht, dass seine Familie tot war, weil niemand es ihm gesagt habe. Ich fragte Ali nach der Schule. Er besuche die sechste Klasse, sagte er, und sein Lieblingsfach sei Geografie. Als er zu sprechen begann, streichelte seine Tante seinen Kopf. Ich fragte ihn, ob er Sport mochte. Ja, erwiderte er, besonders Volleyball und natürlich Fußball. Benötigte er etwas? Nein, nichts. Dann sah er mich an und machte eine Bemerkung. Saleh übersetzte mir seine Worte nicht. Ich fragte ihn, was Ali gesagt hatte. Saleh erwiderte: »Bush ist ein Verbrecher, und er kämpft um das Öl.« Ali hatte das im gleichen emotionslosen Ton wie alles andere gesagt. Seine Tante fing leise zu weinen an, doch so, dass er es nicht sehen konnte. Ich fragte Ali, was er einmal werden wollte. »Offizier.« Daraufhin rief seine Tante: »Inschallah« – So Gott will –, und ich bemerkte, dass auch Dr. Saleh hinter seinem Mundschutz lautlos Tränen vergoss, sosehr er auch versuchte, sich zusammenzunehmen. Wir verabschiedeten uns rasch von Ali und verließen das Zimmer. Wir schwiegen beide, als wir den Flur entlanggingen und wieder den sterilen Raum betraten, wo uns die Helfer von Kitteln, Mundschutz und dergleichen befreiten. Saleh rieb sich die Augen und räusperte sich. Immer noch schweigend kehrten wir in sein Büro zurück, wo er sich über dem Waschbecken das Gesicht wusch. Dann holte er tief Luft.

Ich sagte: »Es stimmt also nicht, dass Ärzte ihre Gefühle unterdrücken können.«

Er sah mich an. Seine Augen waren gerötet. Dann sagte er: »Wir sind auch nur Menschen.«

Ein paar Minuten unterhielten wir uns noch über Ali. Saleh meinte, Ali wisse, dass er beide Arme verloren habe, aber er habe die Tatsache noch nicht akzeptiert, und bisher habe auch noch niemand mit ihm darüber gesprochen. »Aber er weiß es. Er ist sich dessen bewusst. Er kann die Stümpfe sehen. Aller Wahrscheinlichkeit nach«, fuhr Saleh fort, »wird Ali in drei Wochen tot sein. Ich gebe ihm eine Überlebenschance von 30 Prozent.«

Ich erkundigte mich bei Saleh nach anderen Kriegsopfern. Er erklärte mir, das Al-Kindi-Hospital im Osten von Bagdad habe seit Kriegsbeginn ungefähr 300 durch Bombenangriffe verletzte Patienten aufgenommen. Bisher sei es ihm und seinen Kollegen gelungen, alle Patienten zu retten. Ungefähr 20 Menschen waren bereits tot, als sie eingeliefert wurden. Ich fragte Saleh, was er bei alldem empfand. Er seufzte: »Nun, als Mediziner fühle ich mich sehr schlecht. Ehrlich gesagt finde ich es unmenschlich, Zivilisten anzugreifen. Ich mag den Krieg nicht. Krieg bringt nur Tragödien, Angst, Schmerzen und psychologische Traumata. Ich persönlich bin der Meinung, dass wir Probleme in Diskussionen, Verhandlungen und Zusammenarbeit lösen können, und wenn einer das Militär einsetzt, dann heißt das, er hat sein Gehirn ausgeschaltet. Und wenn einer sein Gehirn ausschaltet, verwandelt er sich in einen Wilden – ohne Gesetze, ohne Regeln und ohne Kontrolle. Das Gehirn und der Verstand sollten immer über der Macht stehen, um sie zu kontrollieren. Andernfalls werden wir in einer Welt voller Tragödien und Schmerz enden. Als Iraker fühle ich mich mit meinem Land verbunden, und ich denke, ich sollte dazu beitragen, es zu bewahren und vor jeder – wie auch immer gearteten – Invasion zu schützen. Und ich meine, jeder andere würde diese Haltung einnehmen, wenn sein Land angegriffen und besetzt wird.«

Saleh war verheiratet, hatte drei Söhne und eine Tochter.

Seine Kinder waren noch klein, das älteste war zwölf, genauso alt wie Ali. Saleh gestand mir, dass er sich ständig um das Wohlergehen seiner Familie sorgte, wenn er von zu Hause fort war und in der Klinik viele Überstunden machen musste. Seit das zentrale Fernmeldeamt zerbombt war, konnte er nicht mehr zu Hause anrufen, um zu erfahren, wie es seiner Familie ging. Er warf mir einen flüchtigen Blick zu. Und er sah sehr besorgt aus.

In den letzten paar Tagen war aus allen Teilen des Irak eine Reihe von Stammesscheichs und Clan-Ältesten in Bagdad eingetroffen, um ihre Loyalität gegenüber Saddam Hussein zu bekunden. In ihre traditionellen Gewänder gekleidet, die Köpfe von lose geschlungenen Schals bedeckt, die mit dem Agaal, einem schwarzen Stirnband, befestigt waren, fuhren tagsüber Dutzende von ihnen in Minibussen hin und her oder versammelten sich in Gruppen vor dem Hotel Bagdad – einem alten, im Art-déco-Stil der 50er Jahre erbauten Haus, das ungefähr acht bis 10 Blocks vom Palestine und vom Sheraton entfernt lag. Ich hatte gehört, die Scheichs erhielten Geld und Waffen vom Saddam-Regime, das als Gegenleistung von ihnen erwartete, dass sie ihre Verwandten um sich scharten und die Amerikaner und Briten in ihren Heimatregionen bekämpften. Zu einer Zeit, da kaum noch Zivilisten auf Bagdads Straßen zu sehen waren und praktisch keine neuen Besucher mehr in die Stadt kamen, waren die Scheichs eine auffällige Erscheinung. Ich hatte mehrmals versucht, sie im Hotel zu treffen, wurde aber jedes Mal von Sicherheitsbeamten und Soldaten abgewiesen. Beim dritten Mal, am Dienstag, dem 1. April, konnte ich schließlich mit einigen Scheichs sprechen.

Ein neuer Aufpasser begleitete mich, ein gepflegter Mann namens Sami, den ich mir mit Paul McGeough teilte. Sami ging auf zwei Scheichs zu, Salman Amud Dschumeil vom Dschumeil-Stamm und Tschalil Salah al-Muschaki vom Muschaki-Stamm. Beide waren Mitte vierzig. Sie kamen aus Dijala, einer ländlichen

Gegend nahe der Grenze zum Iran und östlich von Bagdad. Sie waren mir gegenüber sichtlich misstrauisch, aber Sami erklärte ihnen, dass ich Journalist sei und die Erlaubnis hätte, mit ihnen zu reden. (Wir hielten uns an Udai al-Taiees neue Vorschriften und hatten eine schriftliche Genehmigung eingeholt, das Palestine verlassen zu dürfen, um mit den Scheichs zu reden.) Als er das hörte, begann Scheich Dschumeil, ein hoch gewachsener Mann mit üppigem Schnurrbart, zu sprechen. Er repräsentiere ungefähr 1000 Menschen, zumeist Bauern, erklärte er, und er sei nach Bagdad gereist, weil er sich dazu verpflichtet fühle. »Es ist meine Pflicht«, sagte er. »Die Pflicht aller Scheichs besteht darin, ihre Gebiete zu verteidigen.« Als ich ihn bat, mehr zu sagen, fügte Dschumeil hinzu: »Wir sind hier, um unsere Führung zu unterstützen, und wenn wir heimkehren, werden wir unsere Familien, unsere Leute auffordern, sich für den Kampf bereitzuhalten. Wir sagen Nein zu dem Krieg, der gegen unser Land geführt wird.«

Ich fragte Dschumeil, wen er in Bagdad zu treffen hoffe. Würde er Saddam Hussein treffen? Er wechselte einen Blick mit seinem Freund, Scheich Muschaki, und erwiderte: »Vielleicht treffen wir uns mit einem wichtigen Regierungsmitglied, um zu erklären, dass wir zum Kampf bereit sind.«

Andere Scheichs waren aufmerksam geworden, hatten uns zugehört und einen Kreis um uns gebildet. Einer von ihnen, ein vornehm aussehender dunkelhäutiger Mann in einem eleganten grünen Gewand mit einem weißen Kopfschal, mischte sich ein und bemerkte: »Wir sind hier, um unser Versprechen zu erneuern, für die Regierung zu kämpfen.« Dann fügte er noch hinzu: »Wenn die Amerikaner als Gäste kommen, werden wir sie willkommen heißen. Aber wenn sie kommen, um unser Land zu besetzen, dann werden wir sie töten. Sie haben gesehen, was geschieht, Sie haben hier bei uns gelebt.« Er deutete mit dem Kopf um uns herum, als zeige er auf die zerbombten Gebäude in ganz

Bagdad. »Niemand hat ihnen etwas getan, und trotzdem sind die Amerikaner hierher gekommen. Warum?« Er warf mir einen Blick zu, als stelle er keine rhetorische Frage, sondern sei ehrlich erstaunt. Bevor ich antworten konnte, ergriff Scheich Dschumeil erneut das Wort: »Sie haben die Luftangriffe auf unser Land erlebt. Diese Invasion hat dazu geführt, dass unser Volk erst recht antiamerikanisch eingestellt ist.«

Ein alter Scheich, der einen braunen Umhang mit Goldstickerei über seiner Dishdasha trug, fragte, ob ich Amerikaner sei. Als ich das bejahte, fragte er: »Warum hat Amerika den Irak angegriffen? Weil es Angst vor dem Irak hat oder wegen des Öls?« Alle Männer wandten mir ihre Köpfe zu, um meine Reaktion zu beobachten. Der alte Mann ließ mir keine Zeit zu antworten, sondern fragte weiter: »Sind die Amerikaner hier, um das irakische Volk zu befreien, wie sie behaupten, oder um es zu beherrschen?« Er lauerte begierig auf meine Antwort. Ich versuchte zu erklären, dass die Attentate vom 11. September die Sicherheitspolitik der Vereinigten Staaten verändert hätten und Präsident Bush und die Staatsoberhäupter anderer westlicher Länder offensichtlich glaubten, dass Saddam Husseins Regime ihnen feindlich gesinnt und potenziell gefährlich sei und dass es deshalb gestürzt werden müsse.

Alle Scheichs nickten, als ich den 11. September erwähnte, eine Übersetzung schien überflüssig zu sein. Bevor ich jedoch fortfahren konnte, erhob der alte Scheich Einwände: »Ich glaube, Amerika kommt einfach wegen des Öls und um Israel zu beschützen.« Alle Scheichs nickten zustimmend.

Scheich Muschaki schien ein wenig schüchtern zu sein. Dschumeil musste ihn erst dazu bewegen, mit mir zu sprechen. Dann sagte er, er sei Schiite, ein Anhänger des Imam Ali, und er stamme aus einem Dorf namens Kala in der Nähe der iranischen Grenze. Er wiederholte Dschumeils Erklärung über die Gründe, aus denen er nach Bagdad gekommen war – um die irakische

Führung zu treffen –, fügte jedoch hinzu, dass er sich als Muschaki-Führer außerdem mit den anderen Muschaki-Scheichs treffen würde, die von überall angereist waren. Die Muschakis seien über den ganzen Irak verstreut, erklärte er. Ich fragte ihn, ob er und die anderen Scheichs damit rechneten, dass man ihnen vor der Rückkehr in ihre Regionen Waffen für den Kampf übergeben würde. »Wir haben Waffen«, erwiderte er. »Also erwarten wir keine Gewehre, sondern Anweisungen, was zu tun ist.« Ich wollte wissen, was seiner Meinung nach geschehen würde. Muschaki gab eine zweideutige Antwort: »Wir rechnen nicht damit, dass Amerika dieses Problem schnell lösen wird, aber wir müssen uns auf jeden Fall zusammentun.« Ich deutete an, dass es in den meisten Kriegen einen Gewinner und einen Verlierer gebe. Welche Seite würde diesen Krieg gewinnen? Muschaki sagte: »Wir sind davon überzeugt, dass Amerika verlieren wird, da wir das Recht auf unserer Seite haben. Wir sind in unseren Häusern, auf unserem Land.« Ein anderer Mann mischte sich ein und sagte: »Jetzt hassen sogar die Kinder die Amerikaner. Das liegt daran, dass Zivilisten getötet werden. Das ist nicht richtig. Nicht einmal Gott billigt das. Warum also tun sie es?«

Ein Scheich, der sich als Hassan al-Daradschi aus Ramadi vorstellte, äußerte seine Meinung: »Ich bin der Anführer von 700 Menschen«, sagte er. Er deutete auf Dutzende Männer in Kaftanen, die in unserer Nähe standen, und erklärte mir, dass die anderen Scheichs genauso großen Clans vorstanden. »Wir haben unseren Präsidenten gewählt, das bedeutet, wir wollen ihn, warum also dringt Amerika in unser Land ein, um ihn zu stürzen? Wenn wir ihn stürzen wollen, können wir das selbst tun.«

Wie würde seiner Meinung nach der Krieg enden, fragte ich al-Daradschi.

»Das weiß nur Gott«, sagte er und blickte zum Himmel.

»Gott entscheidet, ob wir leben oder sterben. Er gibt uns die Seele und nimmt sie uns wieder.«

Ein junger Mann stellte sich neben mich. Er hatte ein kantiges Gesicht, war muskulös und barhäuptig. Er sagte, er heiße Mudschabel Sahel Awad al-Haladsch und sei der Sohn eines Scheichs. Er stammte aus dem Dorf Al-Hawidschah in der Nähe von Kirkuk. Mit lauter Stimme verkündete er: »Unser ganzes Dorf unterstützt Saddam Hussein, und wir sind bereit, den großen Irak zu verteidigen. Bush, Blair und Scharon sind in erster Linie an Israels Sicherheit interessiert, weil unser großer Führer Saddam Hussein Israel immer bedroht, und in zweiter Linie sind sie am Öl interessiert. Wir haben Präsident Saddam Hussein gewählt, wir lieben ihn und sind bereit, alles für ihn zu tun.«

Als er seine Rede beendet hatte, fragte ich al-Haladsch, wie es im Dorf Al-Hawidschah aussah: War es ruhig, oder wurde dort gekämpft? Er machte eine abschätzige Handbewegung. »Lediglich die Kurden sind eine Gefahr, aber wir kümmern uns nicht um sie.«

»Dann sind Sie also Araber?«

»Ja, ich bin Araber«, erwiderte al-Haladsch stolz.

Dann sagte er, dass er 25 sei, und äußerte die Absicht, amerikanische und britische Soldaten zu töten. »Wenn wir in Hawidschah irgendwelche amerikanische Soldaten erwischen, schneiden wir ihnen die Kehle durch«, was er mit einer entsprechenden Geste unterstrich, »und töten sie wie Schafe.«

»Wollen Sie keine Gefangenen machen?«

»Nein«, rief Haladsch. Seine Augen blitzten. »Wir schneiden ihnen einfach die Kehle durch«, was er mit derselben Geste, nur heftiger als zuvor, unterstrich, »und dann werfen wir sie den Hunden vor.« Mit einer Hand deutete er eine verächtliche Bewegung an, als werfe er einen abgetrennten Kopf einem Rudel hungriger Hunde zum Fraß vor.

In diesem Augenblick erschienen zwei brutal aussehende

Männer in Zivil und fragten, was wir hier täten. Sie waren unfreundlich und misstrauisch. Die Scheichs setzten sich in Bewegung. Sami meinte, wir sollten jetzt lieber gehen. Vor dem Hoteleingang kletterten viele Scheichs in ein paar wartende Minibusse, und ich vermutete, sie machten sich auf den Weg zur Audienz bei einer hochrangigen Persönlichkeit.

An jenem Abend trat Vizepräsident Ramadan zum dritten Mal seit Kriegsbeginn vor die Presse. Dieses Mal kritisierte er die Argumente, die Präsident Bush und Premierminister Blair vorbrachten, um die Invasion im Irak zu rechtfertigen. Ramadan sagte, wie so viele andere irakische Regierungsvertreter in den letzten Monaten, dass das Land keine illegalen Waffen mehr besitze. »Im ganzen Irak gibt es keine Massenvernichtungswaffen«, sagte er mit seiner sanften Stimme, »und es ist eine Schande, dass die Menschen, vor allem die Aggressoren, an dieser Lüge festhalten.« Er fürchte, sagte er, dass die Invasoren solche Waffen im Irak »deponieren« könnten, um ihre Behauptungen zu rechtfertigen.

Tapfer kam Ramadan auf den Krieg zu sprechen und warnte die amerikanischen und britischen Truppen, dass sie bisher lediglich gegen irakische Stammesangehörige und Milizionäre der Baath-Partei gekämpft hätten. Er erinnerte daran, dass sie erst noch auf die irakische Armee treffen müssten, und betonte, dass diese mit »modernster Ausrüstung« ausgestattet sei. Dann appellierte er an die Araber in anderen Ländern des Nahen Ostens: »Eure Brüder im Irak benötigen weder Lebensmittel noch Medizin. Lasst nicht zu, dass eure Regierung bloß eure Spenden einsammelt. Übt stattdessen lieber Druck auf die Regierungen aus, die mit den Aggressoren zusammenarbeiten, und schickt eure Freiwilligen als Märtyrer in den Irak.« Er sagte, dass bereits mehr als 6000 Freiwillige »an diesem ehrenhaften Kampf teilnehmen, und mehr als die Hälfte von ihnen am Märtyrertum. Über ihre Aktionen werden Sie in den nächsten Tagen unterrichtet.«

Ein Reporter fragte Ramadan, welche Pläne das irakische Regime für die 6000 freiwilligen Märtyrer habe. »Jeder wird seine Pflicht erfüllen und versuchen, so viele feindliche Soldaten wie möglich zu töten«, erklärte er. »Sie werden nach einem Plan organisiert, aber wir werden Ihnen keine Details verraten. Warten Sie ab und sehen Sie, was sie tun werden, wenn die feindlichen Streitkräfte unser Land besetzen wollen.«

Sabahs Freund, der Friseur Karim, hatte seinen kleinen Laden zu Beginn der Bombenangriffe geschlossen und dann am 1. April wieder geöffnet. An jenem Nachmittag gingen Sabah, Paul und ich zum Rasieren und Haareschneiden. Doch zuvor mussten wir bei Chadum, einem Muchabarat-Beamten des Ministeriums, die Erlaubnis dazu einholen. Nachdem er Sabah ausgiebig befragt hatte, wer der Friseur sei, wo er sein Geschäft habe und wie lange er ihn schon kannte, wandte er sich zu mir, lächelte knapp und sagte: »Sie dürfen gehen.« Als wir ankamen, war Karim gerade mit zwei älteren Kunden beschäftigt, die sich ihr Haar und ihren Schnurrbart schwarz nachfärben ließen. Die irakischen Männer legen sehr großen Wert auf ihr Aussehen und mögen keine grauen Haare. Ein Schnurrbart ist unerlässlich. Einer der Männer war schon fertig. Er stand herum und wartete, bis die schwarze Farbe in seinem Haar und in seinem Schnurrbart getrocknet war; der andere saß noch auf dem Frisierstuhl. Seiner Uniform nach war er ein Armeeoffizier. Er begrüßte uns auf Englisch: »Hello, hello«, und als er sich kurz darauf aus dem Stuhl erhob, grüßte er noch einmal. Er trug einen goldbeschlagenen Revolver im Halfter und sagte: »Der Irak braucht Frieden, nur Frieden.« Dann verabschiedete er sich und verließ mit seinem Freund den Laden.

Draußen auf der Straße richteten sich alle Blicke plötzlich

zum Himmel. Wir vernahmen das hohe rhythmische Dröhnen der B-52-Bomber. Wenige Augenblicke später hörte man mehrere laute Explosionen, das baufällige Haus auf der anderen Straßenseite geriet ins Wanken, und die mit Plastikfolie überzogenen Fenster wurden kräftig durchgerüttelt. (Später fanden wir heraus, dass im Präsidentenpalast-Komplex einer der Paläste schwer getroffen worden war, vermutlich der, in dem Saddams ältester Sohn Udai lebte.) Doch Karim ignorierte all das mit stoischer Miene, rasierte uns, schnitt uns die Haare und befreite nacheinander unsere Wangen, Ohren und Stirnen von überflüssigen Haaren. Ich hasste diesen Teil von Karims Behandlung, aber er bestand darauf, und ich fand es schwierig, ihn davon abzuhalten, denn er hätte das Gefühl gehabt, sein Werk nicht vollenden zu dürfen. An jenem Tag verpasste er mir einen extrem kurzen Haarschnitt – praktisch einen Bürstenschnitt –, wie ihn viele Iraker in den heißen Monaten zu tragen pflegen. Er freute sich sehr, dass ich das zuließ.

Auf dem Weg zu Karim waren wir am Al-Safir, meinem alten Hotel, vorbeigekommen, und ich bemerkte, dass man dort, wo die großen Erdgeschossfenster waren, eine Mauer aus Schlackenstein errichtet hatte. Nun fuhren wir über die Sadun-Straße zum Palestine zurück, und ich sah, dass fast alle Geschäfte ihre Schutzgitter aus Stahl fest verschlossen und auf die Fenster ein großes X gemalt hatten. Ein paar Blocks weiter entdeckte ich, dass das Luftabwehrministerium dem Erdboden gleichgemacht worden war; nur ein großer chaotischer Haufen aus grauen Betonblöcken und Säulen blieb übrig. Ein oder zwei Säulen und ein Torbogen standen noch, wenn auch schief, nur die große Saddam-Statue vor dem Gebäude war völlig unversehrt geblieben.

Seitdem unsere Fahrten durch Bagdad eingeschränkt worden waren, hatte sich auch meine Wahrnehmung der Stadt entsprechend reduziert. Das war seltsam und verwirrend. Offiziell war es Journalisten verboten, bombardierte Stätten auf eigene Faust zu besichtigen. Sofern wir überhaupt herumfahren durften, mussten sich unsere Fahrer und Aufpasser täglich neue Routen ausdenken, damit wir nicht sehen konnten, welche Schäden die nächtlichen Bombenangriffe angerichtet hatten. Oder sie versuchten, uns davon abbringen, überhaupt durch die Stadt zu fahren. Unsere Ausflüge zum Mittagessen, die uns in verschiedene Viertel geführt und uns ein gewisses Gefühl von Freiheit vermittelt hatten, waren ganz und gar gestrichen worden. In Bagdad gab es nur noch zwei Restaurants, in die wir zum Essen gehen konnten, und sogar die verlangten jetzt, dass wir einen Aufpasser dabeihatten. Um nicht eigens Erlaubnis einholen zu müssen, schickte ich an den meisten Tagen Sabah los, damit er uns aus dem einen oder anderen Restaurant etwas zum Essen besorgte.

Seit das Informationsministerium bombardiert worden war, gehörte es zu den Tabuzonen. Zwei Reporter, ein Australier und ein Südafrikaner, die am Morgen nach dem zweiten Luftangriff dorthin gefahren waren, um die Zerstörung mit eigenen Augen zu sehen, hatte man ohne viel Federlesen aus dem Irak ausgewiesen. Statt einfach über die Sinak-Brücke zu fahren, die direkt zum Ministerium führte, begann Sabah andere entferntere Brücken zu benutzen.

Als wir ins Sheraton zogen, tauschte Sabah sein Zimmer gegen eines neben meinem. Alle zwei bis drei Tage ging er nach Hause, um seine Familie zu besuchen, kehrte aber immer nach ein paar Stunden wieder zurück. Er beklagte sich, dass sein Zuhause hoffnungslos überfüllt sei. Außer seiner Frau, seinen eigenen Kindern und den Kindern mehrerer seiner Söhne und zweier seiner Brüder sowie seiner alten Mutter, die alle in zwei angrenzenden Häusern lebten, hatte er auch eine seiner Schwestern und ihre vier Kinder bei sich aufgenommen. Sie hatten ihr Haus verlassen, das sich in der Nähe der Erdölraffinerie Al-Dura befand, die oft bombardiert wurde. Dann waren am 31. März Teile einer Rakete vor dem Haus seiner beiden ältesten Söhne Safaar und Dijah gelandet, die einen Block entfernt unter einem Dach lebten. Am nächsten Tag zogen die beiden mit dem Rest der Familie ebenfalls bei ihm ein. Meiner Schätzung nach lebten jetzt 30 Menschen aus Sabahs Clan in den beiden angrenzenden Häusern, die über insgesamt fünf Zimmer verfügten.

In den folgenden Tagen gab es weitere Bombenangriffe, und ich stellte fest, dass viele Menschen in meiner Umgebung über kleine Unpässlichkeiten wie Kopfweh und Rückenschmerzen klagten. Die meisten litten auch unter Appetitlosigkeit und nahmen weniger Nahrung zu sich als zuvor. Raucher rauchten mehr als gewöhnlich. Eines Tages kam ein Beamter des Informationsministeriums namens Walid mit einer Halskrause zur Arbeit und jammerte schrecklich. Alle klagten über Erschöpfung, und niemand, mich eingeschlossen, fand mehr als drei bis vier Stunden Schlaf pro Nacht.

Sami, unser neuer Aufpasser, war Diabetiker. Das fand ich eines Abends heraus, als wir unterwegs waren, nachdem wir von einem erneuten Bombardement gehört hatten, bei dem auch Zivilisten getötet worden seien. Sami hatte einen Insulinschock, er konnte weder sprechen noch verstehen, was man ihm sagte. Und das passierte ausgerechnet, als wir das betroffene Viertel erreichten. Wir trafen einige örtliche Milizionäre der Baath-Partei, die sich auf der Straße versammelt hatten, und hielten an, um sie zu fragen, was geschehen war. Sami war nicht in der Lage zu übersetzen, was sie sagten, und er reagierte nicht, als ich ihn ansprach. Das verwirrte und beunruhigte mich, denn die Milizionäre wussten nicht, wer wir waren, und schienen uns gegenüber sehr misstrauisch. Sie redeten barsch in Arabisch auf Sami ein, der unfähig war, ihnen zu antworten. Es war weit nach Einbruch der Dämmerung, und wir waren hierher gefahren, ohne eine offizielle Genehmigung eingeholt zu haben.

Zum Glück waren wir beschattet worden. Ein paar Minuten später hielt ein großer GMC Suburban neben uns, und zwei Männer stiegen aus. Einer von ihnen ging auf die Milizionäre zu, sagte etwas in gebieterischem Ton, und sie wichen ein wenig zurück. Dann wandte er sich an mich und sagte, wir sollten ihnen in unserem Wagen folgen. Ich fragte ihn, wer er sei. Er erklärte, er komme vom Informationsministerium und sei uns gefolgt, weil wir hier nicht in Sicherheit seien. Nicht weit von uns entfernt blitzte ein Flugabwehrfeuer auf und hinterließ rote Spuren am Himmel. Wir stiegen in unser Auto und folgten ihm zurück zum Palestine. Offenbar meldete er unseren Verstoß nicht, denn ich hörte nie wieder etwas davon.

Am nächsten Morgen nahm ich Sami mit zu Ala. Ich hatte Bashir zuletzt ein paar Tage vorher gesehen – an dem Morgen, an dem das Informationsministerium bombardiert worden war und ich meine dritte und letzte Physiotherapie-Stunde bei Nabil absolviert hatte. Nabil hatte gesagt, es würde jetzt eine Zeit lang auch ohne Behandlung gehen. Mein Rücken war zwar besser geworden, doch hatte ich den Eindruck, er wolle aus einem anderen Grund – der sicher mit dem Krieg zu tun hatte – verhindern, dass ich zu ihm komme. Ich war daraufhin zu Bashir gegangen, aber der war mit anderen Leuten beschäftigt, und ich stellte fest, dass sich die Atmosphäre in seinem Krankenhaus verändert hatte. Spannung lag in der Luft, doch ich wusste nicht, warum. Wir konnten nicht offen miteinander reden, und ich wollte nicht eigens eine Verabredung treffen. Nun gab mir Samis Verfassung einen guten Vorwand, ihn erneut aufzusuchen.

In Samis Gegenwart erklärte ich, was geschehen war. Bashir sagte, die Symptome, die ich beschrieb, seien sehr ernst zu nehmen, und wies Sami darauf hin, dass er in ein Koma fallen könne, wenn so etwas noch einmal vorkäme. Bashir riet ihm, seinen Facharzt aufzusuchen und feststellen zu lassen, ob er die richtige Insulindosis bekam. Ich dankte Bashir in aller Form und sagte, ich hoffe, in den nächsten Tagen wieder einmal vorbeischauen zu dürfen. Er nickte und erwiderte zuvorkommend, er würde sich darauf freuen. Doch alles verlief sehr förmlich. Ich hatte das sichere Gefühl, dass meine Besuche ihm Schwierigkeiten bereiteten und dass ich vielleicht lieber darauf verzichten sollte.

Später fragte ich Sami, was er tun werde. Er meinte, das sei ein echtes Problem. Sein Facharzt habe seine Klinik geschlossen und Bagdad für die Dauer des Krieges verlassen. Aber er kenne einen anderen Arzt und verspreche, ihn aufzusuchen. Das tat er auch und erzählte mir am nächsten Tag, dass der Arzt die Dosis erhöht und ihm geraten habe, mehr zu schlafen. Ein oder zwei Tage später fragte ich Sami, ob er sich besser fühle. Er nickte. Er sagte, die Umstellung der Dosierung habe geholfen, aber er fühle sich sehr erschöpft. Wegen der nächtlichen Bombardierungen sei er außerstande, mehr als drei Stunden zu schlafen. Aufgrund seiner Diabetes benötigte er jedoch 10 Stunden Schlaf. Er zuckte mit den Achseln. Er konnte nichts dagegen tun, also musste er sich damit abfinden.

Abends hörten wir gute Neuigkeiten. Matt McAllester, Moises Salman, Molly Bingham und die beiden Europäer, die aus dem Palestine verschwunden waren, hatten heil und gesund die jordanische Grenze erreicht. Wir erfuhren, dass sie acht Tage lang in Abu Ghraib in Isolationshaft gesessen hatten, dann aber freigelassen wurden. Offenbar waren sie beschuldigt worden, für die CIA zu arbeiten. Ein paar Tage zuvor hatte ich Udai al-Taiee allein vor dem Palestine getroffen. Er rauchte eine Zigarette, und ich nutzte die Gelegenheit, ihn nach den verschwundenen Journalisten zu fragen. Fast eine Woche war verstrichen, und wir hatten nichts von ihnen gehört, doch alles deutete darauf hin, dass sie verhaftet und irgendwo insgeheim festgehalten wurden. Ich sagte al-Taiee, dass ich mit ihm über eine wichtige Angelegenheit reden müsse. Er erwiderte schroff: »Dann reden

Sie.« Er blieb neben mir stehen, wandte den Blick ab und schaute mich nur hin und wieder kurz an. Ich erklärte, dass wir Journalisten, die in Bagdad geblieben waren, uns um unsere Freunde sorgten. Ich zählte sie ihm namentlich auf und fuhr fort, dass ihr Verschwinden ein schlechtes Licht auf den Irak werfe. Al-Taiee fiel mir ins Wort. Er beklagte sich über die Medienberichte, in denen behauptet wurde, der Irak halte Journalisten im Gefängnis fest. Er sagte, er sei ärgerlich darüber, weil es seines Wissens nicht wahr sei. Er wisse im Übrigen nichts über den Fall. Ich erwiderte so deutlich wie möglich, dass die Menschen, über die wir hier sprachen, Journalisten seien und nichts anderes, und wenn »irgendwelche Leute« doch »etwas anderes« behaupteten, dann handele es sich um einen großen Irrtum. Es liege im Interesse aller, wenn er alles in seiner Macht Stehende tun würde, um unsere Kollegen in Sicherheit zu bringen. Ich sagte, schon bald würde jeder Journalist in Bagdad gezwungen sein, darüber zu berichten, da das Verschwinden dieser Kollegen, wie er ganz richtig bemerkt habe, von internationalem Interesse sei. Als ich fertig war, nickte al-Taiee knapp und sagte: »Ich werde es prüfen« und verschwand.

Trotz dieser erfreulichen Nachrichten über unsere vermissten Freunde standen wir weiterhin unter Druck. Ein paar Abende zuvor war John Burns' offiziell ernannter »Übersetzer« Saad, den er seit einigen Tagen nicht mehr gesehen hatte, mit mehreren Sicherheitsbeamten in das Zimmer im Palestine gestürmt, das er mit Tyler teilte. Saad ohrfeigte John und Tyler mehrmals, erklärte, dass er in Wirklichkeit ein Agent des Geheimdienstes sei. Er beschuldigte John der Spionage, äußerte weitere Drohungen und ließ Johns Computer, sein Satellitentelefon sowie einen großen Teil seines Geldes konfiszieren. Danach führte John eine Art Leben im Untergrund: Er zog innerhalb des Hotels von Zimmer zu Zimmer, hielt sich verborgen und lieh sich Satellitentelefone und Computer von Freunden, um seine Geschichten schreiben zu können. (Eines Tages arrangierte John ein Treffen mit Udai al-Taiee und sprach mit ihm über den Vorfall. Wie üblich behauptete al-Taiee, nichts zu wissen. John warnte ihn vor den möglichen Folgen, falls ihm etwas zustoßen sollte. Ein paar Tage später gab der ewig rätselhafte Udai al-Taiee Entwarnung. John erhielt seine Ausstattung zurück, sein Geld jedoch nicht.)

Am Mittwoch, dem 2. April, dem vierzehnten Tag des Krieges, nahm ich an einer von der Regierung arrangierten Bustour für Journalisten teil. Sie fuhren uns ungefähr 40 Kilometer nach Süden, in die Stadt Hillah nahe der Ruinen des alten Babylon. Es war der erste organisierte Ausflug, der uns aus der Hauptstadt herausführte. Angesichts der Berichte, dass amerikanische und britische Truppen den Euphrat südöstlich von Kerbala überschritten hatten und sich in einem 20 Kilometer langen Panzerzug auf Bagdad zubewegten, wussten wir nicht recht, was uns erwartete. Doch abgesehen von Soldatengruppen am Straßenrand, ihren mit Sandsäcken geschützten Lagern und getarnten Panzern und Geschützständen, die entlang der Straße zwischen den wenigen Eukalyptusbäumen verborgen waren, schien der Krieg hier noch nicht eingetroffen zu sein.

Es war ein schöner, sonniger Tag, und der Himmel war blau. Wegen des Rauchs, der von den Ölfeuern um Bagdad herum aufstieg, hatte ich viele Tage lang keinen blauen Himmel mehr gesehen. In der Nähe von Hillah entdeckte ich Saddams großen Kalksteinpalast, der auf Babylon und meilenweit darüber hinaus blickte. Hillah war eine typische irakische Stadt, ein Schachbrettmuster aus braunen Häusern mit flachen Dächern und einigen älteren Villen, die von Ackerland umgeben waren. Hillahs Straßen wirkten wie ein Bild aus der Vergangenheit: Männer, Frauen und Kinder bevölkerten die Stadt, alle Geschäfte hatten geöffnet, und ich erblickte nur vereinzelt Soldaten.

Man brachte uns in ein Hospital und zeigte uns Dutzende

von Zivilisten, die zwei Tage zuvor bei einem Bombenangriff auf ein nahe gelegenes Dorf verletzt worden waren, und die Überlebenden eines Busses, der von Granatsplittern getroffen worden war. Bei beiden Angriffen hätte es viele Tote gegeben, sagte man uns. In einem Zimmer lag ein Mann, der sein Bein verloren hatte, neben einem, dessen Arm amputiert worden war. Der Einarmige wurde von seiner Frau umsorgt. Sie hatte ihr Baby mitgebracht, das ungefähr einen Monat alt war. Es lag auf dem Bett, schlief selig und sah in seinem mit Bändern verzierten Kleidchen wie ein Indianerbaby aus. Die Mutter deutete auf einen verbundenen Teil seines Kopfes und erklärte mir, es sei ebenfalls von Granatsplittern verletzt worden. Ihr Mann erzählte, dass sie im Auto gesessen hatten, als ein amerikanischer Konvoi auftauchte. »Wir hatten keine Angst, denn wir wissen, dass die Amerikaner keine Zivilisten angreifen«, sagte er. Doch dann hatte ein Panzer auf seinen Wagen gefeuert. Der Mann, der sein Bein verloren hatte, sagte: »Wenn die Amerikaner als Touristen kommen wollen – wie sie es gern tun –, dann heißen wir sie willkommen. Aber das hier sollten sie nicht tun.« Er tat, als kümmere ihn das verlorene Bein überhaupt nicht. »Ich bin Iraker«, sagte er draufgängerisch. »Wir sind an solche Dinge gewöhnt.«

Auf dem Rückweg nach Bagdad sah ich ein kleines versengtes und verwüstetes Waldstück, in dem einige irakische Militärfahrzeuge versteckt waren. Am Himmel zog ein amerikanisches Kampfflugzeug einen Kondensstreifen. Alle beobachteten wachsam den Streifen, bis wir beruhigt feststellten, dass das Flugzeug nicht in unsere Richtung flog. Ich schlief ein und wachte erst in Bagdad wieder auf. Als wir uns dem Stadtzentrum näherten, ertönten auf der anderen Seite des Flusses mehrere starke Explosionen, und wir konnten beobachten, wie graue Rauchwolken in die Luft stiegen. Wir reckten die Hälse, um festzustellen, wo die Bomben eingeschlagen waren, doch unser Fahrer verließ die Gegend rasch und fuhr im Zickzack über ungewohnte Straßen zum Hotel zurück. Dort erfuhren wir, dass Kampfflugzeuge das internationale Messegelände Bagdads bombardiert und dabei die nahe gelegene Rothalbmond-Entbindungsklinik schwer beschädigt und sieben Menschen getötet hatten. Ein Iraker namens Mohammed, den ich gut kannte, regte sich furchtbar auf. Als die Bomben fielen, fuhr er mit seiner Frau die Straße entlang, erzählte er, und er sah, wie die Fenster anderer Autos zersplitterten und ein Bus vor ihm »wie eine Zigarettenschachtel« zusammengepresst wurde. Mit aufgerissenen Augen berichtete er, wie er bei laufendem Motor aus seinem Auto gesprungen und zusammen mit seiner Frau in ein nahe gelegenes Haus gerannt sei.

Sabah fuhr uns in seinem Wagen hin, weil wir sehen wollten, was geschehen war. Ein großer Teil des Messegeländes, auf dem Ausstellungspavillons von Ländern wie der Türkei und Syrien gestanden hatten, war zerstört worden. Ungefähr ein Dutzend Bauten waren dem Erdboden gleichgemacht worden. Rauch stieg aus zertrümmerten Metallträgern und Betonteilen auf. Alle Gebäude in der Nähe, einschließlich des Rothalbmond-Hospitals, waren stark beschädigt worden. Im Umkreis von zwei Blocks waren die Fenster herausgesprungen, und überall lagen Glassplitter herum. Wir fuhren einmal im Kreis und dachten, wir könnten anhalten, um mit den Leuten zu reden, entdeckten aber eine Gruppe wild entschlossen dreinblickender irakischer Soldaten, die auf Militärlastwagen saßen – mit schweren Maschinengewehren auf den Ladeflächen – und beschlossen, dass wir besser wegfahren sollten.

Auf dem Rückweg zum Palestine spürte ich eine neuartige Spannung in der Luft. Soldaten standen als Wachposten am Straßenrand, hielten ihre Gewehre im Anschlag und wirkten ängstlich; sie musterten uns scharf, als wir vorbeifuhren. Andere starrten zum Himmel empor. Sabah fuhr sehr schnell – zu schnell –, um uns ins Hotel zurückzubringen. Ich bemerkte, dass die Fassaden aller Läden in der Straße, die an den Umzäunungsmauern des Palasts der Republik entlang verläuft, auf einer Länge von drei Blocks zerstört waren. Glassplitter und verbogene Metallteile lagen auf den Bürgersteigen verstreut. Einige Geschäfte sahen aus, als seien sie geplündert worden. Ich sah in das Innere des kleinen kurdischen Restaurants Serwan, das vor dem Krieg köstliches gegrilltes Zitronenhuhn serviert hatte. Es hatte keine Fenster mehr, und die Sicherheitsgitter aus Metall lagen in wildem Durcheinander vor dem Lokal, das offensichtlich geplündert worden war.

Später meldete die BBC, dass die alliierten Streitkräfte Kerbala erobert und die Stadt Kut angegriffen hätten. Es hieß, der Kampf um Bagdad stehe unmittelbar bevor. Abends schaute mein alter Aufpasser Salaar vorbei und fragte mich, ob ich wisse, was los sei. Ich erzählte ihm, was die BBC gemeldet hatte. Er riss die Augen auf und rief: »Kerbala! Sie meinen die Stadt? Sie haben sie erobert?« Ich nickte und betonte, dass die Nachricht allein von der BBC komme und von anderer Stelle nicht bestätigt sei. Er wirkte schockiert, trat näher an mich heran und fragte leise: »Sagen Sie mir, was sie Ihrer Meinung nach tun werden? Werden sie die Stadt belagern, oder werden sie einmarschieren und die Stadt nach und nach einnehmen? Wenn sie Bagdad belagern, wird sehr viel Blut vergossen werden. Ich mache mir keine Sorgen um mich selbst, aber um meine Familie.«

Ich erklärte Salaar, dass ich überhaupt keine Ahnung habe, aber hoffe, dass die Amerikaner und Briten eine Strategie verfolgten, die zum Wohle aller eine Belagerung Bagdads ausschloss. Die Vorstellung eines Blutbads in der Stadt machte mich plötzlich wütend. Ziemlich unfair ließ ich diese Wut an Salaar aus. Ich erinnerte ihn daran, dass es seine Regierung war, die sich dazu entschlossen hatte, diesen letzten Kampf in Bagdad auszusitzen. Das sei sehr kaltblütig, sagte ich, denn es bedeute, dass viele Zivilisten sterben würden. Salaar nickte und sagte: »Ja, ich weiß.« Er sah gequält aus und sagte leise: »Einige Soldaten werden kämpfen, einige werden weglaufen. Ich hoffe, dass es schnell vorbei ist.«

An jenem Abend bestätigte Sahaf, dass die Art von Gräueltaten an Zivilisten, die wir in Hillah gesehen hatten, überall im Irak vorkamen. Er beschuldigte die Alliierten, »Sprengladungen«, die als Füllfederhalter und Bleistifte getarnt waren, über irakischen Städten und Dörfern abzuwerfen. Irakische Beamte seien dazu angehalten worden, das Volk in den betroffenen Gebieten zu warnen. Mit empörter Miene sagte er: »Sprengladungen als Bleistifte getarnt, um Kinder und andere Personen zu töten! Mit welcher Art von Verbrechern haben wir es hier zu tun?« Er warf den Amerikanern auch vor, mit ihren Jets so tief über den heiligen Grabstätten von Imam Ali und Imam Hussein in Nadschaf und Kerbala zu kreisen, um diese zu beschädigen. »Sie versuchen, die heiligen Gräber zu zerstören«, sagte er, »und dafür werden sie die Verachtung aller Schiiten der ganzen Welt ernten.« Inzwischen füge der »heroische irakische Widerstand« den »einfallenden Söldnern« im ganzen Irak Niederlagen zu. Im Telegrammstil berichtete er detailliert von den einzelnen Verlusten in den jeweiligen Provinzen, wobei sein Tonfall den Spätnachrichten der BBC verblüffend ähnlich klang.

Der nächste Tag war, abgesehen vom Rauch, warm und angenehm. Die Sonne schien, und in der ganzen Stadt zwitscherten die Vögel. Sogar die Dschihadisten, die in letzter Zeit immer häufiger in der Umgebung der Hotels erschienen, machten einen geradezu entspannten Eindruck. Einer von ihnen stand auf der Treppe, als ich das Sheraton betrat. Er hatte ein breites Gesicht, schmale Augen und einen dünnen Bart. Sein grüner Turban war so geschlungen, dass er seine Schultern wie ein Kettenhemd umwickelte. Er trug ein wadenlanges Gewand und einen militärisch dunkelgrünen Stoffgürtel um die Hüfte. Der silberbeschlagene Griff eines langen Krummdolchs steckte im Gürtel. Er erinnerte mich an einen Krieger von Dschingis Khan, der eine Zeitreise unternommen hatte. Der Mann sah aus wie ein Bewohner Zentralasiens, wie ein Usbeke zum Beispiel, doch später erfuhr ich, dass er aus dem Jemen stammte.

Sahaf erschien zu seiner üblichen Pressekonferenz im Palestine. Er lachte über die Meldung, die amerikanischen Streitkräfte hätten Kerbala eingenommen oder stünden bereits vor den Toren Bagdads. »Sie sind nicht einmal auf 100 Meilen heran«, schnarrte er. »Sie sind in Bewegung, sie sitzen überall in der Falle, sie sind nirgendwo ... Sie sind die Schlange in der Wüste. Es ist nur eine Illusion. Sie sind nicht einmal in Umm Kasr. Mit ihren Behauptungen wollen sie nur über ihr Scheitern hinwegtäuschen. Sie haben keine einzige Stadt im Irak besetzt. Wir befinden uns in einem Zermürbungskrieg mit dieser Schlange, und ich glaube, wir werden sie sehr müde machen.«

Am späten Nachmittag schwärzte der aufsteigende Rauch fast den ganzen Himmel. Minarette, Kuppeln und Saddams samowarförmige Prachtbauten wurden beinahe unsichtbar in dem Dunst, der sich bei Einbruch der Dämmerung von Braun und Schwarz zu Blau und Grau färbte. Die Brücken, die in der Innenstadt den Tigris überspannten, verschwanden im Nebel, und der Fluss verwandelte sich in glänzendes Gold. In viktorianischen Zeiten muss die Themse so ausgesehen haben, eingehüllt in den Nebel und den Rauch von Millionen Kohlefeuern. Irgendwo in der Nähe hörte man das dumpfe, anhaltende Donnern der Artillerie. Das Sperrfeuer wurde lauter, und plötzlich gingen im Hotel alle Lichter aus. Auf unserer Seite des Flusses lag die Stadt in völliger Dunkelheit. Es war, als hätte jemand den Schalter umgelegt. Dann wurde die gesamte Stadt finster, mit Ausnahme des Grabes des Unbekannten Soldaten, dessen Form einer fliegenden Untertasse glich und das von fluoreszierenden Lichtstreifen in den Farben der irakischen Flagge erleuchtet blieb. Doch wenige Minuten später gingen auch diese Lichter aus. Ganz Bagdad lag im Dunkeln, abgesehen von einigen Scheinwerfern und Ölfeuern.

Wie wir später herausfanden, hatten wir den Lärm des Kampfes um den Bagdader Flughafen gehört. Am nächsten Morgen, dem 4. April, fuhr ich zum Jarmuk-Hospital im Süden der Innenstadt, wohin viele Verwundete gebracht worden waren. Nur sehr wenige Zivilisten hielten sich auf der Straße auf, zumeist Männer mit Gewehren. Auf den Stationen des Hospitals wimmelte es von jungen Männern mit Bürstenhaarschnitt, die blutbeschmierte Krankenhaushemden trugen. Einer von ihnen sagte, er gehöre zu einer Spezialeinheit der Republikanischen Garde und sei am Flughafen in die Lunge getroffen worden. Er hieß Omar Bahaldin und war 23 Jahre alt. Eine Dränage leitete die Flüssigkeit aus seiner Lunge in einen Plastikbehälter, der auf dem Fußboden stand. Er hatte seine Knie angehoben und bewegte sie ständig hin und her. Vermutlich hatte er Schmerzen und versuchte, sie nicht zu zeigen. »Wir haben keine Angst«, sagte er. »Im Augenblick bin ich zwar verletzt, aber wenn es mir besser geht, werde ich kämpfen, immer wieder werde ich kämpfen, bis ich ein Märtyrer bin.« Ein Mann auf einem benachbarten Klappbett wand sich und stöhnte vor Schmerzen. Er schien halb im Delirium zu sein. Aus einem Schlauch, der aus seinem Körper hing, tropfte Blut in einen Topf. Der verwundete Mann stöhnte und sagte immer wieder: »Ich halte es nicht mehr aus.« Sein Bruder kauerte neben dem Bett auf dem Boden und hielt ihn im Arm. Tränen rollten über seine Wangen. »Du musst durchhalten, du bist ein guter Mann. Halt durch.« Ein älterer Mann, sein Onkel, hielt die beiden Füße des Verletzten in seinen Händen. »Du bist ein Löwe«, sagte er. »Wir sind stolz auf dich.«

Draußen im Flur kauerte eine Gruppe verstörter schwarz gekleideter Frauen auf dem Boden. Als ich vorbeiging, klagten sie, und eine sagte, ohne irgendjemanden dabei anzusprechen: »Wir sind so traurig, so traurig.« Ein Mann mit blutendem Bein stand allein da und weinte. Schwestern in blutbefleckten Kitteln rollten Verwundete auf Tragen an mir vorbei. Ein bitterer Schweißgeruch lag in der Luft. Ich blieb auf der Schwelle zu einem Zimmer stehen, in dem ein Mann vor Schmerzen schrie. Ein Arzt fuhrwerkte mit einer Zange in den Wunden des Mannes herum. Der Mann war außer sich vor Schmerz. Ein Verwandter hatte seinen Kopf auf die Brust des Verwundeten gelegt, um ihn zu trösten.

An jenem Tag kam Sahaf später als sonst zur Pressekonferenz. Er entschuldigte sich und erklärte seine Verspätung damit, dass er versucht habe, die neuesten Informationen für uns zu erhalten. Er bestätigte, dass amerikanische und britische »Verbrecher« mit Fallschirmen auf dem Internationalen Flughafen Saddam, südlich der Stadt, und an mehreren Stellen im Westen und Süden Bagdads gelandet waren. »Alle diese Gruppen haben ein Ziel: den Internationalen Saddam-Flughafen, der jetzt zu ihrem Friedhof wird. Wir haben beschlossen, die Invasoren an diesen Stellen zu belassen, um sie dort festzunageln«, sagte er. Die Republikanischen Garden hätten jetzt den Kampf aufgenommen, erklärte er, und die Invasoren würden voneinander getrennt auf kleinen Inseln »in Schach gehalten«, auf denen sie »schwächer und schwächer« würden. Sahaf machte dann eine ziemlich verworrene Anspielung auf den Film »Wag the Dog«. Er schien zu glauben, dass der Film erklären könne, warum die Amerikaner den Flughafen angegriffen hatten. »Diese Männer abzusetzen ist eine protzige Demonstration, ein exhibitionistischer Versuch, der Welt zu zeigen, dass Schock und Schrecken Erfolg haben«, erklärte er. »Aber sie haben ihre Wüstentiere nur abgeworfen, damit sie getötet werden.« Er sagte ein Gemetzel voraus. »Vielleicht bescheren wir ihnen heute Nacht ein weiteres Dien Bien Phu. Nach ersten Vermutungen wird es schwierig sein, dass irgendjemand lebend davonkommt.« Er versprach

»unkonventionelle Angriffe, nicht zwangsläufig durch unsere Streitkräfte«. Er bestätigte auf Anfrage, dass er Selbstmordattentate, »Märtyrer-Operationen«, meinte. Auf die Frage nach einer Autobombe, die am gleichen Tag im Norden Bagdads angeblich drei Amerikaner getötet hatte, antwortete Sahaf: »Ich bin sehr traurig, dass es nicht 30 waren.«

Ich verließ die Pressekonferenz und griff nach einer Ausgabe des *Iraq Daily*. Die Zeitung war seit Kriegsbeginn von acht auf vier Seiten geschrumpft, wurde aber nach wie vor gedruckt und verkauft. Auf der Titelseite stand jeden Tag ein Aphorismus, der Saddam Hussein zugeschrieben wurde, und ich stellte fest, dass Saddams Weisheit des Tages ebenfalls die Schlange zum Gegenstand hatte. Offensichtlich handelte es sich um ein Lieblingszitat der Zeitung, denn es war bereits dreimal veröffentlicht worden: »Reize keine Schlange, bevor du nicht deinen Entschluss gefasst hast und imstande bist, ihr den Kopf abzuschlagen. Denn wenn sie dich überraschend angreift, ist es sinnlos zu beteuern, dass du ihr nichts getan hast. Triff die für jeden Fall erforderlichen Vorbereitungen und vertraue auf Gott.«

Der Strom war in Bagdad schon seit 24 Stunden ausgefallen, aber in dieser Nacht flammten im Komplex des Palasts der Republik und in mehreren Vierteln auf der Westseite des Flusses seltsame Lichter auf. Unsere Seite des Tigris blieb im Dunkeln. Erneut hörten wir das Grollen des Artilleriefeuers außerhalb der Stadt. Aus dem Palastgelände drang Lärm, der nach einem Feuergefecht mit Maschinengewehren und Granatwerfern klang. Eine Bombe traf den Komplex, und das Feuergefecht hielt eine Weile an. Dann verstummte es. Es hatte den Anschein, als könne in dieser Nacht in Bagdad alles nur Erdenkliche geschehen.

Wenn ein Krieg einmal begonnen hat, entwickelt er eine ganz eigene organische Dynamik. Er umfasst Ebbe und Flut, weitet sich aus und zieht sich wieder zusammen. Das Gleichgewicht, das den Fortgang des Kriegs auf die eine oder andere Art bestimmt, verschiebt sich, und eine neue Situation entsteht. Genau das geschah am Freitag, dem 4. April, als die Amerikaner nach heftigen Kämpfen den Flughafen von Bagdad einnahmen. Am nächsten Morgen, am Samstag, dem 5. April, wachte ich in der Morgendämmerung auf. Eine kühle Brise wehte. Ein Hahn krähte. In der Ferne hörte ich Artilleriefeuer.

Ungefähr zur selben Zeit drang eine Kolonne amerikanischer Panzer und Panzerspähwagen von Südosten aus entlang der Straße von Hillah (auf der ich zwei Tage zuvor noch gefahren war) in die Stadt ein und durchquerte in einer großen Schleife die südlichen Vororte von Bagdad, um zu den Amerikanern zu stoßen, die sich bereits in den südwestlichen Vororten rund um den Flughafen festgesetzt hatten. Sie griffen entgegenkommende irakische Streitkräfte an und ließen zerstörte und rauchende Wracks hinter sich zurück.

Ich erfuhr davon lediglich über Gerüchte und Nachrichten aus dem Ausland, denn Sahaf und die oberen Apparatschiks des Ministeriums bemühten sich ewig, die wahren Ereignisse zu verschleiern und zu dementieren. Doch unter den Fahrern, Aufpassern und Übersetzern, die zu unserem isolierten Dasein im Palestine und im Sheraton gehörten, verbreiteten sich die Neuigkeiten – und eine Atmosphäre der Panik setzte ein. Die Gefechte am Flughafen hatten in den angrenzenden Vierteln viele Opfer unter den Zivilisten gefordert, hieß es. Iraker, die Familien im Süden der Stadt hatten, ergriffen die Flucht. An jenem Morgen buchte Sabah für eine seiner Töchter und ihre Kinder ein Zimmer im Sheraton, wie es auch andere Iraker taten, die mit Journalisten zusammenarbeiteten. Inzwischen brachten seine beiden Söhne Safaar und Dijah die übrige Familie, einschließlich Sabahs Frau sowie seine betagte Mutter, in das Wohnhaus eines Freundes im Nordosten Bagdads, wo es angeblich sicherer war. Jene Iraker, die die Möglichkeit hatten, flohen nach und nach aus der Stadt. Viele gingen nach Bakuba. Die Stadt lag ungefähr eine Autostunde nordöstlich von Bagdad und schien der einzige Ort zu sein, bis zu dem amerikanische Truppen noch nicht vorgedrungen waren.

Am Nachmittag veranstaltete das Ministerium eine potemkinsche Bustour zum Stadtrand von Mansur, ein paar Kilometer südlich jenseits des Flusses. Man fuhr uns einmal um das bombardierte und verwüstete Messegelände herum und dann ohne Umweg wieder zurück. Die ganze Fahrt dauerte ungefähr 25 Minuten. Offenbar gab es immer weniger Stadtteile, die man uns unversehrt zeigen und damit die Behauptung aufrechterhalten konnte, alles unter Kontrolle zu haben. Inzwischen begriffen die meisten von uns, was wirklich geschah, und wir baten unsere Begleiter einfach, zum Flughafen zu fahren, der angeblich wieder in irakischer Hand sein sollte. Sie versprachen uns, dass sie versuchen würden, eine Fahrt zu organisieren.

Der 6. April, ein Sonntag, war ein klarer Tag mit blauem Himmel. Bagdads Schicksal hing in der Schwebe. Das irakische Regime schien nicht mehr alles zu kontrollieren, aber die Amerikaner hatten sich noch nicht gezeigt. Udai al-Taiee gestattete uns, im eigenen Wagen, aber mit Aufpasser zum südlichen Stadtrand zu fahren, wo wir, wie er sagte, »etwas Besonderes« sehen würden. Als wir dort ankamen, stießen wir auf eine Gruppe irakischer Soldaten, die an einem rußgeschwärzten, mit Kratern übersäten Straßenabschnitt, der zum Flughafen führte, um einen zerstörten amerikanischen Panzer herumstanden.

Zusammen mit meinem alten Aufpasser Salaar, der mich freiwillig begleitete, ging ich gehorsam hin, starrte auf das Loch in der Straße und auf den zerstörten Panzer und hörte mir an, wie einer von al-Taiees Männern behauptete, das Wrack beweise, was sie die ganze Zeit gesagt hätten: die Amerikaner seien von den Irakern unter starkem Beschuss zurückgedrängt worden, säßen am Flughafen in der Falle und würden ständig angegriffen.

Ein paar Kinder und Männer, die in den Häusern an der Straße wohnten, berichteten uns tapfer, dass sie gesehen hatten, wie irakische Soldaten den Panzer mit Panzerabwehrraketen zerstört hatten und wie die amerikanischen Soldaten im Konvoi kopflos die Flucht ergriffen hatten. Der tiefe Krater in der Straße jedoch schien die Vermutung nahe zu legen, dass der Panzer von einer Rakete aus der Luft getroffen worden war. (So war es tatsächlich: Aus den Nachrichten erfuhren wir, dass das Pentagon erklärte, der Panzer sei liegen geblieben, und um zu verhindern, dass er den Irakern in die Hände fiel, hätten die Amerikaner ihn von ihren eigenen Düsenjägern zerstören lassen.)

Noch während die Soldaten um das Panzerwrack herumstanden und die Journalisten darauf herumkletterten, filmten, Notizen und Fotos machten, kamen plötzlich ein paar amerikanische Düsenjäger – F-18 oder F-16 – in Sicht und brausten dicht über unsere Köpfe hinweg. Der Himmel war wolkenlos. Die irakischen Soldaten gerieten in Panik und rannten ängstlich weg und versteckten sich irgendwo am Straßenrand. Nach wenigen Minuten kehrten die meisten von ihnen zurück. Ungefähr fünf Minuten später tauchten die Düsenjäger wieder auf, schossen dröhnend in die andere Richtung über uns hinweg, und die Soldaten flohen erneut. Das Verhalten der Soldaten überzeugte mich, dass der Krieg so gut wie vorüber war.

Als wir zum Auto zurückgingen, flüsterte Salaar, dass er Verständnis für die Angst der Soldaten habe, die zum Großteil junge Wehrpflichtige seien. Dann fragte er mich beunruhigt, wie schnell die Amerikaner den Rest der Stadt einnehmen würden. Er fragte sich, warum sie den Südrand lediglich »erforscht« hatten und dann wieder verschwunden waren. »Warum kommen sie nicht einfach?«, fragte er. »Ich bin fest davon überzeugt, dass alles rasch vorbei wäre, wenn sie mit massivem Einsatz kämen.« Die irakische Armee sei praktisch nicht vorhanden, fügte er hinzu, viele Soldaten, einschließlich seines jüngeren Bruders, seien bereits desertiert und hielten sich versteckt. »Das Regime geht unter, es ist erledigt«, erklärte Salaar. »Warum sollten sie jetzt noch ihr Leben dafür aufs Spiel setzen?« Es gebe immer noch Republikanische Garden, die kämpfen wollten, räumte er ein, doch auch unter ihnen gebe es Deserteure, und er glaube nicht, dass sie dem überwältigenden amerikanischen Geschützfeuer lange standhalten könnten. »Die Amerikaner sollten kommen, und sie sollten es schnell zu Ende bringen«, sagte er. »Zu viele Zivilisten müssen sonst sterben.« Er machte sich sehr große Sorgen um die Sicherheit seiner eigenen Familie, denn die irakische Armee hatte an einer Stelle in der Nähe seines Hauses Flugabwehrgeschütze aufgestellt, und er fürchtete, dass sein Viertel wie viele andere Teile der Stadt von den Amerikanern bombardiert werden würde.

Dann fragte mich Salaar ängstlich, was die Amerikaner meiner Meinung nach mit Leuten wie ihm tun würden. »Ich vermute, sie werden mich verhaften«, spekulierte er. »Vielleicht glauben sie, dass ich für den Geheimdienst oder dergleichen arbeite. Ich weiß nicht, was mich erwartet. Und was glauben Sie?« Er musterte mich fragend. Ich versuchte, Salaar so gut ich konnte zu beruhigen, und erklärte ihm, dass er als Zivilangestellter vermutlich nichts zu befürchten habe. Er hörte zu und nickte, doch der ängstliche Ausdruck wich nicht aus seinem Gesicht.

In jener Nacht vernahmen wir den Gefechtslärm aus dem südlichen Bagdad. Später, in den frühen Morgenstunden des Montags, fand im Innern des Präsidentenpalast-Komplexes auf der anderen Seite des Flusses ein Feuergefecht statt. Erst kurz vor dem Morgengrauen schlief ich ein.

KAPITEL NEUN

Ich wurde von lautem Gefechtslärm ganz in der Nähe geweckt. Es war 8 Uhr. Ich ging auf den Balkon und sah Explosionen innerhalb des Palastgeländes auf dem gegenüberliegenden Tigris-Ufer. Mehrere Stichflammen schossen empor, und plötzlich stieg schwarzer Rauch aus den Gärten und Palästen auf. In meinen Ohren dröhnte es von dem Lärm der abgeworfenen Bomben und der unzähligen Waffen, die abgefeuert wurden, Maschinenpistolen, Panzer, Raketen.

Auf einem weißen Sandstreifen, der sich am Ufer unterhalb des Palastkomplexes entlangzog, sah ich mehrere Dutzend irakische Soldaten in Uniform, einige liefen, andere trotteten. Während ich sie noch beobachtete, fingen plötzlich alle an zu rennen, auf die Straße zu, die oben auf der Ufermauer am Rand des Flussbetts verlief. Sie rannten in einer langen Reihe von vielleicht 50 Mann, die unterschiedlich schnell vorwärts kamen. Ein paar trugen nur Unterwäsche. Einige schwammen im Fluss und kletterten durch die Binsengräser, um einen Sicherheitszaun aus Metall zu umgehen, der von dem Palastgelände quer über den Hang bis zum Wasser lief. Ich begriff nicht, wovor die Soldaten wegrannten. Dann bemerkte ich vier große khakifarbene Panzer, amerikanische, die herangefahren waren und oben auf der Ufermauer parkten, nur gut 100 Meter von den rennenden Soldaten entfernt. Ein vernichtender Kugelhagel ließ Sand am Hang und auf dem Strand aufspritzen. Weitere Explosionen waren zu hören, und schwarzer Rauch stieg von zwei Ölfeuern auf, die jemand am Strand angezündet hatte. Ein paar Minuten später konnte ich die Gestalten einiger Männer ausmachen, amerikanischer Soldaten, die sich duckten und, wie es schien, von der Deckung ihrer Panzer aus schossen; es war kaum zu erkennen. Es geschah viel zu viel auf einmal, um alles wahrzunehmen. Ich nahm das Fernglas und meinte unten am Strand irakische Soldaten zu sehen. Ihre Köpfe ragten nur knapp aus den Schützenlöchern hervor. Ein oder zwei erwiderten offenbar das Feuer. Mir fiel zum ersten Mal auf, dass der ganze Uferstreifen, insbesondere am Rand des Flusses, mit Gräben und Befestigungsanlagen durchzogen war.

Ich blickte runter auf Abu Nawas. Die Straße war leer, bis auf zwei große Hunde, die nebeneinander auf der Straße rannten. Ein paar Minuten danach sah ich einen Iraker, einen großen Mann in Zivil, der wachsam mit einer Waffe in der Hand auf der diesseitigen Straßenseite ging. Er kam an einem älteren Mann vorbei, der einige Taschen trug, als kehrte er von den morgendlichen Einkäufen zurück. Dann traten ein Kameramann und ein Reporter, zwei Deutsche, aus dem Palestine und überquerten die Straße in Richtung Fluss. Sie wagten sich ein kurzes Stück auf den Parkstreifen und fingen an, das Gefecht zu filmen. Ich sah, wie einige Iraker auf sie zugingen, gefolgt von einem Soldaten mit einem Gewehr. Als sie sich den Journalisten näherten, begann eine heftige Auseinandersetzung. Der Soldat packte den Kameramann und zerrte ihn weg. Er versuchte offenbar, ihn auf einen Pick-up zu zwingen, der von einem anderen Soldaten gefahren wurde. Der andere Deutsche, der Reporter, versuchte, den Soldaten aufzuhalten. Wütende Schreie waren zu hören, und ich sah, wie der Soldat die Waffe in Anschlag nahm. Ich dachte, der Soldat werde den Kameramann erschießen. Die anderen Iraker mischten sich in den Tumult ein. Es sah so aus, als würden sie versuchen, die Journalisten zu retten. Alle schrien durcheinander, zerrten und schoben. Am Ende ließ der Soldat den Kameramann widerwillig los und senkte die Waffe, und die Iraker, die den Deutschen geholfen hatten, begleiteten sie in die Sicherheit des Hotels.

Der Gefechtslärm schwoll zu einer Klangmauer an. Er hörte sich geradezu symphonisch an. Zum großen Teil war es einfach nur »Bumm« und »Krach« – laute, erschütternde Detonationen von Panzern und Flugzeugen, der schneidende Knall der Raketen –, aber auch ein rhythmisches Geräusch ertönte, wie eine große Steeldrum, die mechanisch geschlagen wird, und ein lautes malmendes Geräusch. Hinzu kam hier und da das leise Geknatter automatischer Waffen. Mehrmals hörte ich auch ein lautes Prasseln, als würde metallisches Popcorn platzen, das sich immer weiter steigerte und sehr laut wurde; später erkannte ich, dass vermutlich ein Munitionslager hochgegangen war. Das war ein neuartiges Geräusch für mich, genau wie das malmende Geräusch, das, wie sich herausstellte, von den Gewehren der tieffliegenden A-10 Warthogs kam, die bis zu 4000 Kugeln in der Minute feuern. Auch das Donnern von tief fliegenden F-18-Jägern war zu hören, oder zumindest klang es ganz danach. Diese Jäger, die sehr schnell fliegen, kreisten nunmehr seit zwei Tagen über Bagdad und hatten die hoch fliegenden B-52-Bomber der letzten 14 Tage abgelöst. Für gewöhnlich warfen sie ein oder zwei Bomben ab oder schossen Raketen auf das Palastgelände ab und jagten wieder davon.

Der Rauch von den Feuern am Strand wurde von einem plötzlichen Südwindstoß erfasst. Die Schwaden zogen über den Fluss auf das Hotel zu, und innerhalb von wenigen Minuten waren wir von einer gelben Wolke aus Dunst, Staub und Rauch umgeben. Das war der Beginn eines neuen Turab, der bizarrerweise gleichzeitig mit den Kämpfen um den Palast einsetzte. Der Sandsturm entzog so gut wie alles dem Blick, dennoch hielten die Kämpfe fast den ganzen Tag an.

Im Laufe des Vormittags beschloss ich, meinen Ausguck auf dem Balkon zu verlassen und zum Palestine zu gehen, weil ich herausfinden wollte, was es Neues gab. Die Aufzüge im Sheraton funktionierten nicht mehr, also lief ich zu Fuß die zwölf Stockwerke zur Straße hinab. Um den Eingang des Palestine hatten sich Reporter versammelt. Ich erfuhr, dass Mohammed al-Sahaf eingetroffen war und eine kurze Pressekonferenz – die bislang kürzeste – gehalten hatte. Er hatte rundweg abgestritten, dass amerikanischen Truppen in Bagdad stünden. »Sie sind alle wirklich verrückt geworden«, hatte er gesagt. »Die Amerikaner haben gesagt, sie wären mit 65 Panzern ins Zentrum der Hauptstadt vorgedrungen. Ich teile Ihnen mit, dass dies weit von der Realität entfernt ist. Diese Geschichte ist nur ein Teil der Krankheit in ihren Köpfen. Keine amerikanischen und britischen Truppen haben Bagdad betreten.« Sie seien »niedergemacht« und zurückgeworfen worden, behauptete er und fügte anschaulich hinzu, dass sie »vor den Toren Bagdads Selbstmord begehen. Wir werden sie ermuntern, sich selbst umzubringen. Wie Präsident Saddam Hussein gesagt hat: ›Gott wird ihnen ihr Begräbnis durch die Iraker senden.‹« Keine 500 Meter von dem Ort entfernt, wo Sahaf sprach, standen mehrere US-Panzer vom Typ Abrams, doch das schien ihn nicht im Geringsten zu stören. Er ermahnte die Medien eindringlich, wahrheitsgetreu und akkurat zu bleiben, und tadelte einzelne Journalisten – insbesondere die von Al-Dschasira –, die Falschmeldungen verbreitet hätten. Tatsächlich hatte der Sender lediglich von seiner Villa auf der anderen Flussseite über die Kämpfe berichtet. Bevor er ging, hatte Sahaf allen Anwesenden mitgeteilt: »Seien Sie versichert, dass Bagdad sehr sicher ist, sehr sicher; Bagdad ist groß.«

In den letzten Tagen hatte ich mich immer wieder gefragt, was Sahaf, den letzten hohen irakischen Regierungsvertreter, den irgendjemand seit der Eroberung des Flughafens zu Gesicht bekommen hatte, veranlasste, derart erstaunliche Behauptungen zu machen. Ich konnte mir nur vorstellen, dass er glaubte, wir würden uns letzten Endes gar nicht so sehr von irakischen Bürgern unterscheiden, die schon längst die Fähigkeit verloren hatten, eine Lüge als solche zu erkennen oder einer offiziellen

Mitteilung zu widersprechen. Vielleicht dachte Sahaf, dass wir ihm Glauben schenken würden, wenn er nur mit genügend Enthusiasmus und Überzeugungskraft sprach.

Wieder wurde eine Busfahrt für die Presse organisiert. Gespannt schloss ich mich an und fragte mich, wohin man uns bringen könnte, um Sahafs unglaubliche Behauptungen zu erhärten. Der Bus fuhr die Sadunstraße entlang, einen Häuserblock weiter vom Fluss entfernt als Abu Nawas. (Von der Sadunstraße aus konnte man weder den Fluss sehen noch die amerikanischen Panzer am gegenüberliegenden Ufer.) Ich war entgeistert, weil immer noch Autos auf den Straßen fuhren und Kioske geöffnet hatten. Als wir den Tigris überqueren mussten, mied unser Fahrer die nächste Brücke, die Dschumhurijah-Brücke, die den Tigris an einem Punkt gleich unterhalb der Palastmauern überspannte. Vielmehr fuhr er weiter bis zur zweiten Brücke flussaufwärts. Die Sinak-Brücke lag auf der Straße, die am Informationsministerium vorbeiführte. Die Stadt war, abgesehen von ein paar vereinzelten Kämpfern in Zweier- und Dreiergruppen, völlig verlassen. Überwiegend trugen die Kämpfer zivile Kleidung und hatten sich das rotweiß karierte Keffijeh-Tuch wie einen Turban um den Kopf geschlungen. Einige schleppten raketenbetriebene Granatwerfer und waren mit Reserveraketen beladen. Sie überquerten die Straße, liefen in Richtung Präsidentenpalast und machten dabei das Victory-Zeichen. Der Bus fuhr uns am Informationsministerium vorbei, bog nach rechts ab und erreichte nach ein paar hundert Metern den zentralen Busbahnhof, der leer war. Dann machten wir kehrt. Die Straße, die zum Al-Raschid führte, war von Soldaten blockiert. Es kursierte das Gerücht, die Amerikaner hätten im Laufe der Nacht das Hotel eingenommen. Unsere Fahrt war schon nach 10 Minuten zu Ende.

Als wir wieder im Palestine waren, fragte ich einen der wenigen Beamten, die noch vor Ort waren (seit der Einnahme des

Flughafens waren viele spurlos verschwunden), welchen Sinn diese Tour denn gehabt habe. Er sagte mir, sie sollte amerikanische Behauptungen widerlegen, dass das Informationsministerium erobert wäre. Als ich ihn nach dem Al-Raschid fragte, schüttelte er nur den Kopf und tat so, als würde er mich nicht hören. Dann sagte er begeistert, dass das Ministerium die Absicht habe, uns in die südöstlichen Vororte zu fahren, wo die Iraker »Hunderte von Amerikanern« getötet hätten.

»Ihre Leichen liegen überall herum«, erzählte er mir schadenfroh. »Wir hätten euch schon jetzt dorthin gebracht, nur haben die Amerikaner viele Splitterbomben zurückgelassen. Deshalb ist es zu gefährlich für euch. Wir müssen sie erst beiseite räumen. Sobald das erledigt ist, mein Wort darauf, werden Sie sehen, wovon ich spreche.«

Ich konnte nicht sagen, ob dieser Beamte – wie Sahaf – selbst glaubte, was er mir erzählte, oder ob er nur Theater spielte. In seinem Fall, beschloss ich, war es vermutlich Theater. Er wirkte irgendwie unaufrichtig, und seine Augen hielten meinem Blick nicht lange stand.

Am Spätnachmittag lichtete sich der Staub ein wenig, und ich konnte über den Fluss sehen. Es standen immer noch zwei Panzer dort, und ich glaubte die Gestalt eines Mannes zu sehen, der direkt vor den Panzern die Füße von der Ufermauer baumeln ließ. Ich schaute durch das Fernglas. Es war ein amerikanischer Soldat. Er schien sich auszuruhen, starrte auf den Fluss. Augenscheinlich hatte er gar keine Angst vor Heckenschützen. Kurz danach folgte ein anderer Soldat seinem Beispiel. Eine Zeit lang saßen die beiden nebeneinander. Es war der wohl surrealste Moment, den ich jemals erlebt habe. Ich sah meine Landsleute, aber ein Fluss trennte uns. Wir befanden uns in zwei völlig unterschiedlichen Realitäten des Kriegs. Ich war noch ein Teil von Saddams Irak. Wenn ein Steg über den Fluss geführt hätte, so malte ich mir aus, dann hätte ich innerhalb von gut 10 Minuten zu Fuß zu ihnen spazieren können. Diese Gedanken wurden allerdings unterbrochen, weil irgendwo auf dem Palastgelände weitere Bomben explodierten. Durch das Fernglas sah ich, wie die beiden Soldaten aufstanden und an der Ufermauer entlang zu einem Gebäude gingen, das von Bäumen halb verborgen war. Dort schlossen sie sich anderen Soldaten an. Dann verlor ich sie aus dem Blick.

Jemand, wahrscheinlich ein Amerikaner, schoss auf etwas am Strand, wo die irakischen Soldaten sich vorher verschanzt hatten. Ein heftiges Feuer brach an der Stelle aus, und dann war das Geräusch vieler kleinerer Detonationen zu hören – höchstwahrscheinlich noch ein Munitionsdepot. Einmal mehr hörte ich das laute popcornähnliche Prasseln, und während es immer schneller wurde, schossen weiße Blitze und Projektile, die schnelle Lichtspuren hinterließen, in alle Richtungen; einige machten hohe Bogen wie Feuerwerkskörper und landeten im Fluss.

Nachmittags erbot Sabah sich, Essen aus dem Al-Saah zu holen – einem beliebten Restaurant in Mansur auf der anderen Seite des Flusses, wo wir schon oft gegessen hatten. Es war eines von Sabahs Lieblingsrestaurants, mit einer Inneneinrichtung aus Chrom und glänzendem schwarzen Marmor. Die Gerichte waren auf Neonreklamen abgebildet. Das Angebot reichte von der irakischen Küche bis hin zu amerikanischem Fastfood: panierte Hühnchen, die »Kentucky« genannt wurden, Hamburger und Pommes frites. Neben dem Lathikia, wo wir vor kurzem noch Udai al-Taiee über den Weg gelaufen waren, war es das einzige Restaurant in Bagdad, das noch geöffnet hatte. Sabah brauchte sehr lange, und als er endlich zurückkehrte, war er ganz aufgeregt.

Nachdem er wieder zu Atem gekommen war und sich beruhigt hatte, erklärte er, dass das Restaurant Al-Saah nur fünf

Minuten nach seiner Abfahrt bombardiert worden sei. Er hatte unsere Bestellung aufgegeben – Hühner-Tikka für zwei – und selbst etwas gegessen, während er wartete. Er hatte etwa 20 Minuten dort verbracht, unser Gericht entgegengenommen und war dann zurück zum Hotel gefahren. Er sei kaum einen halben Kilometer weit gekommen, sagte er, als hinter ihm eine gewaltige Explosion erfolgt sei. Wie alle anderen lenkte er den Wagen sofort auf die Straßenseite. Alle sahen sich um. Das Al-Saah war bombardiert worden. Sabah war nicht umgekehrt, sondern sofort zum Sheraton gefahren. Nachdem wir von Udai al-Taiee die Erlaubnis erhalten hatten, machten wir uns auf den Weg dorthin.

Die Fenster des Al-Saah und aller Gebäude im Umkreis waren zersplittert. Überall lagen Erdklumpen, Trümmer und Glasscherben; das Chaos erstreckte sich über mehrere Blocks. Vorhänge flatterten aus leeren Fenstern heraus; Ladenschilder waren zerbrochen und hingen schief; und das Innere der Läden war mit Staub bedeckt und durcheinander gewirbelt, als hätte ein Tornado dort gewütet. Ich sah einen Jungen, der eine Trophäe ergattert hatte: eine verzierte Straßenlaterne, die auf dem Gehweg vor dem Al-Saah lag. Die Menschen liefen wie betäubt umher. Viele strömten in eine Seitenstraße, und wir folgten ihnen. An der Ecke war ein Laden für Hochzeitskleider, die Fenster waren kaputt. Mehrere Schaufensterpuppen in weißen Satinkleidern lagen nebeneinander auf dem Boden, wie schlafende Menschen. Die Seitenstraße führte in eine Wohngegend mit Privathäusern. Die Straße war von Mauerresten und noch mehr Erdklumpen und Glasscherben übersät. 100 Meter weiter, neben dem Vorgarten eines zerstörten Hauses, in dessen Garten sich Trümmer und Erdschollen und große Ziegel- und Betonbrocken türmten, hatte sich eine große Menschenmenge auf einem offenen Platz versammelt. Sie sahen sich etwas an. Ich kletterte über die kreuz und quer liegenden Trümmer und trat zu ihnen. Dort war eine riesige Grube. Gegenüber machten sich einige Rettungshelfer an einem Mauerstück zu schaffen, das noch rauchte, während eine Planierraupe brummte und versuchte, es aus dem Weg zu räumen. Die Grube war etwa 10 Meter tief und 18 Meter breit. Ich sah darin die metallene Kopfleiste eines Bettes und eine Werbung für einen Billardtisch. Aus einer lehmigen Lache am Grund der Grube ragte eben gerade noch das mit Dreck und Trümmern bedeckte Dach eines Autos hervor. An allen Häusern rings um die Grube hatte es offenbar die oberen Etagen weggerissen, und ihre Fassaden waren von der Explosion durchlöchert und mit Erde besprenkelt.

Verwirrt fragte ich einen Iraker neben mir, was vor der Bombardierung dort gestanden hatte, wo jetzt die Grube war. »Vier Häuser«, sagte er leise. Das war kaum zu fassen. Hier war nichts mehr zu erkennen, das auch nur entfernt einem Haus geähnelt hätte. Nur das große Loch und die aufgetürmten Trümmerhaufen ringsumher, über die nun Menschen kletterten: hektische Rettungshelfer in blauen Overalls, Fotografen und Gaffer.

Eine Frau mittleren Alters mit großen Augen, die Englisch sprach, trat zu mir. Sie stellte sich als Maria Marcos vor und sagte, dass sie Sekretärin in der deutschen Botschaft in Bagdad sei und gleich nebenan wohne. Sie sagte, sie hätte gerade ihren Generator ausgeschaltet, als die Bombe explodiert sei. Die vier Häuser, die hier gestanden hatten, waren spurlos verschwunden, und mit ihnen die Familien, die in ihnen gelebt hatten. Sie sagte, insgesamt seien vermutlich neun Menschen ums Leben gekommen. Bislang sei nur ein Leichnam geborgen worden. »Wir haben keine Angst vor ihnen«, wiederholte sie mehrmals. Sie schien unter Schock zu stehen. Neben uns weinte ein Mann untröstlich in den Armen eines anderen Mannes. Er klammerte sich mit beiden Armen und dem ganzen Körper an den anderen, wie jemand, der sich vor dem Ertrinken retten will. Drei andere Männer saßen auf dem Bordstein, die Tränen strömten ihnen übers Gesicht. Dann ertönte über unseren Köpfen ein Dröhnen, das wie ein F-15-Jet klang, und viele Leute, die um die Grube standen, rannten weg. Der Jet flog über uns hinweg und kehrte nicht zurück.

In dem zerstörten Garten neben der Grube erklärte mir ein 20-jähriger Student namens Ajad, dass er am Ende der Straße gestanden hätte, als er ein Donnern hörte. Dann habe er eine riesige gelbe Rakete, etwa so groß wie eine Dattelpalme, in die Straße einschlagen und in einem weißen Lichtblitz explodieren sehen. Sie hatte das Nachbarhaus seines Großvaters getroffen. Er zeigte auf einen alten Mann, der in einem blutbespritzten Hemd auf seiner Veranda umherirrte. Sein Kopf war zur Hälfte von einem blutigen Verband bedeckt. Das Haus, das die Rakete getroffen hatte, habe Um Salman gehört, einer Witwe, sagte Ajad, und sie habe mit ihren zwei Söhnen und zwei Töchtern dort gelebt. Sie besaßen in der Nähe eine Druckerei. Ich bemerkte, dass Ajad, der ein kariertes Hemd anhatte, eine militärähnliche Uniform und Stiefel trug, und fragte ihn, ob er an der Verteidigung Bagdads beteiligt sei. »Nein.« Er kicherte und schob die Brille zurecht. »Das ist nur eine Mode.« Während wir uns unterhielten, trat ein Nachbar zu uns und sagte: »Nur ein Tier tut so etwas; ein Mensch tut so etwas nicht.« Dann ging er wieder weg.

Ajads Mutter Neda, eine Frau mit einem freundlichen Gesicht, die traditionelle Kleider trug, forderte uns auf, das zerstörte Haus ihres Vaters zu besichtigen. Sie sagte, ihr Vater, ein pensionierter Ingenieur, sei 75 Jahre alt. Er hatte das Haus selbst gebaut und dort in den letzten 43 Jahren gelebt. Sie hatte versucht, ihn zu überreden, es zu verlassen, aber er hatte immer wieder erklärt, dass er bleiben wolle. Ich konnte ihn weiterhin draußen umherirren sehen. Neda führte uns durchs Haus. Das Innere war weitgehend zerstört. Überall lagen Steine, zerbrochener Putz und Schmutz herum; und die Stufen waren zentimetertief mit Gips und Zement bedeckt. Von den Wänden war der Putz abgebröckelt, so dass die nackten Ziegel zu sehen waren. Mit einem Lächeln und in gebrochenem Englisch sagte Neda: »Ich glaube, das ist Gottes Wille. Ich glaube, vielleicht will Gott, dass wir leiden. Ich bin damit zufrieden.« Sie wollte damit vermutlich sagen, sie sei dankbar dafür, dass niemand aus ihrem engeren Familienkreis gestorben sei und dass sie wegen des Vorgefallenen keinen Hass gegen irgendjemanden hege.

Erst später, als wir wieder im Sheraton waren, hörte ich, dass das Pentagon den Angriff bestätigt hatte. Vier bunkerbrechende Bomben waren auf ein Haus in Mansur abgeworfen worden – auf die Geheimdienstinformation hin, dass Saddam und seine Söhne Kussai und Udai sich dort treffen würden. Das klang durchaus plausibel. Mansur war das Viertel, in dem Saddam Hussein einige Tage zuvor den auf Video aufgezeichneten Spaziergang gemacht hatte, den man im irakischen Fernsehen gesendet hatte. Das Video hatte ihn beim Aussteigen aus einem Wagen und beim Spazieren gezeigt, dabei hatte er begeisterte Anwohner gegrüßt. Zuschauer hatten die Gegend als einen Teil von Mansur wiedererkannt. Viele Nachrichtenagenturen meldeten außerdem, dass Saddam und seine Söhne im Al-Saah zu Mittag gegessen hätten.

Ich fragte Sabah, was er von diesen Meldungen hielt. Er schüttelte ungläubig den Kopf. Er hielt die Meldungen für falsch. Er hatte auf die Art der Iraker – über das Hörensagen, von Freunden und Nachbarn – gehört, dass Kussai, Saddams jüngerer Sohn, zwar im Al-Saah zu Mittag gegessen habe, aber Udai und Saddam seien nicht dabei gewesen. Außerdem sei das am Tag zuvor gewesen. (Die Gäste des Al-Saah waren überwiegend junge Angehörige der oberen Mittelschicht, doch auch Familien und Offiziere gingen gerne hin. Saddam Husseins Söhne waren angeblich Stammgäste, aber ich hatte sie dort nie gesehen.)

Erstaunlicherweise war im Al-Saah niemand ums Leben gekommen, auch wenn viele Menschen Schnittwunden erlitten hatten. Im nächsten Block war einem achtjährigen Mädchen von einem verirrten Splitter der Hals durchtrennt worden.

Am nächsten Tag wachte ich von lautem Gefechtslärm auf, der aus der Richtung des Präsidentenkomplexes kam. Ich hörte Bomben fallen und sah am Horizont Explosionen. Ein schwarzroter Feuerball schoss aus dem offenen Dachstuhl des Hauptquartiers der Baath-Partei empor, einem mächtigen Steinbau, der seit der Zerstörung durch amerikanische Bomben im Jahr 1998 restauriert wurde. Weitere Detonationen ertönten in der Nähe des Al-Raschid sowie am Ufer gegenüber vom Sheraton und zwischen den beiden nächsten Brücken – Dschumhurijah, nicht weit vom Palast, und Sinak, die in der Nähe des Informationsministeriums den Tigris überquert. Es schien, als werde das ganze Gebiet flächendeckend bombardiert, mit Raketen und im Tiefflug angegriffen oder mit Maschinengewehren beschossen.

Auf der Dschumhurijah-Brücke zeigten sich zwei Panzer. Sie rückten zögerlich vor und hielten dann an. Sie kauerten dort wie zwei riesige Ungeheuer und schwenkten die Kanonen hin und her. Rings um sie her, hinter ihnen und im Himmel über ihnen, tobte die Schlacht weiter. Ich sah weiße Leuchtspurgeschosse in die Luft gehen, offenbar von irakischen Truppen abgefeuert. Ich entdeckte ein Flugzeug, das am Himmel über mir klar auszumachen war, eine plump aussehende A-10 Warthog, die über dem Fluss langsam eine Aufwärtsschleife flog, und ich hörte das malmende Geräusch ihrer Gewehre. Bei jeder Schleife schien sie einen anderen Quadranten der Stadt zu treffen. Beim dritten oder vierten Anflug sah ich, wie die Fassade des Planungsministeriums – ein großes, blutrotes 10-stöckiges Gebäude nahe der Dschumhurijah-Brücke – in tausend weißen Lichtblitzen und umherschwirrendem Glas in sich zusammenfiel. Dann erschien ein Jagdflugzeug im Tiefflug und bombardierte ein Gebäude auf dem gegenüberliegenden Ufer. Eine gewaltige Explosion folgte, und eine schwarze Rauchwolke schoss empor, die dann den ganzen Tag in der Luft hing. Ich glaubte das Geräusch der Rotorblätter eines Hubschraubers zu hören, konnte aber nichts sehen.

Jemand klopfte an meine Tür. Es war James, der sudanesische Zimmerreiniger. Ich war verblüfft über sein Erscheinen. Die meisten Dienstleistungen des Hotels, wie Wäsche, Wasser- und Stromversorgung, wurden kaum noch oder gar nicht versehen. Die Aufzüge funktionierten schon seit Tagen nicht mehr. Doch James war gekommen, um mein Zimmer zu putzen. Vorsichtig fragte er mich, ob ich die beiden Hubschrauber gesehen hätte. Er winkte mir und öffnete mit seinem Generalschlüssel die Tür eines anderen Zimmers auf der Ostseite. Er zeigte durch das Fenster auf einen Fleck in etwa acht Kilometer Entfernung. Ich sah deutlich zwei bronzefarbene Kampfhubschrauber vom Typ Apache, die wie Libellen über einem Teil der Stadt schwirrten. Während wir zusahen, explodierte der Boden unter ihnen in unzähligen Lichtblitzen und Rauchfahnen. James erklärte mir, dass sie die Militärgarnison Al-Raschid angriffen, die einen eigenen Flugplatz hatte.

Ich ging zurück auf mein eigenes Zimmer und beobachtete vom Balkon aus, wie die Panzer auf der Brücke und andere hinter ihnen, die meinem Blick entzogen waren, ein Furcht erregendes Sperrfeuer auf das Amt für Jugend und Sport eröffneten. Das Amt, ein großes Gebäude auf unserer Seite des Tigris, war eine Pfründe Udai Husseins gewesen. Offenbar hatten Heckenschützen von dort auf die Panzer geschossen, die daraufhin minutenlang Granaten auf das Gebäude abfeuerten und fast alle Stockwerke trafen. An mehreren Stellen brach Feuer aus. Sie schwenkten die Kanonen herum und schossen in das Stadtzentrum auf unserer Seite der Dschumhurijah-Brücke. Staub und Rauch lagen über dem Viertel, in dem mein ehemaliges

Hotel, das Al-Safir, und Karims kleiner Friseursalon lag. Die Stadt hallte wider vom Lärm der Detonationen.

Irgendjemand im Flur rief, das Palestine sei getroffen worden. Ich rannte auf den Balkon und sah ein großes Menschengewühl, überwiegend Journalisten, aus dem Eingang drängen. Es sah so aus, als würden sie Leute auf Bahren tragen. Ich raste die Treppe hinunter auf die Straße und lief direkt zum Palestine. Derselbe irakische Beamte, der noch am Vortag wegen der amerikanischen Todesfälle geprahlt hatte, hielt mich an und rief rechthaberisch: »Jetzt sind nicht einmal Journalisten vor den Amerikanern sicher!«

Eine Menge stand in der Auffahrt, wirkte geschockt und aufgebracht. Ich erfuhr, dass irgendetwas, keiner wusste, was genau, das Zimmer der Agentur Reuters im 15. Stock des Hotels und ein weiteres Zimmer im 14. Stock getroffen hatte. Drei Reporter waren schwer verwundet worden. Das waren die Gestalten, die ich auf den Bahren gesehen hatte. Nun waren sie bereits in Krankenhäuser gebracht worden. Die meisten Reporter, mit denen ich sprach, glaubten, es sei ein irakischer Angriff gewesen, und fragten sich, was das für unsere Sicherheit bedeutete. Alle trugen ihre kugelsicheren Westen, und wer einen Helm besaß, hatte ihn aufgesetzt. Während wir noch durcheinander liefen, erreichte uns die Meldung, dass man die Büroräume der Fernsehsender Al-Dschasira und Abu Dhabi ebenfalls beschossen hatte. Deren Räumlichkeiten lagen in Villen am gegenüberliegenden Flussufer, wo den ganzen Morgen über Kämpfe getobt hatten. Wie wir hörten, war mindestens ein Reporter von Al-Dschasira umgekommen. Ein Wagen fuhr vor, und ein Bekannter, der französische Fotograf Jérôme Delay, stürzte eilig heraus. Sein Gesicht war ganz verzerrt. Er brach auf der Stelle zusammen und fiel in die Arme mehrerer Freunde, dabei rief er: »Ich habe ihn verloren, ich habe ihn verloren« und weinte bitterlich. Er war mit seinem schwer verwundeten Freund Taras Protsyuk, einem ukrainischen Kameramann für Reuters, ins Krankenhaus gefahren. Protsyuk war soeben gestorben. Niemand wusste bislang etwas über das Schicksal der anderen verwundeten Journalisten: José Couso, ein spanischer Kameramann von Telecinco aus Madrid, und Paul Pasquale, ein britischer Satellitentechniker von Reuters.

Es kam zu einer heftigen Auseinandersetzung zwischen einem spanischen Reporter, der die Nerven verlor, und Udai al-Taiee. Der Reporter warf den Irakern vor, eine Rakete auf das Palestine abgefeuert zu haben. Al-Taiee bestritt das wütend, beschimpfte den Spanier und stürmte dann beleidigt und flankiert von einigen Speichelleckern davon. Nie zuvor hatten wir erlebt, dass jemand einen irakischen Regierungsvertreter so aggressiv und öffentlich anging. Und auch wenn al-Taiee Haltung bewahrt hatte, schien er doch ein wenig aus der Fassung gebracht. Mir fiel auf, dass er der einzige hochrangige irakische Vertreter war, der sich noch zeigte. Alle anderen wie Chadum, der Aufseher vom Muchabarat, und Mohsen, der nominelle Leiter des Auswärtigen Presseamts, waren spurlos verschwunden.

Ich ging um das Palestine herum, um den Schaden zu inspizieren. Mir schien es, als sei das Hotel von hinten getroffen worden, vom Stadtzentrum aus, was nur irakisches Feuer bedeuten konnte. Ich konnte mir ohnehin nicht vorstellen, dass die Amerikaner auf ein Hotel feuern würden, wo sie das gesamte internationale Pressekorps versammelt wussten.

(Ich hatte Unrecht. Später erfuhren wir, dass tatsächlich eine amerikanische Granate das Hotel getroffen hatte, abgeschossen von einem der Panzer auf der Dschumhurijah-Brücke. Die Amerikaner sagten, Heckenschützen hätten sie vom Palestine aus angegriffen, und erklärten, sie hätten nicht gewusst, dass in dem Hotel Journalisten wären. Niemand im Palestine glaubte ihnen.)

Mit mehreren Reportern fuhr ich zum Al-Kindi-Krankenhaus, wo, so hieß es, viele Zivilisten lagen, die bei den Kämpfen an diesem Tag verwundet worden waren. Hierhin hatte man auch José Couso zu einer Notoperation gebracht. Als wir ankamen, trafen wir draußen einen spanischen Fotografen an, der unter Schock stand. Er sagte, Couso liege immer noch auf dem Operationstisch. Er habe einen großen Teil eines Beins verloren, doch der Oberschenkelknochen sei noch intakt, und die Ärzte sagten, man könne ihn retten. Couso und er hätten den gestrigen Abend noch miteinander getrunken und geredet, sagte der Mann. Er sagte das mehrmals, wie betäubt. Wir traten ein.

Prompt lief uns Dr. Osama Saleh über den Weg, der Arzt, der mich vor ein paar Tagen zum verstümmelten Jungen Ali gebracht hatte. Er erkannte mich wieder und gab mir die Hand. Saleh war sehr bekümmert. Er sagte, das sei der schlimmste Tag, den er jemals als Arzt erlebt habe. Mindestens 100 Verwundete hatte man seit dem Vormittag eingeliefert. Drei Kinder waren unter seinen Händen gestorben. Eins von ihnen, sagte er, sei gerade drei Jahre alt gewesen. Er fragte uns in einer kalten, ruhigen Wut: »Halten Sie das für gerechtfertigt?« Saleh fuhr fort, dass nichts eine Kriegführung rechtfertige, die Kinder ins Visier nehme. »Das Kind, das starb, hätte mein eigenes sein können.« Er sagte, dass er seine Familie zu sich ins Hospital geholt habe. Ihm kamen beinahe die Tränen, aber er beherrschte sich. Ich fragte Saleh nach Ali. Er sagte, er wisse nicht, wie es ihm gehe, die anderen Ärzte würden sich jetzt um ihn kümmern. Er sah überfordert aus. Wir verabschiedeten uns und gingen nach draußen zum Leichenschauhaus.

Das Leichenschauhaus war eine kleine Hütte mit doppelter Stahltür, die sich in dem mit Trümmern übersäten hinteren Bereich des Krankenhauses befand. Der Fußweg dahin war mit Blut bespritzt. Hier und da sah ich weggeworfene Kanülen. Vor dem Leichenhaus stand ein Bediensteter in schmutzigen Kleidern. Auf dem Boden neben ihm war ein großer Blutfleck sowie ein dickes Büschel schwarzes Menschenhaar und ein paar blutverschmierte Bahren. Der Bedienstete sprach mit zwei Männern, in denen ich Reporter von Al-Dschasira erkannte. Sie waren gekommen, um die Leiche Tareq Ajubs zu identifizieren, ihres Freundes, der am selben Morgen getötet worden war. Ajub, ein jordanischer Reporter, war erst vor ein paar Tagen in Bagdad eingetroffen. Er hatte John Burns, Paul McGeough und mir den Gefallen getan, dringend benötigtes Bargeld mitzubringen. Sein Leichnam lag mit etwa 20 anderen blutigen Körpern in einem wirren Durcheinander in dem Leichenschauhaus. Die Leichen waren willkürlich ineinander verschlungen, wie achtlos weggeworfener Müll. Ein Reporter erklärte uns, dass Al-Dschasira vor dem Krieg dem US Central Command die genaue Lage seiner Räume in Bagdad mitgeteilt habe und dass das Pentagon dem Sender versichert habe, dass sie nicht angegriffen würden. Der Sender habe diese Vorsichtsmaßnahme getroffen, sagte er, weil die Amerikaner während des Krieges in Afghanistan sein Büro in Kabul bombardiert hätten. Er fing an, über seinen Freund Tareq Ajub zu sprechen, brach aber in Tränen aus und lief weg.

In der Notaufnahme behandelten etwa zwei Dutzend Ärzte und Schwestern mindestens acht Notfälle in benachbarten weiß gekachelten Kabinen mit grünen Vorhängen. Es war das reinste Pandämonium. Aus einer Kabine hörte ich das Jammern einer geplagten Frau und das Geräusch von Fäusten, die gegen eine Wand schlugen. Schwestern, die ganz offen weinten, liefen umher, und den Gesichtern der Ärzte war die Anspannung deutlich anzusehen. Ein Mann wurde auf einer Bahre herausgerollt und im Korridor neben mir abgestellt. Er war von Kopf bis Fuß verbrannt, seine Haut eine schwarzrote Masse versengten Fleisches. Das Gesicht war ganz von Bandagen bedeckt. Ich hielt ihn für tot, doch dann merkte ich, dass er noch atmete, weil seine nackte Brust sich hob und senkte. Ein Mann mit einem dick angeschwollenen und blutigen Gesicht wurde in einem Rollstuhl herausgefahren. In einer Kabine wurde eine Frau, die von der Taille abwärts nackt und mit Blut bedeckt war, von einer Krankenschwester mit dem Schwamm gewaschen. Sosehr die Schwester auch schrubbte, es schien ihr nicht zu gelingen, das Blut abzuwischen. Der Körper der Frau behielt einen verschmierten Orangeton. Jemand schluchzte laut auf. Ich sah zwei Kinder, Bruder und Schwester, die von Pflegern auf einer Bahre zugedeckt wurden. Bevor das Tuch sie zudeckte, sah ich, dass die Schwester ganz blutverschmiert war. Ihr Bruder wirkte, als würde er schlafen. Aber sie waren beide tot. Ihre Mutter war bei ihnen, ganz außer sich vor Kummer. Das war die Frau, die ich klagen und an die Wand schlagen gehört hatte. Dann brachen alle Anwesenden, auch die Ärzte und Schwestern, in Tränen aus. Auch ich war am Ende. Ich ging nach draußen, setzte mich und weinte. Der Vater der Kinder saß ein paar Meter entfernt von mir und schluchzte untröstlich in seine Arme.

Zwei Soldaten, die aussahen, als würden sie direkt vom Gefecht kommen, rannten zum Eingang und fragten nach einem Freund. Die Ärzte sagten ihnen, dass sie hereinkommen dürften, aber nur wenn sie ihre Waffen zurückließen. Sie hatten Panzerabwehrraketen umgehängt, und beide trugen automatische Gewehre. Sie protestierten zunächst, willigten dann aber ein. Nach etwa zehn Minuten kamen sie wieder heraus, wirkten aufgebracht und wütend und nahmen ihre Waffen wieder an sich.

Während der Rückfahrt zum Hotel schienen die Straßen ungewöhnlich leer, und die mit Sandsäcken gesicherten Biwaklager entlang der Straße waren so gut wie unbesetzt. Kaum ein Soldat war zu sehen. Eine Familie schritt langsam auf dem Gehweg. Sie trugen Taschen und Koffer und entfernten sich vom Stadtzentrum. Im Palestine hörten wir, dass José Couso gestorben war. Paul Pasquale, dem dritten Verwundeten, stand in einem anderen Krankenhaus eine Beinamputation bevor. Leute sagten, die US Marines hätten die Militärgarnison Al-Raschid

gegen einen dicht belaubten Abschnitt am Flussufer, knapp 300 Meter vom Sheraton aus weiter unten auf der Abu-Nawas-Straße. Es war genau die Stelle, wo ich gestern Nachmittag den Abschuss einer Luftabwehrrakete auf den Jet beobachtet hatte.

Im Palestine waren überhaupt keine Regierungsvertreter mehr zu sehen, nur ein paar Aufpasser, und sie wirkten verloren. Sungsu Cho, ein junger koreanischer Fotograf, der seit neuestem mit mir zusammenarbeitete, sagte mir, er habe gehört, dass in Saddam City, einem großen schiitischen Elendsviertel im Nordosten Bagdads, umfassende Plünderungen begonnen hätten. Saddam City galt als die Brutstätte der schiitischen Unruhen. Im Jahr 2000 war es dort zu einem Aufstand gekommen, der von Saddams Republikanischer Garde niedergeschlagen wurde; für ausländische Journalisten war der Aufenthalt dort immer problematisch gewesen. Mit Sungsus todesmutigem Fahrer, der aus Saddam City stammte und einen BMW besaß, rasten wir durch die Stadt. Weit und breit waren keine Soldaten oder Polizisten zu sehen. Ein weißer Pick-up überholte uns. Auf der Ladefläche saß gut ein Dutzend junge Männer, die wie Soldaten aussahen, aber Zivil trugen. Auch eine Lafette für ein Maschinengewehr stand auf der Ladefläche, doch das Gewehr fehlte. Es sah so aus, als würden sie fliehen. Wir fuhren an einem Lastwagen vorbei, der eine weiße Mercedes-Limousine ohne Reifen hinter sich herzog. Die nackten Felgen quietschten furchtbar, als sie über den Beton schleiften. Auf beiden Seiten der geteilten Stadtautobahn fuhren Autos planlos in beide Richtungen, und alle schienen es besonders eilig zu haben.

Wir fuhren am Ölministerium vorüber und am Transportministerium. Kurz vor dem Kreisverkehr, der nach Saddam City führte, lag das Handelsministerium. Die Saddam-Bildtafel am Eingang war zerschlagen, und Jugendliche und Erwachsene strömten aus dem Gebäude und auf die Hauptstraße. Sie schoben Bürostühle, beladen mit Klimaanlagen und Deckenventilatoren. Einige fuhren sehr langsam, denn sie hatten reinrassige Pferde, die hinter ihnen hertrotteten, mit Seilen an ihre Wagen gebunden. Ein Junge saß auf dem bloßen Rücken eines prächtigen schwarzen Vollbluthengstes und ließ ihn locker die Straße entlangtraben.

Am Kreisverkehr wurden Pick-ups von hektischen Männern und ein paar Frauen mit allen möglichen Gegenständen beladen. Als wir nach Saddam City abbogen, explodierte nur ein paar hundert Meter vor uns eine Bombe in einem Lagerhaus. Wir fuhren an etwas vorbei, das wie eine Polizeistation aussah. Jemand hatte dort Feuer gelegt, und Plünderer waren unterwegs. Wir hielten am Straßenrand, direkt hinter einer Gruppe Männer, die Gegenstände auf einen Laster luden. Sungsu stieg aus dem Wagen und näherte sich ihnen. Daraufhin rannten einige Männer auf ihn zu. Einer von ihnen, ein bärtiger Mann in einer grauen Dishdasha und mit einem unfreundlichen Gesichtsausdruck, kam heran und rief etwas auf Arabisch. Chifa, unser Dolmetscher, sagte mir, der Mann erkläre, wenn wir Sungsu nicht augenblicklich mitnehmen würden, werde er ihn umbringen. Chifa rief eindringlich nach Sungsu, der widerwillig kehrtmachte. Unterdessen rannte ein junger Iraker von der anderen Straßenseite herüber und entschuldigte sich. Was wir hier miterlebten, sei nicht repräsentativ für die Iraker oder für die Menschen in Saddam City. Wir dankten ihm, wendeten rasch und machten uns aus dem Staub.

Auf dem Rückweg sah ich, dass die oberen Stockwerke des Transportministeriums in Flammen standen. Rauch drang auch aus dem Hauptquartier des Irakischen Olympischen Komitees, einem modernen Bürogebäude mit gut zehn Stockwerken, das ein wenig abseits der Hauptstraße lag. Der Vorsitzende des Komitees war Udai Hussein gewesen, und es hieß, in dem Bau seien regelmäßig Menschen gefoltert und ermordet worden. Udai hatte einen großen Pferdestall gehabt, und als ich noch mehr

Pferde sah, die an Stricken aus dem ummauerten Gelände geführt wurden, wurde mir klar, dass sie vermutlich ihm gehörten.

Nach der Rückkehr ins Hotel holte ich meine Schutzweste hervor und bereitete mich mit John Burns, Tyler Hicks und Paul McGeough darauf vor, mit zwei Autos noch einmal nach Saddam City zu fahren. (Sabah weigerte sich zu fahren und meinte, es sei zu gefährlich.) Bevor wir abfuhren, bemerkte ich eine große Gruppe junger Iraker in ziviler Kleidung, die vor dem Eingang zum Palestine saßen. Sie waren, wie ich später erfuhr, Deserteure, die eine Zuflucht suchten. Sie baten ein paar Menschen um Geld, bevor sie wieder abzogen. Eine große Gruppe von Dschihadisten – arabische Freiwillige, die aus anderen Ländern gekommen waren, um Saddam zu unterstützen – stand vor dem Sheraton. Andere hatten sich schon auf den Weg gemacht und marschierten auf der Straße, die vom Sheraton wegführte. Es sah aus, als ob auch sie fliehen wollten. Kein Einziger trug eine Waffe oder sah uns an, als wir vorüberfuhren. Ich zählte etwa 60 Mann.

Während ich in Saddam City gewesen war, hatte die Plünderung sich wie ein Krebsgeschwür ausgebreitet. Große Mobs räumten Lagerhäuser aus, die dem Handelsministerium gehörten. Das Feuer im oberen Stock des Transportministeriums hatte sich ausgeweitet, und auch das Gebäude des Olympischen Komitees wurde von tosenden Flammen verschlungen. Wir sahen Menschen auf den Dächern anderer Gebäude, die fieberhaft Klimaanlagen abmontierten. Am Straßenrand standen inzwischen noch mehr gestohlene Pferde, und noch mehr Männer und Jungen schoben Drehstühle, die mit Bürogegenständen beladen waren. Andere hatten Möbel aufgestapelt und luden sie auf Pick-ups. Laster fuhren vorbei, die gestohlene Autos im Schlepptau hatten. Wir erreichten die Überführung, die die Grenze zwischen Bagdad und Saddam City bildete, und bemerkten, dass eine Gruppe von US Marines eingetroffen war.

Sie waren gerade angekommen: eine Gruppe von vier oder fünf riesigen gepanzerten Mannschaftstransportern, die Rucksäcke, Schachteln mit Fertiggerichten und verschiedene Waffen mit sich führten. Ein paar Dutzend athletisch aussehende junge Amerikaner mit Helm, Schutzweste und Waffen kletterten heraus. Ihre Gesichter waren staubbedeckt. Der Kommandeur sah auf einer Karte nach und sagte den Männern, wo sie in Stellung gehen sollten. Zwei Gruppen besetzten unverzüglich verlassene irakische Biwaks mit Sandsäcken auf beiden Seiten der Kreuzung, während andere durcheinander rannten und auf Befehle warteten.

Wir begrüßten die Marines und stellten uns vor, und sie erwiderten den Gruß, wandten aber die Augen nicht von dem chaotischen Verkehr ab, der fast ausschließlich aus Plünderern bestand, die Richtung Saddam City rasten. Die Marines schickten sich an, den Verkehr zu blockieren. Zwei Marines traten mit ihren Waffen auf die Straße. Als die Fahrer die Marines erkannten, fingen viele an zu hupen und zeigten mit dem Daumen nach oben. Sie riefen »Bush good« und lächelten und winkten. Andere schienen unsicher. Als die Fahrer nicht rechtzeitig anhielten, gingen die Marines in Schussstellung und zielten mit den Gewehren direkt auf sie. Ein Auto, das ein anderes mit einem Seil hinter sich herzog, erfasste einen der Marines mit dem Abschleppseil und riss ihn fast von den Beinen. Der Fahrer entschuldigte sich vielmals und versuchte mit Zeichensprache zu erklären, dass es ihm sehr, sehr Leid täte. Der US-Soldat strich den Dreck von seiner Uniform und schüttelte den Kopf. Ein Auto, das aus der anderen Richtung kam, hielt an, und ein Mann im Innern rief mehrmals: »Welcome, my friend!« und küsste Pauls und Johns Wangen. Es schien ihnen gleichgültig, wer wir waren. Oder sie waren einfach außerstande, Reporter von Soldaten zu unterscheiden. Ein irakischer Jugendlicher trat zu mir, zeigte mir einen militärischen Orden und sagte auf Englisch:

»Saddam animal«, dann ging er weiter. Gruppen junger Iraker schlenderten herbei, lächelten, hielten den Daumen hoch und sagten »Down Bush« oder »America good«. Mir war nicht ganz klar, ob sie meinten, was sie sagten, oder ob sie das für ein Ritual hielten, das sie vollziehen mussten.

Die Marines hatten Schwierigkeiten, die Lage unter Kontrolle zu bringen, und wurden allmählich nervös. »Verdammt noch mal, kommt sofort her!«, schrie einer von ihnen einer Gruppe zu, die auf der anderen Straßenseite herumstand. Er wollte, dass sie ihm halfen, den Verkehr zu stoppen. Als ein Auto immer noch vorwärts kroch, nachdem sie bereits gewunken hatten, nahm ein Soldat sein Gewehr in Anschlag und brüllte: »Halt auf der Stelle deine gottverdammte Kiste an!« Das Auto blieb stehen.

Während die Marines den Verkehr von Saddam City wegleiteten, verbreitete sich allmählich eine Karnevalsstimmung. Menschen schrien und schwenkten weiße Fahnen. Ein Mann lehnte sich aus dem Autofenster und zerriss demonstrativ einen 250-Dinar-Schein, auf dem Saddams Porträt prangte, und warf ihn einem Soldaten vor die Füße. Der Soldat wirkte verdutzt. Ich erklärte ihm, was das war, und er sagte: »Oh, Mist. Ich wünschte, er hätte ihn nicht zerrissen. Ein Freund von mir wollte das als Souvenir haben.« Ich sagte ihm, er brauche sich keine Sorgen zu machen; von den Dinarscheinen gebe es Unmengen. Er sagte »Gut« und wandte sich wieder dem Verkehr zu. Ein Mann kam daher und schob ein Sofa auf Rädern, er winkte fröhlich. Ein Junge fuhr einen Gabelstapler, der scheinbar außer Kontrolle geraten war und sich neben den Marines um die eigene Achse drehte, so dass sie zurückspringen mussten. Der Junge grinste begeistert und schnitt Grimassen, um den Soldaten zu zeigen, dass er es nicht böse gemeint habe. Ein Laster zog ein gestohlenes Polizeiauto mit eingeschlagenem Heckfenster. Ein Mann, der einen mit Klimaanlagen beladenen Chefsessel schob, hielt an und rief: »Mister good, good«, bevor er mit all den anderen glücklichen Plünderern über die Stadtautobahn abzog. Im Hintergrund schlugen Flammen aus dem Transportministerium; das Feuer hatte das gesamte obere Stockwerk erfasst.

Wir verließen die Marines und machten eine Fahrt durch das Regierungsviertel, das ebenfalls geplündert wurde. Außerhalb des Sitzes des Olympischen Komitees, das zu einem flammenden Inferno geworden war, blieb ein Mann stehen, der sich als Abu Montasar vorstellte, und sagte: »Ich bin sehr froh, dass Saddam am Ende ist. Wir sind Saddam mit eurer Hilfe losgeworden, aber warum sollen wir unser Land zerstören?« Er wies auf das brennende Gebäude, das ganze Chaos ringsumher. »Die Amerikaner sind hier eine Zeit lang willkommen, um den Irakern zu helfen, Frieden zu schaffen, aber danach sollten sie gehen. Der Frieden im Nahen Osten sollte nicht auf dem Rücken des irakischen Volkes gesichert werden. Die Amerikaner sollten uns als menschliche Wesen betrachten, nicht nur als Erdöl.«

Vor den Lagerhäusern des Handelsministeriums herrschte ein hektisches Treiben. Als wir uns näherten, verjagten einige Gewehrschüsse Plünderer, die mit ihren beladenen Pick-ups rasch das Weite suchten. Irgendjemand hatte mehrere Schachteln mit chinesischen Turnschuhen der Marke Very liegen gelassen, und sofort rannten andere herbei, um sie anzuprobieren. Die meisten Schachteln enthielten jedoch nur noch einen Schuh. Ein paar Männer und Jungs tauchten auf und kickten Fußbälle, noch in Plastik eingewickelt, rüber zu ihren Verwandten, die neben einem Fahrzeug warteten. Eine Prozession aus US Marines, diesmal ein anderer Trupp, fuhr mit ihren monsterähnlichen Panzerfahrzeugen und Panzern vorbei. Auf die Läufe ihrer Kanonen hatten sie Namen gesprüht, etwa Assassin, Carnage, Cold Steel, Crazy Train, Rebel – und: Got Oil?

Ich fragte Chifa, den Dolmetscher, was er bei dem ganzen Treiben empfand, das wir zu sehen bekamen. »Ich bin sehr, sehr froh«, erwiderte er. »Aber ich weiß nicht, warum, irgendwie ist mir auch nach Weinen zumute. Okay, Saddam Hussein ist weg, aber ich habe Angst, dass die Amerikaner einen anderen Saddam Hussein an die Macht bringen müssen, um hier die Kontrolle zu behalten. Genau das ist 1991 passiert, und deshalb wurde Saddam danach auch gebraucht. Wissen Sie, warum? Weil er die Polizeigewalt repräsentierte. Sehen Sie sich jetzt um, es gibt niemanden, keine Autorität, keine Polizei. Und das ist das Ergebnis.« Chifa sah betrübt aus. Wenig später fügte er ein bisschen ruhiger hinzu: »Ich bin nicht überzeugt, dass sich die Dinge geändert haben, solange ich den Kopf Saddam Husseins nicht gesehen habe.«

Wir kehrten zu der Straßensperre vor Saddam City zurück. Offenbar hatten die Marines am Ende die Lage unter Kontrolle gebracht. Sie hatten ihre gepanzerten Fahrzeuge quer über beide Spuren der Autobahn geparkt. Wir stiegen aus und gingen zu Fuß auf sie zu, um keine Schwierigkeiten zu bekommen. Wir identifizierten uns nochmals und sagten ihnen, dass wir mit unseren Autos die Straßensperre passieren wollten. Sie willigten ein, und wir wiesen unsere Fahrer an, langsam vorbeizufahren. Dabei winkten die Fahrer und lächelten den Marines demonstrativ zu.

Ich kam mit zwei freundlichen jungen Unteroffizieren ins Gespräch. Sie sagten, sie seien aus dem ersten Marineinfanterieregiment von Camp Pendleton. Beide trugen Kugelschreiber und Zahnbürste in den Vordertaschen ihrer Uniform. Der eine, Jim Higareda, war ein mexikanischstämmiger Amerikaner aus Redlands in Kalifornien. Er hatte eine olivenfarbene Haut und trug eine große Brille. Er sagte, er sei 23. Sein Freund Pete Regan war ein schlanker, blauäugiger Blonder mit Sommersprossen. Er sei 22, sagte er, und komme aus Brooklyn. Sein Vater war Feuerwehrmann der Rettungseinheit »Rescue Three« in der Bronx gewesen und am 11. September ums Leben gekommen. Er sagte das ganz nüchtern, genau so, wie er mir Name und Alter mitgeteilt hatte.

Pete Regan gestand, dass er kaum wusste, wo er sich jetzt aufhalte. Ich versuchte, es ihm kurz zu erklären, doch er zuckte gleichgültig die Achseln. Er sagte: »Wir sind von Osten gekommen, durch irgendein verlassenes Militärnest, und sie haben uns einfach hier abgesetzt.« Ich fragte ihn, was er mit »abgesetzt« meinte. Er wies auf die in der Nähe geparkten Transporter und erklärte, dass jeder von denen etwa 21 Marines befördere, die im Innern saßen und nicht wussten, wohin die Reise ging. Nur die Kommandeure und die Fahrer wussten das. Genauso sei es heute Morgen gewesen. Eine Weile hätten sie vor Bagdad gestanden, und dann seien die Tore geöffnet worden, und jetzt seien sie eben hier, an dieser Kreuzung vor Saddam City. Auf diese Weise waren sie in den letzten drei Wochen den ganzen Weg von Kuwait vorgerückt. Ich fragte sie, wie ihnen der Irak denn bislang gefalle. Pete Regan grinste und sagte: »Es ist ein Dreckloch; es ist Scheiße!« Jim Higareda sagte zu Pete: »Na ja, gestern Nachmittag sind wir doch an diesem Ort vorbeigekommen, wie hieß der noch mal?« Pete zuckte die Achseln. Jim Higareda sagte: »Der war ganz hübsch.« Er wandte sich mir zu und erklärte: »Er hat mich an einige Gegenden tief in Mexiko erinnert.«

Sie freuten sich beide schon darauf, wieder nach Hause zu kommen. Seit Februar hatten sie keine Gelegenheit gehabt, mit ihrer Familie zu sprechen, weil sie ständig unterwegs gewesen waren. Jim Higareda sagte, er freue sich darauf, zum Big Bear Lake in der High Sierra zu wandern – »und nichts zu tun, zwei Tage lang«. Er lächelte bei dem Gedanken daran. Er hatte sehr weiße Zähne.

Knapp 100 Meter entfernt, auf dem Kreisverkehr, versuchten einige Kameraden von Jim Higareda und Pete Regan, eine ständig anschwellende Menge von begeisterten Irakern aufzuhalten. 100 Iraker oder noch mehr, meist Jugendliche und junge Männer, wuselten herum und drängten vorwärts, und sie alle gestikulierten und johlten und redeten auf die jungen Marines ein. Die Soldaten schienen geduldig gestimmt, konnten die Menge jedoch kaum kontrollieren. Mitten in dem Gewühl hielt ein Soldat ein kleines Blatt Papier mit arabischen Buchstaben hoch und versuchte, es zu entziffern, um einen verständlichen Satz daraus zu bilden. Er hatte es nicht gerade leicht, weil eine Gruppe freundlicher junger Iraker ihn ständig schubste und ihm auf Arabisch Fragen stellte. Er versuchte zu erklären, was das Papier in seiner Hand war. Er wiederholte das Wort »Übersetzung« laut auf Englisch, und das gleich mehrmals. Die Iraker schienen sehr neugierig und erfreut darüber, und als ich ging, warteten sie immer noch gespannt auf das, was er ihnen zu sagen hatte.

Anderswo ging die Plünderung weiter. Die meisten größeren Gebäude standen mittlerweile in Flammen. Nur vor dem Ölministerium hatte sich eine Einheit Marines auf beiden Seiten des Eingangs postiert und dem Plündern Einhalt geboten. Einige aufgekratzte Jungs lungerten noch herum und versuchten, mit den Marines ins Gespräch zu kommen. Einer hängte einen Gummireifen an den ausgestreckten Arm der Saddam-Hussein-Statue, die vor dem Ministerium stand, als wollte er sie in Brand stecken. Ein junges Pferd, das ein Seil hinter sich herschleifte, schoss vorbei, einige Männer jagten ihm nach. Es bäumte sich auf und sprang auf die Autobahn, wo es um ein Haar von einem vorbeisausenden Auto erwischt worden wäre. Vor Schreck galoppierte es auf die nächste Spur, und wieder mussten etliche Fahrer das Steuer herumreißen, um auszuweichen. Noch mehr Männer schlossen sich der Jagd an. Das Pferd lief weiter, im Zickzack über die ganze Autobahn, streifte Autos und Lastwagen sowie die Männer, die hinter ihm her waren. Kurz bevor ich das Pferd aus den Augen verlor, war es immer noch frei und trottete am Straßenrand entlang. Offenbar war den Verfolgern die Puste ausgegangen.

Ein korpulenter Mann in einem schicken Anzug stand plötzlich neben mir. Er sprach ein eher verschrobenes Englisch und sah wie ein wohlhabender irakischer Kaufmann aus, gab aber an, er sei Apotheker. Er stellte sich als Mohammed Samarrai vor. »Bitte«, mahnte er. »Alle gebildeten Menschen sind nicht zufrieden mit dem Gang der Ereignisse in diesem Land.« Ich fragte ihn, was er mir damit sagen wolle. »Die Diebstähle«, sagte er und wies mit einer Geste auf das Geschehen um uns. »Das ist das ungebildete Volk.« Er hatte einen missbilligenden Gesichtsausdruck, der mir nicht gefiel. Ich sagte ihm, dass ich kein Soldat, sondern Journalist sei. Er wirkte nicht überzeugt und wiederholte immer wieder, was er gesagt hatte. Als ich ging und ihm für seine Mitteilungen dankte, rief Samarrai mir nach: »Wir wollen einfach, dass die Menschen unter irgendeinem System leben. Jedes System ist besser als dieses.« Ich hatte den Eindruck, dass Samarrai vermutlich ein loyaler Anhänger des Ancien Régime war und sich über die Amerikaner aufregte. Ihretwegen, so verstand ich ihn zumindest, war Saddam nicht mehr hier, um das Volk in die Schranken zu weisen.

Wir fuhren über die Abu-Nawas-Straße wieder ins Zentrum zurück. Unser ursprüngliches Team hatte sich getrennt, und ich war nur noch mit John Burns unterwegs. Sabah hatte eingewilligt, uns zu fahren; er fühlte sich schuldig, weil er nicht mit mir nach Saddam City gefahren war. Die Fenster des Hotels Al-Safir waren zersprungen, aber ich war erleichtert, dass es bei dem Gefecht am Vortag nicht von den Panzern getroffen worden war. In der Nähe von Karims Friseurladen versuchten mehrere Männer eine nagelneue Staatskarrosse – einen weißen Toyota Land Cruiser – in eine Garage zu schieben, um ihn zu verstecken. Es sah fast so aus, als hätte sich die gesamte Nachbarschaft versammelt, um ihnen zuzuschauen. Die Plünderung hatte sich bis in das Stadtzentrum ausgeweitet. Die Sadunstraße war ganz mit Glasscherben übersät. Einige Jungen fuhren zusammengerollte Perserteppiche in einem Schubkarren weg. Wir näherten uns der Dschumhurijah-Brücke und hofften, sie überqueren zu können, doch war sie von einer Barrikade aus Trümmern blockiert, und die Überfahrt sah alles andere als sicher aus. Beim nächsten Kreisverkehr in der Nähe der Auffahrt auf die Sinak-Brücke duckten sich auf beiden Straßenseiten einige aufgebracht wirkende bewaffnete Jugendliche und junge Männer hinter Sandsäcken. Die Amerikaner waren ganz offensichtlich noch nicht hier gewesen. Wir fuhren weiter durch eine arme Gegend, wo die Geschäfte leer geräumt wurden und große Gruppen wild aussehender Männer lauernd herumstanden. Sabah beschwerte sich über die Gefahr unseres Ausflugs. Erst vor ein paar Stunden, sagte er, habe in der gleichen Gegend ein Mob das Auto anderer Reporter angehalten, sie verprügelt und ihnen ihre Ausrüstung, das Auto und das ganze Geld abgenommen.

Wir bogen nach links ab auf die Straße, die zur nächsten, etwa einen Kilometer entfernten Brücke führte. Es handelte sich um eine der von Kolonnaden gesäumten Straßen der Altstadt. Sie war verlassen. Wir kamen bis auf einen halben Block heran, aber dort war die Straße von Schutt und Trümmern blockiert. Ein Mann, der stark humpelte, kam heran und sagte uns, dass es hier gefährlich sei. Die Amerikaner hatten jemanden erschossen, der versucht hatte, die Brücke zu überqueren. Er führte uns zu dem Leichnam. Der blutige Körper eines jungen Mannes lag unter einem Jutesack in der Sonne, die Fliegen umschwirrten ihn. Aus den benachbarten Straßen ertönten vereinzelte Schüsse. Wir gingen zu unseren Autos zurück und fuhren noch einen Kilometer weiter, zur vierten Brücke, die über den Tigris führte, und suchten eine sichere Möglichkeit, auf die westliche Seite zu gelangen. Unterwegs wichen wir einer alten Frau in einer schwarzen Abaya aus, die mitten auf der Straße eine verchromte, mit ziemlicher Sicherheit geplünderte Hutablage vor sich herschob.

An dem Kreisverkehr, der auf die nächste Brücke führte, standen etwa ein halbes Dutzend Männer in ziviler Kleidung. Einige trugen Keffijeh-Tücher. Sie hatten Pistolen bei sich und Panzerabwehrraketen. Aber sie hielten uns nicht auf. Wir sahen Autos über die Brücke fahren und folgten ihnen. Auf der anderen Seite fanden wir uns auf der Prachtstraße wieder, die zum Justizministerium führte. Gut 200 Meter weiter auf der Straße konnten wir die riesigen Schatten mehrerer Abrams-Panzer ausmachen. Sie hatten offenbar angehalten, aber ihre Kanonen waren auf uns gerichtet. Ein Mann rannte auf die Straße und winkte uns zurück. Wir wendeten rasch die Autos, damit die Panzer nicht auf uns schossen, und fuhren wieder die Hauptstraße zurück, die von der Brücke wegführte, um außer Sichtweite der Panzer zu sein. Fast sofort waren wir von gut einem Dutzend Männer umstellt. Einer von ihnen sagte zu uns, dass sie – ob nun mit oder ohne Saddams Hilfe – die Amerikaner bekämpfen würden. Die anderen Männer taten johlend ihr Einverständnis kund, und einige skandierten kurz: »Down Bush«.

Zwei Männer, die ihre Kopftücher wie Balaclavas über dem Gesicht trugen und Raketenwerfer bei sich hatten, huschten geduckt über die Straße auf unsere Seite. Sie sahen in unsere Richtung und riefen den Männern um uns herum etwas zu, bevor sie in einer Seitenstraße, die zu den amerikanischen Panzern führte, verschwanden. Sie wollten ganz eindeutig versuchen, die Panzer anzugreifen. Sabah und Chifa drängten uns einzusteigen. Die Männer um uns machten auch Bewegungen mit ihren Armen, als wollten sie uns verscheuchen. Wir machten wiederum kehrt und rasten über die Brücke. Chifa sagte, die Männer seien Fedajin gewesen und hätten »Räumt das Gelände« gerufen, und einer habe ihm warnend zugeflüstert: »Bring sie sofort weg von hier.«

Während wir zurück zum Hotel fuhren, kamen wir an der ersten Gruppe von Schützen vorbei, die wir zuvor an der Sinak-Brücke gesehen hatten. Einer sah uns und brüllte wütend auf Englisch: »Go! Go! Go!« Sabah sagte, diese Kämpfer seien keine Iraker, sondern arabische Dschihadisten aus anderen Ländern. Plünderer, denen wohl die Zündschlüssel fehlten, schoben zwei weiße Toyota Land Cruiser langsam über die Sadunstraße. Zwei Blocks von den Hotels Palestine und Sheraton entfernt sahen wir, dass beide Seiten des Boulevards vor uns von Panzern und Transportern blockiert waren. Die US Marines hatten das Stadtzentrum erreicht.

John und ich wiesen Sabah an, uns ganz langsam zu folgen. Dann stiegen wir aus und gingen auf die Marines zu. Ein Iraker, der zusammen mit einem Haufen anderer Männer, Frauen und Kinder am Straßenrand stand, rief uns zu und fragte, ob wir Amerikaner seien. Als wir sagten, dass John Engländer und ich Amerikaner sei, brach die ganze Gruppe in Jubel aus und klatschte uns Beifall, als ob sie im Theater wären. »America good!«, rief der Mann mehrere Male.

Auf dem Lauf des ersten Panzers, den wir erreichten, stand »Kitten Rescue«. Die Marines hatten mit ihren Kriegsmaschinen den Fardus-Platz und die Hotels Palestine und Sheraton umstellt, und um sie herum herrschte eine festliche und erwartungsvolle Stimmung. Eine Menge aufgeregter junger Iraker hatte sich versammelt. Alle sahen zu der großen Bronzestatue von Saddam Hussein auf. Ein paar irakische Jungen kletterten hoch und versuchten, die Statue umzustürzen. Nachdem sie das ein paar Minuten lang vergeblich versucht hatten, fuhren ein paar Marines ein Panzerfahrzeug mit einer Winde auf die Stufen des Sockels. Die Stufen brachen unter den Metallketten ein. Ein Soldat stieg aus der Luke des Gefährts, kletterte auf die Winde und zog eine amerikanische Flagge hervor – offensichtlich hatte er die Absicht, sie auf die Statue zu hängen. Nach einem Moment steckte er die Flagge jedoch wieder ein, als ob jemand ihm gesagt hätte, dass dies politisch nicht korrekt sei. Rasch wurde eine irakische Flagge hervorgeholt und auf das Ende der Winde gehängt. Ein irakischer Junge half, das Kabel um Saddams Körper zu legen, und kletterte wieder herunter. Nach einem lauten Aufheulen des Motors und einer Rückwärts- und Vorwärtsbewegung zog das Fahrzeug daran, bis die Statue nach vorn kippte, das Gesicht nach unten. Ein paar Minuten lang hing sie in der Luft, bis die Marines einen zweiten kräftigen Ruck machten und sie ganz umstürzten – abgesehen von Saddams Bronzefüßen, die auf dem Sockel geblieben waren. Die Menge aus irakischen Männern und Jungen rannte nach vorn, johlte ganz begeistert, sprang auf Saddams Statue und fing an, mit den Schuhen darauf zu treten.

Etwa eine Stunde später stand ich in der Eingangshalle des Sheraton und wartete auf den Aufzug, der auf wundersame Weise wieder in Betrieb war. Zwei Araber mittleren Alters, vielleicht Iraker, warteten mit mir auf ihn. Sie musterten mich genau. Einer von ihnen, der dem Äußeren nach ein gut situierter Geschäftsmann war, stopfte sich eifrig mit einer Plastikgabel Reis von einem Pappteller in den Mund. Als er fertig war, warf er den Teller und die Gabel einfach auf den Fußboden. Das erschien mir zwar als ein völlig ungebührliches Verhalten, stand aber irgendwie im Einklang mit den Ereignissen des Tages. Nachdem er fertig gekaut und geschluckt hatte, sah der Mann mich an und sagte in perfektem Englisch: »Tja, die Iraker haben wirklich harten Widerstand geleistet, nicht wahr?« Er sagte das in einem bissigen Ton, deshalb nickte ich nur unverbindlich. Die Aufzugtür ging auf, und wir drei traten ein. Den ganzen Weg bis zum zehnten Stock, wo die beiden ausstiegen, sagte keiner ein Wort.

Kaum aber waren sie ausgestiegen, da drehten sie sich zu mir um. Der zweite Mann, der das Äußere eines Regierungsfunktio-

KAPITEL ZEHN

Bereits am Donnerstagvormittag war der größte Teil des Zentrums von Bagdad geplündert worden. Die Plünderungen waren auf der Ostseite des Tigris, wo die Marines am Vortag eingetroffen waren, geradezu anarchisch ausgeartet. Nur auf der westlichen Seite der Stadt gab es noch keine Plünderer, weil die Brücken über den Fluss von Abrams-Panzern der 3. Infanteriedivision blockiert waren, die den Ostteil eingenommen hatte. Zwei Blocks vom Palestine entfernt stieß ich auf Scharen von Menschen, die Geschäfte ausräumten und Waren wegschafften. Weitere Gebäude wurden in Brand gesteckt. Es herrschte Chaos.

In der Hoffnung, Ala Bashir zu finden, den ich eine ganze Woche lang nicht gesehen hatte, machte ich mich auf den Weg zum Al-Wassati-Hospital. An der Straße, die zu dem Krankenhaus führte, befanden sich andere medizinische Einrichtungen, die alle schamlos geplündert worden waren. Laster wurden mit Gegenständen jeder Art beladen, und Menschen schoben oder zogen hektisch ihre Beute weg. Alles war mit Unrat übersät. Ich hörte vereinzelt Schüsse und sah aus mehreren Gebäuden Rauch aufsteigen. Weit und breit waren keine amerikanischen Soldaten zu sehen.

In der Eingangshalle von Bashirs Krankenhaus lagen viele Verwundete auf Feldbetten an der gegenüberliegenden Wand. Ihre Verwandten kümmerten sich um sie. Zwei Tote lagen unter Decken auf Feldbetten auf dem Fußboden in der Nähe des Haupteingangs, neben ihnen drei Schwerverwundete. Einer der Verwundeten war der Fahrer eines Krankenwagens; Marines hatten an einer Straßensperre auf ihn geschossen. Der beschädigte Krankenwagen stand vor der Haupttür des Krankenhauses.

Ich wurde von Sundus empfangen, Bashirs Helferin; sie sah müde und ängstlich aus, lächelte aber erleichtert, als sie mich erblickte. Ich fragte nach Ala Bashir. Sie schüttelte den Kopf, runzelte die Stirn und führte mich eilig in den Vorraum des Notoperationssaals. Eine Minute später trat Bashirs Stellvertreter Dr. Walid Abdulmadschid ein. Er sah erschöpft aus. Seine Hände steckten in grünen OP-Handschuhen, auf denen frisches Blut glänzte. Er hielt sie hoch. Seit mehr als 36 Stunden sei er nunmehr im Einsatz, ohne zu schlafen, sagte er. Ein nicht endender Strom Verwundeter wurde eingeliefert, und er war ganz allein. Der größte Teil des medizinischen Personals war seit zwei Tagen nicht mehr zur Arbeit erschienen. Er wusste nicht, wie lange er den Betrieb noch aufrechterhalten konnte und was er tun sollte. Das Al-Wassati sei das letzte Krankenhaus im Stadtzentrum, das noch funktioniere, sagte er besorgt. Alle anderen waren geplündert worden, und jetzt bestand die Gefahr, dass es überrannt wurde. Im Laufe der Nacht hatten Plünderer mehrere Angriffe gewagt, und nur wenige Minuten vor meiner Ankunft hatten sie einen weiteren Versuch unternommen. Das Krankenhaus hatte keine Wachen mehr; die üblichen Wächter waren alle vor zwei Tagen verschwunden. Der einzige Schutz des Al-Wassati war ein junger Medizinstudent, der sich freiwillig gemeldet hatte. Während der Nacht hatte der Student Wache gehalten und Steine auf die Angreifer geworfen, um sie auf Distanz zu halten, aber es war nur eine Frage der Zeit, bis sie mit Verstärkung zurückkehrten und den Ort stürmten. Walid bat mich um Hilfe. Ich versprach, zum Palestine zurückzukehren und den Marines Bescheid zu geben.

Walid dankte mir, dann zog er mich zu sich heran und flüsterte mir ins Ohr. Er sagte, vor sechs Tagen, am Freitag, dem 4. April, dem Tag, als der Bagdader Flughafen den Amerikanern in die Hände gefallen war, habe Saddam Hussein Ala Bashir zu sich gerufen. Walid hatte Bashir mit seinem eigenen Fahrer zu dem Treffen geschickt. Weder Bashir noch der Fahrer waren seither wieder aufgetaucht. Walid befürchtete das Schlimmste. Ich fragte, ob er glaube, Bashir sei womöglich mit Saddam zusammen gewesen, als der Bombenanschlag in Mansur vor drei Tagen erfolgt sei. Walid wusste es nicht, sagte aber: »Ich glaube nicht, dass Saddam Hussein tot ist. Ich weiß nichts über Ala. Aber ich mache mir große Sorgen um ihn.« Er schlug vor, dass wir gemeinsam nach ihm suchen sollten. Er kannte eine noch lebende Schwester Bashirs im Westen der Stadt. Wenn Bashir noch am Leben sei, so vermutete er, dann könnte er dort sein. Wir vereinbarten, am nächsten Morgen dorthin zu fahren, falls die Brücken über den Tigris offen waren.

Ehe ich ging, sagte Walid, dass er einen britischen Patienten habe. Er wies Sundus an, mich zu ihm zu führen; er selbst musste in den Operationssaal zurück. Sie führte mich in eine schäbige Station. Der Patient entpuppte sich als Paul Pasquale, der Techniker von Reuters, der bei dem Panzerangriff auf das Palestine am 8. April verwundet worden war. Er sah furchtbar aus. Sein Gesicht war von Splitterwunden übersät; größere Wunden an seinem Körper hatte man genäht, und seine Beine waren dick bandagiert. Aber er hatte kein Bein verloren, wie man anfangs gemunkelt hatte. Pasquale war bei Bewusstsein, schien aber verwirrt. Ein paar irakische Kollegen von Reuters standen an seinem Bett. Sie teilten mir mit, sie würden versuchen, ihn aus dem Irak zu evakuieren, aber bei dem herrschenden Chaos werde das allem Anschein nach einige Tage dauern. Ich fragte, ob sie mit den US Marines gesprochen hätten. Sie schüttelten den Kopf; bislang war es ihnen noch nicht gelungen, einen zuständigen Offizier zu finden. Einer nahm mich beiseite und sagte mir, dass Pasquale nicht wisse, dass sein Freund Taras tot war; er bat mich eindringlich, die Nachricht für mich zu behalten. Ich plauderte ein paar Minuten lang mit Pasquale. Er sagte mir, dass gestern Nacht mehrere verwundete Dschihadisten aus Palästina mit ihm das Zimmer geteilt hätten. Er habe die ganze Nacht nicht schlafen können, weil er Angst gehabt habe, ihre Anwesenheit könne einen amerikanischen Angriff auf das Krankenhaus provozieren. Am Morgen seien ein paar Männer gekommen und hätten sie weggebracht, was ihn sehr erleichtert habe. Er wusste allerdings, dass das Krankenhaus nicht bewacht war und dass Plünderer versucht hatten einzudringen. Dann fragte mich Pasquale direkt nach Taras. Wie ging es ihm? Ich log. Ich sagte, dass Taras verwundet und in ein anderes Krankenhaus gebracht worden sei. Ich hätte ihn noch nicht selbst gesehen, sagte ich, aber ich hätte gehört, er werde durchkommen. Pasquale nickte, sichtlich erleichtert über die Nachricht. Ich sagte ihm, dass ich bald zurückkommen würde und ging.

Ich fuhr so schnell wie möglich zum Palestine zurück. Ein Humvee-Geländewagen stand davor, und daneben eine Gruppe von Amerikanern, die dem Aussehen nach hochrangige Offiziere waren. Posten der Marines hielten mich zurück. Ich erklärte ihnen, wer ich sei und dass es sich um einen Notfall handle. Ein Offizier, ein großer, stämmiger Mann mit einer Zigarre im Mund, winkte mich zu sich. Er stellte sich als Oberstleutnant Bryan McCoy vor. Ich wusste damals nicht, dass er den Vorstoß der Marines in die Stadt geleitet hatte und zu diesem Zeitpunkt der befehlshabende Offizier in Bagdad war. Während ich ihm die Lage im Al-Wassati-Hospital schilderte, hörte McCoy mir aufmerksam zu. Allem Anschein nach hatte er überhaupt nicht gewusst, dass die Krankenhäuser in Bagdad geplündert wurden; von dem Al-Wassati hatte er wohl auch noch nie gehört. Um ihn zu überzeugen, Soldaten zum Schutz des Krankenhauses zu entsenden, teilte ich ihm mit, dass ein britischer Bürger sich dort befinde. Ich sagte ihm, Pasquale sei einer der Journalisten, die verwundet worden waren, als der amerikanische Panzer auf das Palestine schoss. Er gab dazu keinen Kommentar ab, nickte aber. Dann zogen er und ein anderer Offizier eine militärische Karte von Bagdad heraus und breiteten sie auf der Motorhaube des Humvee aus. Er bat mich, ihm zu zeigen, wo sich das Krankenhaus befand. Ich versuchte es, aber das erwies sich als schwieriges Unterfangen. Er bat mich, 15 Minuten zu warten, bis er eine Einheit zusammengestellt habe. Ob ich sie dorthin führen könnte? Ich bejahte. Während ich wartete, sah ich einen Franzosen, den ich zuvor schon getroffen hatte. Er arbeitete für Première Urgence, eine Organisation, die Krankenhäusern in Notfällen Hilfe leistete. Der Franzose hatte Bashirs Krankenhaus im Krieg seine Dienste angeboten. Ich erklärte ihm, was vor sich ging. Er willigte ein, mitzukommen. Mit Sabah am Lenkrad fuhren der Franzose und ich an der Spitze eines Konvois, der aus drei oder vier Humvees und ein paar Panzerfahrzeugen mit 15 oder 20 Marines bestand, zu dem Krankenhaus.

Die Plünderungen hatten sich in unserer Abwesenheit noch ausgeweitet. Ein Laster und ein Kühlschrank blockierten fast eine ganze Straßenseite, und Sabahs Auto kam noch knapp durch die Lücke. Das Fahrzeug hinter uns schob den Kühlschrank aus dem Weg und zerquetschte ihn dann halb. Die Marines richteten ihre Gewehre auf die Plünderer. Als wir im Al-Wassati ankamen, sprangen die Marines heraus und gingen mit Blick zum Hospital in Gefechtsstellung. Sundus und einige Schwestern und Zivilisten standen in der Einfahrt und wirkten absolut versteinert. Ich rief den Marines eilig zu, dass das Krankenhaus doch beschützt werden müsse, nicht angegriffen. Sofort drehten sie sich um und bezogen Stellungen an der Eingangstür, diesmal mit Blick auf die Straße. Ich führte den Kommandeur der Einheit, einen jungen Leutnant namens Danner, zu Dr. Walid, den wir im Operationssaal antrafen. Er war enorm erleichtert über unseren Anblick und dankte Leutnant Danner überschwänglich dafür, dass er gekommen war. Er sagte, während meiner kurzen Abwesenheit sei der Eingang im Vorüberfahren beschossen worden. Zum Glück sei niemand getötet oder verwundet worden. Ich führte Danner zu Pasquale. Der Lieutenant beruhigte ihn und versicherte ihm, dass er nunmehr in Sicherheit sei. Die Marines sicherten die nähere Umgebung des Gebäudes ab und versprachen, die Nacht über zu bleiben. Ich sagte Walid, dass ich am nächsten Tag zurückkehren würde, um mit ihm nach Ala Bashir zu suchen.

Der Westteil von Bagdad war immer noch eine Sperrzone für uns. Einigen war es offenbar gelungen hinüberzugelangen, aber andere waren von amerikanischen Gewehrschüssen wieder zurückgetrieben worden. Sungsu Cho, der koreanische Fotograf, hatte versucht, eine der Brücken über den Tigris zu überqueren, doch amerikanische Soldaten auf der anderen Seite hatten auf ihn geschossen. Einige irakische Zivilisten, die versucht hatten, in ihren Autos hinüberzugelangen, waren umgekommen. Von meinem Hotelzimmer aus konnte ich ihre zerschossenen Gefährte vor den Panzern sehen. In Teilen der Stadt tobten immer noch schwere Gefechte. Es war nicht ganz klar, welche Teile Bagdads in den Händen der Amerikaner waren und welche nicht.

Ich schloss mich mehreren Fotografen zu einer Fahrt nach Dschadirijah an – eine Wohngegend im Süden Bagdads, die auf der gleichen Flussseite liegt wie das Palestine. In dieser Gegend hatten viele hohe Baath-Funktionäre Villen, darunter Tariq Asis und die meisten Verwandten Saddams. Wir suchten nach einem Palastkomplex, in dem angeblich Udai Hussein gewohnt hatte. Die Fahrt dorthin dauerte lange, weil mehrere Hauptstraßen von Selbstschutzkomitees mit Gewehren blockiert wurden, die Autos an der Weiterfahrt hinderten, um Plünderer abzuwehren. Wir nahmen Seitenstraßen und Abkürzungen, um ihnen aus dem Weg zu gehen.

Mehrere Dutzend Marines hatten sich an einem Kreisverkehr auf die Lauer gelegt, wo eine weitere große Saddam-Statue gestürzt worden war. Wir fuhren um die ausgebrannten Überreste eines irakischen Munitionslasters. Er war von Hunderten von Raketen umgeben, einige sahen so aus, als wären sie noch nicht explodiert. Ich erkannte den Kreisverkehr wieder, der in der Nähe des Hotels Al-Hamra lag, und da wurde mir klar, dass das Hotel mein einziger Bezugspunkt in dieser Gegend war. Allmählich dämmerte mir, wie wenig ich Bagdad kannte. Unser Wissen über Saddams Hauptstadt war vor dem Krieg so streng reglementiert gewesen, dass kaum jemand von uns auch nur die Namen der Paläste oder den Zweck der Regierungsgebäude gekannt hatte. In den letzten 48 Stunden hatte ich Orte entdeckt, von deren Existenz ich zuvor keine Ahnung gehabt hatte. Bei einer unserer Fahrten zum Al-Wassati-Hospital waren Sabah und ich zum Beispiel an einem mittelgroßen Hotel, dem Al-Sadir, vorübergefahren, das nur gut fünf Blocks vom Palestine entfernt lag. Das Hotel stand in Flammen, und ein Wachposten rannte umher und schoss, um Plünderer zu verjagen. Beiläufig bemerkte Sabah, das Hotel sei der Ort, wo die meisten arabischen Dschihadisten in den letzten Wochen gewohnt hätten, die Saddam angeworben hatte. Ich fragte Sabah, warum er mir das nicht früher mitgeteilt hätte. Er zuckte die Achseln und lächelte. Dann zeigte er auf ein großes Mietshaus nicht weit von der Sadunstraße. In jenem Gebäude, sagte er, seien einige Guerillas der iranischen Organisation Mudschaheddin-i-Khalq (Volksmudschaheddin) untergebracht gewesen, die von Saddam unterstützt worden war. Er kicherte.

Als wir nur noch ein paar Blocks von dem Palast entfernt waren, ließen wir unser Auto an der Hauptstraße stehen und gingen zu Fuß durch eine Wohngegend. Alle Straßen waren verbarrikadiert und wurden von misstrauisch blickenden Anwohnern mit Gewehren bewacht. Sie sahen uns argwöhnisch an, erwiderten aber unsere Grüße. Eine Frau Mitte vierzig, die westliche Kleidung trug, kam auf mich zu; sie sah sehr wütend aus. Sie sagte: »Bitte, ich möchte Ihnen etwas sagen, bitte!« Ich blieb stehen. Sie schrie:»Was tut Amerika Bagdad an? Warum ist es hierher gekommen?« Es gab kaum etwas, was ich ihr hätte sagen können, also sagte ich gar nichts. Sie stapfte davon und rief: »Amerika ist dumm.«

Wir kamen an den Toren eines großen Palastkomplexes an. Eine Gruppe junger US Marines, die am Eingang herumlungerten, winkte uns durch. Im Innern zählten wir fünf neoklassische Kalksteinpaläste mit Kuppeldächern. Jeder Bau hatte einen protzigen Säuleneingang. Anscheinend stand hier ein Palast für jedes Mitglied von Saddam Husseins Familie. Zwei von ihnen waren schwer bombardiert worden, und Teile der Dächer waren unter Trümmerhaufen eingebrochen. Wir stießen überall auf amerikanische Marines. Neugierig erkundeten sie das Innere oder lagen draußen in den Blumenbeeten, hörten Radio und ließen es sich gut gehen. Sie sagten uns, sie wären gestern Abend angekommen. Bruchstücke von prunkvollem Schnitzwerk und von hölzernen Türrahmen, die mit Messing und Emaille verziert waren, lagen verstreut herum. Ein großer Kristallleuchter war auf die Trümmer im Foyer eines Palastes gestürzt. Er war von grauem Staub bedeckt.

Auf die Eingangswand eines Palasts hatte ein US-Soldat »Texas« und »Suicide 1/7« (1. Bataillon, 7. Regiment) gekritzelt. Im Garten sah ich einen Swimming-Pool und eine Steinkopie der Venus von Milo. Zwei die Zähne fletschende Porzellanleoparden bewachten den Eingang zum Palast nebenan. Dieser Palast hatte Fußböden aus Marmor und eine massive weiße Marmortreppe, die sich auf halbem Weg teilte. Über der Treppe hing ein riesiges Familienbild, das Saddam, seine Frau und seine beiden Töchter in glücklicheren Jahren zeigte. Nach dem Alter der auf dem Bild dargestellten Personen zu schließen, war es Anfang der 80er entstanden. Das Porträt bestand aus unterschiedlich gefärbten Marmorschichten, und die Gesichter und Hände der Familie waren rosafarben.

Der Palast verfügte über eine private Zahnklinik und einen

Schönheitssalon, der malven- und pinkfarben dekoriert war. Bilder von Britney Spears lagen wild durcheinander auf dem Fußboden. Im ersten Stock gab es mehrere riesige Badezimmer mit vergoldeten Armaturen und Bädern mit Stufen. Das Mobiliar bestand überwiegend aus Chinoiserie und Kopien antiker französischer Stücke, alles schwer vergoldet. In einem Schlafzimmer stand ein aus Teak geschnitztes Zweiersofa, auf dem die Puppenkollektion eines kleinen Mädchens aufgestellt war. Das große Schlafzimmerfenster blickte auf den Tigris. Ein anderes Schlafzimmer war ganz pink und roch entsetzlich nach Parfüm. Mir fiel auf, dass Metallzäune mit hohen Spitzen die Aussicht auf den Fluss beeinträchtigten. In einem weiteren Schlafzimmer lag eine nagelneue Kettensäge der Firma McCullough auf einem Sofa neben dem Bett, der gelbe Kasten auf dem Boden. Vier weitere Kettensägen standen noch eingepackt in einer Ankleidekammer. Ein Kühlschrank in einem anderen Schlafzimmer war voll gestopft mit Kosmetikartikeln: Clarins Extra-Firming Concentrate, Gentle Night Cream und Eye Contour Gel; auch eine Kiste mit iranischen Kiwifrüchten und Dosen mit koreanischem roten Ginsengsaft fanden sich dort. Im selben Schlafzimmer sah ich einen Sony-Fernseher mit Großbildschirm, einen Power-JOG-Lauftrainer, mehrere Brillenetuis von Christian Dior und, auf dem Fußboden neben dem Bett, einen Bildband mit dem Titel »A Day in the Life of Spain«.

Ich plünderte nun auch ein wenig: Als ich ein rückenschonendes Sitzkissen in einem Schlafzimmer erblickte, das offenbar einer Tochter Saddams gehört hatte, hob ich es auf und nahm es mit. Seit gut 10 Tagen hatte der tüchtige Physiotherapeut Nabil mich nicht mehr behandelt, und meine Rückenschmerzen waren zurückgekehrt.

Wir gingen zum nächsten Palast weiter, wo ein Soldat die Fotografen anwies, keine Bilder von seinen Leuten zu machen, weil sie »geheimdienstlich« tätig wären. Wir gingen an einem

Offizier vorbei, der in eine Milchkiste schiss und dabei in einem *Playboy*-Heft las. Er winkte uns zu, als wir vorbeigingen. Einige junge Marines lungerten um einen Humvee herum, der mit Fotos geschmückt war, die wie Werbung für Parfüm aussahen: zwei Frauen in einer intimen Pose. Einer fragte lautstark, ob ich vielleicht irgendwelche Neuigkeiten von dem Krieg wüsste. »Wir haben keine Ahnung, was da abgeht«, sagte er. Ich sagte ihm, was ich wusste. Er schien wirklich interessiert, doch seine Kumpel wirkten gelangweilt. Einer fragte mich, ob es stimme, dass Madonna und Jennifer Lopez gemeinsam bei einem Autounfall ums Leben gekommen wären. Nicht dass ich wüsste, erwiderte ich. Der Soldat sagte: »Das ist gut, Mann, ich wünschte wirklich, Madonna wär jetzt hier.« Er lachte auf eine lüsterne, knabenhafte Art, und seine Freunde lachten mit.

Als wir das Gelände verließen, gingen wir an ein paar Marines vorbei, die auf dem Randstein der Auffahrt saßen und Fertiggerichte aßen. Die meisten rauchten nebenher noch Zigarren. Sie winkten freundlich. »Sind das kubanische Zigarren?«, fragte ich. »Aus dem privaten Vorrat des Chefs?« Einige Marines grinsten verschlagen und zeigten mit dem Daumen nach oben. »Nur das Beste«, sagte einer und lachte. Außerhalb des Palastes, auf dem Boulevard, der an den Villen am Fluss vorbeiführte, passierten uns Männer, die wie Schläger aussahen. Einige ihrer Autos waren mit Beutegut beladen. Die Männer starrten uns an. Wir huschten schnell durch den Verkehr und machten uns auf den Rückweg durch die Seitenstraßen. Die Männer an den Barrikaden blickten zwar finster, ließen uns aber durch. Hier und da hörten wir Schüsse.

Auf der Rückfahrt ins Hotel bemerkte ich, dass der Himmel wieder blau war. Saddams Ölfeuer waren erloschen. Doch am Horizont konnte ich neue schwarze Rauchschwaden erkennen. Sie stiegen von den Regierungsgebäuden auf, die man in Brand gesetzt hatte. Niemand schien sie zu löschen. Autofahrer rasten auf der falschen Straßenseite direkt auf den entgegenkommenden Verkehr zu. Dabei überholten sie nach Belieben rechts oder links, als würden keine Verkehrsregeln mehr gelten.

Auf dem Fardus-Platz hatten die Marines strenge neue Sicherheitsvorkehrungen eingeführt. Stacheldraht blockierte die Zufahrten zum Palestine und Sheraton. Marines hatten Straßensperren an der Sadunstraße errichtet und hielten jedes Auto an, das in die Zone einfahren wollte, um es zu durchsuchen. Sabah versuchte, das zu umgehen, indem er an der Reihe wartender Autos vorbei auf ein paar Marines auf der Straße zufuhr. Mit einem schmeichlerischen Lächeln winkte er und rief: »Hey, Gus!« (Seit dem Tag zuvor verwandte Sabah die Namen Gus und Jim abwechselnd – er rief sie ein jedes Mal laut, wenn er auf einen US-Soldaten stieß.) Dann zeigte er mit dem Daumen nach oben. Die Marines sahen ihn verdutzt an; dann schickte einer ihn barsch zurück und befahl ihm, sich wie alle anderen einzureihen. Sabah tat wie befohlen, doch dann hatte er plötzlich einen Anfall. Er bremste wütend und riss die Tür auf. Er schäumte vor Wut. »Jetzt reicht's«, sagte er, er werde sich das nicht bieten lassen, er gehe jetzt nach Hause, er habe die Nase voll. Ich sagte ihm, er solle sich beruhigen, und erklärte, dass die Marines das nur aus Sicherheitsgründen tun würden, dass sie frisch aus der Schlacht kämen, noch jung wären, Angst vor Selbstmordbombern hätten und so weiter. »Aber sie kennen mich!«, schrie er. »Ich bin erst vor einer Stunde hier durchgefahren.« Er zeigte auf einen jungen Soldaten, der in der Nähe stand: »Mit dem da habe ich gesprochen.«

Sabahs Stolz war tief verletzt. Jahrelang hatte sein Leben sich um dieselben sicheren und vertrauten Rituale gedreht. Tag für Tag hatte er seinen Lebensunterhalt damit verdient, dass er von seinem Haus zum Al-Raschid und zum Informationsministerium und wieder zurück gefahren war. Er war stolz darauf gewesen, dass die Polizisten gegen Trinkgeld ein Auge zudrückten, wenn er vor dem Al-Raschid eine 180-Grad-Wende machte oder auf den VIP-Stellplätzen des Hotels parkte. All das war mit einem Schlag vorbei. Nunmehr musste er bewaffneten 19-Jährigen aus Kentucky und Tennessee gehorchen, die nicht einmal seine Sprache beherrschten.

Als wir ins Sheraton zurückkehrten, stand der Hotelmanager im Eingang und sah ganz verzweifelt aus. Ich fragte ihn, was denn los sei. Er sagte: »Ich habe mit angesehen, wie meine wunderschöne Stadt zerstört wurde, zuerst von Saddam Hussein und jetzt von diesen Menschen.« Er zeigte auf die Marines auf der Straße. »Warum musste das passieren? Wer baut das wieder auf? Warum passiert so etwas immer dem Irak? Ist es wegen unseres Öls?«

Am Freitagmorgen, dem 11. April, zog die US Army ihre Panzer von den Brücken über den Tigris ab. Fast sofort danach strömte eine Flut von Autos über den Fluss, und die Plünderung des Westteils von Bagdad begann.

Ich war an diesem Morgen bis zur Dämmerung aufgeblieben. Nach ein paar Stunden Schlaf wachte ich gegen Mittag auf, fühlte mich aber immer noch erschöpft. Ich schickte Dr. Walid die Nachricht, dass wir unsere Suche nach Ala Bashir noch um einen Tag verschieben sollten. Am Nachmittag beschloss ich nachzusehen, wie es Ali, dem verbrannten Jungen, im Al-Kindi-Krankenhaus ging. Als Sabah und ich ankamen, fanden wir die Tore geschlossen vor, und eine Gruppe irakischer Männer mit Turbanen und Kaftanen stand davor. Ein Pfleger, der dabei war, teilte mir mit, dass das Krankenhaus von einem Mob Plünderer bedroht worden und das Personal geflohen sei. Die Patienten hatte man seither in andere Krankenhäuser evakuiert. Er sagte mir, dass der Junge Ali noch am Leben sei und nun in einem Krankenhaus in Saddam City liege. Ich bat Sabah, mich nach Saddam City zu fahren. Wir gerieten deswegen in Streit. Sabah sagte, es sei zu gefährlich, dorthin zu fahren. Ich wurde wütend auf ihn und sagte, wenn er nicht bereit sei, mich hinzufahren, dann würde ich mir einen anderen Fahrer suchen. Am Ende hielt Sabah den Mund und fuhr los, war aber immer noch wütend auf mich.

Wir passierten einen von Marines besetzten Kontrollpunkt am Rand von Saddam City und fuhren weiter. Gleich darauf zerfiel die asphaltierte Straße in eine schlecht ausgebesserte Fahrbahn mit großen Schlaglöchern und riesigen Pfützen. Wir fuhren an Hunderten von Menschen vorbei, die zu Fuß in den Slum unterwegs waren, beladen mit gestohlenen Gütern von ihren Raubzügen durch die Stadt. Ich fühlte mich allmählich unbehaglich, als ich Straßensperren vor uns sah: primitive, zickzackförmige Barrikaden aus Ölfässern, Möbelstücken und Betonblöcken. Finster blickende Jugendliche standen neben ihnen und hatten Eisenstangen in der Hand. In den Gassen zwischen den Bruchbuden entlang der Straße sah ich Männer mit Gewehren. In einer Gasse entdeckte ich ein gestohlenes Feuerwehrauto; in einer anderen einen großen roten Doppeldeckerbus, eines der neuen Fahrzeuge, die Saddam erst vor kurzem aus China importiert hatte.

An der ersten Straßensperre schrien die Männer Sabah an und versuchten, meine Tür zu öffnen und mich herauszuzerren. Er redete eindringlich auf sie ein. Sie ließen meine Tür los, und wir fuhren langsam weiter. Sabah blickte starr geradeaus und sagte kein Wort. Er atmete schwer. Wir kamen an weiteren Straßensperren vorbei und gelangten zum ersten der beiden Krankenhäuser von Saddam City. Eine große Gruppe bewaffneter Jugendlicher stand hinter den geschlossenen Toren, und ein paar sprangen vor, als wir uns näherten. Sie blickten unfreundlich, aber nachdem Sabah mit ihnen gesprochen und ihnen erklärt hatte, weshalb wir gekommen waren, öffneten sie die Tore und starrten mich an. Sie schlossen die Tore hinter uns. Ich stieg aus dem Wagen und wurde sofort umzingelt. Ich bemerkte, dass die Männer Sabahs Wagen durchsuchten. Sie fingen an, mir auf Arabisch Fragen zu stellen. Sie waren sehr misstrauisch. Wer war ich? War ich Amerikaner? Warum war ich gekommen? Sabah redete mit ihnen, aber er verhielt sich merkwürdig passiv, und er hielt sich abseits von mir.

Ich bekam große Angst, gab mir aber Mühe, sie zu verbergen. Ein junger Mann, seinem Aussehen nach ein Religionsstudent, marschierte auf mich zu und rief mir auf Englisch zu, dass Saddam City und die Krankenhäuser nunmehr unter der Aufsicht der islamischen Religionsgelehrten stünden. Ob ich das wisse, fragte er.

Ich erinnerte mich dabei an eine Furcht erregende Erfahrung, die ich vor einigen Jahren im Gaza-Streifen gemacht hatte, als ein Mob von Palästinensern mich während einer Auseinandersetzung mit der israelischen Armee mitgerissen hatte. Ein junger Palästinenser war zuvor angeschossen worden und verblutet. Seine Freunde hatten mich in eine Gasse zu einem Bauplatz hinter einer halb erbauten Moschee gezerrt und gegen eine Wand gestoßen. Sie warfen mir vor, Israeli zu sein, und glaubten mir nicht, als ich das abstritt. Sie riefen immer weiter: »Jahud, jahud – Jude, Jude«, und alle fingen an, Betonstücke und Steine aufzusammeln. Ich war sicher, dass sie mich steinigen würden, bis jemand am Rand des Mobs sich zu Wort meldete. Er sagte, dass er mich erkannt hätte. Dieser Mensch hat mir, davon bin ich überzeugt, das Leben gerettet.

Der Religionsstudent in Saddam City sah mich erwartungsvoll an und wartete auf meine Antwort. Nein, sagte ich ihm, ich hätte von der islamischen Übernahme des Krankenhauses nichts gewusst. Ich wiederholte, dass ich gekommen sei, um nach Ali zu sehen, dem verbrannten Jungen. Er sagte mir, der Junge sei nicht hier, sondern in einem anderen Krankenhaus. Ob ich vielleicht mit dem Scheich sprechen wolle, der nunmehr für das Krankenhaus zuständig sei? Ja, erwiderte ich und gab mir Mühe, interessiert auszusehen. Ein oder zwei Minuten später schritt eine Gruppe Imame mit Turbanen und Kaftanen und wilden Bärten durch die Menge. Einer war allem Anschein nach die Autoritätsperson. Ich nickte, während er sprach, hörte ihm aber nicht wirklich zu, abgesehen davon, dass ich die Tatsache registrierte, dass er und die Männer um uns Anhänger des militanten schiitischen Geistlichen Moqtada al-Sadr waren. Der Scheich sagte, sie seien überzeugt, die Vereinigten Staaten hätten mit boshafter Absicht die Plünderung Bagdads inszeniert, die immer noch anhalte. Aus diesem Grund würden sie die öffentliche Sicherheit und wesentliche Dienstleistungen in Saddam City nunmehr selbst in die Hand nehmen. (Innerhalb von wenigen Tagen hatten Sadrs Männer den Slum mit einer Bevölkerung von rund 2,5 Millionen Menschen unter ihre Kontrolle gebracht und in Sadr City umbenannt – nach Moqtadas Vater, dem hochverehrten Imam, den man auf Saddams Befehl hin ermordet hatte.)

Nachdem der Scheich seine Rede gehalten hatte, ging er ins Hospital zurück, und ich blieb bei dem Mob zurück. In dem Augenblick bahnte sich ein Mann seinen Weg durch die Menge zu mir. Er hatte ein Gesicht, das mir bekannt vorkam, und schien kein Iraker zu sein. Ich erkannte in ihm einen arabischen Moderator für den Sender Al-Dschasira. Er fragte mich, halblaut und in gutem Englisch: »Was machen Sie denn hier?« Ich erklärte ihm, weshalb ich gekommen sei, sagte ihm aber, dass ich inzwischen nur noch weg von hier wollte. Er murmelte: »Ich auch.« Dann fragte er mich sehr leise: »Sind Sie Amerikaner?« Ich bejahte. Er schüttelte den Kopf und wirkte verärgert. Er erklärte mir, er sei in den Slum gekommen, weil er von der Übernahme der Krankenhäuser durch Sadr gehört habe, dass ihm die Stimmung hier aber überhaupt nicht behage. Er verhandelte mit den Selbstschutzmilizen, weil er eine bewaffnete Eskorte wollte, die ihn wieder herausbrachte. Die Angst stand ihm ins Gesicht geschrieben. Er sagte mir, ich solle bleiben, wo ich war. Es war mir gelungen, mich durch die Menge so weit hindurchzumanövrieren, dass ich wieder neben Sabahs Wagen stand, aber immer noch war ich von Milizionären umgeben, die mich anstarrten und untereinander tuschelten. Der Araber kehrte einen Augenblick später zurück und sagte barsch: »Steigen Sie ein und folgen Sie uns.«

Die Männer von Sadr hatten sich offenbar geweigert, ein Fahrzeug als Eskorte bereitzustellen, willigten aber ein, einen ihrer Männer in dem Auto des Arabers mitzuschicken. Sabah und ich fuhren hinter seinem Auto aus dem Krankenhausgelände und hielten uns so dicht wie möglich hinter ihm. Wir sahen, wie sie an der ersten Straßensperre ein Wortgefecht austrugen, wo die Wachen sich offenbar weigerten, uns durchzulassen, aber nach einigen Minuten fuhren sie weiter, und wir wurden ebenfalls durchgewinkt. Nach der letzten Straßensperre sprang der Mann von Sadr aus dem Auto des Arabers. Wir fuhren weiter. Ein paar hundert Meter hinter Saddam City raste der Mann von Al-Dschasira mit großer Geschwindigkeit davon. Sabah und ich fuhren ein paar Minuten lang schweigend weiter. Dann warf er mir einen »Hab ich's nicht gleich gesagt«-Blick zu und sagte: »Mr. Jon Lee … – « und brach wieder ab. Er schüttelte vielsagend den Kopf. Ich entschuldigte mich und versprach, von nun an auf ihn zu hören. Er lächelte und seufzte schwer. Er tippte sich mit einem Finger gegen die Schläfe: »Sabah, er verrückt? Oder Mr. Jon Lee verrückt? Wer verrückt? Nie wieder Saddam City. Okay?«

(Ich habe den Mann von Al-Dschasira nie wiedergesehen, doch Monate danach, im September 2003, sah ich mir zu Hause in England die BBC-Abendnachrichten an und erkannte sein Gesicht auf dem Bildschirm. Der Mann wurde als Tayssir Alluni identifiziert, ein aus Syrien stammender spanischer Staatsbürger. Man hatte ihn soeben in seinem Haus im spanischen Granada verhaftet. Ihm wurde vorgeworfen, ein hochrangiger »Kurier« für al-Qaida zu sein.)

Am nächsten Morgen, am Samstag, fuhr ich wieder zum Al-Wassati-Hospital, um dort Dr. Walid abzuholen. Die amerikanischen Marines waren immer noch dort und bewachten den Ort. Walid wirkte viel entspannter als noch vor zwei Tagen. Er sagte mir, die Marines hätten versprochen, im Krankenhaus zu bleiben, bis die Lage sich beruhigt hätte. Ich fragte nach Paul Pasquale. Walid sagte, er sei am Vortag nach Großbritannien evakuiert worden.

Als wir das Krankenhaus verließen, bemerkte ich, dass einige Marines vier Iraker bewachten, die mit dem Gesicht zur Wand auf dem Boden knieten, die Hände hinter dem Kopf verschränkt. Dr. Walid erklärte, dass die Männer einen gestohlenen Krankenwagen gefahren und die Marines sie daraufhin verhaftet hätten. Wir stießen auf einige andere Marines, die sich mit einer Gruppe aufgebrachter junger Iraker unterhielten. Ein Arzt übersetzte, was sie sagten. Die Iraker baten die Soldaten, ihnen bei der Suche nach Verwandten zu helfen. Sie zeigten auf einen besonders hässlich und finster aussehenden Bau gleich neben dem Al-Wassati, der mir zuvor nie aufgefallen war. Er ragte etwa vier Stockwerke hoch auf, war aber über dem Erdgeschoss völlig fensterlos. Das sei ein Muchabarat-Gebäude, erklärten sie, und in den oberen Stockwerken sei ein Gefängnis. Es war evakuiert worden, und man hatte die Zellen bereits durchsucht. Aber die Männer glaubten, es gebe unter dem Gebäude ein geheimes unterirdisches Gefängnis. Nachbarn aus der Gegend behaupteten, sie hätten dort noch vor wenigen Tagen die Schreie von Menschen gehört. Die Iraker wollten, dass die Marines ihnen halfen, den geheimen Kerker zu finden.

Sechs oder sieben Soldaten, die von einem jungen Leutnant

angeführt wurden und die Gewehre und Taschenlampen trugen, folgten den Irakern in das Gebäude. Dr. Walid und ich kamen ebenfalls mit. Der Ort war finster, ohne Strom, und im Erdgeschoss stand zentimeterhoch stinkendes Abwasser. Wir stiegen die Stufen hoch und blickten in einige Zellen, deren Türen offen standen. Es waren furchtbar modrige Löcher. Ein unerträglicher Gestank, der mir irgendwie bekannt vorkam, drang heraus. Es roch wie in den Zoos sehr armer Länder – nach Dreck, Schweiß und Exkrementen.

Wir fanden die Hausapotheke, und die Marines sahen sich einige Medikamente und das Hauptbuch an. Dr. Walid übersetzte ihnen die Etiketten. Die jungen Amerikaner überlegten, ob die Häftlinge als Versuchskaninchen für geheime medizinische Experimente missbraucht worden waren. Dr. Walid verwarf diesen Gedanken, merkte jedoch an, dass vielen Gefangenen Medikamente gegen Ungeziefer, Infektionen und Magen-Darm-Entzündungen verschrieben worden seien. Das seien charakteristische Beschwerden für Häftlinge in irakischen Gefängnissen.

Die Marines schickten sich an, die dunklen Treppenschächte hinabzusteigen, um nach einer Falltür oder einer geheimen Kammer zu suchen, die sie zu den Kerkern führte. Die Iraker, die ihre verschwundenen Brüder, Väter und Vettern suchten, folgten ihnen mit weit aufgerissenen Augen, als seien sie hypnotisiert; sie glaubten, in den Amerikanern endlich ihre Retter gefunden zu haben. In einem Treppenschacht stießen wir auf eine große Kiste voller langer Streifen aus billigem Stoff: Augenbinden für Häftlinge.

Walid und ich hatten genug gesehen. Als wir uns verabschiedeten, sagte Dr. Walid dem jungen Leutnant, der die Gruppe anführte, dass er sehr schätze, was er und seine Kameraden hier versuchten, dass es aber sinnlos sei, weil er wirklich nicht glaube, dass es irgendwelche unterirdischen Zellen gebe. Dann sagte

Walid zu mir: »Alle in diesem Land möchten an die Existenz solcher unterirdischen Gefängnisse glauben, weil sie hoffen, ihre vermissten Angehörigen noch am Leben anzutreffen. Ich glaube nicht, dass es sie gibt. Die Menschen, nach denen sie suchen, sind vermutlich tot.«

Während wir zurück zum Krankenhaus gingen, erzählte mir Walid eine Geschichte von einem Kollegen aus dem Krankenhaus, der verschwunden war, nachdem der Muchabarat ihn aus unerklärlichen Gründen einige Jahre zuvor festgenommen hatte. Nach etwa zwei Jahren war er wieder aufgetaucht, ausgezehrt und kränklich. Er hatte die Hälfte seines normalen Körpergewichts verloren. Der Arzt hatte Walid erzählt, dass man ihn in genau dieses Gefängnis gleich neben dem Krankenhaus gesteckt habe. Ein- oder zweimal hatte man ihn aus irgendeinem Grund in ein Zimmer im unteren Geschoss mit schwer vergitterten Fenstern gebracht, und man hatte ihm die Augenbinde abgenommen. Er hatte Dr. Walid und einige andere Kollegen erblickt, die nichts ahnend vom Al-Wassati kamen und gingen. Während der ganzen Zeit, sagte Walid, hätten weder er noch einer seiner Kollegen geahnt, dass ihr Kollege sich hier befand.

Sabah fuhr uns ohne Zwischenfälle über den Fluss auf die Westseite von Bagdad. Auf der anderen Seite des Flusses war so gut wie jedes Regierungsgebäude, an dem wir vorüberfuhren, ausgeplündert, und eine ganze Reihe stand in Flammen. Als wir am Hotel Al-Raschid vorbeikamen, sahen wir, dass es, trotz aller Warnungen, den Krieg unbeschadet überstanden hatte, doch jetzt wurde es ebenfalls geplündert. Unzählige Autos und Lastwagen waren vor der Eingangstreppe vorgefahren, und wir sahen Männer, die Möbelstücke aus dem Eingang trugen. Sabah war von dem Anblick ganz geschockt. Das Al-Raschid war die letzte Bastion seines ehemaligen Lebens, die noch unversehrt geblieben war. Wir hatten alle erwartet, dass die Amerikaner es übernehmen und als ihre Basis nutzen würden. Aber jetzt sahen wir weit und breit keine Amerikaner. »Warum, Mr. Jon Lee?«, rief Sabah wehmütig aus. Ich wusste keine Antwort. Ich war bestürzt und wütend darüber, dass meine Landsleute einfach dastanden und zusahen, wie Bagdad geplündert und nieder gebrannt wurde. Das ergab überhaupt keinen Sinn.

Gleich hinter dem Al-Raschid fuhren wir an einer Gruppe Männer vorbei, die am Rand der Autobahn gestohlene Krankenhausbahren schoben, komplett mit angehängter Infusion und Tröpfchenspender. Wir fuhren an einer anderen Gruppe vorbei, die ausgelassen feierte und bekleidet war, als würde sie zu einem Kostümball gehen, mit verzierten Pickelhauben und Uniformjacken mit Epauletten und Blechknöpfen, wie an den Jacken, die Marschkapellen tragen.

Wir tasteten uns weiter durch die Stadt vor, ohne eine klare Vorstellung davon, welche Gegenden sicher sind und welche nicht. Hier und da hörte man immer noch Schusswechsel. Dr. Walid fragte, ob wir kurz an dem Haus seiner Familie hier in der Nähe Halt machen könnten. Er erklärte, dass es seit voriger Woche leer stehe, als er Frau und Kinder nach Samarra evakuiert habe, eine Stadt im Norden von Bagdad in der Nähe von Saddams Heimatstadt Tikrit, wo er Verwandte habe. Er machte sich jedoch allmählich Sorgen wegen der Meldungen, dass die Amerikaner im Begriff seien, eine Offensive gegen Tikrit zu starten. Er hatte von seiner Familie nichts gehört, seit sie abgefahren war, und hatte keine Möglichkeit, mit ihnen telefonisch Kontakt aufzunehmen.

Dank einiger wachsamer Nachbarn war Walids Haus unversehrt geblieben. Während wir uns mit ihnen unterhielten, sahen wir Plünderer in beiden Richtungen umherstreifen. Es fielen Schüsse. Walid erklärte, dass die Anwohner feuern würden, um die Plünderer zu verjagen. Scharen junger Männer trotteten die Straße entlang. Die meisten sahen so aus, als wären sie schon stundenlang gegangen. Sie sahen durstig und ausgedorrt aus. Sie waren alle unterwegs nach Süden. »Das sind Soldaten«, sagte Walid. Er zeigte auf einige abgelegte Teile von Militäruniformen, die am Straßenrand lagen. Seine Nachbarn nickten und sagten, dass seit gestern viele Hunderte Soldaten vorbeigehen würden auf ihrem Weg nach Hause von Bagdad und von Städten weiter im Norden aus. Die Anwohner hatten Brot und Wasser an so viele Männer verteilt, wie sie konnten. Sie kamen allesamt aus Fronteinheiten, die beschlossen hatten, die Waffen niederzulegen und ihre Stellungen aufzugeben, statt zu kämpfen. Die meisten hatten bereits zivile Kleidung angezogen. Walid hielt ein paar Männer an. Sie bestätigten, dass sie *askari* – Soldaten – wären. Einer sagte, er komme gerade von Kirkuk und sei auf dem Weg nach Hause, nach Basra, weit im Süden des Irak.

Als wir uns verabschiedeten, bemerkte Walid Leute im Garten eines Hauses zwei Türen weiter. Er rief ihnen freundlich ein paar Worte zu. Sie winkten zurück. Mit einem breiten Lächeln erklärte Walid: »Das ist bemerkenswert. Das war das Haus eines alten Freundes, Ali Bilal, dessen Sohn 1980 von Saddams Geheimpolizei geschnappt wurde unter irgendeiner uns nicht bekannten Anklage. Er ist nie zurückgekehrt. Offensichtlich ist er getötet worden. Danach zwang das Regime die Familie, das Haus zu verlassen, und untersagte es ihnen, jemals wieder darin zu leben. Vor 23 Jahren hat zuletzt jemand dort gewohnt. Diese Leute müssen Familienangehörige sein, aber es ist so lange her, dass ich sie nicht erkannt habe.« Er zeigte auf ein frisches Graffito, das jemand auf die Gartenmauer gesprüht hatte. Er übersetzte: »Dies ist das Haus von Ali Balil. Seine Familie kehrt erhobenen Hauptes zurück.« Als wir weggingen, lächelte Walid glücklich. Immer wieder wiederholte er: »Das ist gut. Das ist sehr gut.«

Als wir wieder im Wagen saßen, zeigte Walid Sabah den Weg zum Haus von Ala Bashirs Schwester. Wir kamen an einem Kreisverkehr vorbei, der nach einem Feuergefecht zwischen arabischen Fedajin und Amerikanern arg zerschossen war. Wir fuhren durch einige Wohnstraßen bis in eine Gegend der Mittelschicht und mussten an einer Hand voll spontan errichteter Straßensperren anhalten, die von Anwohnern, zum Teil mit Gewehren, besetzt waren. Wir bogen in die Straße ein, wo Bashirs Schwester wohnte, und Dr. Walid zeigte ganz aufgeregt auf ein unauffälliges zweistöckiges Haus hinter einer Gartenmauer und sagte: »Das ist es.« Er lehnte sich vor, um besser zu sehen, als wir näher kamen. »Ich fürchte, er ist nicht hier.« Walids Worte hatten eine unheilvolle Bedeutung. Wir hatten darüber gesprochen, was unserer Ansicht nach Ala Bashir zugestoßen sein könnte. Wir fürchteten beide, dass er von Saddam weggeschafft worden war und entweder tot oder bei ihm war und wie ein gejagtes Tier auf der Flucht lebte. Es standen keine Autos vor dem Haus, und kein Mensch war im Vorgarten zu sehen. Nur auf der anderen Straßenseite stand ein großer Lastwagen, der aussah, als sei er irgendwo gestohlen worden.

Dr. Walid bat mich, im Wagen zu warten. Er stieg aus und ging zum Tor des Hauses. Eine junge Frau – eine Nichte Bashirs, wie ich später erfuhr – erschien und öffnete das Tor. Walid trat ein. Einige Augenblicke später war er wieder am Tor, lächelte breit und winkte mir.

Als ich eintrat, kam Ala Bashir mir schon auf der Einfahrt entgegen. Er trug Jeans und ein kariertes Hemd. Er lachte über das ganze Gesicht und sah unglaublich erleichtert aus. Der sonst so zurückhaltende Mann, der sich scheute, seine Gefühle offen zu zeigen, umarmte mich und Walid und küsste uns beide auf die Wangen. Mir fiel auf, dass seine Kleidung unordentlich war, und er war nicht rasiert; es sah so aus, als hätte er einen eine Woche alten Bart. Ich hatte Bashir immer makellos gepflegt, glatt rasiert und in frisch gewaschenen und gebügelten Hemden gesehen. Er sagte, er freue sich sehr, mich zu sehen, und winkte mich ins Haus. Ich sprach ihn auf seinen Stoppelbart an. Er fasste sich ans Kinn und lachte. Es war ihm sichtlich peinlich. »Ich hatte vor, mich heute zu rasieren. Ich werde mich heute Abend rasieren.« Mir kam der Gedanke, dass er vielleicht keinen Rasierapparat hatte, und sagte, dass ich ihm einen bringen könnte. Er sagte: »Nein, nein, ich habe einen Rasierapparat, es ist nur…« Er beendete den Satz nicht; er winkte mit den Armen, als ob alles, was ihm zugestoßen sei, zu viel sei, um es mit Worten zu erklären.

Ala Bashirs Schwester Soheila begrüßte mich schüchtern und ein wenig wachsam. Sie war eine kleine ältere Frau mit einem freundlichen Gesicht und hatte kluge Augen und kurz geschnittenes weißes Haar unter einem schwarzen Kopftuch. Ihr Mann, Abu Ahmed, ein Mann mit Brille, war ehemaliger Englischlehrer und gab mir die Hand. Abu Ahmed bat uns ins Wohnzimmer. Seine Frau und Töchter blieben in der Küche und bereiteten Tee zu.

Minutenlang konnte Bashir nicht aufhören zu lächeln. Er erzählte, dass er am Freitag, dem 4. April, wie üblich in das Präsidentenhospital im Palastkomplex gegangen sei. Mir erklärte er zum ersten Mal, dass er zu Saddams Team aus Leibärzten gehört hatte und dass er sich jede Woche einmal zu einem 24-stündigen Dienst melden musste, der von 8 Uhr morgens an einem Tag bis 8 Uhr am nächsten ging. Während er also an diesem Freitag seinen Dienst versah, tobte schon die Schlacht um den Flughafen, wie er aus den BBC-Nachrichten wusste. Er hatte die Erlaubnis erhalten, schon früher zu gehen – um 18 Uhr –, weil es seiner betagten Mutter, die mit einer Schwester zusammenlebte, nicht gut ging und er nach ihr sehen wollte. Bashir erhielt jedoch Befehl, im Westteil der Stadt zu bleiben, deshalb willigte er ein, anschließend in sein Haus im Viertel Al-Dschihad zu fahren, nicht weit vom Flughafen. Er sollte dort bis auf weiteres in Bereitschaft bleiben.

Bashir begriff: Dieser Befehl bedeutete, dass er Saddam zur

Verfügung stehen sollte: »Ich wusste, dass der Präsident niemals den Westteil Bagdads verlässt, was bedeutet, dass er mich in seiner Nähe haben wollte.« Am Samstag in seinem Haus konnte er von dem Flughafen her den Lärm der Kämpfe hören, und er hörte auch Rundfunkmeldungen, dass der Flughafen von den Amerikanern eingenommen worden war. Gegen 18 Uhr kam einer der höchsten Sicherheitsoffiziere des Präsidenten zu seinem Haus. Als Bashir den Offizier sah, wurde ihm klar, dass Saddam ihn persönlich geschickt hatte. Der Offizier wies Bashir an, »unverzüglich, unverzüglich« mit ihm nach Kadhimijah zu kommen, einem fernen Viertel am Westufer des Tigris, wo eine geheime medizinische Einrichtung des Präsidenten lag, die nur in Notfällen benutzt wurde. Der Mann sagte ihm, er solle ein paar Sachen in eine Tasche packen und mitnehmen. Der Befehl des Offiziers und sein nervöses Benehmen alarmierten Bashir, und er beschloss, einen Fluchtversuch zu wagen. Er erklärte: »Ich wusste, wenn ich mitging, so bedeutete das, dass ich nie wieder zurückkommen würde.« Er glaubte nicht, dass man ihn wirklich in die Klinik bringen würde, sagte er, sondern in ein geheimes Versteck Saddams. Er wusste, dass Saddam viele sichere Zufluchtsorte in Bagdad hatte, weil er während des Golfkrieges in so einem bei ihm gewesen war.

Bashir sagte dem Offizier, er solle schon vorausfahren; er werde ein paar Sachen einsammeln und ihm in ein paar Minuten in seinem eigenen Wagen folgen. »Bitte kommen Sie so schnell, Sie können«, sagte der Mann eindringlich, bevor er davonraste. Stattdessen sagte Bashir aber seinem Fahrer (Walids vermisstem Chauffeur), er solle ihn zu dem unauffälligen Haus seiner Schwester Soheila bringen, mehr oder weniger sicher, dass Saddams Leute diesen Ort nicht kannten. Seither war er hier und versteckte sich.

(Nachdem der Fahrer Ala Bashir abgesetzt hatte, war er zu seinem eigenen Haus im Osten Bagdads gefahren. Am nächsten

Morgen waren die Amerikaner in die Stadt eingedrungen, und er hatte dort festgesessen. Aus diesem Grund war er nicht imstande gewesen, zum Al-Wassati-Hospital zurückzukehren.)

Ich hatte mein tragbares Thuraya-Satellitentelefon bei mir. Ich fragte Bashir, ob er seine Frau und Tochter in Amman anrufen wolle. »O ja, vielen Dank«, rief er dankbar aus. »Sie haben keine Ahnung, wie es mir geht.« Er hatte seit 10 Tagen nicht mehr mit ihnen gesprochen. Wir gingen in den Garten, wo wir einen guten Satellitenempfang hatten. Ich wählte die Nummer, die er mir nannte, dann reichte ich ihm das Telefon und ging weg, damit er allein war. Seine Verwandten hatten sich vor der Vordertür des Hauses versammelt und sahen zu. Ala Bashir sprach mit einer sanften, beruhigenden Stimme und lachte oft. Nach ein paar Augenblicken beendete er das Gespräch. »Sie waren so erleichtert«, sagte er lachend. »Jetzt ist alles gut; sie wissen, dass es mir gut geht.« In einem übertrieben tadelnden Tonfall fügte er hinzu: »Was ist nur mit den Menschen? Wieso müssen sie weinen, wenn sie glücklich sind? Das habe ich nie verstanden.« Er schüttelte den Kopf, immer noch lächelnd.

Während wir uns unterhielten, kam noch ein Besucher. Es war Samir Chairi, Ala Bashirs Freund aus dem Außenministerium. Ich hatte ihn seit dem Vorabend des Krieges nicht mehr gesehen. Samir trug einen Anzug und sah sehr adrett aus. Er begrüßte uns herzlich. Auch er war in der Hoffnung gekommen, Bashir hier anzutreffen. Nachdem sie sich gegenseitig das Geschehene erzählt hatten, wandte sich das Gespräch den aktuellen Meldungen zu, nämlich dass die Amerikaner das Haus von Barsan al-Tikriti, Saddams Halbbruder, in der Stadt Ramadi westlich von Bagdad bombardiert hatten. Barsan war der ehemalige irakische Geheimdienstchef, und ich wusste, dass er ein alter Freund und Bekannter Ala Bashirs war. Die Amerikaner vermuteten, dass Barsan bei dem Angriff ums Leben gekommen sei. Samir wandte sich mir zu und sagte: »Ich weiß, dass das nicht stimmt. Barsan lebt noch.« Er sagte nicht, woher er das wusste. Nachdem Samir gegangen war, sagte Bashir mir, dass Samir in Wirklichkeit ein langjähriger Mitarbeiter des Muchabarat war und viele Jahre lang hin und wieder mit Barsan zusammengearbeitet hatte. Sein letzter Posten im Außenministerium war nur eine Tarnung. Samir und Bashir glaubten beide, dass auch Saddam Hussein noch am Leben sei.

Bashir erklärte, dass die Moschee in Adhamijah, wo Saddam am Mittwoch, dem 9. April, ungefähr um dieselbe Zeit gesehen worden war, als US Marines seine Statue am Fardus-Platz stürzten, in einer Gegend liegt, die sich auf dem Flussufer gegenüber von Kadhimijah befindet. Genau dorthin hatte Bashir sich am 5. April laut Befehl begeben sollen. Er sagte, Saddams Wahl dieser benachbarten Gegenden sei sehr bezeichnend. Er wies darauf hin, dass Adhamijah eine alte Hochburg der Baathisten sei und von Kadhimijah aus leicht über eine Brücke zu erreichen. Beide Gegenden lagen am Fluss und am äußeren Stadtrand und boten damit gute Fluchtmöglichkeiten. Bashir fügte hinzu, dass das Flusstal des Tigris den Norden Bagdads mit Saddams Heimatstadt Tikrit verband und dass ein großer Teil des Landes zu dem Gebiet eines Stammesführers gehörte, der ein enger Verbündeter Saddams war.

Ich verließ Bashir nach ein paar Stunden und versprach, morgen wiederzukommen. Sabah und ich kehrten zum Sheraton zurück, wo John Burns und Paul McGeough vorschlugen, einen Ausflug zum Salaam-Palast zu machen, der gerade, wie andere Paläste auch, geplündert wurde. Der Salaam-Palast war wohl das mit Symbolen überladenste Prunkgebäude Saddams: Vier bizarr behelmte Bronzeköpfe des Diktators starrten von der sternförmigen Brustwehr herab. Nun hatten wir zum ersten Mal die Gelegenheit, den Palast von innen zu betrachten. Einige Tage nach Beginn des amerikanischen Bombardements hatte eine

Cruise-Missile ihn getroffen, und wir hatten aus der Ferne gesehen, dass die Kuppel zerstört war.

Die Palasttore waren offen, und wir fuhren auf das Gelände und an Plünderern vorbei, die ihre Beutestücke wegkarrten. Wir betraten den Palast über die Eingangstreppe, wo eine Bande eine ganze Wohnzimmergarnitur im Stile Ludwigs XIV. herausgeschleppt hatte – eine Barockimitation, reich vergoldet und mit goldfarbenen Kissen. Sie wartete nur darauf, dass jemand sie auf einen Lastwagen lud und wegbrachte. Im Inneren arbeiteten mehrere Gruppen systematisch in Räumen, die sie allem Anschein nach als ihr jeweiliges Revier beschlagnahmt hatten. Sie stapelten riesige Sofas, Spiegel, Bankettische und Wanddekorationen aufeinander und schleppten sie weg. Andere montierten eifrig Badezimmerarmaturen und Lampenhalter in Sälen und Räumen ab, die bereits leer geräumt waren. Hier und da hatte man in dunklen Nischen des Palastes kleine Feuer angezündet, damit die Männer in der Dunkelheit etwas sahen. Wir stiegen zum obersten Geschoss hoch, wo die Raketen die Kuppel durchschlagen hatten. Der Blick auf die Stadt war großartig. Saddams massive Bronzebüsten starrten immer noch in alle Himmelsrichtungen.

Wir beschlossen, zum Museum zum Ruhm des irakischen Führers zu fahren, ganz in der Nähe, wo Saddams Geschenke ausgestellt waren. Als wir uns über einen Boulevard dem Museum näherten, kamen wir an einem Lieferwagen vorbei, der allem Anschein nach gegen die kleinen Bäume auf dem Mittelstreifen gefahren war. Die Reifen waren geplatzt, und er stand dort hilflos am Rand. Wir passierten ihn, und da bemerkte ich einen Mann und zwei Knaben, ganz eindeutig seine Söhne, die sich eifrig mit einer Schaufel und anderen Werkzeugen zu schaffen machten. Ich sah, dass ein Toter oder zwei halb aus dem Lieferwagen heraushingen. Zuerst dachte ich, der Vater und seine Söhne seien da, um einen Verwandten zu bergen, der getötet worden war, oder hätten die Absicht, die Toten zu beerdigen. Dann wurde mir klar, dass sie versuchten, den Lieferwagen auszugraben, um ihn aufzubocken. In der Nähe stand ein kleiner Laster mit niedriger Ladefläche. Ich nahm an, sie wollten versuchen, den Lieferwagen irgendwie auf die Ladefläche zu bugsieren. Sie waren Plünderer. Knapp 200 Meter entfernt war ein Bradley-Schützenpanzer der US Army am Straßenrand im Schatten geparkt. Ich konnte die Gestalt eines amerikanischen Soldaten mit Helm erkennen, der das Maschinengewehr im Turm besetzt hielt. Offenbar machte er gerade eine Pause.

Wir fuhren zum Eingang des Museums. Ein großer Lastwagen und mehrere Autos waren vorgefahren, und einige Dutzend Männer kamen und gingen. Sie trugen fleißig Gegenstände aus dem Museum und luden sie in die Fahrzeuge. Einige schienen Arbeiter zu sein, angestellt von anderen, die draußen warteten. Sie sahen uns heimlichtuerisch an. Wir traten ein. Ein Mann ging an den leeren Schaukästen im Foyer vorbei und schlug das Glas mit einem Metallstab ein. Rauch drang aus den unteren Gewölben des Museums, wo die Pendeluhr schwang. Die vergoldeten Kalaschnikows, die sie geschmückt hatten, waren weg. Dort unten hatte man Feuer angezündet, und ein paar Männer arbeiteten mit Fackeln. Wir hielten uns nicht lange auf. Fast alles war aus den Ausstellungsräumen verschwunden: sämtliche mit Juwelen verzierte Uhren, Thronsessel und unbezahlbare Gewehre. Nur einige Gemälde von Saddam in verschiedenen Posen waren noch geblieben. Wir gingen wieder nach draußen.

Ein Arbeiter trug ein vergoldetes Präzisionsgewehr. Ich glaubte das Gewehr wiederzuerkennen, das der ehemalige sowjetische KGB-Chef Saddam geschenkt hatte. Ich ging hinüber, um mir das Gewehr anzusehen. Die Männer hielten inne und sahen mich argwöhnisch an. Ich machte beschwichtigende Gesten, um zu zeigen, dass ich es mir nur anschauen wolle. Sie ließen mich die Waffe einen Augenblick lang sehen und nahmen sie dann wieder weg. Ein Mann im Laster fuchtelte mit einer anderen Trophäe herum. Es war ein viel älteres Gewehr mit einem langen Lauf und sah dem Leachman-Gewehr sehr ähnlich, aber vielleicht war es auch ein anderes. Ich sah einen Mann neben mir, der einen Revolver unter dem Hemd in die Hose gesteckt hatte. Er musterte mich auf eine Art, die mir nicht gefiel. Ich dankte ihnen, ging zu John, Paul und Sabah zurück und sagte ihnen, dass wir fahren sollten. Der Rauch drang mittlerweile aus dem Museum. Mehrere Autos mit Männern patrouillierten wachsam die Straße auf und ab.

Wir fuhren an dem Lieferwagen mit den Toten vorbei, wo der Mann und seine Söhne weiter hart daran schufteten, ihn endlich stehlen zu können. Der Bradley stand immer noch in der Nähe.

In den kommenden beiden Wochen besuchte ich Ala Bashir jeden Tag. Er wusste noch nicht recht, was er jetzt tun sollte, und hatte beschlossen, fürs Erste versteckt zu bleiben. Er schien dankbar für meine Gesellschaft, auch weil ich ihn mit der Außenwelt verband. Er willigte ein, mit mir über seine lange Beziehung zu Saddam Hussein zu sprechen. Wir saßen in der Regel im Wohnzimmer, wo uns seine Verwandten nur gelegentlich störten, um kleine Tassen türkischen Kaffee zu bringen und uns am frühen Nachmittag zum Mittagessen zu rufen. Bashirs Schwager Abu Ahmed arbeitete im Garten, wo es einen Feigenbaum, eine Dattelpalme, eine Sitzbank für zwei und ein Beet frisch aufgeblühter roter Nelken gab. Bashirs Schwester Soheila kümmerte sich sehr liebevoll um ihn; sie machte sich um seine Sicherheit Sorgen und wollte nicht, dass er sich vom Haus entfernte. Einmal schlug Bashir vor, dass wir zum Reden in sein Haus gehen sollten, als Tapetenwechsel, doch sie war entschieden dagegen. Er zuckte die Achseln und sagte, er überlasse mir die Entscheidung; ihm sei es so oder so recht. Er stritt ab, dass er in Gefahr sein könnte, auch wenn ich da meine Zweifel hatte.

Abu Ahmed hatte Sabah bereits anvertraut, dass Ala Bashir in den Köpfen der Iraker so sehr als »der Arzt Saddam Husseins« verankert war, dass er und seine Frau fürchteten, er könne zum Ziel eines Anschlags werden. Er erwähnte einen Vorfall vor einigen Jahren, als ein Mann Bashir angegriffen und ihm zwei Messerstiche zugefügt hatte. Der Mann wurde später gefasst und zu mehreren Jahren Gefängnis in Abu Ghraib verurteilt. Bashir hatte selbst gesagt, der Angriff sei politisch motiviert gewesen. Beunruhigenderweise war der Angreifer im Oktober 2002 im Zuge der Amnestie anlässlich des Referendums freigelassen worden, und Bashirs Verwandte hielten es für möglich, dass der Mann Rache nehmen könnte. Ich hatte nicht zum ersten Mal von dem Angriff gehört; ein paar Monate zuvor hatte Bashir mir davon erzählt, aber behauptet, dass er von einem Patienten verübt worden sei, der psychisch gestört war. Da ich Bashirs Neigung, alles zu verharmlosen, kannte, ging ich davon aus, dass die Version seines Schwagers womöglich eher der Wahrheit entsprach. Ich sagte ihm also, dass ich es für das Beste hielte, wenn wir im Haus seiner Schwester blieben.

In einem unserer ersten Gespräche dort stellte ich Bashir wegen seiner Freundschaft zu dem irakischen Diktator zur Rede: »Wie konntest du, ein kultivierter und gebildeter Mensch, eine so enge Beziehung zu Saddam Hussein pflegen, obwohl du von all den Dingen gewusst hast, die er getan hatte?«

Bashir schloss kurz die Augen und sagte nach einer Pause: »Vielleicht kann ich es dir ganz kurz erklären ... Es lag an meinem künstlerischen Talent, dass ich in diese Lage kam. Ende der 70er Jahre lernte ich den militärischen Berater Saddam Husseins kennen, als er noch Vizepräsident war. Sein Name war Ghassam Ibrahim. Er war ein sehr tapferer und aufrichtiger Mann; später wurde er von Saddam Hussein natürlich umgebracht ... Ich hatte eine Ausstellung veranstaltet, und Saddam Hussein hatte in der Zeitung darüber geschrieben. Er hatte geschrieben, meine Kunst sei ›einzigartig‹. Ghassam teilte mir mit, dass Saddam Hussein ständig von mir spreche, und er erbot sich, mich vorzustellen, doch ich lehnte ab. Ich mag Menschen nicht treffen, nur weil sie mächtig sind. Barsan al-Tikriti kam ebenfalls häufig in meine Ausstellungen, und er sagte mir das Gleiche: wie sehr Saddam Hussein meine Arbeit bewundere.«

Bashirs erstes Treffen mit Saddam kam erst 1983 zustande. »Anfang der 80er, während des irakisch-iranischen Krieges, arbeitete ich sehr viel mit Kriegsverletzten, und ich erfand neue Techniken in der plastischen Chirurgie. Ich war der erste irakische Arzt, der Replantationen von Händen und Fingern gemacht hat. Im Jahr 1982 lud der Gesundheitsminister 25 der besten Ärzte des Irak zu einem Treffen mit dem Präsidenten ein, und ich gehörte zu dieser Gruppe. ›Der Präsident möchte Ihre Arbeit preisen‹, sagte er mir. Also ging ich hin. Der Präsident hielt eine Rede und gab jedem die Hand. Das war alles. Danach kam eine Leibwache zu mir und sagte, ich solle zum Präsidenten kommen. Das tat ich. Er sagte: ›Ich war wirklich überrascht zu hören, dass Sie derselbe Ala Bashir sind wie der Künstler.‹ Er lobte meine Arbeit und sagte: ›Wir sind sehr stolz auf Sie.‹ Kurz danach wurde ich in das Team seiner persönlichen Ärzte aufgenommen.

Das war seltsam, weißt du, weil er eigentlich auf Ärzte herabgeblickt hat. Aber mich hat er immer als etwas anderes betrachtet. Und er hat mir immer gesagt, mehrere Male in Gegenwart von anderen: ›Ich betrachte Sie nicht als Arzt, sondern als Künstler, als kultivierten Menschen.‹ Manchmal rief er mich einfach zum Reden zu sich. Einmal kam er mit seinem Sohn Kussai ins Krankenhaus – ich war mit anderen Ärzten gerade mit irgendetwas beschäftigt. Wir standen auf, weil das Sitte in dem Regime war; man durfte nicht sitzen bleiben, wenn der Präsident anwesend war. Dann kam er zu uns und sagte über mich – vor allen: ›Er ist ein brillanter Chirurg, ein großartiger Künstler und, vor allem, ein großer Mensch.‹ Dann ging er. Danach kehrte Kussai zurück und fragte: ›Was haben Sie für meinen Vater getan? Das ist das erste Mal, dass ich meinen Vater so über irgendjemanden sprechen höre!‹ Er war sehr überrascht.

Ende der 80er interviewte mich eine Frau im Fernsehen, und am nächsten Tag schickte der Chef der Präsidentengarde nach mir. Er sagte, der Präsident habe sich die Sendung angesehen und sei sehr beeindruckt gewesen. Und er sagte dasselbe wie Kussai. Da fragte ich mich, was ihn denn an dem Interview so interessiert hatte. Im Fernsehstudio hatte man ein Gemälde aufgehängt, das ich über das Schicksal des Menschen geschaffen hatte; es zeigte einen Mann, der einen grimmig aussehenden Vogel, ähnlich einem Raben, hochhielt, und der Vogel versuchte, den Mann ins Gesicht zu beißen. Es ist ein sehr prägnantes Bild. Ich hatte der Moderatorin gesagt, dass das Gemälde den Kampf des Menschen mit dem Schicksal darstelle und dass der Mensch in diesem Kampf stets verliere. Ich sagte ferner, wenn Menschen viel Macht bekämen und sich allmählich für unsterblich hielten, dann sei es vorbei, sie verlieren den Kampf. Um ein Beispiel zu geben für das, was ich meinte, zitierte ich den berühmten irakischen Dichter Mutanabbi, den vielleicht größten irakischen Dichter aller Zeiten: ›Die bitterste Erfahrung für einen freien Menschen ist es, Freundschaft zu schließen mit jemandem, den er nicht mag.‹

Saddam Hussein hatte das Interview gefallen. Aber der Chef der Garde sagte mir, er sei sehr aufgebracht gewesen über die Moderatorin, weil sie mich auf meine Glatze angesprochen hatte. Er meinte, sie hätte mich aus der Fassung gebracht. Er gab Befehl, dass sie sechs Monate nicht im Fernsehen auftreten dürfe. Aber ich werde von so etwas gar nicht aus der Fassung gebracht. Das sagte ich auch dem Mann des Präsidenten, aber der sagte: ›Der Präsident hat es befohlen.‹« Ala Bashir zuckte die Achseln.

»Am 1. Februar 1991, während des Golfkrieges, der, wenn ich mich recht erinnere, am 17. Januar begann, hatte Saddam Hussein irgendeinen Unfall, und ich sah damals jeden zweiten Tag nach ihm. Er hat mir nie gesagt, was genau passiert war, aber für mich sah es aus wie ein Autounfall. Er hatte einen tiefen Schnitt an der rechten Seite des Kinns, bis auf den Knochen, und der kleine Finger der rechten Hand baumelte fast lose herum. Sein Schwiegersohn Saddam Kamal, der Bruder von Hussein Kamal – die beide, wie du weißt, später ermordet wurden –, war an der Unterlippe verletzt, und eine Dame, die seine zweite Frau Samira Shahbander war, hatte sich ebenfalls verletzt. Sie hatte eine Gesichtsfraktur und einen tiefen Schnitt in der rechten Augenbraue. Also behandelte ich ihn und sie auch. Ich sah ihn jeden zweiten Tag, und wir führten lange Gespräche miteinander. Einmal sagte er: ›Ich habe Sie aus dem Fernsehinterview, das Sie 1986 gegeben haben, sehr gut kennen gelernt. Sie haben nur ein paar Dinge gesagt, aber es waren lauter Dinge, die für das Leben essenziell sind.‹«

Mir fiel auf, dass Bashir nicht auf meine Frage geantwortet hatte. Er erzählte mir, wieso sich Saddam Hussein seiner Ansicht nach von ihm angezogen fühlte, nicht aber, was er selbst dabei empfunden hatte. Ich versuchte es auf andere Weise und fragte ihn nach Saddam Husseins Charakter. Bashir sagte: »Er ist wirklich sehr sensibel und emotional, auch wenn er sehr rau wirkt. Und er ist sehr misstrauisch. Man muss seine Worte mit Bedacht wählen, wenn man mit ihm zusammen ist.«

»Hattest du Angst vor ihm?«

»Nein, ich hatte in meinem ganzen Leben nie Angst vor ihm. Ich weiß, dass viele ihn fürchteten, aber ich einfach nicht, ich weiß nicht, warum.«

»Aber du wusstest Bescheid über die Dinge, die er getan hat.«

»Ich wusste Bescheid, ja«, erwiderte Bashir.

»Was empfandest du für ihn?«

Nach einer sehr langen Pause antwortete Bashir: »Ich denke, er hat dem Irak viel Leid zugefügt ... Aber in unseren Gesprächen hat er mich sehr respektiert, und ich habe so offen mit ihm gesprochen, wie, soweit ich weiß, kein anderer. Barsan al-Tikriti sagte mir, dass nicht einmal er es wage, so mit ihm zu reden. ›Er achtet Sie sehr hoch‹, sagte er mir einmal. ›Haben Sie ihn verzaubert?‹«

»Hast du jemals versucht, diese Hochachtung zu benutzen, um ihn zu beeinflussen?«

»Nein«, entgegnete Bashir. »Weil er in allem sehr misstrauisch war, und er legte jedes Wort auf die Goldwaage, das man zu ihm sagte.« Er sah nachdenklich aus, als ob ihm klar geworden sei, dass diese Erklärung unbefriedigend war. Einen Augenblick später sagte er: »Er war sehr niedergeschlagen wegen des Volksaufstands 1991. Er glaubte wirklich, das Volk des Irak würde ihn lieben. Ich besuchte ihn in Radwanijah, dem Palast in der Nähe des Flughafens. Er sprach über den Aufstand und sagte: ›Ich glaube nicht, dass sie echte Iraker sind.‹ Ich sagte nichts. Ich war sehr überrascht. Er hatte noch nie auf diese Weise mit mir gesprochen. Er fragte: ›Warum, glauben Sie, haben die Menschen das getan?‹ Ich entgegnete: ›Ich weiß es nicht. Ich bin Arzt, und meine Kontakte zu anderen Menschen sind sehr begrenzt.‹ Er sagte: ›Na schön, aber ich möchte Ihre Meinung hören.‹ Ich sagte zu ihm: ›Erinnern Sie sich noch daran, wie Sie vor fünf Jahren ein Gemälde aus meiner Ausstellung auswählten und mich danach baten, es Ihnen persönlich zu bringen? Nun, das tat ich, doch Sie waren gerade in einer Sitzung mit Ihren Generälen und sehr beschäftigt, deshalb konnte ich Ihnen nie sagen, was ich Ihnen sagen wollte. Ich hätte Ihnen gern Folgendes gesagt: Wenn man einen Raum betritt und zwei Tote sieht, beide erschossen, und jemand sagt, dass einer ein Märtyrer und einer ein Verräter ist. Wie kann man den Unterschied zwischen den beiden feststellen?‹

Saddam sah mich an und fragte: ›Kenne ich die beiden?‹ Ich sagte: ›Nein.‹ Er sagte: ›Woher soll ich dann den Unterschied wissen?‹ Ich sagte: ›Die Wahrheit tritt nicht von allein zutage. Der äußere Schein ist nicht immer die Wahrheit. Wenn wir anderen Menschen immer glauben, was sie uns sagen, dann werden wir Fehler machen.‹ Dann sagte ich zu ihm: ›Wenn Sie mich jetzt fragen würden, was ich von Ihnen halte, dann würde ich sagen: Sie sind unser Präsident, unser Führer, und wir werden uns für Sie opfern. Woher wollen Sie wissen, dass ich die Wahrheit sage?‹ Er sagte nichts; er starrte mich nur lange an. Dann sagte er: ›Gehen wir im Garten spazieren.‹ Es war herrlich, Frühling – diese Jahreszeit –, und es hatte gerade zu regnen aufgehört. Der Palast hat sehr große Gärten. Wir gingen, und er schwieg lange. Dann sagte er, er denke schon seit drei Tagen über etwas nach und er würde gerne meine Meinung dazu hören. Er sprach mehr als 20 Minuten lang. Er sprach über den Aufstand und sagte: ›Diese Menschen, die im Süden leben, sind keine wirklichen Iraker.‹ Ich wusste nicht, worauf er hinauswollte. Dann sagte er: ›Sie haben keine Moral, ihre Frauen sind zügellos, und wenn sie keine Moral haben, dann heißt das, sie können alles tun.‹ Ich glaube, er meinte damit seine Gefühle gegenüber den Schiiten, auch wenn er das nicht offen sagte. Die Intifada hatte eben erst begonnen, und er hatte zu dem Zeitpunkt noch nicht darauf reagiert. Dann sprach er über den Islam und sagte, die Leute im Süden seien keine wahren Gläubigen. Er fragte mich, wie ich darüber dachte. Ich sagte: ›Richtig‹, und mehr sagte ich nicht dazu.«

»Warum hast du ›Richtig‹ gesagt?«, fragte ich Bashir.

»Weil er darauf wartete, dass ich etwas sagte, und ich konnte nicht sagen: ›Sie haben Unrecht!‹ Ich erinnere mich, dass ich die ganze Zeit, während er sprach, sein Ohr anschaute. Die Sonne schien direkt hindurch, und es sah wie Wachs aus. Deswegen hörte ich ihm nicht richtig zu, konzentrierte mich nicht auf das, was er sagte. Aber er sprach über sein Leben als Araber, über den Islam, und er schien nach einem Grund für den Aufstand gegen ihn zu suchen ...«

»Wieso konntest du ihm nicht sagen: ›Sie haben Unrecht‹?«

»Ich glaubte nicht, dass er in der Stimmung für Widerspruch war. Ich merkte das ... Weißt du, das ist unsere Geschichte, schon lange vor ihm, seit Hunderten von Jahren, sind die Menschen im Irak nicht imstande gewesen, ihre Meinung offen zu sagen.«

»Was hat er deiner Ansicht nach aus der Geschichte, die du ihm erzählt hast, gelernt?«

»Ich glaube, er hat gelernt, dass die Menschen Heuchler sind. Dann sagte ich ihm: ›Ich denke, die irakische Zivilisation ist tief in der Vergangenheit verwurzelt; die Zivilisation dieses Landes reicht 5000, ja 6000 Jahre zurück. Auch wenn der Islam ihre Religion ist, glaube ich, dass die Araber, als sie vor 1400 Jahren den Islam angenommen haben, einen Teil davon übernommen haben, aber auch viel von ihrer eigenen Kultur behalten haben.‹ Er sagte nichts. Dann fragte er mich, weshalb ich meinen ältesten Sohn Sumer genannt hätte. Ich sagte ihm, dass ich glaubte, wir Iraker sollten stolz auf unsere Zivilisation sein.

Am nächsten Morgen und an den zwei folgenden Tagen erschienen Beiträge in der Baath-Zeitung *Al-Thawra.* Sie waren nicht signiert, aber sie waren von ihm geschrieben, und in den Artikeln stand genau das, was er mir im Garten erzählt hatte. Ich glaube, er hielt ein Plädoyer, um seine Repressionen im Süden zu rechtfertigen.«

Was Ala Bashir mir über den Spaziergang im Palastgarten erzählte, klang plausibel. Wie er sich ganz auf Saddams Ohr konzentriert hatte und nicht auf das Gespräch. Das passte zu dem Ala Bashir, den ich kannte. Er war sensibel und oft zerstreut – ein Kopfmensch und eher ein Künstler als ein Mann der Wissenschaft. Ich fragte mich dennoch, ob Bashir sich nicht auch absichtlich hatte ablenken lassen, als Saddam seine Argumente für die brutale Unterdrückung der schiitischen Intifada formulierte. Sicherlich hatte er einen unerwarteten und Furcht erregenden Einblick in das Denken des Tyrannen erhalten, dem er nun einmal dienen musste. Indem er sich ganz auf das Ohr konzentrierte, konnte er wieder in die Illusion einer neutralen Rolle eintauchen: der Arzt, der sich um Saddams Wehwehchen kümmerte und gelegentlich Fragen über Kunst beantworten musste. Allerdings hatte Bashir diesen Moment im Palastgarten nie vergessen. Dass er sich noch ein Jahrzehnt später daran erinnerte, deutete darauf hin, dass ihm die Moralfrage vielleicht doch nicht so fremd war.

An den meisten Tagen kam Samir Chairi kurz zu Besuch. Auch andere Menschen meldeten sich. Die Nachricht, dass Ala Bashir Saddams Sturz überlebt hatte, machte die Runde, und ein Strom von Freunden und Kollegen und Ratsuchenden kam zu ihm. Einer war ein Pfleger aus dem Al-Wassati-Hospital, den ich erkannte. Er lachte über das ganze Gesicht und küsste Bashir, der die Begrüßung peinlich berührt über sich ergehen ließ. Wir setzten uns zusammen an Soheilas Küchentisch. Wenige Minuten später teilte der Pfleger »Dr. Ala« mit, wie die meisten Iraker ihn respektvoll ansprachen, dass er trauere. Seine Frau, erklärte er, sei am vorigen Tag an einer Krankheit gestorben, und in Kürze werde er seinen Sohn beerdigen, der in der Stadt Kut gefallen sei. Bashir murmelte Worte des Mitgefühls, und ich sprach ihm ebenfalls mein Beileid aus. Der Pfleger schloss die Augen und nickte zum Zeichen des Dankes. Ich fragte, ob sein Sohn versehentlich von US-Soldaten getötet worden sei. Solche Fälle hatte es immer wieder gegeben, seit die Amerikaner in irakische Städte vorgedrungen waren. Der Pfleger schüttelte den Kopf. Nein, sein Sohn sei im Kampf gegen die Amerikaner gefallen. Er sei Mitglied einer Miliz der Baath-Partei in Kut gewesen. Der Mann erklärte das ganz nüchtern, ohne die Spur eines Vorwurfs. Sein Sohn war tot, gefallen bei der Ausübung seiner Pflicht, und jetzt war es vorbei.

Ein andermal kam ein hoher Offizier der irakischen Armee zu Besuch, ein strenger Mann Anfang sechzig. Er trug Zivil. Nachdem Bashir uns bekannt gemacht hatte, erklärte er, dass der Besucher Generalmajor und ehemaliger Leiter der Herzchirurgie am Al-Raschid-Militärkrankenhaus sei. Ich hatte am 8. April mit eigenen Augen gesehen, wie das Gelände, auf dem das Krankenhaus stand, von Kampfhubschraubern mit Raketen beschossen wurde. Der Militärarzt teilte mir mit, dass er zu Hause sitze und, wie viele seiner Kollegen, darauf warte, dass die Amerikaner ihn wieder zur Arbeit rufen würden. Aber er hatte keine Ahnung, wo er arbeiten würde. Das Krankenhaus hatte den Raketenangriff überstanden, aber es wurde danach von Plünderern komplett leer geräumt. Wir sprachen über die anhaltende Plünderung der Stadt. Die beiden tauschten Verschwörungstheorien aus; sie schienen Meldungen Glauben zu schenken, denen zufolge das amerikanische Militär in einigen Fällen die Plünderer gewähren ließ, ja ihnen sogar half. Die Hauptschuld gaben sie jedoch den »Kuwaitis«, die – so das in Bagdad weit verbreitete Gerücht – die Amerikaner begleiteten und Rache für die Plünderung von Kuwait City durch die irakische Armee 1990 nähmen. Obwohl ich diesen Gerüchten nicht glaubte, hielt ich mich zurück, äußerte lediglich mein Bedauern über die Plünderung des irakischen Nationalmuseums, die erst in den letzten Tagen bekannt geworden war. Ich sagte, dass ich hoffte, die Amerikaner würden die Lage recht bald unter Kontrolle bringen, bevor noch mehr irakisches Erbe gestohlen oder zerstört wurde. Wenig überzeugt schenkte der Militärarzt mir ein bitteres Lächeln. »Was spielt das noch für eine Rolle? Sie haben uns bereits das ganze Land gestohlen.«

Bashir kam bei solchen Gesprächen richtig in Fahrt. Er schenkte einigen Gerüchten Glauben, die ihm von seinen Freunden zugetragen wurden – wie dem von den Kuwaitis –, aber letzten Endes gab er seinen Landsleuten die Schuld. Er nahm kein Blatt vor den Mund. »Ich denke, diese Plünderung ist Teil des nationalen Charakters«, sagte er. »Bevor der Irak ein Staat war, war dieses Land eine von Beduinen bewohnte Wüste, und sie überlebten, indem sie sich gegenseitig die Lager ausraubten und Hab und Gut und Vieh der anderen wegschleppten. Daran hat sich nichts geändert. Jedes Mal wenn im Irak Krieg ist, wie auch sonst wo im arabischen Raum, dann rauben und plündern sie. Das ist leider ein Teil unserer Natur.«

Eines Morgens kam ein Arzt aus Bashirs Krankenhaus mit der Nachricht, dass viele Patienten mit Schussverletzungen auf den Stationen des Al-Wassati-Hospitals lägen. Bashir hörte ihn mit sichtlicher Ungeduld an und begleitete ihn nach ein paar Minuten hinaus. Er wandte sich mir zu und sagte angeekelt: »Diese Menschen sind lauter Plünderer. Unsere Patienten sind jetzt allesamt Diebe. Warum sollten wir sie behandeln? Ich habe dem Arzt gesagt, er solle sich weigern, sie zu behandeln.« Er schüttelte den Kopf und schien wütend, doch sein Gesicht war ausdruckslos.

Ein paar Tage nach unserem Wiedersehen verließ Ala Bashir das Haus seiner Schwester zum ersten Mal, um zum Mittagessen bei Samir Chairi in Mansur zu gehen. Wir fuhren in meinem Wagen, mit Sabah am Steuer. Die Aufschrift »TV«, die uns im Krieg schützen sollte, war immer noch mit gelbem Klebeband an den Fenstern befestigt. Ala Bashir zog es vor, hinten zu sitzen, um nicht aufzufallen.

Auf Bashirs Bitte hin machten wir an dem Haus seiner Sekretärin Halt, die in seiner Privatpraxis arbeitete. Die kleine Frau mit gefärbtem blonden Haar war überglücklich darüber, dass er in Sicherheit war. Sie fragte schüchtern, ob sie vielleicht mein Thuraya-Satellitentelefon benutzen dürfe, um ihre Verwandten in Detroit anzurufen. Als ihr Anruf durchging, reichte sie das Telefon auch ihrer Schwester und ihrer Mutter, und alle weinten vor Glück. Und dann lachten alle, als die Mutter, eine große alte Frau mit einer rauen Stimme, regelrecht ins Telefon hineinbrüllte. Was immer sie sagte, ließ alle wechselweise erbleichen und kichern. Auch Ala Bashir lachte und sagte mir, sie erzähle gerade ihren besorgten Verwandten: »Macht euch keine Sorgen, uns geht es gut, und zum Glück haben wir Maschinengewehre, um uns zu verteidigen!«

In den nächsten Tagen fing Bashir an, erste kurze Ausflüge allein zu unternehmen, inspizierte sein Haus in Al-Dschihad und besuchte das Al-Wassati-Hospital, um seine Kollegen zu sehen. Ein früherer Fahrer von ihm, der Ex-Kriegsgefangene Dschihad, war wieder aufgetaucht. Er fuhr jetzt einen weißen unauffälligen japanischen Pick-up anstelle des nagelneuen staatlichen Toyota Land Cruisers, in dem er »Dr. Ala« vor dem Krieg herumgefahren hatte. Der Land Cruiser hätte Bashir sofort als einen Mann ausgewiesen, der in der Saddam-Ära Privilegien genossen hatte. Wenn wir im Verkehr stecken blieben, erkannten andere Fahrer Bashir dennoch und starrten ihn an.

Am 19. April fuhren wir zusammen los, um Bashirs Krankenhaus und seinem Haus einen Besuch abzustatten. Er saß wie immer auf dem Rücksitz meines Wagens und ließ seinen Fahrer, Dschihad, im Pick-up folgen. Bevor wir das Haus seiner Schwester und seines Schwagers verließen, sah ich, dass sie sich wegen seiner Fahrt Sorgen machten. Ich versicherte ihnen, dass ich ihn sicher und gesund zurückbringen würde. Sie lächelten, blickten aber weiterhin besorgt. Als wir losfuhren, fragte ich Bashir, ob es irgendeinen Grund zur Sorge gebe, und wie immer verwarf er den Gedanken, dass ihm eine echte Gefahr drohe.

Wir fuhren an Ala Bashirs Denkmal »Die Einheit« vorbei,

das auf einer Verkehrsinsel am Westrand der Stadt steht und als eine Art Stadttor für Reisende aus Jordanien fungiert. Die jordanische Botschaft lag nur ein paar hundert Meter weiter. Ich bemerkte, dass das Denkmal mit Einschusslöchern übersät war, und jemand hatte rund um den Sockel farbige Graffiti auf Arabisch hinzugefügt. Bashir kommentierte das gar nicht; er wirkte ganz ungerührt. Ich fragte ihn, was die Graffiti besagten. Das seien politische Losungen, sagte er mir, nämlich: »Lang lebe Talabani« (ein wichtiger politischer Führer der Kurden) und dann: »Lang lebe Sistani« (der Großayatollah der Schiiten). Er bemerkte: »Weißt du, Jon, die eigentlichen Probleme hier im Irak fangen erst an. Die Amerikaner haben nun den Irak erobert oder befreit, oder wie auch immer, aber jetzt haben sie eine wirklich schwere Aufgabe. Ich glaube, dass es den Amerikanern sehr, sehr schwer fallen wird, mit allen Parteien und ethnischen Gruppen fertig zu werden. Sie müssen schnell handeln, damit alles wieder funktioniert und einzelne Gruppierungen nicht die Macht an sich reißen.«

Wir sahen einige Menschen am Straßenrand, die grüne und schwarze Fahnen trugen. Es waren schiitische Pilger auf dem Weg von Bagdad nach Kerbala. Dort, 80 Kilometer weiter südlich, fand das religiöse Abajin-Fest statt – das Ende der 40 Tage Trauer um den Tod des verehrten Märtyrers Imam Hussein. Der Anblick der Pilger beunruhigte Ala Bashir. »Das größte Problem, mit dem sie sich schnell befassen müssen, sind diese religiösen Menschen. Die Amerikaner müssen sie rasch in die Schranken weisen, sonst werden sie großen Ärger machen.« Bashir war Schiite, aber er war auch glühender Antiklerikaler. In den letzten Tagen hatte er mir mehrmals gesagt, für wie wichtig er es halte, dass der Irak nach Saddam offiziell ein säkularer Staat bleibe. Er machte sich Sorgen wegen der Renaissance der Schiiten – deutlich zum Beispiel in der Herrschaft al-Sadrs in Saddam City –, die sich seit Saddams Sturz abzeichnete. Er glaubte, diese Entwicklung würde von iranischen erzkonservativen Geistlichen gelenkt, die ihren Einfluss im Irak ausdehnen wollten. Darum sagte Bashir auch, er hätte überhaupt nichts dagegen, wenn die Vereinigten Staaten beschlössen, als Nächstes den Iran zu besetzen. »Da bin ich nicht allein«, sagte er. »Ich denke, viele, viele Menschen im Irak würden das unterstützen, weil alle wissen, dass der Iran der größte Unruhestifter in der ganzen Region ist. Das ist eine Tatsache.«

Als wir Bashirs Haus erreichten, fiel mir auf, dass sämtliche Autos auf dem Stellplatz im Vorgarten, der von der Straße durch eine Mauer getrennt war, fehlten. Er habe sie an einen sicheren Ort gebracht, bevor die Plünderungen begannen, teilte er mir mit. Eine Skulptur, die abstrakte Bronzestatue eines Mannes, stand neben der Eingangstür. Das Gesicht fehlte, und er hielt es wie eine Maske in der Hand. Im Wohnzimmer sah ich, dass Bashir die meisten Bilder von der Wand genommen hatte, auch die seiner Familie, die Hochzeitsfotos seines Sohnes und das Bild, auf dem er neben Saddam stand. Glasscherben lagen auf dem Boden neben den Wohnzimmerfenstern, in denen große Löcher klafften. »Von der Bombardierung«, erklärte Bashir. Er führte mich in die Küche, wo die Türen des Kühlschranks weit offen standen. Vor dem Krieg hatte er ihn ausgeräumt und alles Gefrorene seinen Nachbarn geschenkt. Seit zwei Wochen gab es keinen Strom in Bagdad, und das Haus war dunkel.

Wir gingen durch den hinteren Teil des Hauses in sein Atelier, das in einem Anbau auf der anderen Seite eines kleinen offenen Platzes lag. Sein Atelier befand sich im Erdgeschoss. Dort stand ein großes Bücherregal voller Kunstbücher – ich bemerkte eines über russische Ikonen und eines über Max Ernst – und medizinischer Wälzer. Auf dem Fußboden standen Eimer mit Pinseln und Farben. Eine große Leinwand auf einer Staffelei stand gegenüber seinem Schreibtisch. Er habe das Gemälde schon 1980 gemalt, sagte er. Es zeigte eine liegende Nackte mit üppigem Po, die sich nach einem Vogel streckte. Ein Mann stand über ihr. Es erinnerte mich an Rousseaus »Der Traum«. Ein eingerahmter Zeitschriftenartikel hing an der Wand. Auf dem Foto stand Bashir lächelnd neben dem Bett eines Patienten. Er erklärte, das Bild stamme von einer Operation, die er 1983 gemacht habe. Er hatte eine Hand wieder angenäht. Sein Patient war ein ungarischer Ingenieur, der im Irak gearbeitet und die Hand bei einem Arbeitsunfall verloren hatte. »Es war die erste erfolgreiche Replantation eines Gliedmaßes im Nahen Osten«, sagte er stolz. Wegen dieser Operation hatte man ihn unter die besten Ärzte des Jahres gewählt und zum Treffen mit Saddam Hussein eingeladen. Saddam Hussein hatte den Ärzten neue Autos geschenkt. Er sagte mir, das sei das erste und einzige Mal gewesen, dass er jemals ein Geschenk von dem Diktator angenommen hätte.

Wir gingen nach oben in ein anderes Zimmer, wo Bashir einen Vorrat von gerahmten Gemälden und Terrakotta-Skulpturen aufbewahrte. Die meisten stellten menschliche Köpfe dar, häufig auf surreale Art verzerrt, und Raben. Er zeigte mir ein Kunstwerk von einem Raben mit offenem Schnabel. Drei weitere Schnäbel ragten aus seinem Rachen. Bashir sagte: »Für mich stellt das die Notwendigkeit zu schreien dar. Manchmal hat man das Gefühl, dass man noch so laut schreien kann, es reicht trotzdem nicht aus.« Eine andere Skulptur zeigte ein Paar Köpfe, einen männlichen und einen weiblichen, Seite an Seite. Die Augen des Mannes waren geschlossen, die der Frau offen. Ein Rabe war in den Ton unterhalb der beiden Gesichter eingearbeitet. Er sagte, das Werk sei von einem ihm bekannten Paar inspiriert worden, alte Freunde, die sich viele Jahre lang sehr nahe gestanden, dann aber aus unerklärlichen Gründen getrennt hatten. Die Frau gestand ihm später, dass sie in den Jahren ihrer Ehe nie schlafen konnte, sondern immer wach gelegen und nachgedacht habe. Das Kunstwerk stelle ihr Dilemma dar, sagte er. Was den Raben betraf, so war er der »Hüter der Geheimnisse«, erklärte er, ein Symbol für die unausgesprochene Kluft zwischen dem Paar.

Wir verließen Bashirs Wohnviertel – eine große vorstädtische Enklave, deren sandbraune einstöckige Häuser überwiegend bescheiden, aber komfortabel aussahen und durch Gartenmauern von der Straße getrennt wurden. Bashir teilte mir mit, dass diese Gegend eine Parzelle gewesen sei, die der irakische Ärzteverband in den 60er Jahren für seine Mitglieder gekauft habe. Damals, sagte er, sei die Gegend nur Wüste gewesen und habe weit außerhalb von Bagdad gelegen. Ärzte, die dort leben wollten, konnten Grundstücke kaufen und, unterstützt von Mitgliedsbeiträgen, Häuser bauen. Viele hatten seither ihre Grundstücke wieder verkauft, und andere Menschen waren eingezogen, doch es lebten immer noch viele Ärzte in der Gegend, und die Anwohner gehörten überwiegend der Mittelschicht an. Wir fuhren auf die Hauptstraße. Auf der anderen Straßenseite sah ich eine Reihe neureicher Prachtbauten in dem neobabylonischen Stil, den Saddams Spezis favorisierten: protzige Bauten mit überladenen Fassaden, verziert mit Kuppeln und Säulen und riesigen Eingangstüren. Das Viertel war ganz neu. Auch auf dem offenen Land hinter den Häusern an der Straße standen Villen, zum Teil noch nicht fertig gestellt. »All diese Häuser«, sagte er, »gehören den Wachen Saddam Husseins.«

Im Al-Wassati-Hospital begrüßten die Mitarbeiter Ala Bashir voller Überraschung und mit charakteristischer Ehrerbietung. Sundus lief ihm mit verklärtem Blick nach und rannte dann weg, um Tee zu kochen. Die Eingangshalle war voller Krankenhausbetten mit verletzten Männern und Jungen, die überwiegend sehr blutige Wunden hatten. Ein kleiner Junge mit einem frisch amputierten Arm fiel mir auf. Er war bei einem der letzten Bombenangriffe der Amerikaner in der vorigen Woche verwundet worden, hieß es. Die meisten anderen jedoch waren laut Bashir

Plünderer, die beim Stehlen oder bei Schusswechseln mit anderen Räubern verletzt wurden. Er war sehr aufgebracht deswegen und sagte gereizt zu mir, dass er nicht lange bleiben wolle. »Ein Krankenhaus für plastische Chirurgie, das Diebe restauriert«, sagte er mit bitterem Sarkasmus. Wir gingen in sein Dienstzimmer, wo jemand das Saddam-Porträt an der Wand entfernt hatte. Ein gelbes Rechteck kennzeichnete die Stelle, wo es an der blassgrünen Wand gehangen hatte. Die Saddam-Büste war von seinem Schreibtisch verschwunden.

Sundus brachte uns Tee. Sie hatte seit Beginn des Krieges in dem Zimmer geschlafen; ihr Feldbett, fein säuberlich hergerichtet, stand in der Ecke. Bashir sagte mir, dass er sich um ihre Zukunft Sorgen mache, weil er nicht wisse, ob er imstande sein würde, dort weiter zu arbeiten. Einige der Angestellten seien wegen ihrer engen Beziehung zu ihm ohnehin eifersüchtig. Er wisse nicht, was er für sie tun könne.

Bashir plauderte mit Walid und anderen Mitgliedern seines Stabs, und er erkundigte sich nach einigen Patienten, aber er wirkte befangen und schien nur darauf zu warten, dass wir gingen. Sein Schwager Abu Ahmed erschien im Wartezimmer. Vorgeblich war er herausgefahren, um nach seinem eigenen Geschäft zu sehen, einem Möbelladen, doch ich hatte den Eindruck, dass er Ala Bashir die ganze Zeit beschattet hatte. Ich erkundigte mich nach seinem Laden. Er sagte mir, dass er dort gewesen sei. Alles sei in Ordnung. Niemand hatte ihn geplündert; Ahmed hatte vorsichtshalber die Möbel aus dem Schaufenster entfernt, bevor der Krieg Bagdad erreicht hatte. Doch vorläufig werde er die Rollläden unten lassen, sagte er. Es sei ohnehin unsinnig, wieder zu öffnen, weil es keine Kunden gebe, die etwas kaufen könnten. Er zuckte die Achseln. Als wir aus dem Krankenhaus traten, stieg Abu Ahmed in sein Auto und folgte uns nach Hause.

Bashir hatte Saddam Hussein zuletzt vor 10 Wochen gesehen – etwa zur gleichen Zeit, als Colin Powell der UNO die Vorwürfe gegen den Irak darlegte und König Abdullah von Jordanien versuchte, die Vereinigten Staaten zu überzeugen, Saddam Asyl in einem arabischen Land anzubieten. »Saddam war ins Krankenhaus gekommen, um seine Tante zu besuchen«, erklärte er. »Sie war schwer krank. Er fragte mich, wie es mir gehe und wie der Bau des neuen Saddam-Zentrums [eine Einrichtung für plastische Chirurgie] vorankomme.«

Saddam ertappte Bashir dabei, wie er ein Muttermal, einen Leberfleck auf seiner linken Backe, anstarrte. »Wir hätten ihn eigentlich schon vor Monaten entfernen wollen«, erklärte Bashir, »aber er verschob die Operation. Er hatte gesagt: ›Wenn ich das jetzt mache, werden die Leute sagen, ich hätte Krebs oder bräuchte eine Schönheitsoperation, und es wird viel Gerede geben.‹ Diesmal sagte er: ›Ich sehe, Sie starren ihn an; wir werden ihn entfernen, wenn dieses Problem‹ – er meinte den Krieg – ›ausgestanden ist.‹ Ich dachte, er sehe müde aus. Und er sah älter aus. Nach seiner Haut und den Falten an seinen Händen zu urteilen, ist er ohnehin älter als sein offizielles Alter. Offiziell wurde er im Jahr 1937 geboren, aber ich glaube, er ist älter. Die Hand eines Menschen kann einem viel über sein wahres Alter sagen.«

Ich sprach Bashir erneut auf sein Verhältnis zu Saddam Hussein an. Ich fragte ihn, ob er sich jemals Gedanken gemacht habe, wie seine Nähe zu dem Diktator auf andere Menschen gewirkt haben mochte.

Bashir räumte ein, dass ihm die ständigen Schmeicheleien Saddams peinlich gewesen seien und ihm keinen Gefallen erwiesen hätten. »Diese besondere Aufmerksamkeit war schlecht für mich«, sagte er. »Seine Wachen und sein Sohn Udai, die mochten mich nicht. Sie wussten, dass ich mich nicht um sie scherte. Aber sie wussten, er respektierte mich, und aus diesem

Grund hatten sie Angst, Hand an mich zu legen.« Er fügte hinzu, dass er »viele, viele Male« mit dem Gedanken gespielt habe, den Irak zu verlassen.

»Warum hast du es nicht getan?«, bohrte ich nach.

»Nun, ich dachte, das ist mein Land, und außerdem ist es viel zu leicht, einfach zu gehen ...«

Ich verlor die Geduld. Ich sagte Bashir, dass er sich auch um seiner selbst willen unbedingt aufrichtig mit seiner Beziehung zu Saddam auseinander setzen müsse. Er hörte mich an und nickte. Dann sagte er: »Ich werde dir die Wahrheit sagen. Ich weiß nicht, wie das mit Saddam Hussein war, aber alle Menschen um ihn haben einen Fehler gemacht. Sie halfen ihm alle, der zu werden, der er nach außen hin war. Alle um ihn herum, die ihn lobten, insbesondere die Führer der Baath-Partei – sie schufen dieses Bild. Gewiss, natürlich hat er sie auch nicht daran gehindert, und das ... war sein Fehler, denke ich ... Einmal habe ich ihn auf all die Bilder von ihm angesprochen, die überall im Irak von ihm aufgehängt wurden, weil viele in Wirklichkeit, weißt du, hässlich sind ... Er unternahm nichts dagegen. Er sagte zu mir: ›Lassen Sie die Leute doch ihre Gefühle ausdrücken.‹ Die Hauptsache ist jedoch, diejenigen, die diesen Personenkult förderten, waren die Führer der Baath-Partei und der Geheimdienste ... In späteren Jahren hat er, denke ich, einen Punkt erreicht, wo er sich nicht mehr als Präsident, sondern als Scheich ansah, als den Anführer eines Stammes, und er verhielt sich auch so, und missachtete die Gesetze des Landes. Er glaubte, dass alles, was er tat und sagte, richtig sei, weil er der Vater der Nation war.«

»Was hast du wirklich von Saddam gehalten?«, fragte ich. »War er ein guter Mensch bei all dem Drumherum? Hast du ihn respektiert?«

Bashir dachte lange darüber nach. »Um ehrlich zu sein, denke ich, er war ein Opfer seiner selbst und der Menschen um ihn. Er ist wie jeder andere Mensch. Er hat gute Seiten und schlechte Seiten. Ich glaube, es hängt von den Umständen und der Umgebung ab, dass der eine oder andere Charakterzug stärker zutage tritt. Ich glaube, sein verhängnisvoller Fehler war es, dass er zuließ, dass die uneingeschränkte Macht, die er hatte, all die guten Seiten in ihm überdeckte. Er kam an die Macht, als er noch jung war – erst Mitte dreißig. Das war sehr früh, und in einem reichen Land wie dem Irak absolute Macht zu haben ist keine einfache Aufgabe. Die Menschen hatte man unterdrückt. Sie waren ungebildet, hingen abergläubischen Vorstellungen und Gedanken an. Es war, als ob das Land noch nicht im 20. Jahrhundert angekommen sei, und selbst heute haben viele Menschen Ideen, als würden sie noch im 17. Jahrhundert leben. Ich halte es nicht für fair, diesen Mann zu beurteilen, als wäre er aus Westeuropa oder aus den Staaten. Er hat keine wissenschaftliche Bildung. Er hat nie im Westen gelebt.«

Bashir entspannte sich spürbar, als ich ihn nach Saddams persönlichen Gewohnheiten und seinem Tagesablauf fragte. Wenn er zu Hause war, sagte er, kleidete Saddam sich leger. Er trug Jeans oder eine irakische Dishdasha. »Er hat fast nie an zwei aufeinander folgenden Tagen im gleichen Haus geschlafen, und er bemühte sich, jede Routine zu meiden. Er hat überhaupt nie in den Palästen geschlafen, obwohl das alle angenommen haben. Er ging dort nur zu Besuchen und für kurze Aufenthalte hin. Er war ständig unterwegs. Um sich die Zeit zu vertreiben, empfing er in den letzten Jahren Menschen. Er las alle Zeitungen, und er las Bücher, überwiegend über Politik. In den letzten Jahren hat er alles verfolgt, was über ihn geschrieben wurde, und in den letzten beiden Jahren hat er drei Bücher geschrieben. Er hat sie selbst geschrieben und dann jemandem gegeben, um sie ins Reine zu bringen. Und er war ständig im Fernsehen, sprach lange über alles Mögliche, selbst über ganz triviale Dinge. Ich hielt das nicht für klug. Einmal sagte ich zu ihm: ›Ich weiß nicht, wie Sie es fertig bringen, so lange über so kleine Themen zu sprechen.‹ Er sah mich an. Ich glaube, das hat ihm nicht gefallen. Er sagte: ›Seit meinen Tagen im Gefängnis, als ich viel gelesen habe, habe ich viel über Dinge nachgedacht.‹«

»Tut es dir jetzt Leid um ihn?«

»Nun, ich habe das erwartet – dass er gestürzt würde –, wenn nicht dieses Jahr, dann nächstes. Wenn nicht von den Amerikanern, dann von den Irakern. Weil das System durch und durch korrupt war. Ich muss Folgendes sagen: Er war nicht damit einverstanden, dass seine Wachen und seine Verwandten ihre Posten missbrauchten. Aber am Ende haben sie getan, was sie wollten. Niemand hat es zum Beispiel gewagt, ihm von Udais korruptem Verhalten zu erzählen. Udai war nicht nur grausam; er war ein Krimineller. Eines Tages schickte Udai einen Mann zu uns, um die Aufzüge aus unserem Krankenhaus in sein Krankenhaus, das Olympische Krankenhaus, zu bringen. Das hatte er in Wirklichkeit dem Staat gestohlen, ohne Wissen seines Vaters. Er machte daraus eine Privatklinik, um damit Geld zu verdienen. Und er holte französische Chirurgen, die für ihn dort operieren sollten. Doch er hatte keine Ausrüstung für sie, also fing er an, Instrumente aus anderen Krankenhäusern zu holen. Ich weigerte mich, als er versuchte, unsere zu nehmen. Eines Tages kam sein Assistent und sagte: ›Ich möchte gern Ihren Aufzug, der nicht funktioniert, in Udais Krankenhaus bringen.‹ Das lehnte ich ab. Ich sagte, man werde ihn reparieren und wir würden ihn für unser Krankenhaus brauchen. Udai wurde wütend. Er schickte seinen Assistenten noch einmal und ließ mir drohen. Der Präsident hörte von der Geschichte und bildete einen Ausschuss, der untersuchen sollte, wie Udai an sein Krankenhaus gekommen war. In den Diensträumen der Palastverwaltung sah ich einen Brief von Saddam Hussein an seinen Sohn, in dem er ihn anwies, künftig von derartigen Aktionen Abstand zu nehmen und staatlichen Besitz in Ruhe zu lassen. ›Durch deine Taten reden die Leute nicht nur schlecht über dich, sondern auch über mich‹, hieß es darin. Doch am Ende wurde nichts unternommen, und das Olympische Krankenhaus erhielt sogar offiziellen Status. Udai gewähren zu lassen war einer der größten Fehler Saddams, weil er viele Iraker, viele Regierungsvertreter gedemütigt hat. Udai hat, denke ich, 90 Prozent von Saddams Problem ausgemacht.«

Ich fragte Bashir, ob er inzwischen bedauere, dass er Saddams Arzt war. »Als Arzt muss man einen Menschen behandeln, ob er nun gut ist oder schlecht«, erwiderte er. »Es ist genau wie bei einem Elektriker. Man macht seine Arbeit als Arzt, und das ist alles.«

»Aber du wusstest, was für Dinge er getan hatte –«

»Ja!«, sagte Bashir. »Manchmal dachte ich sogar bei mir: Er ist ein Verbrecher. Und ich führte einen Dialog mit mir selbst: ›Ist das derselbe Mann, der diese Dinge tut?‹ Ich kam zu dem Schluss, dass er eine gespaltene Persönlichkeit haben musste … Einmal bat er mich, einen verbrannten Jungen zu behandeln, den seine Mutter zu ihm gebracht hatte. Es war eine alte Verbrennung, im Gesicht, das arg entstellt war. Also rief er mich zu sich und beschrieb mir den Jungen und fragte mich, was ich für ihn tun könne. Und er fing an zu weinen. Wirklich! Er nahm Taschentücher und wischte sich die Tränen ab. Er weinte richtig.«

Nur einmal, sagte Bashir, habe er Saddams »andere« Persönlichkeit mit eigenen Augen gesehen. »Einmal wurde ich zu ihm gerufen. Es war gegen 10 Uhr. Er war anders. Normalerweise hat er eine sehr blasse Haut, weißt du, eine zitronengelbe Haut, aber dieses Mal war sein Gesicht dunkel, bläulich und angeschwollen, und er sah sehr müde aus. Ich sagte »Hallo«. Er lächelte nicht; er sagte kein Wort. Ich war gekommen, um mir einen Eingriff anzusehen, den ich ein paar Tage zuvor an seinem Fuß vorgenommen hatte. Normalerweise begrüßte er mich immer und fragte

paar Blutstropfen beschmutzten meine Kleider.‹ Er sagte: ›Ich möchte, dass Sie ein Bild von dem Traum malen.‹« Bashir hatte eingewilligt, den Traum zu malen, nahm sich aber wie später bei dem »Epos von Saddam« viel Zeit. »Sechs Monate später traf er mich und fragte mich nach dem Gemälde, und ich sagte, ich hätte bereits ein paar Skizzen gemacht, doch die Wahrheit war: Ich male nicht gern Porträts oder das, was andere mir sagen. 1996 behandelte ich ihn dann wegen einer Hautverletzung, und er sagte: ›Sagen Sie mal, Ala, was ist mit dem Gemälde? Sie sagen ständig: Zwei oder drei Monate, und wir warten jetzt schon so lange; es ist fünf Jahre her.‹ Er schien ein wenig verärgert. Ich sagte: ›Ich habe die Skizze fast fertig.‹ Also machte ich mich daran und beendete sie, und ich bat einen Freund, einen guten Maler, mir bei der Ausführung zu helfen. Er hat es in Wirklichkeit gemalt, und ich habe nur letzte Hand angelegt. Dann habe ich es ihm überreicht, und er war sehr glücklich. Er hängte es im Museum zum Ruhm des irakischen Führers auf, wo alle seine Geschenke ausgestellt wurden.« Ich erzählte ihm von meinem Besuch in dem Museum und dass alle Kunstgegenstände dort entweder gestohlen oder zerstört waren. Er nickte schweigend.

Abgesehen von jenem Gemälde von Saddams Traum, sagte Bashir zu mir, habe er nie ein Porträt von Saddam Hussein gemalt. Er glaubte selbst, dass er wohl der einzige irakische Künstler war, der das von sich behaupten konnte. Die Schuld an dem landesweiten Überfluss an Saddam-Porträts und Statuen gab er den Speichelleckern. Die Kunstgegenstände und Dekorationen in seinen Palästen wurden auch nicht von Saddam ausgewählt, sagte er. »Die Menschen in der Palastverwaltung, die für die Einrichtung seiner Paläste zuständig waren, wählten die Kunstwerke aus. Sie kauften bei vielen irakischen Künstlern ... Das einzige Mal, dass sie mich jemals nach meiner Meinung fragten, war der Salaam-Palast mit den vier Köpfen, wo er die Al-Aqsa-Moschee – den Felsendom – auf dem Kopf trägt. Kurz vor der

Vollendung sagten die Leute von der Palastverwaltung zu mir, der Präsident sei gekommen und habe sich die Köpfe angesehen und gesagt, ihm gefalle die Art nicht, wie sie auf dem Gebäude angebracht seien, und er sagte: ›Ruft Ala her. Ich möchte seine Meinung hören.‹

Also sagte ich meine Meinung. Ich hielt es für Schund. Sie ließen die Bronzeköpfe über das Gebäude hinausragen, und sie waren so aufgestellt, dass sie von Metallstangen gestützt werden mussten. Es sah aus wie eine Werbeanzeige für Mitsubishi oder so. Und sie hatten gekreuzte Schwerter und Palmen aus Bronze zwischen den Köpfen angebracht. Es sah wirklich hässlich aus. Ich sagte dann, diese Dinge würden nicht zu dem Palast passen, und ich empfahl, sie alle zu entfernen, mitsamt den Köpfen. Eine Woche später sagte also der Palastmensch, der Präsident sei gekommen und habe gehört, was ich gesagt hatte, und mir zugestimmt: ›Okay, vielleicht hat er Recht.‹ Er ordnete die Entfernung der Palmen und Schwerter an, behielt aber die Köpfe.« Wieder lachte Bashir vieldeutig.

Ein paar Tage danach sah ich Bashir an, dass ihn irgendetwas sehr beschäftigte. Das war ungewöhnlich, denn normalerweise verbarg er seine Gefühle. Ich fragte ihn, ob etwas nicht in Ordnung sei. Er nickte. Er sagte mir, dass er im Satellitenfernsehen den Kanal Al-Arabija angesehen und dort einen Beitrag über das geplünderte und mutwillig zerstörte Innere von Bagdads Nationalgalerie verfolgt habe. Fast zwei Dutzend seiner besten Gemälde waren in der ständigen Sammlung der Galerie ausgestellt gewesen. Er sah, dass seine Werke in Fetzen gerissen worden waren, und das hatte ihn bedrückt. »Ich habe mir beigebracht, keine Trauer zu empfinden, weil alles im Leben vergänglich ist. Aber die Zerstörung, die ich gesehen habe, hat mir gezeigt, wie ignorant die Menschen sind. Im Grunde sind wir nicht weit von der Steinzeit entfernt.« Er erwähnte, dass Barsan al-Tikriti zwölf Gemälde von ihm besessen hätte, und vermutete, dass sie ebenfalls verloren waren, weil man Barsans Haus in Bagdad auch geplündert und niedergebrannt hatte.

Ala Bashir erzählte mir einen Traum, den er vor etwa acht Jahren gehabt hatte. »Da waren ein hoher Himmel und Wüste. Tausende von Menschen waren in dieser Wüste verstreut. Sie waren nackt. Sie standen, und jeder wusch einen nackten Körper, der auf einem Tisch vor ihm lag. Ich stand hinter ihnen. Im Vordergrund sah ich Menschen im Boden graben, auf der Suche nach Leichen. Sie suchten die Leichen ihrer Angehörigen und gruben sie aus. Es waren Frauen und Kinder und Männer, alle weinten, und sie versuchten alle, die Leichen auf einen Tisch zu legen und zu waschen. Ich war sehr erschrocken. Dann grub ich auch, nach meinem Vater, und ich hatte große Angst, mein Herz schlug schnell, und meine Brust presste sich zusammen. Ich fragte mich, wie sein Leichnam aussehen mochte. Am Ende fand ich ihn. Er bestand nur noch aus Knochen, von Haut bedeckt, aber ich erkannte ihn wieder und brachte ihn zu einem Tisch, um ihn zu waschen. Dann rüttelte meine Frau mich und weckte mich auf. Offenbar hatte ich geschrien und die Ärmel hochgeschoben, damit sie beim Waschen nicht nass wurden. Der Traum ist mir immer in Erinnerung geblieben. Ich weiß nicht, aber vielleicht war das eine Vision des heutigen Irak. Menschen suchen überall nach ihren verschwundenen Angehörigen.« Er erwähnte, dass seine Schwägerin gemeinsam mit ihrer Tochter durch ganz Bagdad gefahren sei auf der Suche nach deren Mann. Er war seit einer Woche vermisst worden. Vor ein paar Tagen hätten sie ihn endlich gefunden: begraben am Straßenrand.

Eines Nachmittags kam ich bei Soheila an und fand die ganze Familie auf der Einfahrt versammelt. Sie wirkten besorgt. Eines der Autos in der Einfahrt war von blutigen Handabdrücken bedeckt. Sie erklärten, dass sie ein Schaf geschlachtet hätten, um

Gott für ein Wunder zu danken. Das Ritual und die Handabdrücke seien ein alter irakischer Brauch. Soheila zeigte auf das Heckfenster des Autos und das hintere linke Fenster, wo mehrere Kugellöcher zu sehen waren. Gestern Nachmittag waren eine Tochter Soheilas, ihr Mann und ihr Sohn zum Markt in der Nähe gefahren. Der Sohn, der ungefähr sieben war und sehr klein für sein Alter, hatte auf der Rückbank gesessen, hinter seinem Vater. Plötzlich waren Schüsse ertönt. Sie waren anscheinend direkt in einen Schusswechsel zwischen zwei bewaffneten Gangsterbanden geraten, die sich um die Beute eines Raubüberfalls stritten. Eine Kugel war drei oder vier Zentimeter über den Kopf des Jungen hinweg- und zum Heckfenster wieder hinausgeflogen. Wenn er nicht so klein gewesen wäre, hätte die Kugel seinen Kopf getroffen. (Ein paar Tage später wurde einer von Soheilas eingeheirateten Neffen, ein Mann, den ich bei meinen Besuchen im Haus kennen gelernt hatte, bei einem ähnlichen Vorfall getötet.)

Ala Bashir machte sich immer mehr Sorgen wegen des anhaltenden Chaos in Bagdad und der mangelnden Bereitschaft oder Unfähigkeit der Amerikaner, die Ordnung wiederherzustellen. Vor allem beunruhigte ihn die zunehmende öffentliche Präsenz muslimischer Fundamentalisten, die unter Saddam bloß im Verborgenen operiert hatten. Bashir sagte, er habe sich im Satellitenfernsehen Bilder einer antiamerikanischen Demonstration angesehen, die am Vortag stattgefunden hatte. (Schon wenige Tage nach dem Sturz der Saddam-Statue waren solche Demonstrationen zu einem täglichen Ritual auf dem Fardus-Platz geworden.) Die Leute hatten skandiert: »Islam! Islam! Kein Amerika! Kein Saddam!« Diese Losung, sagte er, habe ihn alarmiert: »Für die Amerikaner beginnt nun die zweite Phase. Die erste Phase war das Ende von Saddams Regime, und das scheint endgültig. Es ist vorbei. Jetzt kommt der nächste Teil, in dem sie ihren Einfluss auf die verschiedenen Teile der irakischen

Gesellschaft ausdehnen müssen. Das Problem ist, dass Saddam sehr hart durchgegriffen hat, und selbst er hatte Schwierigkeiten mit den verschiedenen ethnischen und religiösen Gruppierungen des Irak. Wie wollen die Amerikaner mit ihnen fertig werden? Sie sind mit der Rhetorik der Freiheit und Menschenrechte gekommen, folglich können sie nicht hart durchgreifen, sonst wird man ihnen vorwerfen, genauso schlimm wie Saddam zu sein. Was mich am meisten beunruhigt, ist der Umstand, dass sie allem Anschein nach nicht einmal einen Plan haben. Warum haben sie alles so laufen lassen? Sie haben jetzt fast einen Monat lang keine Ordnung hergestellt. Jon, der Mob streift durch Bagdad, und niemand leistet Widerstand. Es ist sehr seltsam.«

Am Morgen des 20. April, als Ala Bashir und ich uns im Wohnzimmer des Hauses seiner Schwester unterhielten, tauchten die Amerikaner auf. Eine Nichte Bashirs kam an die Tür und sagte ihm, dass jemand vor dem Tor stehe. Bashir entschuldigte sich und ging hin. Ich blickte aus dem Fenster und sah drei weiße Westler neben einem Geländewagen stehen, auf den die Buchstaben »TV« aufgeklebt waren. Doch waren sie keine Journalisten. Einer trug Khakihosen und eine Art schwarzen Kampfgürtel und einen Helm auf dem Kopf, dessen Mikrofon in einem Bogen zu seinem Mund reichte. Außerdem hielt er ein Sturmgewehr. Er lief auf und ab, hielt sich in der Nähe des offenen Gartentors und beobachtete die Straße, während die anderen beiden mit Ala Bashir sprachen. Die Männer sahen wie Amerikaner aus. Sie trugen typisch amerikanische Sportstiefel und Freizeitkleidung. Einer hatte einen Bart. Sie waren außer Hörweite, deshalb konnte ich nicht hören, was sie sagten. Nach etwa 20 Minuten gingen sie, und Bashir kam wieder ins Haus.

Er schien ziemlich aufgeregt. Er sagte: »Das war Charles.« Charles war der Name eines Amerikaners, der mit Bashirs Cousin Faleh in den USA befreundet war. Als ich Bashir nach unserem Wiedersehen mein Thuraya gegeben hatte, hatte er Faleh gleich nach seiner Familie angerufen. Und vorher, als ich Bashir vor unserer Trennung zum letzten Mal gesehen hatte, war es Faleh gewesen, der ihm per Telefon geraten hatte, die Stadt zu verlassen. Da war es freilich schon zu spät. Während sich Bashir später im Haus seiner Schwester versteckte, hatte er keinen Kontakt mehr zu seinem Cousin oder sonst wo ins Ausland gehabt. Das letzte Mal, als ich Bashir während der Bombardierung Bagdads gesehen hatte, hatte er mir gesagt, dass sein Cousin angerufen und ihn gewarnt hätte, die Stadt wenn möglich zu verlassen. Doch es war bereits zu spät. Bashir hatte dann keinen Kontakt mehr zu seinem Cousin oder irgendjemand sonst außerhalb des Irak gehabt, bis ich ihn im Haus seiner Schwester gefunden hatte.

Nachdem Bashir mit Faleh gesprochen hatte, dankte er mir überschwänglich und sagte, sein Cousin sei mir sehr dankbar und habe ihm mitgeteilt, dass ich ihn doch zurückrufen solle, damit er mir persönlich danken könne. Faleh wollte auch wissen, ob es mir recht sei, wenn Freunde von ihm, »Menschen, die, wie er sagt, mir helfen wollen«, so Bashir wörtlich, über mich mit Bashir Kontakt aufnehmen würden. Später rief ich Faleh zurück. Er dankte mir und sagte, dass er meine Hilfe zu schätzen wisse und dass er vor allen Dingen die Gewissheit haben wolle, dass sein Cousin sicher sei. »Es gibt auch noch andere Leute, denen Ala am Herzen liegt, die ihm helfen wollen«, sagte er mir. Sie würden Kontakt mit mir aufnehmen. Als ich am nächsten Tag bei Bashir war, rief ein Amerikaner an, der sich als Charles vorstellte und nach Ala Bashir fragte. Ich gab das Telefon weiter. Nach dem Gespräch erklärte Bashir, dass er Charles bei seinen Reisen in die Vereinigten Staaten kennen gelernt habe, ein Freund von Faleh, den er mehrere Male bei gesellschaftlichen Anlässen getroffen habe.

Charles sagte Bashir, dass er sich in Kuwait aufhalte und in

Kürze nach Bagdad kommen werde. Er sagte, dass er und »andere Leute«, die bereits in Bagdad seien, ihn besuchen wollten. Bashir sagte, er habe auch gefragt, ob ich ihm mit meinem Thuraya die GPS-Koordinaten des Hauses von Bashirs Schwester schicken würde. Das tat ich. Ungefähr vier Tage danach tauchten Charles und seine beiden Freunde auf.

»Wer ist dieser Charles?«, fragte ich Bashir, als er von dem Treffen im Vorgarten zurückkam.

»Er hat mir gesagt, dass er für eine Ölgesellschaft arbeitet«, antwortete er. Ich warf Bashir einen skeptischen Blick zu. Er bemerkte das und sagte: »Aber ich vermute, sie sind wahrscheinlich von der CIA.«

Ganz beseelt fügte Bashir hinzu, dass er den zweiten Mann wiedererkannt habe – nicht den mit dem Gewehr, sondern den zivil gekleideten. »Er kam 1998 zu meiner Kunstausstellung in New York«, sagte er. Bashir hatte damals im Gebäude der UN-Vollversammlung eine von der irakischen Delegation finanzierte Ausstellung organisiert, und er hatte die Erlaubnis erhalten, zur Eröffnung dorthin zu reisen. Ganz perplex fügte er hinzu: »Eigenartig ist jedoch, dass er immer bei den Irakern von der UNO war. Ich nahm an, er arbeitet für sie. Am Anfang habe ich ihn nicht wiedererkannt, weil er jetzt einen Schnurrbart trägt. Er spricht perfekt Arabisch, mit einem libanesischen Akzent.«

Ich sagte, dass der zweite Mann möglicherweise ein Geheimdienstagent sei, den man in die irakische UN-Delegation geschleust hatte. Er dachte darüber nach und sagte: »Ja, das ist möglich. Ich erinnere mich, dass zwei der Iraker an der Botschaft sechs Monate danach Asyl beantragten.«

Dann sagte er mir lachend, dass er die Amerikaner ins Haus gebeten habe mit dem Hinweis, ein Freund von ihm, ein anderer Amerikaner, sei zu Besuch. Er hatte ihnen meinen Namen genannt. Charles hatte abgelehnt: »Nein danke, wir werden einfach hier bleiben.« Sie sagten ihm, sie seien nur gekommen, um einen ersten Kontakt aufzunehmen und im Namen seines Cousins nachzusehen, ob er in Sicherheit sei. Sie wären schon früher gekommen, sagten sie, aber sie seien sehr beschäftigt gewesen. Noch am Abend würden sie wiederkommen. Er fügte hinzu: »Sie sagten, sie würden gern meine Meinung zu einigen Dingen hören.« Sie hatten ihn auch gefragt, ob sie irgendetwas für ihn tun könnten. »Ich sagte ihnen, wenn sie mir helfen könnten, meine Familie in England zu besuchen« – wo zwei seiner drei Söhne lebten (seine Frau und Tochter befanden sich noch in Amman, hatten aber Visa für Großbritannien) – »dann wäre ich ihnen sehr dankbar. Sie sagten, darüber und über viele andere Dinge würden wir sprechen, wenn sie wiederkommen.«

Ich sagte Bashir, ich hätte den Verdacht, dass unsere Tage zusammen nunmehr gezählt waren. Wenn seine Besucher wirklich von der CIA kamen, so hatten sie die Absicht, ihn auszuhorchen und um Hilfe bei der Suche nach Saddam und anderen Flüchtigen zu bitten. Er lachte über diese Vorstellung und versicherte mir, wer immer sie wären, er sei sein eigener Herr und sie könnten ihn nicht daran hindern, sich mit mir zu unterhalten. Ich blieb skeptisch und sagte ihm das auch.

Ich behielt Recht. Sobald Ala Bashirs Treffen mit den Amerikanern begannen – mal in Soheilas Haus, aber in der Regel in seinem eigenen in Al-Dschihad und an anderen mir nicht bekannten Orten –, trafen wir uns seltener. Er äußerte sich auch immer vager über den Inhalt seiner Gespräche mit ihnen. Er fühlte sich unbehaglich, wenn ich nachbohrte, also ließ ich es bleiben. Ich war mir ziemlich sicher, dass sie ihn gebeten hatten, nicht mit mir zu sprechen. Nach ein paar Tagen fragte ich ihn jedoch ganz direkt, was sie von ihm wollten. Er sagte mir, sie seien nicht sehr konkret geworden, aber eine Idee sei, dass er zum Beispiel beim Wiederaufbau des irakischen Gesundheitsministeriums helfen könne. Bashir hatte sichtlich ein schlechtes

Gewissen, weil er mich anlog, also drängte ich ihn nicht länger. Nicht, dass es Spannungen zwischen uns gegeben hätte. Wir trafen uns weiterhin zum Mittagessen mit seinen Verwandten und sprachen über seine Vergangenheit, seine Familie, Saddam und seine Lebensanschauungen. Ungefähr jeden zweiten Tag gingen wir zu Samir Chairi.

Nach Saddams Sturz wurde Samirs Haus zu einer Art Harry's Bar, in der eine Menge von Freunden ständig ein und aus ging und herumhing. Sie plauderten über die Amerikaner und die aktuellen Ereignisse und sinnierten über ihre eigene Zukunft. Wie üblich lief der Fernseher, und alle sahen sich die Satellitensender an, schalteten zwischen Al-Dschasira und Al-Arabija, CNN und BBC hin und her. Jedes Mal wenn Bashir und ich vorbeischauten, drängte Samir uns, zum Essen zu bleiben. Es gab üppige Mahlzeiten aus Reis und Lamm, Salaten, Auberginen und roten Bohnen, gekocht in verschiedenen Soßen, gefolgt von Kaffee oder Tee und weiteren Gesprächen. Abends gab es Arrak oder Whisky.

Die meisten Freunde Samirs waren Menschen, die wie er selbst aus der Nomenklatura des Ancien Régime stammten, also überwiegend langjährige Mitglieder der Baath-Partei, Militäroffiziere oder Beamte des Außenministeriums, die auf einen Schlag arbeitslos waren und sich fragten, was die Zukunft bringen mochte. Einer davon war Samirs Bruder, ein Kapitän der Luftwaffe, der vor der Ankunft der amerikanischen Marines aus Tikrit geflohen war und jetzt auf die Aufforderung wartete, sich zum Dienst zurückzumelden. Ein anderer war ein ehemaliger Pilot der irakischen Luftwaffe. Er erzählte mir von einem Freund, der im Gefängnis gewesen und erst vor kurzem zurückgekehrt war. Jahrelang hatte er als eine Art Zuhälter oder Kuppler Frauen für Udai Hussein beschafft. Einige Monate zuvor war es zwischen ihnen zum Streit gekommen, und Udai hatte den

Freund bestraft, indem er ihm die Spitze der Zunge abschnitt. Erstaunlicherweise, so der Offizier, fange sein Freund wieder an, Laute von sich zu geben und zu sprechen. Es sei schwierig, ihn zu verstehen, aber jeden Tag klinge das Gesagte verständlicher.

Ein anderer regelmäßiger Gast Samirs war Mohammed Dschaffar, ein Nachbar, der sehr gut Englisch sprach. Er war ein irritierend redseliger Mensch, ein Herausgeber von Handels- und Industriezeitungen und ein ehemaliger Diplomat, der Gefallen daran fand, alles aufzuzählen, was die Amerikaner seit ihrer Ankunft falsch gemacht hatten. Er sagte den Amerikanern im Irak nichts als Unheil und Leid voraus. »Die Zukunft ist düster«, sagte Dschaffar mir eines Tages und grinste. Auf die Frage, wieso er das glaube, sagte er, das liege daran, dass die Amerikaner nichts über die irakische Gesellschaft wüssten und eine Unzahl von Fehlern begingen. »Sie sitzen auf einer Zeitbombe«, sagte er und wies auf den wachsenden Unmut schiitischer Geistlicher hin. Er ergänzte, dass die Amerikaner diesen Leuten nicht rasch genug die Flügel stutzten. Im nächsten Atemzug teilte er mir mit, dass der »neue Irak« für schlaue Köpfe wie ihn gute Geschäftsmöglichkeiten bieten würde. Er hoffte, sein Verlagsgeschäft zu vergrößern und, wenn alles gut ging, eine Wirtschaftszeitschrift für den Nahen Osten auf den Markt zu bringen. Ich sagte Dschaffar, dass er sich widerspreche. Er lächelte und sagte etwas über »die Dualität« des irakischen Charakters. »Das ist eine andere Sache, die Amerikaner nicht verstehen.« Er lächelte mich an, als ob er ein Geheimnis bewahre, das er irgendwann in der Zukunft zu enthüllen gedenke.

Als der irakische Finanzminister gefasst und vom amerikanischen Militär in Gewahrsam genommen wurde, schnaubten Samir, Bashir und ihre Freude spöttisch. Und als der CNN-Moderator dann Vertreter der Bush-Administration mit den Worten zitierte, sie hofften, die Gefangennahme würde ihnen helfen, die Milliarden Dollar aufzuspüren, die Saddam dem Irak gestohlen und auf ausländischen Konten versteckt hatte, da sagte Bashir: »Dieser Mann ist ein Niemand, eine Null. Sie werden durch ihn überhaupt nichts finden. Glauben die Amerikaner wirklich, Saddam Hussein und seine Familie hätten diesen Mann benutzt, um ihr Geld zu verstecken?« Diese Art von Geschäften, sagte er, seien direkt von Angehörigen der Familie Hussein oder ihren persönlichen Vertretern geregelt worden.

An dem Tag, als gemeldet wurde, dass Barsan al-Tikriti, der am Ende doch nicht getötet worden war, von den Amerikanern gefasst wurde, war Samir ganz begeistert: »Gut! Gut!«, rief er aus. Später, als ich sein Haus verließ, ging er mit mir nach draußen. Als das Auto anfuhr, trat er vor und winkte uns anzuhalten. Er trat heran und sagte leise: »Wenn die Amerikaner irgendetwas über diesen Mann wissen wollen, sagen Sie ihnen, dass ich bereit bin zu helfen.«

Samir hatte in den letzten Tagen immer wieder Barsan erwähnt. Er hatte gemurmelt, dass Barsan einst sein bester Freund gewesen sei, ihn aber verraten habe, indem er ihn ohne Grund ins Gefängnis gesteckt habe. Und das könne er ihm nie verzeihen. Er nannte keine näheren Einzelheiten. Doch ein paar Tage nachdem er vor dem Haus mit mir gesprochen hatte, konnte ich ihn überreden, sich mit mir in eine stille Ecke seines Wohnzimmers zu setzen, während Ala Bashir und andere Freunde sich Al-Dschasira ansahen, und offen mit mir über Barsan und seine eigene Karriere im Muchabarat zu reden.

Samir wurde 1951 als Sohn eines Polizeiobersten in Mossul geboren. Er hatte in Bagdad Jura studiert und 1981 einen Doktortitel in Verfassungsrecht erworben. Um diese Zeit hatte er auch angefangen, sich journalistisch zu betätigen, was er die zweite große Liebe seines Lebens nannte, und arbeitete als Redakteur einer Zeitung in Bagdad. Als er gerade dabei war, seine Dissertation zu beenden, meldete sich Barsan al-Tikriti, der damalige

Chef von Saddams Geheimdienstapparat, und fragte ihn, was er denn für Pläne habe. Samir sagte ihm, dass er an der juristischen Fakultät der Universität von Bagdad lehren wolle. »Er bat mich, den Posten des Chefredakteurs einer neuen arabischen Zeitschrift namens *Kul al-Arab* [Alle Araber] zu übernehmen, die in Paris herausgegeben und international verbreitet wurde. Das Geld kam vom irakischen Geheimdienst, aber sie sagten mir, es sollte keine irakische Organisation sein, sondern eine Zeitschrift für alle Araber.« Samir nahm den Posten an, zog nach Paris um und arbeitete von 1983 bis 1991 als Chefredakteur der Zeitschrift. »Es war ein großer Erfolg, mit einer Auflage im ganzen arabischen Raum.« Samir lächelte stolz. Im Jahr 1991, als der Golfkrieg begann, wurde er von der französischen Polizei verhaftet und der Spionage bezichtigt. Sie hielten ihn zwei Tage lang fest und wiesen ihn dann in den Irak aus.

Nach seiner Rückkehr nach Bagdad wurde Samir zum Leiter der Forschungsabteilung im Präsidialinstitut ernannt, einem Ableger des Muchabarat, wo seine Arbeit offiziell darin bestand, für Saddam Hussein Zusammenfassungen ausländischer Bücher und Publikationen zu erstellen und Analysen zur internationalen Politik zu liefern. Auf diesem Posten blieb er bis 1993, als Barsan, der derweil irakischer Botschafter in Genf war, zu Saddam Husseins politischem Berater ernannt wurde. Samir wurde zu Barsans Büroleiter im Außenministerium. Seine eigentliche Funktion, erklärte er, habe darin bestanden, als Bindeglied zwischen Barsan und dem Präsidenten zu dienen. Er blieb dort bis 1998. »Dann kam Barsan in den Irak zurück, und die Probleme zwischen uns begannen. Er wollte, dass ich mich mit ihm gegen Udai verbündete, den er hasste. Udai hatte seine Tochter geheiratet, und nach nur drei Monaten hatte er sie verlassen. Ich wollte in diese Fehde nicht hineingezogen werden. Barsan wollte hinter Saddam die Nummer zwei werden, doch das war nicht realistisch. Nach seinen Söhnen Udai und Kussai, die Nummer zwei und drei waren, kamen noch etliche andere vor Barsan, die wichtiger waren als er. Deswegen erfand er 1999 einen Vorwand und ließ mich ins Gefängnis werfen. Ich war zwei Monate und vier Tage im Gefängnis. Die Männer des Präsidenten hatten Angst, ihm von meiner Verhaftung zu erzählen; der Präsident hat nie davon erfahren. Am Ende sagten sie Barsan, dass man mich freilassen müsse, weil er keinen Grund habe, mich festzuhalten. Ich saß in dem Muchabarat-Gefängnis in Mansur, und um ehrlich zu sein, es war gar nicht so übel. Ich hatte ein gutes Zimmer mit Satellitenfernsehen, und sie ließen mich jeden zweiten oder dritten Tag heimgehen. Das war eine der merkwürdigen Seiten unserer Diktatur, mein Freund.« Er gluckste vertraulich wie ein Schuljunge, der seinem Freund erzählt, dass er geschwänzt hatte.

Nur sechs Monate nach der Entlassung lud ihn Barsan zu einer Bestattungszeremonie für seine verstorbene Frau ein. Sie war zwei Jahre zuvor in der Schweiz an Krebs gestorben, und ihr Leichnam war dort in einem Kühlhaus aufbewahrt worden, während Barsan einen Schrein für sie in Owdscha vorbereitete, dem Dorf der Präsidentenclique in der Nähe der Stadt Tikrit. »Er bestand darauf, dass ich kam«, sagte Samir. »Ich wollte eigentlich nicht hingehen. Ich ging zu meinem Vater und sprach mit ihm, und dieses eine Mal hörte ich auf seinen guten Rat, was ich sonst eher selten tat. Er sagte, ich solle hingehen, denn ganz offensichtlich wollte Barsan sich bei mir entschuldigen. Also ging ich hin. Und genau das passierte auch. Er hat sich entschuldigt.«

Nachdem Samir sich mit Barsan offiziell wieder versöhnt hatte, kehrte er auf seine Stelle im Präsidialinstitut zurück. Inzwischen hatte Barsan damit nichts mehr zu tun. Unterdessen habe Saddam, so Samir, seine Arbeit schätzen gelernt. »Der Präsident achtete mich zu sehr. Er hat immer alles gelesen, was ich geschrieben habe, und dreimal hat er mir eine halbe Million Dinar zur Belohnung für meine Arbeit geschickt.« Diesen Posten bekleidete er bis Dezember 2002, als man ihm mitteilte, dass man ihn – ein Lohn für die gute Arbeit – zum Botschafter ernennen werde. Vorübergehend wurde er ins Außenministerium geschickt, wo er als Nadschi Sabri al-Hadithis Presseberater arbeitete.

Samir prahlte ein wenig mit der Arbeit, die er für Saddam Hussein erledigt hatte. Seine Analysen hatten sich auf die Beziehungen des Irak zu den Vereinigten Staaten konzentriert. »Ich kann Ihnen das jetzt nicht zeigen, weil ich dem Staat immer noch die Treue halte, aber ich möchte Ihnen sagen, dass ich im letzten Jahr drei Analysen für den Präsidenten geschrieben habe, die letzte erst vor drei Monaten. Ich habe dem Präsidenten gesagt, dass die Amerikaner den Irak angreifen würden und dass wir keine Chance hätten, ihnen Widerstand zu leisten.« Aber Saddams rechte Hand und oberster Leibwächter, General Abed Hamud, habe sich geweigert, seine Berichte an Saddam weiterzuleiten, sagte Samir. »Wie alle anderen hatte er Angst, ihm die Wahrheit zu sagen.«

Ich fragte Samir, weshalb er bereit sei, mit den Amerikanern gegen Barsan zu kollaborieren. »Nicht wegen irgendetwas, das er mir angetan hätte«, sagte Samir mit Nachdruck. »Glauben Sie mir, sondern weil er, als er Chef des Muchabarat war, zu viele unschuldige Menschen getötet hat. Und Sie müssen den Verantwortlichen in den Vereinigten Staaten Folgendes sagen ... Er sollte nach Guantánamo gebracht werden; er ist ein Verbrecher. Er hat viele, viele Menschen getötet; wie viele genau, weiß ich nicht, aber Hunderte.«

»Persönlich?«

»Er war bei den Hinrichtungen anwesend, ja.«

»Wie konnten Sie dann für ihn und für Saddam arbeiten, mit dem Wissen, das Sie über sie hatten, und über das, was sie getan haben?«

»Wirklich, ich hatte keine andere Wahl«, Samir blickte mir eindringlich in die Augen, und seine Stimme klang flehentlich. »Weil ich, sobald sie mich einmal kannten, Angst um meine Familie hatte, meine Mutter, Vater, Brüder, Schwestern, sogar meine Cousins. Wenn ich das Land verlassen hätte, dann hätten sie ihnen Leid angetan. Und wenn ich hier geblieben wäre und nicht für sie gearbeitet hätte, dann hätten sie mich jederzeit töten können. Wissen Sie, sie haben zu viele Menschen umgebracht, Jon Lee.«

Im Gegensatz zu Ala Bashir, der niemals in die Baath-Partei eingetreten war, war Samir ein Baathist und stolz darauf. »Ich bin 1973 in die Baath-Partei eingetreten, und bis heute glaube ich an die Grundsätze der Partei«, sagte er mir. »Die Grundsätze der arabischen Einheit, der sozialistischen Wirtschaft und Freiheit. Doch sind diese wegen Saddam Husseins Machtübernahme 1979 niemals verwirklicht worden. Bis dahin hatte er so getan, als würde er sich an diese Grundsätze halten. Als er aber 1979 die Partei übernahm, richtete er über 22 Menschen hin, die die eigentlichen Führer waren. Jahrelang hat Saddam Hussein gesagt, die Baath-Partei sei die höchste Instanz im Irak. Das war nicht wahr. Nur eine Familie – nämlich seine – hatte die Macht, und sie benutzte die Partei dazu, ihr politische Legitimität zu verleihen. Die Partei wurde zum Geheimdienstapparat; genau diese Rolle übte sie in der irakischen Gesellschaft aus. Saddam Hussein hat der Kommandoebene der Partei viele Entscheidungsbefugnisse übertragen, aber der Intelligenzija, die 1968 [im Jahr der baathistischen Revolution] noch Teil der Partei gewesen war, hat er nie eine Chance gegeben. Und diejenigen, die Kommandoposten bekamen, waren absolute Nullen. In Wirklichkeit, Jon Lee, sind die Prinzipien der Baath-Partei sehr gut für unsere Gesellschaft, weil sie die Grundsätze der Unabhängigkeit und Freiheit und der religiösen Toleranz vertreten ... Genau deshalb wurden auch so viele gebildete Menschen wie ich an der Universität zu Baathisten.« Er hege inbrünstig die Hoffnung, sagte Samir, dass die Amerikaner einsehen würden, dass die Baathisten im Irak eine gewisse Rolle spielen könnten und die Partei erhalten würden.

Eines Morgens saßen Ala Bashir, Samir und ich in Soheilas Haus und unterhielten uns, als Sabah plötzlich ins Wohnzimmer platzte. Das war ungewöhnlich. Sabah wartete normalerweise draußen bei seinem Auto oder im Garten. Nun aber hielt er krampfhaft einen Aktenordner voller Blätter fest, und er war sehr aufgewühlt. Er ging direkt zu Bashir und knallte ihm den Ordner auf den Schoß. Sein Gesicht glühte fiebrig, und seine Stimme bebte. Ich hörte die Worte »Taher« und »Muchabarat« heraus. Bashir verzog keine Miene, als er Sabahs Bitte erfüllte und den Ordner durchsah. Samir saß dabei wie erstarrt auf seinem Stuhl.

Sabah kam herüber und ließ sich neben mich auf das Sofa fallen. Sein Atem ging stoßweise. Er packte mich am Arm und teilte mir in seinem gebrochenen Englisch mit, dass er das Dossier seines vermissten Bruders Taher von einem Muchabarat-Beamten gekauft habe, der in seiner Nachbarschaft wohnte. Der Beamte verkaufte die Akten von Häftlingen und Vermissten an deren Familien. Tahers Akte hatte 100 Dollar gekostet. »Jon Lee«, sagte er mit zitternder Stimme, »sie haben Taher so umgebracht, mit dem Strick.« Sabah legte sich beide Hände um den Hals. Dann schluchzte er kurz, beherrschte sich aber und blickte erwartungsvoll Ala Bashir an. Er wollte wissen, was sie mit dem Leichnam seines Bruders gemacht hatten, war aber zu aufgewühlt, um die Dokumente gründlich zu lesen. Bashir fand schnell die betreffende Seite. Er las laut vor. Es war der Totenschein. Taher sei wegen seiner Mitgliedschaft in der Irakischen Kommunistischen Partei hingerichtet worden, sagte Bashir. Man hatte ihn etwa ein Jahr nach seinem spurlosen Verschwinden umgebracht, aber aus dem Dokument ging nicht hervor, wo sein Leichnam begraben war.

Sabah ließ einen Augenblick lang den Kopf hängen. Dann stand er auf, dankte Bashir, nahm die Akte wieder in Empfang und ging. Bashir und Samir saßen stumm da.

Eines Tages holte Ala Bashir das englische Buch »Lenin's Embalmers« aus seiner Bibliothek und bat mich, es zu lesen. Es handelte sich um eine Schilderung der Mumifizierung Lenins. Der Autor war ein russischer Jude, der seinem Vater geholfen hatte, die Einbalsamierung durchzuführen und das Labor im Mausoleum zu leiten, das für die Konservierung von Lenins Körper zuständig war. Die Ähnlichkeit zwischen Stalins Russland und dem Irak hatte Bashir verblüfft. »Es ist genau das Gleiche, ganz genau!«, rief er aus. »Ich war erstaunt.« Auf dem Umschlag war eine Aufnahme des einbalsamierten Körpers von Lenin, und Fotos im Innern des Buches zeigten den Bau des Lenin-Mausoleums auf dem Roten Platz. In den 20ern hatte man einen Architektenwettbewerb für ein neues Mausoleum ausgeschrieben, und ein paar Bewerbungen waren in dem Buch abgebildet. Ich bemerkte eine frappierende Ähnlichkeit zwischen den grotesken Zeichnungen für das Mausoleum und der nekromantischen Bestialität von Bashirs Denkmal »Epos von Saddam«. Ich fragte ihn, ob er sich, in gewisser Weise, als Einbalsamierer Saddams betrachte. Bashir sah mich kurz an und wandte den Blick wieder ab. Er lachte, sagte aber nichts.

Bashir erklärte, dass er das Buch gelesen habe, als er nach Moskau gereist war, um das Mausoleum aufzusuchen. Er war auf die Bitte seines Freundes Barsan al-Tikriti hingefahren. Bashir führte die Story weiter aus, die Samir mir bereits erzählt hatte: dass Barsan den Leichnam seiner Frau jahrelang in einem Kühlhaus in Genf aufbewahrt hatte, während er in Tikrit eine Art Mausoleum für sie errichtete. »Vor zwei Jahren war es noch unvollständig, und er sagte mir, er habe bereits über fünf Millionen Pfund dafür ausgegeben. Es war kaum zu glauben. Dann bat er mich, zu ergründen, ob man sie von dem Institut in Moskau einbalsamieren lassen könne. Er hatte die Idee, sie im Mausoleum auszustellen, aber nur für Familienangehörige und Freunde.«

Es sei nicht leicht gewesen, die Erlaubnis für einen Besuch in dem Institut zu erhalten, das zu den sichersten Gebäuden zählte, die er jemals betreten hatte, sagte er. An jeder Tür waren Schlösser, die man mit Spezialschlüsseln öffnen musste. Die einzigen anderen Personen dort waren ein paar Wärter. Er schilderte, wie er durch einen leeren Korridor in ein Zimmer geführt wurde, in dem Menschenköpfe aufgereiht standen. Im inneren Heiligtum zeigten sie ihm einen Leichnam, der gerade einbalsamiert wurde. Die Nachfolger von Lenins Präparatoren erklärten, sie würden sich ihren Lebensunterhalt mit ähnlichen Dienstleistungen für russische Mafiosi verdienen. Dann kam der Höhepunkt: Die Präparatoren drückten einen Knopf, ein Teil des Fußbodens öffnete sich, und aus den Tiefen stieg eine Plattform auf. Darauf war Lenin in seinem Glassarg aufgebahrt. Übrigens wurde Lenins Leichnam – so Bashir – regelmäßig aus dem Mausoleum entfernt und von Wissenschaftlern wieder aufgefrischt.

Ich fragte, wie Barsan al-Tikriti seinen Bericht aufgenommen hatte. »Es schien ihm zu teuer«, sagte Bashir. Wenn er sich recht entsann, hätte die Einbalsamierung ungefähr fünf Millionen Dollar gekostet.

»Lenin's Embalmers« endet mit der Vermutung des Autors, dass er und sein Vater eine der gefährlichsten Perioden der modernen Geschichte wohl nur deshalb überlebt hatten, weil sie der Quelle der furchtbaren Macht, die so viele Menschen zerstörte, so nahe standen. Sie waren nützlich. Ich fragte Bashir, ob er seine Beziehung zu Saddam als eine Kollaboration zum Selbstschutz betrachtete, ähnlich der Arbeit der jüdischen Präparatoren Lenins. Sein Gesicht hellte sich auf, und er begeisterte sich für das Thema: »Das haben Sie sehr klug bemerkt.« Er lächelte breit. Während er weitersprach, merkte ich, dass seine Hochstimmung auf die irrige Annahme zurückzuführen war, dass ich seine Ansichten über den Opportunismus der Juden und ihren jahrhundertealten Plan, die Weltherrschaft zu übernehmen, nun doch teilte. Bashir sagte: »Das Buch zeigt, dass die Juden überall, selbst in Europa, wo sie reich sind, nützlich sein müssen, sei es nun bewusst oder unbewusst, um sich zu schützen.«

Ich versuchte, Bashir wieder auf eine Diskussion über die Parallelen zwischen seinen Lebensverhältnissen in Saddams Irak und denen der jüdischen Einbalsamierer in Sowjetrussland zu bringen, aber davon wollte er nichts mehr hören. »Das lässt sich wirklich nicht vergleichen«, sagte er. »Zuallererst komme ich aus einem sehr starken Stamm hier, deshalb wäre es Saddams Leuten schwer gefallen, mir etwas anzutun oder mich zu schikanieren. Doch was mir wirklich Schutz gewährte vor seinen Wachen, war der Umstand, dass Saddam mich so sehr achtete; das tat er wirklich.«

Bashir betrachtete es als eine seltsame Laune des Schicksals, dass ausgerechnet er dazu auserwählt worden war, zwei Jahrzehnte lang eine ungewöhnliche Beziehung zu Saddam Hussein zu pflegen. Er habe Dokumente und Briefe aufbewahrt und manches niedergeschrieben, sagte er, und er hoffe, dereinst imstande zu sein, die Geschichte dessen zu erzählen, was in seinem Land passiert war, damit es nie wieder in einem anderen Land passiere. »Es ist seltsam, wie ein System so schlimm werden kann, dass niemand, keine Einzelperson, es ändern kann.«

Noch Wochen nach dem Fall Bagdads blieb die Stadt in einem bizarren Schwebezustand zwischen Vergangenheit und Zukunft. Es gab einfach nicht den einen Moment der nationalen Katharsis, der den Bruch mit der Vergangenheit markiert hätte. Der

Sturz von Saddams Statue auf dem Fardus-Platz hatte ausländischen Fernsehzuschauern, vor allem in Amerika, suggeriert, dass das Ende des Krieges unmittelbar bevorstehe. Doch für die meisten Iraker, die wussten, dass Saddam nicht gefangen genommen war und immer noch imstande, großes Unheil anzurichten, war dieses Ereignis eher nebensächlich gewesen. Unterdessen hatten sie der umfassenden Plünderung und Verwüstung ihrer Hauptstadt untätig zusehen müssen. Und ihre Befreier, die Amerikaner, hatten auch nichts getan.

Am selben Tag, als General Tommy Franks in Bagdad eintraf und Präsident Bush telefonisch vom verwüsteten Gelände des ausgebombten Palastkomplexes aus zur Einnahme der Stadt beglückwünschte, da durchkämmten gar nicht weit entfernt immer noch Scharen von Plünderern die Lagerhäuser der Regierung in der Nähe der Bagdader Messe. Sie schleppten Zentnersäcke mit Zucker und Tee auf dem Rücken, luden sie in Wagen und verscherbelten sie zu Spottpreisen an vorbeikommende Autofahrer. Ich sah einen jungen Esel tot auf der Dschumhurijah-Brücke liegen. Ich fragte mich, ob das derselbe Esel war, der während der Bombardierung geschrien hatte. Seit Kriegsende hatte ich ihn nicht mehr gehört.

In jener Nacht brach im Planungsministerium, das man bereits aus der Luft angegriffen und dann gründlich geplündert und teilweise niedergebrannt hatte, aus irgendeinem Grund erneut Feuer aus. Im Dämmerlicht stieg eine riesige schwarze Rauchsäule aus den oberen Fenstern. Am nächsten Morgen bemerkte ich, als ich über die Dschumhurijah-Brücke auf die Westseite von Bagdad ging, ein junges rotbraunes, frei herumlaufendes Kamel. Es spazierte in der Nähe eines kleinen Parks mit einer Brunnenskulptur aus Bronze, die irakische Mädchen mit Wasserkannen in der Hand darstellte, auf der Straße umher. Eine kleine Gruppe Menschen hielt dem Kamel frisch geschnittenes Gras zum Fressen hin. Später fand ich heraus, dass es aus dem Zoo in Sawra Park ausgebrochen war, der etwa eineinhalb Kilometer entfernt liegt. Eine dort stationierte Einheit US Marines fütterte die Löwen, einen Tiger und einen Bären. Ein paar Tage zuvor hatten Plünderer Käfige aufgebrochen und die meisten Tiere gestohlen, mit Ausnahme der Affen, die in den Park entkommen waren. Dort hatten sie sich in den Bäumen häuslich eingerichtet.

Eines Abends kochte Madame Sabah Paul und mir ein irakisches Essen. Sabah brachte es uns von zu Hause mit ins Hotel. Er kam herein und setzte die Töpfe mit dem Essen ab. Dann, auf einmal, fing er an, wie ein Kind zu heulen. Die Tränen strömten ihm über die Wangen, und er jammerte laut. Er zitterte am ganzen Körper und klagte, von Weinkrämpfen gepackt und um Atem ringend. Immer wieder rief er den Namen seines Bruders Taher aus. Ich umarmte und tröstete ihn, bis er aufhörte.

Das Hotel Al-Raschid war am Ende doch gerettet worden. Nach einer eintägigen Plünderung zogen die Amerikaner ein, riegelten es ab und bewachten es mit ihren Panzern. Sabah freute sich sehr darüber, auch wenn er nicht länger dort arbeiten konnte. In seiner Begeisterung entschlüpfte ihm die Bemerkung, dass der Car Service des Al-Raschid, die Firma, für die er gearbeitet hatte, vom Muchabarat geleitet worden war. Jahrelang war er gezwungen gewesen, einen Prozentsatz seiner Einnahmen an den Geheimdienst abzuführen. »Kein Muchabarat mehr, keine Provision mehr.« Er kicherte. Er freue sich schon darauf, zum ersten Mal im Leben sein eigener Herr zu sein, sagte er, und mit ein bisschen Glück werde es ihm nun gelingen, genügend Geld zu sparen, um sich sein Traumauto zu kaufen: einen GMC Suburban wie diejenigen, die Fernsehteams und die Fahrer benutzen, die Fahrgäste durch die Wüste von Bagdad nach Jordanien bringen.

Nach dem Fall von Saddams Heimatstadt Tikrit traf mein Freund Thomas Dworzak, der Fotograf, in Bagdad ein. Er kam mit zwei irakischen Kurden in einem Jeep. Einige Tage zuvor war er mit ihnen durch den Norden gefahren, als die von der Regierung gehaltenen Städte nach und nach fielen. Thomas dankte seinen Begleitern, zahlte sie aus und sagte ihnen, es stünde ihnen frei, wieder nach Norden zurückzukehren. Sie lächelten und sahen aus, als wüssten sie nicht, was sie tun sollten. Es sei schon spät, sagten sie, deshalb sollten sie sich ihrer Meinung nach für die Nacht ein Hotel suchen. Ich empfahl ihnen mein kleines altes Hotel Al-Safir, nicht weit von der Abu-Nawas-Straße, das vor kurzem wieder geöffnet hatte. Sie wirkten verwirrt. Sabah kritzelte ihnen eine Wegbeschreibung auf einen Notizblock mit amtlichem Briefkopf, den sie hervorzogen. Auf meine Frage, woher der Block stamme, lachten sie vergnügt und sagten, sie hätten ihn aus der Polizeistation in Kirkuk gestohlen. Sie sahen sich verständnislos die Wegbeschreibung an, die Sabah ihnen gegeben hatte, deshalb sagte ich ihnen, falls sie sich unterwegs verfahren sollten, könnten sie jeden fragen, den sie treffen würden, und die würden ihnen sofort weiterhelfen. Sie breiteten entschuldigend die Arme aus und sagten: »Wir sprechen kein Arabisch, nur Kurdisch und Englisch. Und wir sind noch nie in Bagdad gewesen.«

Während dieses Wortwechsels kam eine junge Amerikanerin namens Marla Ruzicka vorbei, die ich zuletzt nach dem Sturz der Taliban in Kabul gesehen hatte. In Afghanistan hatte Marla sich an vorderster Front um Entschädigungszahlungen an die Verwandten von Zivilisten eingesetzt, die bei amerikanischen Bombenangriffen ums Leben gekommen waren. Sie hatte eine wütende Demonstration außerhalb der unlängst wiedereröffneten US-Botschaft dort organisiert – eine Tat, die ihr einen Platz auf der schwarzen Liste der Botschaft eingebracht hatte. Vielen westlichen Journalisten und Hilfsarbeitern war sie aber auch bekannt, weil sie denkwürdige Tanzpartys organisieren konnte. Sie sei nach Bagdad gekommen, um hier das Gleiche zu tun wie in

Kabul, sagte Marla, fügte jedoch mit einem angstvollen Blick hinzu, die Probleme des Irak erschienen »um einiges komplexer« als die Afghanistans. Sie reichte mir ihre Karte. Darauf stand: »Iraq Victims Compassion Campaign«. Marla sagte im Scherz, dass sie nebenbei mit der Geschäftsleitung des Hotels Palestine über die Eröffnung einer Diskothek dort verhandle, und winkte munter zum Abschied.

In der Nähe wachten einige Marines hinter den langen Schleifen Stacheldraht, die sie quer über die Zufahrtsstraßen zum Palestine und zum Sheraton ausgerollt hatten. Diese beiden Hotels beherbergten nunmehr nicht allein die westliche Presse, die seit dem Fall der Stadt auf Hunderte von Menschen angeschwollen war – einschließlich solcher Größen wie Dan Rather und Christiane Amanpour –, sondern fungierten auch als Hauptquartier für die Marines in Bagdad. Sie waren überall. Der Boden war mit den braunen Plastikverpackungen ihrer Fertiggerichte übersät, und die Panzer, Mannschaftstransporter und Humvees standen kreuz und quer geparkt. Die meisten waren jung und höflich und sagten »Sir« und »Ma'am« und entschuldigten sich, wenn sie den Journalisten, die den abgeriegelten Hotelkomplex betraten oder verließen, erklärten, dass sie sie durchsuchen müssten. Mehrheitlich sagten sie außerdem, dass sie müde wären und sich nach Hause sehnten.

Kein einziger hoher Vertreter des ehemaligen Informationsministeriums hatte sich seit dem Abend vor dem Eintreffen der Marines blicken lassen. Es kursierten unzählige Geschichten über ihre letzten Stunden im Palestine. Ich habe gehört, dass Udai al-Taiee vor seiner Flucht bei den großen Fernsehsendern mit ein paar Schlägern die Runde gemacht und enorme Geldsummen von ihnen gefordert hatte. Nach einigen Darstellungen hatte er sich mit 200 000 Dollar davongemacht. Sein Stellvertreter Mohsen hatte wie verlautet versucht, den konfiszierten teuren, in Kuwait registrierten Geländewagen des französischen

Fernsehteams vom Hotelparkplatz zu stehlen, war aber dabei ertappt und dann zu Fuß die ganze Straße entlanggejagt worden, bis er keine Luft mehr hatte und zu Boden gerissen wurde. Dort hatte Mohsen seine Häscher feige angefleht, ihn laufen zu lassen, hatte demonstrativ seinen Parteiausweis zerrissen und war davongegangen, allein und besiegt.

Ich entdeckte jedoch eine Reihe ehemaliger Aufpasser. Einige waren geblieben und suchten bei Journalisten Anstellung als freie Führer und Dolmetscher. Sie hatten den Übergang von der Ära Saddam Hussein zum Leben unter amerikanischer Besatzung allem Anschein nach ohne allzu große Schwierigkeiten überstanden. Eines Morgens lief mir Salaar über den Weg, mein erster Aufpasser. Er sah wie ein ganz anderer Mensch aus. Er hatte immer den Eindruck eines eher nervösen Mannes gemacht und sich sehr zurückhaltend gekleidet, aber jetzt wirkte er locker und sportlich, trug Jeans und eine sehr modische dunkle Sonnenbrille. Er arbeite für eine große amerikanische Zeitung, teilte er mir mit und lachte über das ganze Gesicht.

Eines Tages tauchte auch Karim, der Barbier, im Sheraton auf. Er hatte eine kleine Tasche mit all seinen Utensilien mitgebracht und wollte mir die Haare schneiden und mich rasieren. Sein Friseursalon sei weder beschädigt noch geplündert worden und seine Familie sei wohlauf, berichtete Karim, aber es gebe dort keinen Strom mehr für seine Geräte. Er brauchte Arbeit, also hatte er sich die Mühe gemacht, zu mir zu kommen. Als er mit mir fertig war, schnitt Karim auch noch Sabahs Haare und dann Pauls. Danach stellten wir ihn anderen Freunden vor, von denen einige bereit waren, sich von ihm die Haare schneiden und den Bart rasieren zu lassen und sogar seine qualvolle Gesichtsmassage zu ertragen. Alle mochten ihn und gaben ihm ordentlich Trinkgeld, und Karim war sehr glücklich.

Einige mir bekannte Iraker überlebten die letzten Kriegstage nicht. Darunter war Salaah, ein höflicher, humorvoller und stattlicher Mann Mitte fünfzig. Er war früher Obersteward der Iraqi Airways gewesen, aber seit dem Golfkrieg und den UN-Sanktionen war die gesamte Flotte lahmgelegt worden. Daraufhin war er Fahrer für westliche Journalisten geworden. Ich hatte ihn am Tag vor dem Fall Bagdads im Foyer des Palestine gesehen. Er hatte seinen jugendlichen Sohn mitgebracht und uns bekannt gemacht. Vier oder fünf Tage danach hatte ich gehört, dass Salaahs Familie nach ihm suche; seit dem Tag, als die Marines eingetroffen waren, war er nicht mehr heimgekehrt. Ein paar Tage später fanden seine Frau und seine Tochter zufällig seinen Wagen am Straßenrand. Salaah saß drin, tot, offensichtlich bei einem Feuergefecht zwischen Amerikanern und Fedajin erschossen. Allem Anschein nach war er losgefahren, um die Wäsche des britischen Journalisten zu holen, für den er damals arbeitete, und befand sich auf dem Rückweg zum Hotel, um diesem mitzuteilen, dass es zu gefährlich sei, weiter für ihn zu fahren, und dass er bis zum Ende des Krieges zu Hause bleiben wolle.

Eine Woche nach dem Fall Bagdads fuhr Sabah nach Hause zu seiner Familie. Als er am nächsten Morgen zurückkehrte, sah es so aus, als hätte er geweint. Seine Mutter, seine Frau und Kinder und seine Brüder und Schwestern seien alle wieder zu Hause, berichtete er, und es gehe ihnen gut. Aber ein Neffe von ihm, ein Lastwagenfahrer, war getötet worden, offenbar an dem Tag, als die Hauptstadt fiel, oder einen Tag zuvor. Er war entweder von einer Rakete getroffen oder von den Amerikanern im Tiefflug angegriffen worden. Man hatte ihn schon seit Tagen vermisst. Ein Nachbar, der zufällig vorbeigefahren war, hatte seinen zerschossenen Lastwagen am Straßenrand erkannt. Er fand den Neffen auf der Straße liegend. Er war augenscheinlich im Laufe von zwei Tagen an seinen Wunden verblutet. In all dem Chaos hatte niemand angehalten, um ihm zu helfen.

EPILOG

Als ich in der dritten Juniwoche 2003 nach Bagdad zurückkehrte, war die Stadt schmutzig, verwahrlost und glühend heiß. Allerdings lagen weniger umgekippte Panzer und ausgebrannte Fahrzeuge auf den Straßen als zwei Monate zuvor, doch aus zerbombten Gebäuden quollen noch immer Berge von Schutt und Asche; Blechdosen und Plastiktüten waren überall verstreut. Der dichte Verkehr hatte die meisten großen Kreuzungen lahm gelegt, doch weit und breit waren keine Verkehrspolizisten zu sehen. Wir kamen an einem Konvoi gepanzerter Fahrzeuge vorbei, auf denen amerikanische Soldaten in voller Kampfausrüstung mit den Gewehren im Anschlag saßen. Während Issam, der mich von Jordanien nach Bagdad gefahren hatte, das Al-Safir, mein Hotel am Ostufer des Tigris, über eine Nebenstraße ansteuerte, stießen wir auf einen hoch gewachsenen Mann, der einen Revolver trug und kampfeslustig mitten auf der Straße lief. Issam fuhr behutsam um ihn herum.

Wenige Stunden nach meiner Ankunft vernahm Sabah, dass ich in der Stadt sei, und suchte mich auf. Er berichtete mir, was sich in meiner Abwesenheit ereignet hatte. Gute Neuigkeiten gab es nicht. Seine Frau war wegen zu hohen Blutdrucks im Krankenhaus gewesen, und die Frau des Friseurs Karim hatte einen Schlaganfall erlitten und war halbseitig gelähmt. Vor ein paar Wochen war Sabah selbst festgenommen und für zwei Tage am Bagdader Flughafen festgehalten worden, wo Saddams hochrangige Militärs und Beamte des Geheimdienstes inhaftiert waren. Amerikanische Soldaten hatten ihn mitgenommen, nachdem sie sein Viertel auf den Kopf gestellt, sein Haus durchsucht und eine große Bronzetafel mit einem Basrelief von Saddams

Kopf gefunden hatten. Dieses Souvenir hatte ich während der Einnahme Bagdads entdeckt und bei Sabah gelassen, damit es sicher aufbewahrt sei. Sabah sagte, er sei nicht schlecht behandelt worden, musste aber mit Hunderten anderer Männer in einem großen Hangar sitzen und bekam lediglich Cracker zu essen und Wasser zu trinken. Nachdem er befragt worden war und erklärt hatte, weshalb er die Bronzetafel besaß, ließ man ihn frei und erlaubte ihm, die Tafel mit nach Hause zu nehmen. Doch hatte seine Frau während seiner Abwesenheit ihre Probleme mit dem Blutdruck bekommen und musste sich seither schonen.

Als ich in Bagdad ankam, erfuhr ich, dass die Stadt seit vier Tagen ohne Strom war. Die offizielle Erklärung lautete, dass ein Hochspannungsverteiler zerstört war und niemand ihn reparieren konnte. Der Stromausfall hatte Wasserknappheit bewirkt, und natürlich waren Kühlschränke und Klimaanlagen außer Betrieb. Mittlerweile war das Benzin knapp geworden, und gereizte Fahrer warteten in ihren Autos stundenlang vor den Tankstellen. Da diese Widrigkeiten mit dem unerträglich heißen irakischen Sommer zusammenfielen, in dem die Temperaturen auf über 50 Grad steigen können, war die Stimmung auf dem Tiefpunkt. Die Sicherheitslage war prekär geworden. Man konnte nicht mehr durch Bagdads Innenstadt schlendern, in den kleinen Kaffeehäusern seinen Tee trinken oder über die Basare bummeln und mit den Ladenbesitzern plaudern. All dies hatte ich zu Saddams Zeiten gern getan, als Bagdad – so paradox es klingen mag – ein besonders sicherer Ort für Fremde war. Nun wurde im Durchschnitt ein amerikanischer Soldat pro Tag getötet, und kurz nachdem ich angekommen war, starb vor dem Naturkundemuseum ein junger britischer Journalist namens Richard Wilde. Er wurde durch einen Schuss aus nächster Nähe ermordet, der ihn im Hinterkopf traf. Am nächsten Morgen wurde ein amerikanischer Soldat, der vor der Bagdader Universität stand, auf dieselbe Weise getötet. Unmittelbar darauf legten seine wütenden Kameraden ihre Gewehre an und beschimpften Passanten und Reporter, die sich dem Schauplatz zu nähern versuchten. Einer der Soldaten schrieb mit Kreide auf den Humvee: »Die Schuldigen müssen bestraft werden!«

Wenige Tage später eilte ich morgens zur Mustansirijah-Universität. Jemand hatte eine Panzerabwehrgranate auf einen Humvee der US-Armee geworfen und mehrere Soldaten verwundet. Junge verunsicherte amerikanische Soldaten mit Gewehren trafen ein, sperrten das Gebiet um das zerstörte und ausgebrannte Fahrzeug ab und versuchten Autos und Menschen daran vorbeizuleiten. Die meisten irakischen Schaulustigen machten einen gleichgültigen Eindruck, und manche schienen sich sogar zu amüsieren. Noch am selben Tag erzählte ich ein paar irakischen Freunden diese Geschichte, und einer sagte nur mitleidslos: »Was erwarten die Amerikaner denn? Das wird so lange weitergehen, bis sie die Lage geklärt haben. Wo ist der Strom, wo ist das Wasser, wo sind die Jobs?«

Gegen 22 Uhr, eine Stunde vor Beginn der regelmäßigen Ausgangssperre, die bis 4 Uhr morgens dauerte, verwandelte sich Bagdad in einen unheimlichen Ort, stockfinster und totenstill bis auf gelegentliches Hundegebell, Schüsse aus Maschinengewehren oder das Dröhnen von Hubschraubern, die den Fluss entlangflogen. Eines Nachts, als Sabah mich kurz vor der Ausgangssperre ins Hotel zurückfuhr, stießen wir auf einen Pick-up, der quer über der Straße parkte und uns den Weg versperrte. Mehrere Männer in Zivil standen auf der Ladefläche, andere hatten sich um den Laster herum auf der Straße verteilt. Sie trugen Maschinenpistolen. Sabah bremste ungefähr acht Meter vor ihnen, und für einen Moment starrten wir uns gegenseitig an. Dann bedeutete uns einer der Männer mit einem fast unmerklichen Handzeichen weiterzufahren. Wortlos und ganz langsam fuhren wir an ihnen vorbei. Dabei entdeckte ich, dass der Laster provisorisch mit einem Zeichen für Polizeiautos dekoriert worden war. Das erschien mir verdächtig. »Wer sind die?«, fragte ich Sabah.

»Vielleicht Polizisten«, erwiderte er zurückhaltend. »Oder vielleicht Ali Baba«, was im Irak die gängige Umschreibung für Diebe war. Sabah gab deutlich zu verstehen, dass für ihn kein Unterschied zwischen beiden bestand.

Als ich Ende April Bagdad verlassen hatte, um zu meiner Familie nach England zu fahren, war die Lage noch angespannt, doch die allgemeinen Plünderungen hatten nachgelassen, und es schien, als bekämen die Amerikaner die Lage allmählich unter Kontrolle. Wenige Tage nachdem ich Ende April abgereist war, hatten jedoch amerikanische Soldaten auf eine Gruppe Demonstranten geschossen und dabei mindestens 17 Iraker getötet. Diese Toten, die es in Falludschah gegeben hatte, einer nicht weiter bemerkenswerten Stadt von 250 000 Einwohnern achtzig Kilometer westlich von Bagdad, markierten einen historischen Wendepunkt. Irakische Aufständische nahmen Rache, töteten zwei Amerikaner und verwundeten weitere bei dicht aufeinander folgenden Angriffen. Rasch verbreitete sich die Gewalt in anderen Städten nördlich und westlich von Bagdad und in dem überwiegend von sunnitischen Muslimen beherrschten Gebiet, das als Sunniten-Dreieck bekannt war, wie auch in Bagdad selbst. Während der Frühling zu Ende ging, wurde deutlich, dass die Amerikaner mit einem sich ausdehnenden Guerillakrieg zu tun hatten, der ihre ehrgeizigen Pläne vereitelte, das Land in einen freundlichen demokratischen Staat zu verwandeln.

Anfang Juni rief mich Ala Bashir zu Hause in England an. Seine Frau und seine Tochter warteten immer noch in Amman auf ihr Visum, um nach Großbritannien ausreisen zu können. Bashir sagte, die Lage im Irak sei »sehr schlecht«. Er habe vor, den Irak zu verlassen und seiner Familie, die ihn darum gebeten habe, bald zu folgen, doch er bleibe zunächst auf Ersuchen der Amerikaner in Bagdad. Er sagte, dass die Amerikaner seine Hilfe bräuchten, um das irakische Gesundheitsministerium wieder aufzubauen. Ich vermutete, dass sich die Amerikaner aus ganz anderen Gründen für ihn interessierten. Aber ich merkte, dass Bashir keine Lust hatte, am Telefon darüber zu reden, also ließ ich es dabei bewenden. »Wir reden miteinander, wenn Sie wieder in Bagdad sind«, sagte er.

Ein paar Tage später beschloss ich, in den Irak zurückzukehren. Ich flog von London nach Amman, dem Ausgangspunkt für die 1000 Kilometer lange Fahrt durch die Wüste nach Bagdad. In Amman traf ich Bashirs Frau Amal und seine Tochter Amina, die dort in einem kleinen Hotel wohnten. Amal erzählte mir, dass ihr Mann sie in der vergangenen Woche besucht habe. Leider nur sehr kurz, sagte sie, und in Begleitung zweier Amerikaner, Charles und David, die ihn nicht aus den Augen gelassen hatten. Ich fragte sie, was die Amerikaner von ihm gewollt hätten. Irgendetwas wegen des irakischen Gesundheitsministeriums? Amal lächelte und schüttelte den Kopf. Soviel sie verstand, meinte sie, schienen die Amerikaner hauptsächlich daran interessiert, was ihr Mann über Saddam Hussein wusste. Sie runzelte skeptisch die Stirn und erklärte mir, sie traue den neuen Freunden ihres Gatten nicht und nehme ihnen übel, dass er in Bagdad bleiben müsse. Zufällig hatte der Amerikaner namens David sie gerade angerufen, sagte Amal, weil er aus Bagdad nach Amman gekommen sei und vorhabe, sie zu treffen. Sie erwartete ihn jeden Augenblick und bat mich zu bleiben.

Ich war neugierig und blieb. Ungefähr eine halbe Stunde später kam ein schlanker, lässig gekleideter Amerikaner die Straße herauf und betrat das Terrassencafé, in dem wir saßen. Ich schätzte David auf Mitte vierzig. In einer Hand trug er einen Gegenstand, der in eine Plastikeinkaufstüte gehüllt war. Er begrüßte Amal Bashir und Amina höflich, schüttelte mir mit einem matten Lächeln die Hand und setzte sich an unseren Tisch. Danach würdigte er mich keines Blickes. Er tat, als ob das Paket besonders schwer sei, legte es auf den Tisch und sagte zu Amal: »Das ist von Ihrem Mann.« Er runzelte gespielt misstrauisch die Stirn und witzelte: »Ich weiß nicht, was drin ist; vielleicht ist es die Massenvernichtungswaffe, nach der wir immer suchen.« Amal und ihre Tochter kicherten verlegen über den plumpen Witz. Amal dankte David und erklärte ihm, das Paket enthalte ihren Schmuck, von dem ihr Mann meinte, er sei in ihrem Haus in Bagdad nicht mehr sicher. David nickte, ignorierte mich weiterhin und begann in einem Arabisch mit starkem Akzent auf Amal einzureden. Nach einigen Minuten versuchte ich, mich einzuschalten, indem ich mich vorstellte und ihn nach seinem Namen fragte. Er erwiderte kurz angebunden: »David«, ohne einen Nachnamen zu nennen, und wandte sich wieder Amal zu.

Ich war mir sicher, dass David für die CIA arbeitete. Also wandte ich mich wieder an ihn und fragte, ob er direkt aus Bagdad komme. Er rollte theatralisch die Augen, nickte und sagte: »O ja, ganz gewiss.« Wie es dort aussehe, fragte ich ihn. »Sehr schlecht«, erwiderte er und sah mich zum ersten Mal an. »Sehr, sehr schlecht.« Er schien sich ein wenig zu entspannen und begann die Probleme aufzuzählen: zunehmende Kriminalität, Stromausfall, Benzin- und Wasserknappheit und immer mehr Angriffe auf die US-Streitkräfte. »Es ist das pure Chaos«, fuhr er fort. Er sagte, die Stimmung bei den amerikanischen Experten, die als Teil der Zivilverwaltung den Irak regieren sollten, sei schlecht. »Wegen der Lage, der Hitze oder beidem verlassen viele Menschen Bagdad schon vor Ablauf ihres vorgesehenen Aufenthalts.« Ob alles gut ausgehen würde, fragte ich ihn. David hob die Hände und warf mir einen düsteren Blick zu. Ich fragte ihn, ob er nach Bagdad zurückkehren würde. Er nickte. Ich fragte weiter, ob ich dort mit ihm reden könne oder ob er für mich tabu sei. »Oh, ich glaube, ich bin in höchstem Maße tabu für Sie«, sagte er und lächelte dünn.

Ich erklärte David, dass ich am frühen Morgen in Amman aufbrechen wolle, um nach Bagdad zu fahren. Er wünschte mir Glück und empfahl mir, mich westlich von Bagdad auf der Strecke zwischen den Städten Ramadi und Falludschah am Westrand des Sunniten-Dreiecks vor Straßenräubern in Acht zu nehmen. Schon kurz nach dem Fall von Bagdad war diese Straße gefährlich geworden, und offensichtlich hatte sich daran nichts geändert. Ein paar Journalisten, die ich kannte, waren dort erst eine Woche zuvor von bewaffneten Männern überfallen und ausgeraubt worden. Aus unerklärlichen Gründen ging das amerikanische Militär in dieser Gegend nicht auf Patrouille, und die Banditen kamen ungestraft davon. Ich fragte David, ob er mir ein paar Tipps für meine Sicherheit geben könne. Er zuckte die Schultern und schüttelte den Kopf. »Das ist alles bloß Glückssache.«

Die Fahrt am nächsten Tag verlief reibungslos, bis mitten in der Wüste – ungefähr 200 Kilometer westlich von Bagdad – plötzlich der rechte Hinterreifen des GMC Suburban platzte. Wir fuhren etwa 150 Kilometer pro Stunde, der Wagen kam sofort ins Schleudern, doch meinem jordanischen Fahrer Issam gelang es, ihn quietschend zum Stehen zu bringen. Er stieg aus und wechselte den Reifen, während ich mich nach allen Seiten umschaute. Erleichtert entdeckte ich einen knappen Kilometer entfernt so etwas wie einen militärischen Außenposten der Amerikaner. Mehrere Humvees und Bradleys standen vor einer gemauerten Umzäunung. Dann entdeckte ich zwei Autos auf der Straße, die auf uns zukamen, plötzlich bremsten und stehen blieben. Ich stellte mir vor, dass die Insassen Banditen waren, die ihre Chancen abwogen: Würden die Soldaten sie daran hindern, uns auszurauben, oder könnten sie es schaffen, bevor die Soldaten reagierten?

Bevor jedoch irgendetwas geschah, war Issam mit dem Reifen fertig, und wir fuhren weiter. Eine halbe Stunde später näherten wir uns dem gefährlichen Straßenabschnitt zwischen Ramadi und Falludschah, und Issam geriet ins Schwitzen. Nervös wechselte er mit dem Fuß zwischen Gaspedal und Bremse und fragte mich, wo ich mein Geld versteckt habe. Ich deutete auf die Kleenex-Schachtel neben seinem Sitz, und er sagte: »Gut. Aber behalten Sie für alle Fälle ein paar Münzen in der Tasche, um sie herzugeben.« Ungefähr 30 Minuten fuhren wir in angespanntem Schweigen weiter, bis Falludschah hinter uns lag und die grünen Vororte von Bagdad die Wüste ablösten. Schließlich seufzte Issam tief, fuhr sich mit der Hand über die Stirn und sagte, ich könne mein Geld wieder aus seiner Kleenex-Schachtel nehmen.

Ein oder zwei Tage nach meiner Rückkehr besuchte ich Bashir in Soheilas Haus. Er war so freundlich und herzlich wie immer, wirkte jedoch nervös und verunsichert. Ich fragte ihn, womit er gerade beschäftigt sei. Er berichtete mir, dass er alle Hände voll zu tun habe, um die Anbringung neuer Sicherheitsgitter an den Türen und Fenstern seines Hauses zu überwachen, da vor kurzem bei ihm eingebrochen worden sei. Außerdem habe er ein paar Operationen durchgeführt, meist um alten Freunden einen Gefallen zu tun. Er überlegte gerade, ob er die Einladung eines Verwandten des Emirs von Katar, den er persönlich kannte, annehmen sollte, die Abteilung für plastische Chirurgie an einer der besten Kliniken von Doha zu leiten. Man bot ihm ein gutes Gehalt und zudem freies Wohnen an. Bashir gestand mir, dass er erschöpft sei, eine Pause benötige und keine Möglichkeit mehr sehe, im Irak noch viel zu tun. Überall herrsche Chaos, und er glaube nicht, dass die Amerikaner im Irak Ordnung schaffen würden. Vielleicht könne er den Job in Katar, der an keine Bedingungen geknüpft war, ein paar Monate lang ausüben, sagte er, bevor er entscheide, was er als Nächstes tun würde. Inzwischen könne er sich wieder der Malerei widmen und vielleicht anfangen, seine Memoiren zu schreiben. Vielleicht könne er zu seiner Familie nach England reisen oder auch nicht. Es war der größte Wunsch seiner Frau, dort zu leben, sagte er, doch ihn überzeuge das bislang nicht.

Bashir äußerte sich sehr zurückhaltend über seine Geschäfte mit den geheimnisvollen Amerikanern Charles und David, aber er gab zu, dass er auf ihr Ersuchen im Irak blieb und ihnen half, Iraker zu treffen, die er kannte. Aus dem, was er sagte, schloss ich, dass er den Amerikanern half, Iraker zu finden, die sich mit ihnen verbündeten und sie bei der Suche nach Saddam unterstützten. Er berichtete mir von einem Treffen, das ein paar Tage zuvor stattgefunden hatte. Bashir sagte, dass er David und Charles zu einer Verabredung mit Scheich Ibrahim al-Dschubor, einem hoch angesehenen Führer der Dschubori, einem der größten traditionellen Clans im Irak, begleitet habe. (Die Schätzungen schwanken, doch man nimmt an, dass der Dschubor-Stamm, der schiitische und sunnitische Muslime einschließt, mit seinen vielen Clans und Untergruppen fünf Millionen Menschen oder fast 20 Prozent der irakischen Bevölkerung umfasst.) Bashir sagte, er habe nur widerwillig an diesem Treffen teilgenommen, weil er das irakische Stammessystem verachte und seine eigenen Stammesverbindungen seit langem ignoriere. Doch von seiner Abstammung her war Bashir ein führendes Mitglied der Dschubori – genau genommen ein Scheich –, und somit war seine Anwesenheit für die Amerikaner sehr nützlich.

Bashir erklärte, es habe sich um einen Goodwill-Besuch gehandelt, bei dem David und Charles sich Scheich Ibrahim und einer Gruppe niederer Scheichs vorgestellt hätten. Laut Bashir begrüßte der Scheich sie mit einer scharfen Kritik, indem er sie an die Größe und den Einfluss der Dschubori im Irak erinnerte und erklärte, wie erstaunt er und ihm gleichgestellte Scheichs seien, dass die Amerikaner seit ihrer Ankunft im Irak ganze zwei

Monate Zeit gebraucht hatten, ihre Aufwartung zu machen. Er erklärte dann, dass die Dschubori im Prinzip nichts gegen die Amerikaner hätten, da sie unter Saddams Unterdrückung gelitten hätten und den Amerikanern dankbar seien, dass sie ihn entmachtet hätten. Die Dschubori waren bereit, den Amerikanern zu helfen, die Stabilität im Irak wiederherzustellen, wenn sie deshalb in ihr Land gekommen waren. »Aber es besteht immer noch Verwirrung über Ihre Absichten«, hatte der Scheich gesagt. »Wollen die USA Frieden und Wohlstand im Irak wiederherstellen, oder wollen sie den Irak besetzen? Wenn die Amerikaner den Irak besetzen wollen, werden die Dschubori gegen sie arbeiten.«

Bashir erzählte mir, die Amerikaner hätten keine direkte Antwort gegeben, nachdem ihnen dieser Fehdehandschuh zugeworfen worden war, sondern sich verschwommen über verschiedene Definitionen der Besetzung eines Landes geäußert. Bashir schüttelte missbilligend den Kopf. Scheich Ibrahim und die ihm gleichgestellten Stammesältesten waren von der Vernebelungstaktik der Amerikaner ebenfalls nicht angetan gewesen. »Ihre mangelnde Aufrichtigkeit oder ihre mangelnde Fähigkeit, die Dinge beim Namen zu nennen, war für jeden klar erkennbar«, sagte Bashir. Das Treffen, fuhr er fort, endete ohne jedes Ergebnis. Solch unbefriedigende Zusammenkünfte und das Fehlen jedes sichtbaren Fortschritts an allen Fronten hätten sein Vertrauen in die Fähigkeit der Amerikaner zerstört, den Irak wieder auf Kurs zu bringen. David und Charles schienen gute Absichten zu haben, besaßen jedoch offenbar wenig Macht, etwas zu bewirken. Beide seien sehr niedergeschlagen, fügte er hinzu, und hätten ihm erklärt, dass sie mit dem Gedanken spielten, ihre Jobs aufzugeben, aber zuvor wollten sie noch mit ihm nach Washington, D.C. fliegen, um dort mit »jemand Wichtigem« zu reden. Sie glaubten, Bashirs Insiderwissen könne ihrer Sache helfen. Als ich ihn fragte, was ihre Sache sei und für welche Behörde der US-Regierung sie arbeiteten, gab Bashir vor, es nicht zu wissen.

Bashir saß schweigend da und blickte ins Leere. Ich fragte ihn, ob er sich in Bagdad in Gefahr glaube. Sein Lachen verriet keinen Funken Humor, als er sagte: »Nein, ich fühle mich nicht bedroht.« Er ließ sich nicht näher darüber aus, räumte jedoch ein, dass die Gerüchteküche heftig brodelte. In den vergangenen Tagen hatten einige irakische Zeitungen über ihn geschrieben und dabei die alte Leier wiederholt, dass er während des Krieges eine Schönheitsoperation an Saddam vorgenommen und ihm zur Flucht verholfen habe; außerdem habe er Saddams »Doppelgänger« geschaffen. Bashir lachte bitter und sagte, dass eine weitere Geschichte kursiere, in der es hieß, er sei mit Saddam geflohen, habe ihn operiert und sei dann von Saddam getötet worden, damit seine neue Identität geheim bleibe. Bevor ich das Haus verließ, erklärte Bashir, dass er vermutlich den Job in Katar annehmen werde, sich aber noch nicht endgültig entschlossen habe. Er versprach, mir in einigen Tagen Bescheid zu geben.

Auf der Rückfahrt berichtete mir Sabah, er habe in der Zwischenzeit mit Bashirs Fahrer Dschihad gesprochen, der ihm anvertraut habe, dass vor einer Woche ein bewaffneter Mann in die Lobby von Bashirs Al-Wasati-Hospital gekommen sei, um ihn zu suchen. Der Mann habe laut verkündet, er suche den »Charmuta« – den Hurenbock – Ala Bashir, um ihn zu töten. Seitdem war Bashir nicht mehr im Krankenhaus erschienen und mied noch mehr als sonst die Öffentlichkeit.

Drei oder vier Tage später rief mich Bashir über das Thuraya-Satellitentelefon an, das die Amerikaner ihm gegeben hatten. Im Hintergrund hörte ich einen Höllenlärm. Er erklärte mir, dass er im Auto sitze und auf dem Weg zum Bagdader Flughafen sei, um das Land zu verlassen. Er entschuldigte sich, erst in letzter Minute anzurufen, aber seine Abreise erfolge unerwartet. Er sei nicht einmal mehr in der Lage gewesen, seine Schwester Soheila zu informieren. Als ich Bashir fragte, wohin er fliege, sagte er, zuerst nach Amman. Weiter wisse er noch nicht. Ich fragte, wie lange er wegbleiben wolle. »Mindestens ein paar Monate«, erwiderte er. »Aber ich werde dich anrufen, von wo auch immer.«

Danach suchte ich Dr. Walid, Ali Bashirs Stellvertreter, im Al-Wasati-Hospital auf. Er wusste nicht, dass Bashir das Land verlassen hatte, und als ich ihm die Neuigkeit überbrachte, schien er überrascht und ein wenig gekränkt zu sein, dass Bashir ihn nicht angerufen hatte, um sich zu verabschieden. Ich fragte ihn nach der Morddrohung, die Bashir angeblich erhalten hatte. Walid bestätigte es. Er sagte, letzte Woche sei ein bewaffneter Mann in die Klinik gekommen, habe sich nach Dr. Bashir erkundigt und »viele schlimme Dinge« über ihn gesagt.

Ich fragte Walid, ob er irgendeine Ahnung habe, was Bashir in den letzten Monaten mit den Amerikanern zu schaffen hatte. Ging es um das irakische Gesundheitsministerium? Walid lachte. »Hat Ala Ihnen das erzählt?«, fragte er lächelnd. Ja, sagte ich, auch wenn ich ihm nicht wirklich geglaubt habe. Walid nickte. Dann erklärte er mir, er wisse genau, dass Bashir sich persönlich dafür eingesetzt habe, mindestens zwei der »meistgesuchten« Iraker auszuliefern, die auf dem berühmten Kartenspiel-Steckbrief des Pentagons standen. Walid sagte, er wisse das, weil beide Männer Blutsverwandte von ihm seien, ein Cousin und ein Onkel. Der eine war ein hoher Offizier beim Militär gewesen, der andere ein hochrangiger Funktionär der Baath-Partei. »Ala hat sie persönlich zum Flughafen gefahren«, fügte Walid hinzu. (Die Amerikaner hatten am Bagdader Flughafen ein Gefängnis eingerichtet, in dem sie hochrangige Gefangene wie Tariq Asis festhielten.) Walid berichtete all das ganz sachlich und ohne ein Urteil darüber abzugeben, ob die Festnahme seiner Verwandten nun eine gute oder schlechte Sache sei.

Nach einer Weile sagte Dr. Walid nachdenklich: »Es tut mir Leid, dass Ala das Land verlässt, denn er ist mir viele, viele Jahre ein enger Freund gewesen, aber vermutlich ist es das Beste für ihn zu verschwinden. Hier schwebte er in Gefahr. Wissen Sie, er hat ein großes Problem. Sein großes Problem besteht darin, dass er ein enger Freund von Saddam Hussein war. In Bagdad weiß das jeder. Und es entspricht der Wahrheit: Er war Saddams Freund.«

Dr. Walid gestand mir, dass er ebenfalls mit dem Gedanken spiele, den Irak zu verlassen, weil er die Fähigkeit der Amerikaner, Recht und Ordnung im Irak wiederherzustellen, immer stärker bezweifle. In den letzten beiden Monaten sei er wiederholt von Amerikanern vorgeladen worden, sagte er, weil sie seinen Rat suchten. Darunter waren zivile Fachleute, die mit Paul Bremer zusammenarbeiteten, höhere Armeeoffiziere und mehrere Männer, in denen er CIA-Agenten vermutete. Auf ihr Ersuchen hin hatte er verschiedene Themen angesprochen und Ratschläge gegeben, wie man mit den Irakern umgehen solle – einschließlich der Einwohner von Falludschah, die schon zu Saddams Zeiten besonders fremdenfeindlich und rebellisch gewesen waren. Die Probleme, mit denen die Amerikaner dort konfrontiert waren, so unterstrich Walid, seien zumeist infolge kultureller Missverständnisse entstanden. Nachdem die amerikanischen Soldaten zum Beispiel eine Schule besetzt hatten, ihre erste Basis in Falludschah, sagte er, hatten sie Wachen auf dem Dach postiert. Das erregte natürlich den Zorn der einheimischen Männer, weil es bedeutete, dass die Soldaten in die Höfe ihrer Häuser schauen und ihre Frauen und Töchter beobachten konnten. »Sie wissen, dass für einen traditionellen Iraker seine Frauen das höchste Heiligtum darstellen«, erklärte Walid. »Deshalb ist es eine schreckliche Entehrung, wenn ein anderer Mann seine Frau sieht.«

Nachdem das Töten in Falludschah begonnen hatte, war es

schwierig geworden, den Kreislauf der Gewalt zu durchbrechen. Für die Familien der toten Männer war es eine Frage der Stammesehre, Blutrache zu nehmen, und Walid sagte voraus, dass die Einwohner von Falludschah so lange Amerikaner töten würden, bis ein Gleichstand erreicht wäre. Um den Kreislauf der Gewalt zu durchbrechen, hatte er den Amerikanern geraten, die beiden einflussreichsten Imams der Stadt aufzusuchen und Freundschaft mit ihnen zu schließen. Wenn sie das täten, sagte er, könnte es möglicherweise Frieden in Falludschah geben. Er schüttelte enttäuscht den Kopf. »Die Amerikaner sind sehr gute Zuhörer, aber sie scheinen überhaupt nichts zu tun.« Er gestand mir, dass ihr Verhalten ihn völlig verwirrt habe. Dann fügte er hinzu: »Bis jetzt tragen die Amerikaner im Irak Scheuklappen; sie sind blind, sie wissen allerdings, dass eine große Kluft zwischen ihnen und den Irakern besteht, und sie wissen, dass diese Kluft überbrückt werden muss, aber bis jetzt gibt es diese Brücke nicht. Warum, weiß ich nicht. Wissen Sie es?«

Dr. Walids Ansichten waren typisch für viele irakische Fachleute, die ich aus der Ära Saddam Hussein kannte. Die meisten waren jetzt arbeitslos, fürchteten sich vor dem anhaltenden Chaos und der Gewalt, waren befremdet von den Veränderungen, die sich vollzogen, und verärgert über die Inkompetenz oder Unwilligkeit der Amerikaner, Dinge zu regeln. Da gab es jene wie Ala Bashir, die wegen ihrer ehemaligen Verbindungen zu Saddam oder zur Baath-Partei vorbelastet waren und für die es im neuen Irak keinen Platz mehr gab. Ob sie es nun gern zugaben oder nicht – und die meisten gaben es nicht zu –, Saddams Amtsenthebung hatte viele Iraker um ihre Heimat gebracht. Die beständige Sicherheit ihres vergangenen Lebens, so öde und unterdrückt es auch gewesen sein mochte, war verloren gegangen, und mit ihr das Zugehörigkeitsgefühl zum eigenen Land. In einigen Fällen war das erschütternd, in anderen einfach nur mitleiderregend. Samir Tschairi saß zu Hause im Morgenmantel herum, trank Arrak und zappte sich durch die Fernsehprogramme. Kurz nach dem Fall Bagdads hatte er mir erzählt, er werde für die Amerikaner arbeiten. Daraus war nichts geworden. Außerdem hatte man ihn wegen seiner Zugehörigkeit zur Baath-Partei von der Gehaltsliste des Außenministeriums gestrichen. Die Partei war verboten worden, weshalb Samir kein Gehalt und auch keine Rente erhalten würde. Er überlegte, ob er versuchen sollte, im Ausland als Lehrer zu arbeiten, sagte er und bemühte sich vergeblich, Begeisterung zu zeigen. Er fasste Abu Dhabi und Algerien als zwei Möglichkeiten ins Auge.

Eines Tages besuchte mich Faruk Sallum, der Dichter aus Saddams Heimatstadt Tikrit, im Al-Safir. Jahrelang hatte er in verschiedenen hohen Funktionen im Kulturministerium gearbeitet, doch seinen eigentlichen Status verdankte er der Tatsache, dass Saddam ihn mochte. In den letzten Jahren war Faruk Saddams Lieblingsdichter geworden. Ich hatte ihn zuletzt am Vorabend des Krieges gesehen, Mitte März, auf der Dinnerparty, zu der er in sein Haus eingeladen hatte. Er war sentimental geworden, hatte auf der Laute gespielt, traurige Lieder gesungen und seinen Gästen erzählt, dass er seine junge Frau, eine schöne ehemalige Ballerina, und ihre kleine Tochter am nächsten Tag ins Ausland schicke. Sie würden nach Damaskus fliegen, während er einen offiziellen Besuch in Spanien anzutreten habe. Zu jener Zeit schien es ziemlich klar, dass er nicht zurückkehren würde.

In der Lobby des Al-Safir tranken wir türkischen Kaffee, und Faruk, der zwar lächelte und munter plauderte, sich jedoch in seiner Haut nicht wohl zu fühlen schien, bestätigte, dass er mit seiner Frau und seiner Tochter während des Krieges in Damaskus geblieben war. Er erklärte mir, er habe beschlossen, sie wegzuschicken, nachdem er erfahren hatte, dass Leute wie Saddams Halbbruder Barsan al-Tikriti und Tariq Asis die Pässe ihrer Familien verlängern ließen, um sie nach Syrien zu schicken. Er berichtete mir weiter, dass er am 30. April allein nach Bagdad zurückgekehrt sei und sich den amerikanischen Behörden gestellt habe. »Natürlich wussten sie über mich Bescheid; sie hatten eine Geheimdienstakte über mich«, sagte er und lächelte verlegen. »Und sie wussten, dass ich nicht der Baath-Partei angehörte.« Als Faruk meinen fragenden Blick bemerkte, ergänzte er: »Bis 1991 war ich Mitglied, aber dann habe ich meinen Parteiausweis zurückgegeben.«

Die Amerikaner hatten ihm erlaubt, für die nächste Zeit seinen alten Job wieder aufzunehmen, sagte Faruk, und sie hatten ihm ein Beglaubigungsschreiben ausgestellt, das er aus der Tasche zog, um es mir zu zeigen. Es gewährte ihm Zutritt zum Hauptquartier der Zivilverwaltung, die in Saddams Präsidentenpalast-Komplex untergebracht war. Offiziell war er immer noch Direktor für Musik und Tanz am Kulturministerium und bezog sein altes Gehalt, womit die Dinge gar nicht so schlecht standen. Aber Faruk wusste nicht, wie lange das so gehen würde. »Das Ministerium wird aufgelöst«, sagte er, »und stattdessen wird eine Art Kunstrat oder dergleichen eingeführt.«

Ich wollte unbedingt wissen, was Faruk in Wahrheit von Saddam Hussein hielt, jetzt, da wir zum ersten Mal ungeniert miteinander reden konnten. Er nickte unbehaglich. »Wissen Sie, in den letzten 10 Jahren war es ein Albtraum«, begann er, »weil Saddam sich nach 1991« – nach dem Golfkrieg – »so verändert und sein Gefühl für die Menschlichkeit verloren hat.« Dann wechselte er das Thema, und ich ließ ihn gewähren. Faruk erzählte mir, er habe den Amerikanern Hilfe angeboten beim Umgang mit den Tikritern, mit seinem Volk und bei der Suche nach Saddam, aber niemand sei darauf zurückgekommen. Er wusste nicht, warum.

Ich fragte Faruk, wie er mit dem neuen Irak zurechtkam. Er sagte, er sei über einige Veränderungen sehr bestürzt, vor allem über die vielen »neuen Iraker« auf den Straßen von Bagdad, über die zurückgekehrten Flüchtlinge und Exilanten und über die Armen, die aus den Slums der Vororte und vom Land in die Stadt geströmt waren, um die verlassenen Häuser und Wohnungen der Apparatschiks zu besetzen.

»Wenn ich ihre Gesichter sehe, sehe ich sumerische Bauern, und sie sollten in ihre Heimat zurückkehren«, meinte er. »Sie sind Plünderer, Diebe!« Er fand, dass die Amerikaner zu wenig Kontakt zu gebildeten Irakern suchten, und empörte sich wie viele andere Sunniten in Bagdad über die andauernde Gewalt, für die er die Schiiten verantwortlich machte. »Der Widerstand ist ein Zusammenspiel aus al-Qaida und religiösen schiitischen Fundamentalisten, die vom Iran unterstützt werden«, erklärte er. Faruk hoffte noch immer, es würde mit den Amerikanern gut ausgehen – denn alles war besser als die Fundamentalisten –, doch im Grunde war er nicht sonderlich optimistisch.

Faruk sorgte sich auch um seine eigene Sicherheit. Während des Krieges hatte er der BBC im Ausland ein Interview gegeben, erklärte er mir, in dem er sich etwa so äußerte, dass Saddam der Vergangenheit angehöre und die Amerikaner die Zukunft repräsentierten. Später erzählten ihm Freunde aus Tikrit, Saddam habe die Sendung gehört und fühle sich von ihm verraten. Faruk erfuhr zudem, dass er zum Feindbild der radikalen Schiiten aus dem Slum von Thawra, der ehemaligen Saddam City im Nordosten Bagdads, geworden sei. (Ich stellte fest, dass die Schiiten im Allgemeinen die neue Slum-Bezeichnung Sadr City verwendeten, während Sunniten wie Faruk darauf bestanden, den ursprünglichen Namen Thawra zu benutzen.) »Ich habe gehört, dass mein Name in der Imam-Ali-Moschee in Thawra als zukünftiges Mordopfer an der Wand steht, weil ich erschossen werden soll«, sagte er. Ich fragte Faruk, ob er sich Sorgen mache und welche Vorkehrungen er treffe, um sich zu schützen. Er sagte, er passe auf sich auf. »Ich bleibe viel zu Hause.« Ich bemerkte, dass ein Bodyguard ihn begleitete, ein korpulenter Mann, der in der Nähe blieb, solange wir uns unterhielten.

Eine Woche später besuchte ich auf Faruks Einladung ein Konzert, das er organisiert hatte. Es fand im Tagungszentrum auf dem Gelände der Zivilverwaltung statt – also in der so genannten Grünen Zone. Ich saß neben Amal Juburi, einer irakischen Dichterin und alten Freundin Faruks, im Publikum. Amal hatte den Irak Mitte der 90er Jahre verlassen, um im selbst gewählten Exil in Deutschland zu leben, und war nach dem Krieg zurückgekehrt. Amal erzählte mir, dass sie Faruk aus alten Zeiten kannte. Als der Golfkrieg zu Ende war, wollte er aus dem Irak fliehen, hatte er ihr anvertraut, aber irgendwie hatte er nie den Absprung geschafft. Amal meinte, er habe einen hohen Preis für seine Unentschlossenheit gezahlt. Sie glaubte, Faruk sei deswegen so depressiv und mache jetzt eine harte Zeit durch, um wieder zu sich zu finden. Aber sie wusste auch, dass viele Iraker Faruks Dilemma nicht so mitfühlend betrachteten wie sie. Sie konnten ihm seine enge Beziehung zu Saddam nicht verzeihen; für sie war er ein Paria.

Wir blickten uns in Saal um und hofften, Faruk zu finden, aber er war weit und breit nicht zu sehen. Dann, ungefähr nach der Hälfte des Konzerts, entdeckten wir ihn. Faruk war heimlich durch eine Seitentür in den Saal geschlüpft und saß allein. Er war ganz in Schwarz gekleidet. Es bekümmerte Amal, ihn so allein zu sehen. Sie schlug vor, dass wir uns in der nächsten Pause zu ihm setzten, um ihm unsere Freundschaft zu beweisen. Ich war einverstanden. Doch als das Stück – ein Streichquartett – zu Ende ging, war Faruk verschwunden.

Eines Morgens rief ich Udai al-Taiee an, der Saddams Kapo für die ausländischen Medien gewesen war. Da ich unbedingt wissen wollte, wie es ihm nach dem Sturz des Regimes ergangen war, dem er so gut gedient hatte, spürte ich ihn in seiner Wohnung auf. Sie lag im obersten Stock eines der hässlichen Betonblöcke in der Nähe des ehemaligen Informationsministeriums. Da es keinen Strom gab, musste ich die Treppe 10 Stockwerke hinaufgehen, vorbei an Urinlachen und liegen gelassenen Müllhaufen. Al-Taiees Wohnung war groß, komfortabel und tadellos sauber, und al-Taiee, der eine legere Dishdasha trug, musste offensichtlich an Gedächtnisschwund leiden, denn er empfing mich herzlich und wohlwollend. Er stellte mich seiner Frau und seinem jugendlichen Sohn vor und bat mich, auf der Couch Platz zu nehmen. Seine Frau brachte uns Erfrischungen. Eine Zeit lang betrieben wir höfliche Konversation, und dann tauchte al-Taiees Handlanger Mohsen auf. Mohsen schien überrascht, mich zu sehen, doch auch er schüttelte mir die Hand, als seien wir Freunde.

Ich bemerkte, dass Mohsen einen Aktenordner unter dem Arm trug. Nachdem al-Taiee mit ihm ein paar Minuten auf Arabisch gesprochen hatte, wandte er sich wieder an mich und erklärte mir, dass sie gerade mit der Zivilverwaltung wegen der 5000 Angestellten des Informationsministeriums verhandelten. Sie stünden alle ohne Gehalt da und warteten darauf, ob ihr Ministerium aufgelöst würde oder nicht. Al-Taiee machte seine Entrüstung besonders deutlich. Er sagte, es stehe ihnen als langjährigen Regierungsbeamten zu, ordnungsgemäß bezahlt zu werden. Er äußerte sich abfällig über die dumme Arroganz der neuen Zivilverwalter. Seine Frau und Mohsen beklagten sich ebenfalls über die Kriminalität, den fehlenden Strom und das aggressive Verhalten der amerikanischen Soldaten. Al-Taiee unterbrach sie, um über die Schwierigkeiten seines neuen Lebens ohne Gehalt zu sprechen. Seine Familie lebe von den mageren Ersparnissen, die er zur Seite gelegt hatte, sagte er, aber bald würden sie aufgebraucht sein und dann müsse er seine Möbel verkaufen. Ich erinnerte mich an die Berichte, dass al-Taiee noch in der Nacht vor dem Fall Bagdads westlichen Fernsehsendern sehr viel Geld abgeknöpft hätte. Als könne er meine Gedanken lesen, sagte al-Taiee, er wisse, dass »Unwahrheiten« über ihn kursierten. Mehrere Minuten lang wetterte er darüber und würzte seine Tirade mit Behauptungen, dass Mohsen und er Freunde und Verbündete der westlichen Medien gewesen seien und mehr als ihr Möglichstes getan hätten, um die Journalisten zu schützen. Al-Taiee beteuerte sogar, er habe sich des Öfteren Saddams Politik widersetzt. Zu alldem nickte Mohsen eifrig. Zum Schluss sagte al-Taiee: »Mein Gewissen ist rein.«

Ich saß da und hörte eine Weile höflich zu, doch al-Taiees Rechtfertigungen waren unerträglich, und schließlich hielt ich es nicht länger aus. Ich kam auf ihre ungezahlten Gehälter zu sprechen und äußerte die Vermutung, dass die Zivilverwaltung ihn, Mohsen und Kollegen wohl kaum als humanitäre Härtefälle betrachten könne. Ich fragte, warum sie Saddam bis zum Ende gedient hätten, wenn sie doch tatsächlich gegen ihn gewesen wären.

»Insgeheim waren wir dagegen«, beteuerte al-Taiee, und Mohsen nickte zustimmend.

»Wo ist der Beweis?«, fragte ich.

Sie blickten mich verblüfft an. »Es gibt Menschen, die es wissen«, erwiderte al-Taiee vage. »Gott ist mein Zeuge, ich weiß, was ich getan habe«, sagte er dann unerschütterlich und schwieg.

Ich erwiderte: »Vielleicht, aber das reicht wohl nicht aus, oder?« Ich hob hervor, dass sie für Saddam gearbeitet hatten, während seine Handlanger Zehntausende von Menschen getötet hatten. Folglich sei es doch nicht verwunderlich, dass viele Menschen sie als Komplizen betrachteten. Konnten sie das nicht verstehen? (Beide runzelten die Stirn und schüttelten abwehrend den Kopf.) Vielleicht, fügte ich hinzu, sollten sie das Land verlassen und ins Exil gehen, wie es so viele Iraker im Lauf der Jahre getan hatten.

Sie widersprachen. »Aber wir konnten doch nichts tun, wir mussten doch unsere Familien schützen«, sagte al-Taiee.

Ich traute meinen Ohren nicht, als Mohsen sagte: »Wir haben lediglich Anordnungen befolgt.« (Ein paar Tage später erfuhr ich, dass die Zivilverwaltung beschlossen hatte, das Informationsministerium nicht wieder aufzubauen. Al-Taiee und Mohsen waren also arbeitslos.)

Ein anderer Bekannter aus alten Zeiten besuchte mich eines Nachmittags im Al-Safir. Tschadum war der höchste Muchabarat-Beamte gewesen, der sich im Informationsministerium um die ausländische Presse gekümmert hatte. Er brachte seinen 13-jährigen Sohn mit. Tschadum begrüßte mich so herzlich, als seien wir alte Kumpel. Dann stellte er mir seinen Sohn vor. Voll väterlichen Stolzes tätschelte er den Kopf des Jungen und erklärte mir, dass sein Sohn in Virginia geboren sei. Tschadum berichtete mir, er habe in der irakischen Botschaft in Washington, D.C. gearbeitet, bis diese wegen der Invasion in Kuwait geschlossen worden sei. Er sagte, er hoffe, so schnell wie möglich den amerikanischen Pass für seinen Sohn zu bekommen, und ermuntere ihn inzwischen, Englisch zu lernen. Während sein Vater mit mir sprach, lächelte der Junge höflich, sagte aber kein Wort. Schließlich kam Tschadum auf den eigentlichen Grund seines Besuches zu sprechen. Er sei arbeitslos, erklärte er, und biete mir seine Dienste als Übersetzer an oder »wofür immer Sie mich benötigen«. Er kenne Leute, sagte er, die für etwas Geld bereit seien, belastende Regierungsunterlagen herauszurücken, Papiere, die zum Beispiel bewiesen, dass illegale Geschäfte zwischen westlichen Regierungen und Saddams Regime abgewickelt worden waren. Er kenne auch viele ehemalige Geheimdienstbeamte und Militärs, fügte er hoffnungsvoll hinzu. Auch sie wären bereit, für Geld zu reden. Ich dankte Tschadum für sein Angebot, erinnerte ihn aber daran, dass ich Journalist und kein CIA-Agent war. Er nickte, doch ich merkte, dass er den Unterschied nicht wirklich verstand. (Irgendwann später erfuhr ich, dass Tschadum bei Fox News eingestellt wurde.)

Während die Monate verstrichen, in denen sich immer mehr flüchtige Getreue von Saddam den Amerikanern ergaben oder gefangen oder getötet wurden (wie seine Söhne Udai und Kussai im Juli), blieb Nadschi Sabris Aufenthalt ein Geheimnis. Sabri wurde nicht wegen Kriegsverbrechen gesucht und gehörte auch nicht zu den »meistgesuchten« Beamten des Saddam-Regimes auf dem Steckbrief der Amerikaner. Seit er am Abend vor den Luftangriffen der Amerikaner auf Bagdad seine letzte Pressekonferenz gegeben hatte, war er nicht mehr in der Öffentlichkeit gesehen worden. Viele Gerüchte kursierten seitdem über sein Schicksal: Er sei getötet worden, er sei verwundet worden und so weiter. Alle erwiesen sich als falsch. Dann, ein paar Wochen nach dem Fall von Bagdad, hatte ich etwas gehört, das glaubwürdig klang. Demnach lebte Sabri irgendwo im Ausland. Er hatte nämlich ein paar Freunde mit einem Handy angerufen, das nach Wien zurückverfolgt wurde. Man vermutete, dass er in Österreich unter dem Schutz des rechtsradikalen österreichischen Politikers Jörg Haider stand, mit dem er sich während seiner Zeit als Botschafter in Wien angefreundet hatte. Erst im April 2004 erfuhr ich von einem seiner Freunde, dass er in Katar untergetaucht war.

Am 6. Juli fuhr ich nach Falludschah, um herauszufinden, was dort geschah. Seit mehreren Wochen war es ungewohnt ruhig geblieben. Auf der Militärbasis außerhalb der Stadt traf ich mich mit Oberstleutnant Eric Wesley, dem Dienst habenden Offizier der dritten Infanteriedivision der zweiten Brigade der US Armee. Gleich zu Beginn unseres Gesprächs überraschte mich Wesley, ein schlanker, ernster Brillenträger, der in seinen Dreißigern war, mit einer selbstbewussten Einschätzung: »Ich würde mal behaupten, Falludschah ist eine Erfolgsgeschichte.« Er berichtete mir, dass sich die Beziehungen zwischen Amerikanern und den Bewohnern Falludschahs allmählich verbesserten, seit seine Truppe Anfang Juni die Stadt vom dritten Panzerregiment der 101. Luftlandedivision übernommen hatte. Er sagte, dass er keinen einzigen seiner Männer durch feindliches Feuer verloren hätte. (Das entsprach durchaus der Wahrheit, obwohl ein paar Tage zuvor ein australischer Journalist den Verletzungen erlegen war, die er erlitten hatte, als er eine von Wesleys Patrouillen begleitete, die unter Feuer geriet.)

Wesley erklärte die Wende in Falludschah durch die Anwendung von »Zuckerbrot und Peitsche«. Begeistert sagte er: »Wir haben eine sehr präzise Peitsche und ein sehr großes Zuckerbrot. Erst nehmen wir gezielt die bösen Typen aus dem Spiel. Und dann kümmern wir uns um die lokale Wirtschaft. Mit der Peitsche bekomme ich nur lineare Ergebnisse. Das heißt: Wenn ich einen Jungen eliminiere, der eine Panzerfaust hat, habe ich eine Panzerfaust weniger auf der Straße. Die Kehrseite der Peitsche ist das Zuckerbrot. Dazu gehört die enge Zusammenarbeit mit dem Polizeichef und der Stadtverwaltung. Wir hören uns unter den Leuten um und versuchen, ihnen zu besorgen, was sie brauchen. Zum Beispiel haben wir der Polizei ein paar neue Streifenwagen verschafft. Und wir arbeiten mit dem Bürgermeister am Einmaleins der Demokratie. Und der ist keine Marionette der Amerikaner; er wurde von den Scheichs der Gemeinde gewählt. Ich weiß, das ist nicht ideal, aber es ist eine Möglichkeit, die Kultur des Landes zu nutzen, um Erfolg zu haben. Wir treffen uns auch einmal pro Woche mit den Imams der Stadt. Wenn wir erfolgreich sind, können diese Führer sich an jene wenden, die unzufrieden sind, und sagen: He, die Amerikaner regeln das schon.« Wesley bedachte mich mit einem zufriedenen Lächeln.

Gegen Mittag unternahm ich mit einigen von Wesleys Soldaten eine Streifenfahrt. Sie erklärten mir, wir würden durch ein Viertel von Falludschah patrouillieren, das Little Detroit hieß. Ich fragte sie, warum sie die Gegend so nannten. »Weil die Menschen dort nicht lächeln«, erklärte einer der Soldaten lachend. Auf ihrer Karte zeigten sie mir verschiedene Sektoren von Falludschah, für die sie Codenamen wie Charlie und Foxtrott erfunden hatten und für deren Einwohner sie ihre eigenen Psychogramme erstellt hatten. Zum Beispiel war Little Detroit im Süden der Stadt nicht unbedingt Falludschahs feindseligstes Viertel. Sie deuteten auf einen Bezirk weiter nördlich. »Da oben sind sie wirklich unfreundlich.« Als ich fragte, warum sich einige Teile von Falludschah feindselig verhielten und andere nicht, blickten die Soldaten verblüfft drein. »Woher sollen wir das wissen?«, antwortete einer achselzuckend.

Der Befehlshaber der Einheit, Lieutenant Dan Ganci aus Staten Island, New York, war ein kleiner, drahtiger Mann mit tiefer Stimme und freundlichem Lächeln. Er war West-Point-Absolvent und hatte im Jahr 2000 seinen Abschluss gemacht. Ganci empfahl mir den Führungswagen des Konvois, der aus drei gepanzerten Mannschaftswagen und drei Humvees bestand. Ich kletterte hinein und traf auf meine neuen Gefährten, den Stabsgefreiten Travis Wilhelm, einen stämmigen jungen Burschen von 26 Jahren aus Pennsylvania, und seinen schlanken Kameraden, den Obergefreiten Zack Freidl, der Red-Man-Tabak kaute. Ein älterer Soldat saß über uns im Schützensitz und bediente das Kaliber .50-Maschinengewehr. Alle hatten ein M-16-Kampfgewehr und eine Literflasche kalten Wassers bei sich. Es war ein sehr heißer Tag, ungefähr 60 Grad in der Sonne.

Wir fuhren die etwa fünf Kilometer auf der Autobahn nach Falludschah. Der gepanzerte Mannschaftswagen knirschte auf seinen metallenen Rädern, und der Motor brummte so laut, dass man sich kaum unterhalten konnte. Die Hitze war unerträglich. Der Stadtrand war eine trostlose, müllüberladene Ansammlung von Autoreparaturwerkstätten, Schrotthändlern und kleinen Fabriken. Das Panorama ging allmählich in die Stadt selbst über – ein Wirrwarr aus schlammfarbenen Plätzen und Rechtecken, über dem eine Skyline aus Fernsehantennen, Minaretten und mehreren Moscheenkuppeln thronte. In der Innenstadt bogen wir von der Hauptstraße nach Little Detroit ab. An einer Straßenecke, an der sich viele Geschäfte befanden, ließ Ganci den Konvoi anhalten und beauftragte einige Soldaten, arabisch bedruckte Handzettel an die Ladenbesitzer zu verteilen, damit diese sie in ihre Schaufenster hängten. Lieutenant Ganci erklärte, auf den Handzetteln stehe geschrieben, dass die US-amerikanische Zivilverwaltung vorhabe, die im Umlauf befindlichen irakischen Dinare – bekannt als Saddam-Banknoten, da sie das Konterfei des ehemaligen Diktators trugen – aus dem Verkehr zu ziehen und durch eine modernisierte Version der irakischen Währung aus der Zeit vor dem Golfkrieg abzulösen. Dabei handelte es sich um Banknoten ohne Saddams Konterfei, die in den autonomen Gebieten der Kurden bereits gesetzliches Zahlungsmittel waren. Am Ende des Jahres sollten alle Iraker eine einheitliche Währung haben, und Saddam sollte nirgends mehr zu sehen sein.

Als die Soldaten in alle Richtungen ausschwärmten, entstand plötzlich Unruhe. Irakische Männer und Jugendliche versammelten sich vor einer kleinen Kebab-Bude. Ich ging dorthin und entdeckte, dass sich der Besitzer der Kebab-Bude, ein junger Iraker mit gestutztem Bart und einer weißen Dishdasha, und der Offizier für psychologische Kriegsführung, ein bulliger Mann in den Dreißigern mit einem olivgrünen Schlapphut, einen heftigen Wortwechsel lieferten. Der irakische Übersetzer, den Ganci mir als den »Superdolmetscher« seiner Einheit vorgestellt hatte, stand tatenlos daneben. Er war ein kleiner Mann in Zivil und trug einen Revolver im Gürtel. Der Budenbesitzer, der von einer Gruppe Jugendlicher umgeben wurde, stand etwa einen halben Meter vor dem Offizier für psychologische Kriegsführung und schien sich zu widersetzen. Er blickte ihn verächtlich an, sprach schlechtes Englisch und deutete herausfordernd auf die Handzettel in den Händen des Offiziers.

»Was ist das?«, rief der Budeninhaber. »Ich will das nicht. Gehen Sie weg! Warum sind Sie hier?« Er wandte sich um und sagte etwas auf Arabisch zu seinen Freunden, die lachten und den Offizier anzüglich angrinsten.

Der Offizier für psychologische Kriegsführung schien verwirrt und wandte sich an seinen Dolmetscher: »Was hat er gesagt?«

Bevor der Dolmetscher antworten konnte, kam der Inhaber der Kebab-Bude näher und sagte auf Englisch: »Sie sollten gehen. Gehen Sie weg. Ich hasse Sie.«

Der Offizier kehrte ihm den Rücken zu, sagte: »Ich hasse Sie auch« und ging davon.

Die Menge wurde jetzt ungehemmter, ein wenig aufsässig, es wurde gebrüllt und laut kommentiert. Ich trat zu einer Gruppe von Jugendlichen, die ein paar Soldaten umzingelten. Die Jugendlichen grapschten nach den Flugblättern und entfernten sich lachend. Die Soldaten blickten sich erstaunt um, und es war eindeutig, dass sie kein Wort von dem verstanden, was die Männer sagten. Hinter mir hörte ich lautes Geschrei und sah, dass der Offizier für psychologische Kriegsführung wieder vor der Kebab-Bude stand, wo er seinen Streit mit dem Besitzer fortsetzte.

Der Iraker tippte grob mit dem Finger auf das Gesicht des Amerikaners. Zum ersten Mal bemerkte ich, dass die Zunge des Offiziers gepierct war.

Der Iraker brüllte auf Englisch: »Was ist das? Sind Sie eine Frau? Warum tun Sie das?« Er schnalzte grob mit der Zunge. »Sind Sie denn kein Mann?«

Der Offizier erwiderte lächelnd: »Natürlich bin ich ein Mann.«

»Nein!«, konterte der Iraker, der sich umwandte und etwas auf Arabisch zu seinen Freunden sagte, die lachten und den Amerikaner anschrien.

Der Offizier wandte sich zum Gehen.

»Halt, bleiben Sie hier«, brüllte ihm der Iraker nach. »Sind Sie denn kein Mann?«

Der Offizier drehte sich wieder um. Er warf dem Iraker einen unsicheren Blick zu.

»Nur Frauen tun das«, brüllte der Iraker, schnaubte und stieß ihm mit dem Finger gegen den Mund.

Der Offizier starrte den Mann einen Moment lang an, und dann sagte er zu seinem Übersetzer: »Sagen Sie ihm, das ist, um die Muschi zu lecken.« Er grinste und machte eine obszöne Zungenbewegung.

Der Dolmetscher war geschockt und schüttelte den Kopf. Er wollte das nicht übersetzen.

»Sagen Sie es ihm!«, beharrte der Offizier.

Der Übersetzer wirkte verlegen und sagte leise etwas auf Arabisch zu dem Budenbesitzer. Inzwischen drehte ihm der Offizier den Rücken zu, setzte sich in Bewegung und rief laut: »Schönen Tag noch!«

»Schlechten Tag noch!«, rief ihm der Budenbesitzer hinterher.

Ich folgte dem Offizier für psychologische Kriegsführung auf die andere Straßenseite, wo die Fahrzeuge des Konvois geparkt waren und von mehreren bewaffneten Soldaten bewacht wurden. Er stand schweigend da, die Hände in die Hüften gestützt und blickte sich nach der Kebab-Bude um, wo der Inhaber, der ihn beleidigt hatte, immer noch laut mit den Jugendlichen diskutierte. Ich fragte ihn, wie er die Begegnung erlebt habe. Ohne mich anzuschauen, sagte er abwehrend: »Nun, der Kerl hasst mich also. Was soll's? Ich kann ihn ja ebenfalls hassen.« Mehr sagte er nicht. Leutnant Ganci stand daneben und beobachtete in aller Ruhe, wie seine Soldaten die letzten Handzettel verteilten.

Zwei ältere, von der Sonne gebräunte Männer mit Keffijehs auf dem Kopf schoben ein Fahrrad und kamen näher. Sie traten auf Ganci zu und sagten, sie wollten mit ihm reden. Sie lächelten. Er begrüßte sie höflich, aber sie konnten sich nicht verständigen, also rief er nach dem Dolmetscher. Einer der Männer erklärte, dass sie eine Frage hätten. »Aber gern, fragen Sie, was immer Sie wollen«, erwiderte Ganci. Der Iraker fragte, wie alt seine Soldaten seien. Ganci nickte freundlich und sagte: »Zwischen 20 und 25 Jahre.«

Die Männer schauten sich an, und einer von ihnen ergriff erneut das Wort. Seine Miene verriet tiefes Mitgefühl. Er schnalzte mit der Zunge und schüttelte den Kopf. »Ach, so jung! Und dann in dieser Hitze … Sie sollten weit weg sein und ein anderes Klima genießen.« Die beiden starrten Ganci an, als erwarteten sie eine Erwiderung. Er starrte sie ebenfalls an und merkte, dass sie sich über ihn lustig machten. Er fragte den Dolmetscher, ob sie noch etwas anderes wissen wollten. Sie begannen, sich über die Gas-, Benzin- und Wasserknappheit zu beklagen. Ganci nickte und lächelte. Das hatte er alles schon gehört. Er dankte ihnen und zog sich zurück. Sie gingen weiter, schoben ihr Fahrrad und grinsten einander an.

Als Nächster trat ein stämmiger junger Mann auf Ganci zu. Er deutete auf einen Müllhaufen neben den Läden und Häusern. Fast brüllend fragte er Ganci: »Warum räumt ihr Amerikaner den Müll nicht weg?«

Ganci antwortete seufzend: »Warum räumt ihr ihn nicht selbst weg?«

Der Junge erwiderte theatralisch: »Oh, weil wir anders sind als ihr Amerikaner. Wir sind ein wildes und primitives Volk.« Seine Augen blitzten. Eine Minute lang machte er in diesem Stil weiter, bis Ganci es leid wurde. Er unterbrach den Jungen, rief seine Männer zu den Fahrzeugen zurück und befahl loszufahren.

Langsam ließen wir Little Detroit hinter uns, ein trostloses Viertel voller Schrottplätze. Die Menschen, an denen wir vorbeifuhren, reagierten ganz unterschiedlich. Einige musterten uns neutral, andere neugierig, wieder andere unverblümt feindselig. Kleine Kinder hüpften auf und ab, brüllten begeistert. Einige hoben ihre Daumen, andere senkten sie. Der Stabsgefreite Wilhelm, der neben mir in dem Mannschaftswagen stand, lächelte allen freundlich zu und hob den Daumen.

Während wir die Straße entlangratterten, gestand mir Wilhelm, dass er und die anderen Männer seiner Einheit müde waren und nach Hause wollten. Sie waren am längsten von allen Soldaten im Krieg, seit September letzten Jahres, als man sie nach Kuwait geschickt hatte. Ihre Stimmung war heute ziemlich gut, sagte er, da man ihnen angekündigt hatte, dass sie bald nach Hause fahren durften. »Wir haben noch elf Tage vor uns, und wir zählen jeden Tag, das kann ich Ihnen versichern.« Er lächelte und fügte hinzu: »Ehrlich gesagt geht es uns gerade jetzt gar nicht so schlecht. Hier in Falludschah haben wir zum ersten Mal ein Dach über dem Kopf. Vorher haben wir in Zelten geschlafen.«

Wilhelm deutete auf ein windenförmiges Metallgerät am Boden des Fahrzeugs und sagte, das sei die Halterung für eine Raketenabschussrampe. Sie hatten sie herausgenommen, weil sie die Abschussrampe in Falludschah nicht unbedingt benötigten, wo sie meist nur Patrouille fuhren. Aber sie hatten sie während des Kriegs dauernd benutzt, sagte er und fügte stolz hinzu: »Damit haben wir 200 erwischt.«

Ich fragte ihn, ob er Fahrzeuge oder Personen meinte.

»Personen«, erklärte Wilhelm emphatisch und lächelte über meine Naivität.

Einmal hatten ihre vorausgeschickten Späher eine Gruppe von 100 Irakern hinter einem Erdwall entdeckt, erzählte er, und die Schützen der Einheit hatten gezielt und ihre Raketen gleichzeitig abgeschossen. »Wir haben sie alle getötet, das war ein Volltreffer.«

Dann deutete er auf den Maschinengewehrturm und sagte, er habe einmal während des Kriegs außerhalb der Stadt Nadschaf das Kaliber .50-Maschinengewehr aufgestellt, als plötzlich ein Jeep auf sie zuraste. »Wir wussten nicht, ob es Saddams Fedajins oder sonst wer war. Sie fuhren direkt auf uns zu, also haben wir sie einfach in die Luft gesprengt.« Wilhelm schüttelte den Kopf, als er sich daran erinnerte. Er schwieg kurz, dann lachte er. »Ich habe ein paar gute Geschichten auf Lager. Wenn ich zu Hause bin, werde ich 'ne Menge Drinks spendiert bekommen.«

Wilhelm meinte, die Erfahrungen im Irak hätten sein Interesse an der Weltpolitik geweckt. Wenn seine Militärzeit vorbei sei, wolle er vielleicht die Universität von North Carolina in Chapel Hill besuchen und Internationale Politik studieren. Die Armee würde das Studium finanzieren. Ich fragte ihn, was er nach dem Abschluss zu tun hoffe. »Ich dachte, vielleicht versuche ich es mal bei der CIA«, sagte er nachdenklich. »Oder vielleicht versuche ich eines Tages sogar, Botschafter zu werden. Aber ich glaube, ich greife zu weit voraus. Wer weiß, was passiert?«

Am selben Nachmittag kehrte ich nach Bagdad zurück, aber ein paar Tage später fuhr ich erneut nach Falludschah. Ich hatte gehört, Oberstleutnant Wesley würde einer Abschlussfeier für das erste Kontingent irakischer Polizisten beiwohnen, die von US-Kräften ausgebildet worden waren, und ich hoffte, ich könnte ihn begleiten. Doch als ich ankam, hieß es, die Zeremonie sei abgesagt worden. Man lieferte mir keine Erklärung dafür, aber Wesleys Zuckerbrot-und-Peitsche-Methode schien nicht mehr zu funktionieren. Am Tag zuvor war vor der Polizeistation in Ramadi, 40 Kilometer weiter, eine ferngesteuerte Bombe explodiert und hatte sieben Polizisten bei ihrer Abschlussfeier getötet. Inzwischen hatte Falludschahs Polizeichef die Amerikaner gebeten, ihre Soldaten von seiner Polizeistation abzuziehen, weil ihre Anwesenheit, wie er meinte, nächtliche Angriffe nach sich zöge, und sie waren damit einverstanden gewesen.

Auf dem Stützpunkt war die Stimmung schlecht. Colonel Wilhelm und seine Soldaten waren informiert worden, dass sie doch nicht wie geplant nach Hause fahren durften. Auf Anordnung des Pentagons war ihr Aufenthalt in Falludschah »auf unbestimmte Zeit« verlängert worden.

Ala Bashirs Verwandter Scheich Ibrahim al-Dschubor erwies sich als ein imposanter Mann. Er trug einen weißen Kopfschal, fließende schwarze goldbestickte Gewänder und bewegte sich mit majestätischer Schwerfälligkeit. Außerdem schmückte er sich mit einem gezwirbelten, tintenschwarz gefärbten Schnauzbart. Da ich unbedingt seine Version von der Begegnung mit den Amerikanern David und Charles hören wollte, besuchte ich ihn am Bagdader Hauptsitz seiner neu gegründeten Vereinigten Irakischen Partei. Als ich sein Büro betrat, fiel mir ein großes gerahmtes Porträt auf, das noch auf dem Boden an der Wand lehnte. Auf den ersten Blick glich es einem Bildnis von Saddam, wie es vor dem Krieg in jedem irakischen Büro hing. Bei näherer Betrachtung stellte ich jedoch fest, dass der Scheich selbst abgebildet war in einer sehr ähnlichen Pose wie der ehemalige Diktator.

Nachdem wir ein paar Höflichkeiten ausgetauscht hatten, fragte mich Scheich Ibrahim freundlich, aber bestimmt: »Sie sind hier willkommen, aber seien wir ehrlich miteinander. Sind Sie ein Beamter der US-Regierung oder ein Journalist oder was genau?« Ich erklärte, dass ich ein Journalist und ein Freund seines Verwandten Ala Bashir sei. Der Scheich nickte und entspannte sich. Ich erklärte ihm, dass ich mich für seine Treffen mit den Amerikanern interessiere. Er erwiderte: »Ich entwickle mich zum Pessimisten, weil die Amerikaner herkommen, sich unsere Vorschläge und Ansichten anhören, aber nichts unternehmen. Unsere Treffen mit ihnen haben nichts gebracht. Sie scheinen lediglich zur Aufklärung herzukommen.« Der Scheich runzelte skeptisch die Stirn und fügte hinzu: »Als ich sie fragte, was sie mit der Besetzung des Irak erreichen wollten, schwiegen sie.«

Soweit ich ihn verstand, ärgerte sich der Scheich in erster Linie darüber, dass er im neuen Irak keine Rolle mehr spielte. Saddam war schlau genug gewesen, sich bei den Stammesführern des Landes einzuschmeicheln; er gewährte jenen Schutz, die ihn unterstützten, und bestrafte jene, die ihm Widerstand leisteten. Er war im Gefängnis gewesen, weil er sich Saddam widersetzt hatte, sagte Scheich Ibrahim, und er fand, dass er von den Amerikanern eine bessere Behandlung verdient habe. Im Auftrag des Dschubor-Stammes habe er seine Treffen mit Charles und David dazu benutzt, sich für einen Posten im irakischen Regierungsrat zu bewerben. Seine Bemühungen waren jedoch erfolglos geblieben, so dass er und andere Dschubori eine eigene Partei gegründet und ihn zum Führer gemacht hatten. »Und jetzt können wir unsere politischen Aktivitäten innerhalb unserer eigenen Partei entfalten und brauchen keinen Posten im Rat«, erklärte er. »Aber ich sage voraus, dass die Amerikaner in Zukunft darum betteln werden, in engem Kontakt mit uns zu stehen.«

Als ich mich erhob, um mich zu verabschieden, schüttelte mir Scheich Ibrahim die Hand und überreichte mir ein Foto von sich in seinem prächtigen Stammesgewand. Er lächelte huldvoll und verkündete, dass er mich als »Ehren-Dschubor« betrachte. Als ich ihm dafür dankte, deklamierte er: »Amerika besitzt eine große technologische Macht, scheint aber in Bezug auf die Politik oder den Umgang mit anderen Völkern nicht sehr erfahren zu sein. Die Amerikaner sind gekommen, um den Irak zu befreien, die Demokratie einzuführen und die Massenvernichtungswaffen zu zerstören. Aber als sie hier eintrafen, vergaßen sie diese Dinge und die Menschen, die hier Einfluss haben. Sagen Sie den Amerikanern, dass sie nicht so blind sein sollten, einen Stamm mit so vielen Angehörigen zu übersehen. Das ist lediglich ein guter Rat.«

Natürlich übte der Dschubor-Stamm größeren Einfluss aus, als auf den ersten Blick ersichtlich war. Ein Neffe des Scheichs, ein Mann von Anfang vierzig, sprach mich an, als ich das Gebäude verließ, und bat darum, mich in meinem Hotel besuchen zu dürfen. Später kam er tatsächlich. Er sagte, er heiße Tschalaf al-Dschubor und sei ein ehemaliger Beamter des Muchabarat, des Geheimdienstes von Saddam. »Ich war ein Geheimdienstbeamter des alten Regimes, und viele meiner Familienmitglieder waren es ebenfalls«, erklärte Tschalaf, ohne verlegen zu werden. »Zwei meiner Brüder arbeiteten bei der Spionageabwehr. Mein Onkel war Verwalter beim Muchabarat. Insgesamt 13 meiner Cousins arbeiteten im selben Bereich.« Er persönlich habe sich innerhalb des Muchabarat um Frankreich gekümmert, sagte er und fügte hinzu, dass er nie an irgendwelchen Aktionen gegen die USA beteiligt gewesen sei. Bei Kriegsende hatte er sich den Amerikanern gestellt. Er behauptete, sie hätten ihn verhört und festgestellt, dass ihm keine Kriegsverbrechen vorzuwerfen seien. Er begann mit ihnen zusammenzuarbeiten, lieferte ihnen Informationen und half sogar dabei, einen seiner Cousins zu verhaften – einen ehemaligen Offizier der Saddam-Fedajin, der brutalen Miliz, die von Udai Hussein geleitet worden war. Der Cousin bat ihn um Hilfe, nachdem die Amerikaner sein Haus gestürmt, ihn nicht gefunden, dafür jedoch seinen Vater und seinen Bruder als Geiseln genommen und eine große Summe Bargeld beschlagnahmt hatten. Die Amerikaner versprachen, das Geld zurückzugeben und seine Verwandten freizulassen, wenn er sich dafür stellte. Tschalaf fuhr seinen Cousin persönlich zum Bagdader Flughafen, wo ein Gefängnis für ehemalige Regierungsbeamte eingerichtet worden war, und übergab ihn den Amerikanern.

»Aber die Amerikaner haben ihr Wort nicht gehalten«, rief

Tschalaf voller Empörung. »Sie behielten die Familie meines Cousins im Gefängnis und gaben nicht zu, dass sie das Geld mitgenommen hatten.« Tschalafs moralische Entrüstung kam mir geradezu komisch vor – schließlich war er ein ehemaliger Muchabarat-Beamter. Ich sagte, dass die Amerikaner Saddams Taktik der Geiselnahme anwandten, um Störenfriede zu ködern. Tschalaf hörte die Ironie in meiner Stimme und lächelte. Er gab zu, dass ich Recht hatte. Dann wechselte er das Thema und kam auf sein eigentliches Anliegen zu sprechen, das wenig mit seinem Cousin zu tun hatte. Bisher waren die Amerikaner froh darüber gewesen, dass er ihnen Informationen geliefert hatte, sagte er, aber sie hatten ihn nicht angestellt. Tschalaf suchte einen Job. »Tausende von ehemaligen Muchabarat-Beamten sind jetzt arbeitslos«, erklärte er. »Das ist ein großes Problem. Ich habe den Amerikanern geraten, eine Lösung dafür zu finden. Und weitere Tausende arbeiteten für die Geheimpolizei. Vielleicht verbünden sie sich alle im Widerstand. Meine Frau, eine Ingenieurin, hatte eine gute Stelle im Büro des Präsidenten, und sie ist jetzt ebenfalls arbeitslos. Wir haben Kinder zu versorgen. Die Amerikaner haben mir empfohlen, nach Hause zu gehen und dort zu bleiben. Was soll ich tun? Ein Büro eröffnen und Informationen über mein Land verkaufen?«

Entrechtete Stammesführer und arbeitslose Muchabarat-Agenten waren nur Teile des entstehenden komplexen Mosaiks im Irak nach Saddam, in dem jede nur vorstellbare politische Partei, jede Glaubensgemeinschaft und jede ethnische Gruppe um einen Platz an der Sonne kämpfte. Die Umwandlung vollzog sich in atemberaubender Geschwindigkeit, und mit ihr wurde Bagdad zu einem Turm von Babel. Eines Nachmittags fuhr ich am ehemaligen Luftverteidigungsministerium vorbei, das während des Kriegs von der US-Luftwaffe in Schutt und Asche gelegt worden war, und entdeckte am Vordereingang ein primitiv gemaltes neues Schild, auf dem stand: VERBAND EHEMALIGER

POLITISCHER HÄFTLINGE IM IRAK. Das Zentralkomitee der Irakischen Kommunistischen Partei hatte sich in einem Gebäude am Ufer des Tigris eingerichtet – direkt gegenüber des Palast-Komplexes, der zum Sitz der Zivilverwaltung geworden war. Die einst im Iran gegründete schiitische Partei, der Oberste Rat für die Islamische Revolution im Irak – unter der Leitung von Ayatollah Mohammed Bakr al-Hakim, den ich vor dem Krieg in Teheran getroffen hatte –, übernahm die Villa von Tariq Asis weiter flussabwärts, während der vom Pentagon geförderte ehemalige Exilant Ahmed Tschalabi einen Herrensitz in falschem chinesischen Rokokostil beschlagnahmte, der früher dem Leiter des Muchabarat gehört hatte. Moqtada al-Sadrs Bagdader Büro war eher bescheiden, was zu ihm passte, aber lag kurioserweise neben Mansurs beliebtestem Eisladen. Kaum zu glauben, dass nur ein paar Monate zuvor die Mitglieder mancher dieser Gruppen erst gefoltert, dann erschossen oder erhängt worden wären, wenn sie sich im Irak auch nur gezeigt hätten.

Mit dem Krieg waren auch alle möglichen Ausländer nach Bagdad gekommen, vom ernsthaften Weltverbesserer bis zum politischen Opportunisten. Eine Gruppe paramilitärisch aussehender Amerikaner, die Revolver und Kalaschnikows schwenkten, zogen zusammen mit ihren irakischen Bodyguards ins Al-Safir, in dem auch ich wohnte. Als man sie fragte, womit sie ihren Lebensunterhalt bestritten, sagten sie geheimnisvoll, dass sie sich mit »Informationssystemen« befassten. Ein paar britische College-Studenten der Oberschicht, alle Anfang zwanzig, kreuzten auf und gründeten eine englischsprachige Zeitung, den *Baghdad Bulletin*, der alle zwei Wochen erschien, aber bald wieder eingestellt wurde. Steffa, eine Kalifornierin mittleren Alters, hatte all ihre Ersparnisse dazu verwendet, nach Bagdad zu reisen, um eine Friedenskonferenz zu organisieren. Steffa war nie zuvor im Nahen Osten gewesen, beherrschte kein Wort Arabisch, aber erklärte, sie habe den unbändigen Wunsch verspürt,

»etwas für den Frieden zu tun«. Während Woche um Woche der Sommer verging, stellte ich fest, dass Steffa sich stundenlang damit beschäftigte, Gedichte zu schreiben und im neuen Internetcafé des Al-Safir zu surfen. Sie gestand mir, dass es ihr schwer fiel, ihr Friedensprojekt zu verwirklichen.

Eine der faszinierendsten Gestalten im neuen Bagdad war Ajad Dschamaluddin, ein religiöser irakischer Schiit von 42 Jahren. Er war ein schlanker, gut aussehender Mann mit einem schwarzen Turban, einem weißen Gewand und einem schwarzen Umhang. Er trug einen kurzen gestutzten Bart und hatte den aufrechten Gang und die heitere Miene, die ich des Öfteren bei schiitischen Geistlichen beobachtet hatte. Doch Dschamaluddin hatte nichts Asketisches an sich. Zum Beispiel pflegte er kubanische Zigarren zu rauchen, Cohibas, die er in einem schwarzen Lederetui irgendwo in seinen Gewändern verborgen hatte. In der Einfahrt seines Hauses stand eine ganze Sammlung von Autos, darunter ein Cadillac-Cabriolet, mehrere Mercedes-Benz und ein dunkelblauer Rolls-Royce mit cremefarbenen Ledersitzen und vergoldetem Kühlergrill. Dschamaluddin kannte auch keine Stromprobleme. Seine imposante Villa am Fluss besaß eigene Luxusgeneratoren, die dafür sorgten, dass die Beleuchtungssysteme und die Klimaanlage rund um die Uhr funktionierten. Das Haus hatte einst Izzat Ibrahim al-Duri gehört, Saddams Stellvertreter in der Baath-Partei, der während des Kriegs verschwunden und immer noch auf der Flucht war. Das Haus war vollkommen ausgeplündert worden, aber Dschamaluddin, der irgendwie in seinen Besitz gelangt war, hatte offensichtlich viel Mühe darauf verwendet und keine Kosten gescheut, es zu restaurieren und neu zu möblieren.

Das Innere der Villa, das in glänzenden grünen Ziegelsteinen, farbigem Glas und dekorativen islamischen Laubsägearbeiten gehalten war, besaß wunderbare Marmorböden, die mit echten Perserteppichen ausgelegt waren. Zwei Kanarienvögel in Käfigen in der Nähe der Eingangstür erfüllten das Haus mit ihrem Gezwitscher. Im Esszimmer hing ein prächtiger handgewebter persischer Wandteppich aus reiner Seide. Der mit Blick auf den Tigris gelegene Garten war mit frischem Rasen und mit Dattelpalmen bepflanzt, und auf einer Rasenfläche stand ein gewölbtes Haus aus Schilfrohr, ein Mudhif – das traditionelle Versammlungshaus der Araber aus den Marschgebieten des südlichen Irak –, das Dschamaluddin dem Brauch gemäß von Handwerkern aus Basra hatte bauen lassen. Zwei mit Kalaschnikows bewaffnete Bodyguards standen wachsam an der Umzäunung am Ende des Gartens. Einige Stufen führten zu einem Steg hinunter, an dem ein langes Holzboot mit einem nach unten gebogenen Bugspriet festgezurrt war. Dschamaluddin erklärte mir, er habe den Mudhif errichten lassen, um Treffen zu veranstalten, bei denen die Menschen ihre Gedanken frei austauschen konnten. Er betrachtete ihn als Symbol für die neue Stellung des Irak als Brücke zwischen dem Nahen Osten und dem Westen. Lächelnd fügte er hinzu: »Mir gefällt die Tatsache, dass er aus Schilfrohr gebaut wurde, das aus den Marschen stammt, die Saddam trockenlegen ließ.«

Dschamaluddin war erst vor kurzem nach 25-jährigem Exil in seine Heimat zurückgekehrt. Als der politisch aktivste jüngste Sohn eines religiösen Gelehrten aus Nadschaf, der heiligen Stadt der Schiiten, floh er 1979 aus Saddams Irak in den Iran, angezogen von Khomeinis Revolution, die dort gerade gesiegt hatte. Einige Jahre später machte er sich keine Illusionen mehr über die iranische Revolution, blieb jedoch im Land, um islamische Religionswissenschaft und Philosophie zu studieren. Vor acht Jahren war er nach Dubai gezogen, um als Vertreter für die islamische Wohlfahrt dem höchsten schiitischen Kleriker der Welt, dem zurückgezogen lebenden Großayatollah Ali al-Sistani aus Nadschaf, zu dienen. Sistani, der zu Beginn der 90er Jahre von Saddam unter Hausarrest gestellt worden war, repräsentierte die quietistische Schule des Schiitentums, die den Gegensatz zum politischen Islam bildet, der vom verstorbenen Khomeini und seinen Anhängern vertreten wurde. Nach seiner Rückkehr in den Irak beabsichtigte Dschamaluddin jedoch offensichtlich, selbst die Fäden zu ziehen. Es hieß, er habe sehr enge Beziehungen zu den Beamten der amerikanischen Zivilverwaltung, auch zum neu ernannten Chef Paul Bremer, und er hatte bereits seine eigene Stiftung ins Leben gerufen, die »ein besseres Verständnis zwischen dem Irak und dem Westen« fördern sollte. Er deutete auch an, die Stiftung könne am Ende eine politische Partei werden.

Ein enger Freund von Dschamaluddin erzählte mir dessen Geschichte und erklärte, der Geistliche sei ein überzeugter Befürworter des Kriegsplans der Bush-Administration gegen Saddam gewesen. Im Herbst 2002 waren die Amerikaner an Dschamaluddin herangetreten und hatten ihn gebeten, eine schiitische Plattform zu schaffen, die die Vereinigten Staaten unterstützen würde, wenn der Krieg erst einmal begonnen hatte. Er erklärte sich einverstanden und war in der ersten Woche nach Kriegsbeginn vom US-Militär nach Nadschaf geflogen worden. Offensichtlich bestand seine Aufgabe darin, sich bei Großayatollah Sistani einzuschmeicheln, indem er ihm anbot, für seine Sicherheit sorgen zu lassen. (Dieses Angebot wurde von dem alten Geistlichen jedoch höflich zurückgewiesen.) In Nadschaf traf Dschamaluddin mit Abdel Madschid al-Khoei zusammen, einem westlich orientierten schiitischen Geistlichen, der seit 1992 im Londoner Exil gelebt hatte, nachdem sein Vater, der Vorgänger des Großayatollahs Sistani, gestorben war. Khoei kümmerte sich in London um die Al-Khoei-Stiftung, eine gut situierte schiitische Wohltätigkeitseinrichtung. Er arbeitete auch eng mit der CIA zusammen und war mit viel Geld im Irak eingetroffen, um in Nadschafs Klerikerkreisen für sich und die Amerikaner zu werben. Doch kurz nach seiner Ankunft in

Nadschaf wurde Khoei von Anhängern des jungen schiitischen Geistlichen Moqtada al-Sadr, einem erbitterten Feind der Amerikaner, brutal ermordet. Der Mord an Khoei vereitelte die amerikanischen Pläne, eine existenzfähige und loyale Fraktion innerhalb der irakischen schiitischen Gemeinschaft zu bilden.

Moqtada al-Sadr war der Sohn eines verstorbenen schiitischen Geistlichen, der im Irak sehr beliebt gewesen und ein paar Jahre zuvor ermordet worden war – angeblich auf Saddams Befehl. Der junge Sadr war eng mit einem der kompromisslosesten Geistlichen des Iran verbunden und unmittelbar nach Kriegsbeginn als Gegner der Invasion aufgetreten. Wenige Tage nach Saddams Amtsenthebung schuf sich Sadr eine Hochburg in Nadschaf und im Bagdader Slum Saddam City, den er alsbald in Sadr City umbenannte. Seine Anhänger waren meist junge arbeitslose und ungebildete schiitische Männer, die er zu einer Bürgerwehr zusammenschloss. In letzter Zeit hatte Sadr begonnen, Schmähungen gegen die Amerikaner auszusprechen und sie aufzufordern, aus dem Irak abzuziehen. Zugleich rief er seine Anhänger auf, sich in einer »islamischen Armee« zu vereinigen, um die Amerikaner zu vertreiben. Angesichts der Bedrohung, die von religiösen Kämpfern wie Sadr ausging, stellte Dschamaluddin zwar einen potenziell nützlichen Verbündeten der Amerikaner im Irak dar, doch war er benachteiligt. Ohne Khoei, der als Führer breite Unterstützung gefunden hätte, war Dschamaluddin isoliert. Er besaß weder den angesehenen Namen des verstorbenen Khoei, noch konnte er sich des Beistands der Geistlichen aus Nadschaf sicher sein. Also blieb ihm nichts anderes übrig, als um sein Überleben zu kämpfen und sich eine eigene Wählerschaft aufzubauen. Dschamaluddin machte keinen Hehl aus seinen Affinitäten. »Ohne die Amerikaner«, sagte er, »wären wir die Sklaven eines Mannes geblieben – Saddam Hussein. Der Irak stellt keine Ausnahme dar: So sieht es in den meisten Ländern des Nahen Ostens aus. 14 Jahrhunderte lang waren die Araber die Sklaven ihrer Herrscher. Sie wissen nicht, was Freiheit ist. Diese Gesellschaft besitzt eine rückständige Kultur und sollte verändert werden. Die arabische und die islamische Kultur sollten verändert werden. Saddam Hussein ist nichts anderes als die verfaulte Frucht eines kaputten Baums. Wenn wir nicht wollen, dass ein weiterer Saddam Hussein auftritt, dann müssen wir die repressive und verderbte Kultur vernichten, in der wir leben.«

Ich begriff, weshalb die Amerikaner Ajad Dschamaluddin mochten. Er war ein Vorzeige-Muslim mit einer progressiven, westlichen Vision für die Zukunft des Irak und des Nahen Ostens. Doch für mich war Dschamaluddin eher eine Ausnahmeerscheinung, eine Persönlichkeit, die in der kompromisslosen neuen Wirklichkeit des Irak, die sich außerhalb der sicheren Mauern seiner Villa schnell entwickelte, keinen Platz zu haben schien. Solange nichts Unvorhergesehenes geschah, dachte ich, würde er sich nicht lange halten können. Denn mit der Gewalt nahmen auch Sektierertum und Fremdenhass im Irak immer mehr zu.

Eines Tages reiste ich nach Nadschaf, um den wunderschönen Schrein für Imam Ali, den Schwiegersohn des Propheten, der im Jahre 661 hier gestorben war, noch einmal zu sehen. Es gab keine Aufpasser in Zivil mehr, die während des Saddam-Regimes wachsam herumgestreift waren. Im Hof des Schreins wimmelte es von frommen Pilgern aus der ganzen schiitischen Welt, aus dem Libanon, aus Pakistan, dem Iran und sogar Afghanistan. Trauernde Menschen in Gruppen trugen Särge und suchten vor dem Schrein den Segen für ihre toten Verwandten. Während ich das Ganze in Ruhe betrachtete, trat ein Iraker auf mich zu und fragte mich provozierend, ob ich Muslim sei. Als ich ihm erklärte, dass ich Christ sei, fragte er in aggressivem Ton, was ich hier verloren hätte. Mein irakischer Übersetzer Salih, ein frommer Sunnit aus Bagdad, war über die Grobheit des Mannes schockiert und sprach barsch auf ihn ein. Der Mann ging weiter, wandte sich aber um und warf mir einen herausfordernden Blick zu.

Später entschuldigte sich Salih tausendmal bei mir. Dann begann er über die Schiiten zu schimpfen, die seiner Meinung nach »keine guten Muslime« seien, sondern primitive, ungebildete Fanatiker. Ich kritisierte Salihs Haltung heftig und wies ihn darauf hin, dass Zehntausende von Schiiten in den Jahren unter Saddam erbarmungslos abgeschlachtet worden waren. Salih schüttelte energisch den Kopf. Aber es gebe doch Beweise, beharrte ich. Was war mit all den Massengräbern, die seit Kriegsbeginn entdeckt wurden? Schließlich gab Salih zu, dass ich Recht habe. In vielen Massengräbern lägen die Leichen von Schiiten, erklärte er, aber die meisten von ihnen hätten ihr Schicksal verdient, weil sie »Plünderer und Diebe« wären.

Am 18. Juli nahm ich gemeinsam mit Salih an einer besonderen Gebetszeremonie für Sunniten teil. Sie wurde in der Moschee der Mutter aller Schlachten abgehalten, die sich am westlichen Stadtrand Bagdads befindet, an der Straße, die hinaus zum Abu-Ghraib-Gefängnis und dann weiter nach Falludschah führt. Saddam hatte die Moschee errichten lassen, um daran zu erinnern, dass er sich während des Golfkriegs, während der Mutter aller Schlachten, in einem Haus an dieser Stelle verborgen hatte. Die Moschee war von einem Wassergraben umgeben und besaß vier innere Minarette in der Form von Scud-Raketen und vier äußere Minarette in der Form von Kalaschnikows. Vor dem Krieg konnte man in einem kleinen Museum, das der Hauptmoschee angeschlossen war, eine ganz besondere Ausgabe des Korans besichtigen. Man nannte ihn den Blutkoran, da er angeblich mit Saddams eigenem Blut geschrieben worden war.

Es war ein glühend heißer Tag, und Hunderte von Männern mit weißen Scheitelkäppchen gingen vor der Moschee auf und ab und warteten darauf, dass die Zeremonie begann. Eine kleine

Gruppe scharte sich um einen bärtigen Geistlichen, der dem Fernsehsender Al-Arabija ein Interview gab. Salih trat an ihn heran und fragte ihn, ob er bereit wäre, mit mir zu sprechen. Nachdem wir uns vorgestellt hatten, sagte der Imam, er erinnere sich an meinen Namen. Er wusste, dass ich, kurz bevor der Krieg begann, mit seinem Onkel Scheich Muther Tschamis al-Dhari gesprochen hatte. Er sagte, er sei Dr. Muthana Harith Dhari, islamischer Gelehrter und Dozent für das Scharia-Recht an der Universität Bagdad. Sein Onkel, mit den ich mich Mitte März getroffen hatte, war einer der Ältesten des Stammes und lebte in Khandhari auf der anderen Seite des Abu-Ghraib-Gefängnisses. Sie waren Nachkommen des verstorbenen Scheichs Dhari, der 1920 den britischen Kolonialoffizier Colonel Gerard Leachman ermordet hatte. Ich sprach ihn auf diese Geschichte an und er nickte stolz.

Ich fragte Imam Dhari nach dem Anlass für die Gebetszeremonie in der Moschee. »Wir wollen versuchen, die Menschen zur Einheit aufzurufen und vom Sektierertum abzulassen«, erklärte er. »In diesen Zeiten sollten wir uns nicht als Sunniten oder Schiiten betrachten, sondern als eine Einheit. Der Regierungsrat wurde lediglich zu dem Zweck gegründet, uns zu entzweien.« Es sei wichtig für die Iraker, vereint zu sein, fügte er hinzu, um der amerikanischen Besatzung Widerstand zu leisten. Gerade erst war der neue Regierungsrat aus 25 irakischen Führern vereidigt worden, die alle politischen Parteien des Landes repräsentierten. Viele Sunniten regten sich darüber auf, dass zwei Drittel der Ratsmitglieder Schiiten waren. Dhari sagte, dass er mit diesem Aufruf seine religiösen Pflichten erfülle. »Als Gelehrte betrachten wir es als unsere Pflicht, die Menschen aufzufordern, sich der Besatzung mit allen ihnen zur Verfügung stehenden Mitteln zu widersetzen. Wir sagen nicht, dass sie diese oder jene Möglichkeit wählen sollen. Unser Volk ist klug und weiß, was es zu tun hat.«

Imam Dhari erklärte, dass die Gebetszeremonie von einer neu formierten Gruppe, von der Vereinigung Islamischer Gelehrter, organisiert wurde. Die Vereinigung hatte ihren Sitz in Adhamijah, einem Viertel, in dem vorwiegend Sunniten lebten und das die Amerikaner meines Wissens als Bollwerk von Saddam-Anhängern betrachteten. Der Imam verabschiedete sich. Die Gebetszeremonie würde gleich beginnen, und sein Vater, Scheich Harith Dhari, ein religiöser Gelehrter wie er selbst, würde die Zeremonie leiten. Ich stand vor der Moschee in der Sonne und lauschte. Bald vernahm man aus den Lautsprechern die krächzende Stimme eines alten Mannes. Salih übersetzte für mich. Imam Harith Dhari begann mit der Geschichte eines Verbrechens – nur eines von vielen, wie er sagte, die von den amerikanischen Streitkräften begangen worden seien. Es ging um ein Dorf, das die Amerikaner angeblich Haus für Haus durchsucht hatten. »Sie durchsuchten sogar die Frauen!«, kreischte der Imam. Dann fragte er mit lauter Stimme: »Iraker! Seid ihr damit einverstanden?«

»Nein«, antwortete die Menge einstimmig.

Der Imam fuhr fort: »Die Iraker verlieren ihre Geduld! Wir warnen die Besatzer: Unsere Geduld ist bald zu Ende. Und wenn sie weiterhin die Würde der Iraker mit Füßen treten, werden sie eine neue Art von Widerstand erleben!« Der Imam sagte, die Iraker wüssten, wie sie ihre nationale Ehre wiederherstellen könnten, und als Beispiel für ihre Fähigkeiten zitierte er den Aufstand von 1920 gegen die Briten, bei dem sein Vorfahre natürlich als großer Held dastand.

Der Imam warnte vor Sektierertum und erinnerte seine Zuhörer daran, dass die Iraker 1920 auch nicht darauf geachtet hatten, ob sie Sunniten oder Schiiten waren. »Sie hatten nur das eine im Sinn: die Besatzer loszuwerden. Lasst sie gehen, und wir können geeignete Führer wählen, die uns leiten. Sie brauchen nur zu verschwinden!« Er rief dazu auf, den neuen Regierungsrat nicht anzuerkennen, wetterte gegen Racheakte gegen ehemalige Baathisten, indem er sagte: »Lasst die Vergangenheit ruhen«, und beklagte die verletzte Würde des Irak. »Iraker!«, kreischte er. »Wacht auf, hört auf zu schlafen! Vereint euch im Kampf gegen die Verbrecher und Plünderer und jene, die dieses Chaos fortsetzen wollen.«

Nach den Gebeten hielten Dhari und ein weiterer Imam eine aufwühlende Rede an die Menge, die aus der Moschee hinaus auf die Straße strömte. Ungefähr 5000 oder 6000 Männer riefen »Nieder mit dem Kolonialismus«, »Gott ist groß« und »Nieder mit den Besatzern«. Trotz der Appelle gegen das Sektierertum wurden Flugblätter verteilt, welche die Bevölkerungszahlen anzweifelten, aufgrund derer die Schiiten mehr Sitze im Rat erhalten hatten als die Sunniten. Dieses Thema schien die Menge zu erzürnen, und sogar Salih erklärte mir, dass er in diesem Punkt derselben Ansicht sei. Wie die Redner betonte er, dass die Sunniten keine Eindrittelminderheit im Irak ausmachten, sondern eine Zweidrittelmehrheit – wenn man die sunnitischen Kurden hinzuzählte. Die Schiiten dürften nicht aufgrund einer Wahl an die Macht gelangen, sagte er. Wenn das geschähe, würden sie ein religiöses Regime wie im Iran einführen. Einer der Imams rief: »Wir werden den Besatzern die Stirn bieten vom Norden bis zum Süden des Irak, in Basra und Bagdad, in Ramadi und Falludschah!« Bei der Erwähnung von Falludschah, das zum Symbol für den Widerstand gegen die Amerikaner geworden war, ertönte es im Chor aus der Menge: »Lang leben die Einwohner Falludschahs!«

Im August verließ ich den Irak, just als die schauerliche Welle von Selbstmordattentaten über Bagdad hereinbrach und unzählige Menschen in der jordanischen Botschaft, im UNO-Hauptquartier und an einer Reihe anderer Orte starben. Eines der Opfer war Ayatollah Mohammed Bakr al-Hakim, der am 29. August mit mindestens 100 weiteren Menschen in Stücke gerissen wurde, als zwei sprengstoffbeladene, mit Zeitzündern versehene Autos außerhalb des Imam-Ali-Schreins in Nadschaf in die Luft gingen. Hakim war im Mai nach Hause zurückgekehrt und hatte sein Gelübde erfüllt, sein geistliches Leben in Nadschaf wieder aufzunehmen, und kümmerte sich zumindest in der Öffentlichkeit nicht um die Politik. Er hatte gerade die Freitagsgebete beendet, als er getötet wurde. Hakims Nachfolger als Führer des Obersten Rates für die Islamische Revolution im Irak wurde sein jüngerer Bruder Abdulasis, der die Partei bereits im neuen irakischen Regierungsrat vertrat.

Ein paar Wochen zuvor hatte ich Abdulasis in seinem neuen Büro in Bagdad besucht, das sich in einem gut bewachten Haus befand, in dem einst Tariq Asis' Leibwächter gewohnt hatten. Abdulasis schien bemerkenswert rasch in seine neue Rolle als politischer De-facto-Verbündeter der Zivilverwaltung geschlüpft zu sein, machte jedoch keinen Hehl aus seiner Missbilligung der fremden militärischen Besetzung und drückte seine Hoffnung aus, dass sie nicht lange dauern würde. Er erklärte mir, dass ihn die unzureichenden Sicherheitsbedingungen sehr beunruhigten, die er ausschließlich auf Fehler der Amerikaner zurückführte.

Ein paar Tage vor meiner Abreise hörte ich das Gerücht, Samir Tschairi sei von den Amerikanern festgenommen und ins Gefängnis geworfen worden. In Begleitung von Sabah eilte ich zu seinem Haus. Die Metalltore waren zerfetzt und mit Stacheldraht von der Straße abgesperrt worden. Ich sah, dass alle Türen und Fenster des Hauses entweder herausgerissen oder zerstört worden waren. Wir fragten die Nachbarn, was geschehen sei. Das amerikanische Militär sei mit Gewalt in das Haus eingebrochen und habe Samir abgeführt, erzählten sie. Später hätten »Plünderer« – sie verrieten nicht, wer – das Haus auf den Kopf gestellt und ausgeraubt. Ich versuchte von den Amerikanern der

Zivilverwaltung zu erfahren, was mit Samir geschehen war, bekam aber keine Auskunft.

Ala Bashir rief mich aus Katar an. Er hatte den angebotenen Job angenommen und arbeitete sich gerade ein. Seine Frau und seine Tochter hatten die Visa für Großbritannien erhalten und waren auf dem Weg zu seinen beiden Söhnen nach England. Wir sprachen über Samir Chairi. Bashir wusste bereits von dessen Festnahme und sagte, er habe versucht, ihn über seine Kontakte freizubekommen, aber kein Glück gehabt. Niemand schien zu wissen, warum Samir festgenommen worden war, sagte er. Es war ein Geheimnis.

Als ich im November das nächste Mal nach Bagdad kam, stellte ich fest, dass sich der Ruf der Amerikaner weiter verschlechtert hatte. Eines Tages war ich bei Ali, einem sunnitischen Geschäftsmann, zum Mittagessen eingeladen. Ali drückte seine Meinung ganz unverblümt aus: »Die Selbstmordattentäter kommen meist aus anderen Ländern, aber ich sage Ihnen, wenn wir Iraker hören, dass einer davon Amerikaner getötet hat, sind wir glücklich. Wir freuen uns alle. Wenn jemand etwas anderes behauptet, dann lügt er.«

Nicht nur amerikanische Soldaten, sondern jeder, der im Verdacht stand, für die Zivilverwaltung zu arbeiten, ob er Iraker war oder aus einem westlichen Land stammte, galt den Aufständischen inzwischen als Freiwild. Polizisten und Politiker waren die bevorzugten Opfer, aber auch Dolmetscher und sogar Waschfrauen, die den Amerikanern die Wäsche erledigten, wurden ermordet. Im Irak war niemand mehr wirklich sicher. Am Morgen, als ich in Bagdad eintraf, wurde das Palestine von mehreren Raketen getroffen, die klug getarnt von einem Eselskarren aus abgeschossen wurden. Niemand kam um, doch eine Rakete zerstörte das Mauerwerk und landete lediglich fünf Meter vom Zimmer meines Freundes John Burns entfernt. Die übrigen Ho-

Auf dieser Reise arbeitete ich nicht mehr mit Sabah zusammen. Ich hatte nach einem Vorfall im Juli, bei dem er seinen neuen weißen GMC Suburban fuhr, endgültig mein Vertrauen in ihn verloren. Ein paar Tage zuvor hatten wir uns über die Wahl des Fahrzeugs gestritten. Ich hatte Bedenken, mit diesem Jeep herumzufahren, der meines Erachtens den Fahrzeugen der Zivilverwaltung viel zu ähnlich sah, die immer häufiger von Bewaffneten angegriffen wurden. Sabah hatte meine Bedenken abgetan und halsstarrig darauf bestanden, dass sein Suburban sicher sei. Widerstrebend hatte ich nachgegeben. Dann blieben wir eines Morgens, als wir durch den Vorort Adhamijah fuhren, im Verkehr stecken, während zwei bewaffnete Männer hinter uns auftauchten und mit ihren Revolvern in unsere Richtung schossen. Wir mussten zu Recht annehmen, dass wir in Gefahr schwebten; Adhamijah war schließlich eine Hochburg des Widerstands gegen die Amerikaner, und in diesem Viertel gab es häufig Zusammenstöße. Sabah reagierte erschreckend langsam. Als ich ihm wütend zurief, er solle unbedingt aus der Schusslinie verschwinden, beging er den Fehler, dem Wagen vor uns hinterherzufahren, der von der Hauptstraße in eine Sackgasse einbog. Es stellte sich nämlich heraus, dass die bewaffneten Männer auf den Fahrer dieses Wagens schossen. Wir merkten das erst, als er unvermittelt bremste, aus dem Auto sprang und wegrannte, während wir gezwungen waren, eine – für meinen Geschmack viel zu langsame – mühselige Kehrtwende zu machen, um den rasch näher kommenden Männern auszuweichen und zu verschwinden, bevor sie das Feuer wieder eröffneten. Nach dieser Geschichte fühlte ich mich bei Sabah nicht mehr sicher. Da Bagdad immer gefährlicher wurde, wollte ich in einem unscheinbaren kleinen schnellen Wagen mit einem Chauffeur fahren, der gute Nerven und eine ruhige Hand hatte und der vor allem meine Anweisungen befolgte. Die Zeiten hatten sich geändert. Es ging hier nicht um Freundschaft, sondern um Sicherheit.

Auf meiner Rückreise aus dem Irak machte ich in Amman Halt, um Nasser al-Sadun zu besuchen. Vor ungefähr einem Jahr hatten wir uns kennen gelernt, und er hatte vor den katastrophalen Folgen einer Besetzung des Irak gewarnt. Als ich ihn nun an seine Vorhersage erinnerte, lächelte er müde. Ganz offensichtlich war er nicht stolz darauf, dass seine Prophezeiung wahr geworden war. Mit dem Sinn für Details, den er als Ingenieur nun einmal hatte, erklärte er mir, was die Amerikaner seiner Meinung nach tun sollten, um die Lage zu retten. »Ich denke, die Amerikaner sollten sich von den Städten aufs Land zurückziehen und sich von Straßenkreuzungen fern halten, an denen sie ständig aus dem Hinterhalt überfallen werden können. Aber zuerst müssen sie mehrere Divisionen der irakischen Armee wieder aufstellen« – die Paul Bremer, der Chef der amerikanischen Zivilverwaltung, im Mai offiziell aufgelöst hatte – »und die irakische Polizei patrouillieren lassen. Je mehr sie die Iraker einbeziehen, umso besser. Die Amerikaner sollten sich nicht öffentlich zeigen, sondern es allein den irakischen Offizieren überlassen, die Dinge in die Hand zu nehmen, so dass die Fundamentalisten, wenn sie ihre Angriffe starten, nur Iraker treffen, was das Volk gegen sie aufbringen wird. Die Amerikaner sollten nur in Erscheinung treten, wenn sie gebraucht werden. Die Iraker sind nämlich sehr stolz auf ihre Verantwortung, doch wenn jemand anderes sie übernommen hat, kümmern sie sich um nichts. Also muss man den Irakern Verantwortung übertragen. Die Briten haben diese Lektion schon vor langer Zeit gelernt. Nach und nach zogen sie ihre Leute auch aus den Ministerien ab, und 1930 hatten alle das Land verlassen.« Nasser schwieg, um sich seine Pfeife anzuzünden. Er zog daran und lehnte sich zurück, offensichtlich in Gedanken versunken. Mir fiel dabei auf, dass ich seit vielen Jahren niemand getroffen hatte, der noch Pfeife rauchte. Nasser erklärte mir, er habe sich auch ein paar Gedanken über die Politik gemacht. Wenn die Amerikaner ihre

Truppen so zurückziehen würden, wie er vorgeschlagen hatte, würden die meisten Iraker, so glaubte er, ihre fortgesetzte Anwesenheit im Land zur Sicherung des Übergangs zur Demokratie dulden. Aber die Iraker brauchten eine eigene Leitfigur, sagte er, jemand, der sie führen konnte und der ihre Achtung genoss. Seiner Meinung nach könnte eine solche Rolle von einem haschemitischen König übernommen werden, sagte er. Sein alter Freund, Kronprinz Hassan von Jordanien, wäre dieser Aufgabe gewachsen, aber Nasser war sich sicher, dass Hassan es niemals akzeptieren würde, von den Amerikanern auf den Thron gesetzt zu werden. »Er würde es nur tun«, sagte Nasser, »wenn die Iraker nach ihm verlangen würden.« Er meinte, die irakischen Sunniten und eine große Zahl von Schiiten würden von ihren Differenzen absehen und eine Persönlichkeit akzeptieren, die über politische Konflikte erhaben wäre. Inzwischen, also bis zu den Wahlen, könne man vielleicht einen ehemaligen Militärangehörigen, dem keine Kriegsverbrechen angelastet werden, als De-facto-Präsident des Irak einsetzen. Er erwähnte Saddams letzten Verteidigungsminister, General Sultan Hashim Ahmed, der sich vor kurzem den Amerikanern gestellt hatte. »Die Armee wird ihn respektieren und ihm ergeben sein. Vielleicht könnte dieser Mann die Übergangsregierung leiten.« Nasser sagte, er wisse wohl, dass sein Vorschlag nicht unbedingt ideal wäre, aber die Probleme des Irak erforderten dringend eine praktische Lösung, und die oberste Priorität im Irak sei eine starke Führung. »Bei einer schwachen Regierung ist die Gefahr wirklich groß, dass im Irak ein Bürgerkrieg ausbricht«, meinte Nasser. »Die Regierung muss hart und streng sein. Mörder sollten in den Straßen aufgehängt werden, damit die Menschen sehen, was geschieht, wenn sie schwere Verbrechen begehen. Die Amerikaner können nicht einfach sagen: Keine Todesstrafe mehr im Irak. Das geht hier überhaupt nicht. Nur einer starken Regierung mit militärischem Einfluss werden die Menschen gehorchen.« Ich fragte Nasser, ob er die Absicht habe, in seine Heimat zurückzukehren. Er schüttelte den Kopf. »Es ist so viele Jahre her, und alles hat sich so gründlich verändert«, sagte er. »Meine Freunde sind nicht mehr da. Mein Leben findet jetzt hier statt.« Vielleicht, wenn sich alles beruhigt habe, würde er zu Besuch hinfahren, »wie ein Tourist«, fügte er kichernd hinzu. Er gab zu, dass seine Frau Tamara anders dachte, und zuckte die Achseln. Ich wusste, dass Tamara nach dem Krieg in den Irak zurückgekehrt war und die meiste Zeit dort lebte. Wir hatten uns ein paar Tage zuvor in Bagdad getroffen, und sie hatte mir begeistert von ihrer Arbeit berichtet. Sie hatte angefangen, sich um irakische Waisen zu kümmern, und hatte viele andere Projekte im Kopf. Sie sagte, sie glaube, es sei ihre Pflicht, alles zu tun, was sie könne, um zu helfen, das marode Land wieder aufzubauen. Für Tamara gehörte Amman eindeutig ihrer Vergangenheit an. Mit dem Fall Bagdads hatte sie eine Heimat und eine Perspektive für die Zukunft wiedergewonnen.

Am Abend des 17. März 2004 war ich wieder in Bagdad, saß in meinem Zimmer im Hotel Palestine und trank meinen Kaffee in kleinen Schlucken, als ein Riesenknall das Gebäude erschütterte, meinen Kaffee überschwappen ließ und mich aus meinem Stuhl schleuderte. In Bagdad war der Lärm der Schießereien inzwischen Routine, und fast täglich hörte man Bombenexplosionen. Erst vor kurzem hatte es ein paar Detonationen gegeben, aber nicht so durchdringend wie diese. Es war die stärkste Explosion, die ich seit der Bombardierung Bagdads erlebt hatte, die fast genau vor einem Jahr begann.

Ich eilte auf den Balkon hinaus, von dem aus ich eine gute Sicht über den Tigris und auf Saddam Husseins ehemaligen Präsidentenpalast-Komplex hatte, der am anderen Ufer zur sogenannten Grünen Zone geworden war. Zuerst sah ich nichts. Ich reckte den Hals in Richtung Innenstadt, nach Nordosten, und dort entdeckte ich eine große graue Rauchwolke, die sich in den Nachthimmel erhob. Ich stieg aufs Dach, um einen besseren Blick zu haben. Ungefähr sechs Blocks entfernt, in einem Viertel mit kleinen Hotels und Wohngebäuden, züngelten Flammen aus einem klaffenden Loch. Es sah aus, als sei ein Backenzahn gewaltsam aus einer Zahnreihe herausgerissen worden.

Ich schloss mich ein paar befreundeten italienischen Reportern an, um mir das Ganze aus der Nähe anzusehen. Wir gingen zu Fuß zur Unglücksstelle, nahmen eine Abkürzung über eine dunkle Seitenstraße und stießen auf zwei junge Männer, die mitten auf der Straße Fußball spielten. Einer von ihnen hielt inne, hob den Ball auf und zeigte uns bereitwillig den Weg. Dann setzte er sein Spiel fort. Ein Stück weiter hielt ein Taxi neben uns, und wir stiegen ein. Wir kamen auf eine breitere Straße und fuhren etwa 200 Meter, bis wir eine Kreuzung erreichten, auf der sich Krankenwagen, Feuerwehrwagen und Polizeiautos drängten und den Weg versperrten. Hysterische Männer in Polizeiuniformen und andere in Zivil rannten umher, sie brüllten, schwenkten ihre Waffen und versuchten, den Verkehr umzuleiten. Einige Männer stritten miteinander. Einer rannte mit einer Pistole in der Hand umher. Amerikanische Soldaten in Humvees und dröhnenden Panzerwagen ratterten an uns vorbei in das Chaos hinein. Anscheinend waren sie gerade erst aufgetaucht. Wir baten den Taxifahrer, uns an Ort und Stelle aussteigen zu lassen. Das tat er und verlangte kein Geld von uns, sondern sagte höflich auf Englisch, dass er »verstehe«, und wünschte uns eine gute Nacht.

Die Explosion hatte eine Reihe von Häusern, ein kleines Hotel, das Mount Lebanon, und einen Wohnblock zerstört und ein weiteres kleines Hotel stark beschädigt. Die größeren Gebäude wiesen Brandspuren auf, ihre steinernen Faszes waren zertrümmert, ihr Inneres war auseinander gerissen und verdreht worden. Die Häuser lagen mehr oder weniger in Schutt und Asche.

Eines war nur noch ein Trümmerhaufen. Das andere sah aus, als sei es senkrecht von oben in zwei Hälften zerhackt worden, so als hätte jemand versucht, einen Kuchen mit einer Machete aufzuschneiden. Die Rückseite des Hauses stand noch, wies jedoch starke Risse auf, und die restlichen Mauern drohten jeden Augenblick einzustürzen, während das Innere sichtbar war. Ein Schlafzimmer im zweiten Stock war den Augen der Öffentlichkeit zugänglich wie eine Puppenstube, die im Museum ausgestellt wird; aber das Bett jonglierte über der klaffenden Kante, und ein Teppich hing über den einstigen Boden herunter. Der gerahmte Druck einer irakischen Hirtenszene hing immer noch an der Wand. Ich hörte jemanden sagen, dass irgendwo unter dem Chaos aus Ziegeln und Mörtel vielleicht Menschen verschüttet sein könnten, die noch lebten. Das war schwer vorstellbar.

Als die Bombe einschlug, hatte sie auf der Asphaltstraße einen großen Krater hinterlassen. Er war ungefähr zwei Meter tief und fünf Meter breit. Überall lagen schwarze Schmutzpartikel verstreut, Berge von Schutt und Asche, ein umgestürzter Baum. Beißender Rauch stieg von den Trümmern auf. In der Luft lag ein unangenehm feuchter Brandgeruch. Feuerwehrleute in gelben Jacken und Hosen besprengten die rauchenden Trümmer mit Wasser. Ich zählte fünf verbrannte Autos auf der Straße. Paramilitärisch aussehende Amerikaner mit kugelsicheren Westen – vermutlich FBI-Agenten – inspizierten sorgfältig den Krater. Die Szene war ein Chaos aus flackernden Blinklichtern, Scheinwerfern, Gebrüll, drängelnden Männern und verwirrt dreinblickenden amerikanischen Soldaten, die versuchten, den Schauplatz zu räumen. Ich sah ein paar verletzte Männer, die zu humpeln versuchten und gleichzeitig von anderen Männern halb weggetragen wurden. Ein anderer Mann, der eine blutbespritzte graue Dishdasha trug, lag tot oder bewusstlos auf einer Trage, die in einen wartenden Krankenwagen geschoben wurde. Amerikanische Soldaten und irakische Polizisten bemühten sich, die Menge aus Gaffern, Verwandten und Reportern aufzuhalten. Feuerwehr- und Krankenwagen kamen an und fuhren fort. Alle hatten Mühe, auf dem uneben gewordenen Boden aufrecht zu gehen.

Salam, ein irakischer Freund von mir, tauchte in den Rauchschwaden auf. Langsam kam er auf mich zu. Er sagte mir, dass eine Rakete abgeschossen worden sei. Ich entgegnete, dass es für mich eher nach einer Autobombe aussah. Salam sagte, ein Mann habe ihm erzählt, dass er die Rakete gesehen habe. Und er habe gehört, dass etwa 50 Zivilisten getötet worden seien. Während der Bombardements in Bagdad hatte ich gelernt, nicht alles zu glauben, was von den Leuten auf der Straße behauptet wurde, und das sagte ich Salam auch. Es war zu verwirrend, und zu viele Geschichten kursierten um ein Ereignis, um noch erkennen zu können, was wirklich geschehen war.

Schließlich wurde ich zusammen mit allen anderen, die sich hier versammelt hatten, von amerikanischen Soldaten verscheucht. Einige waren höflich, andere grob. Mit einer Gruppe von Menschen wurde ich einen Wohnblock weiter getrieben. Unter uns war ein verzweifelter Iraker, der die Soldaten anflehte, ihn durchzulassen. Ein anderer Iraker, der Englisch sprach und sich ganz in meiner Nähe befand, bemerkte: »Er versucht, ihnen klar zu machen, dass er genau dort wohnt« – er deutete ein paar Meter weiter – »aber sie lassen ihn nicht nach Hause gehen.« Er schüttelte missbilligend den Kopf und sagte zu mir: »Das sind Ihre Leute. Können Sie ihnen nicht klar machen, dass sie wenigstens nett sein sollten?«

Ich kehrte auf eigene Faust ins Palestine zurück. Es war erst 22.30 Uhr, aber auf den Straßen fuhren nur noch vereinzelte Autos, und es war dunkel und unheimlich. Alle Läden hatten geschlossen, mit Ausnahme eines einzigen Zigarettenkiosks am Straßenrand. Die wenigen Iraker, an denen ich vorbeikam, bedachten mich mit neutralen Blicken. Ich hatte das Gefühl sehr verletzlich zu sein, und erst als ich mich wieder innerhalb der verstärkten Mauern befand, die um das Palestine errichtet worden waren, und an den Wachen vorbeiging, die den Eingang im Auge behielten, fühlte ich mich wieder einigermaßen sicher.

Der Irak war inzwischen ein viel gefährlicherer Ort als noch ein Jahr zuvor. Die Iraker waren durch die Operation Iraqi Freedom von ihrem Diktator befreit worden, konnten aber ihre neue Freiheit nicht ohne weiteres genießen. Sie konnten jetzt ihre Meinung frei äußern, im Internet surfen, Satellitenfernsehen empfangen, jede Zeitung lesen und sich jeder beliebigen politischen Partei (mit Ausnahme der Baath-Partei) anschließen; aber anscheinend waren jetzt auch Terroristen und Verbrecher so frei, dass sie gegen jeden vorgingen, der ihnen nicht passte, wann immer und wo immer sie wollten.

Freiheit ist nur ein symbolischer Wert, wenn ein Staat nicht in der Lage ist, ihre Vorteile für seine Bürger nutzbar zu machen. Damit das möglich wird, muss Sicherheit herrschen. Das klingt logisch. Dennoch war diese wesentliche Voraussetzung ein Jahr nachdem George W. Bush erklärt hatte, den Irak vom Bösen befreit zu haben, noch immer nicht gegeben. Keiner meiner irakischen Bekannten fühlte sich durch die Anwesenheit von 130 000 amerikanischen Soldaten im Land beruhigt oder beschützt. Ganz im Gegenteil. Weil ihre eigene Sicherheit bedroht war, lebten die amerikanischen Truppen an sicheren Orten wie der Grünen Zone oder in Saddams ehemaligen Palästen und Kasernen, von Wachen und verstärkten Mauern beschützt. Wenn sie in Erscheinung traten, standen sie der irakischen Gesellschaft nur mit kugelsicheren Westen, Kevlar-Helmen und Waffen gegenüber, und sie fuhren in Panzerwagen und mit schussbereiten Gewehren. Häufig wurden mehrere Soldaten aus dem Hinterhalt oder von ferngesteuerten, am Straßenrand explodierenden

Bomben getötet. Nach solchen Zwischenfällen eröffneten die Soldaten häufig ein heftiges Feuer, ließen einen regelrechten Kugelhagel auf alles um sich herum niedergehen. Allzu oft töteten sie dabei irakische Zivilisten, die zufällig in die Reichweite ihrer Kugeln gerieten.

Für Menschen aus dem Westen war es nicht mehr sicher, durch das Land zu reisen. Allein im März führte eine Reihe von Schießereien aus dem Hinterhalt zum Tod von ungefähr 20 Zivilisten aus westlichen Ländern, darunter Geschäftsleute, Unternehmer, Geistliche und Mitarbeiter von Hilfsorganisationen. Nach dem Bombardement des Mount Lebanon, das offensichtlich unter Beschuss geriet, weil in diesem Hotel ausländische Gäste wohnten (ein britischer Geschäftsmann gehörte zu den Opfern), und nach mehreren Angriffen auf weitere unbewachte Hotels verbargen sich die meisten westlichen Reporter und andere Zivilisten, die in Bagdad blieben, hinter den Mauern, die das Palestine und das Sheraton umgaben. Manche zogen auch ins Al-Hamra, das inzwischen ebenfalls durch verstärkte Mauern und bewaffnete Männer beschützt wurde. Die einzigen Menschen in Bagdad, die ohne solchen Schutz lebten, waren Iraker, und auch für sie war das Leben gefährlich geworden. Es gab immer mehr Verbrecherbanden, die ungestraft ihr Unwesen trieben. Seit dem Fall Bagdads war die Zahl der Morde und Vergewaltigungen wie auch der Autodiebstähle und Entführungen mit Lösegeldforderungen sprunghaft angestiegen. Häufig waren die Opfer Kinder.

Sabahs jüngster Sohn, der zwölfjährige Ala, war zu Beginn des Jahres entführt worden. Ich erfuhr davon wenige Tage nachdem ich Anfang März nach Bagdad zurückgekehrt war. Sabah kam zu mir, wie er es immer zu tun pflegte, und berichtete mir davon. Er weinte, als er mir den Vorfall erzählte. Er erklärte mir, dass Ala eines Morgens mit mehreren Freunden zur Schule gegangen war, als plötzlich ein paar Männer in einem Auto auftauchten und ihn entführten. Ein paar Stunden später erhielt Sabah einen anonymen Anruf von einem Mann, der 50 000 Dollar von ihm verlangte, wenn er Ala lebend wiedersehen wollte. Das war sehr viel mehr Geld, als Sabah hätte aufbringen können. In den nächsten drei Tagen verhandelte Sabah mit den Kidnappern und handelte sie schließlich auf 6000 Dollar herunter. Er musste seinen weißen Mercedes verkaufen, um das Geld zusammenzukriegen. Am dritten Tag fuhren zwei seiner Brüder zu einer einsamen Stelle, die ihnen von den Kidnappern angegeben wurde, und übergaben das Geld einem sorgfältig maskierten Mann. Ein paar Stunden später ließen die Kidnapper Ala wenige Wohnblocks von seinem Haus entfernt am Straßenrand raus, und er kam nach Hause. Er berichtete Sabah, dass er mit verbundenen Augen in einer Garage festgehalten worden war und nur wenig zu essen bekommen hatte.

Seit der Entführung hatte Sabah seinen Sohn nicht mehr in die Schule gelassen, sondern zu Hause behalten. »Er vermisst die Schule, aber was soll ich nur tun, Mr. Jon Lee?« Er brach erneut in Tränen aus. Ich fragte Sabah, was aus seinem GMC Suburban geworden sei. Da ich wusste, wie gern Sabah auffiel, hatte ich den leisen Verdacht, dass sein großer protziger Wagen und sein Mercedes die Aufmerksamkeit der Kidnapper erregt hatten. Mit reuigem Blick erzählte er mir, dass er den Suburban immer noch besaß, aber seit Alas Entführung in der Garage stehen ließ.

Ab dem 4. April kam es noch schlimmer. Im Laufe der nächsten zwei Wochen wurden mindestens 70 Amerikaner und mehr als 700 Iraker getötet. Seit der amerikanisch-britischen Invasion vor einem Jahr war es die schlimmste Welle der Gewalt, die der Irak erlebte, und ihr Ende war nicht abzusehen. Die unerwartete Eskalation der Feindseligkeiten und die große Zahl von Toten lösten auf der ganzen Welt Alarm aus, und es stellten sich neue Fragen zur Besatzung des Irak durch die Bush-Administration.

Auch die letzten Zweifler sahen nun ein, dass die Vereinigten Staaten immer noch Krieg im Irak führten.

Die neue Gewalt war durch mehrere Ereignisse hervorgerufen worden. Am 31. März wurden vier amerikanische Unternehmer bei ihrer Fahrt durch Falludschah aus dem Hinterhalt überfallen und getötet. In einem Ekel erregenden Spektakel, das von Al-Dschasira gefilmt und gesendet wurde, zerstückelten Männer und Jugendliche ihre verkohlten Leichen, schleppten die Leichenteile durch die Straßen und hängten sie an Straßenlaternen und an einer Brücke auf, die über den Tigris führt. Danach umzingelte die erste Marinedivision (die erst kurz zuvor von einer Armeedivision die Zuständigkeit über das Gebiet von Falludschah übernommen hatte) die Stadt, um die Männer zu verhaften oder zu töten, die für die Ermordung der Unternehmer verantwortlich waren. Als die Marines am 5. April einmarschierten, stießen sie auf heftigen Widerstand, und es gab viele Opfer. Ihre Polizeiaktion weitete sich daraufhin zu einer regelrechten Belagerung aus, da sie die Stadt heftig bombardierten und mit Kampfhubschraubern, F-18 und Panzern angriffen. Zehntausende von Zivilisten flohen aus Falludschah.

Gleichzeitig entstand eine neue Front, und zum ersten Mal sah sich die Zivilverwaltung gezwungen, nicht nur aufständische Sunniten, sondern auch Schiiten zu bekämpfen. Am 4. April griffen die bewaffneten Anhänger von Moqtada al-Sadr die spanischen und salvadorianischen Koalitionstruppen an, die in Nadschaf stationiert waren, und töteten einen salvadorianischen Soldaten. Danach nahmen amerikanische Truppen einen von Sadrs Beratern gefangen und beschuldigten ihn, an dem Mord an Abdel Madschid al-Khoei ein Jahr zuvor beteiligt gewesen zu sein. Nach dem Gefecht in Nadschaf begannen Sadrs Kämpfer, die schwarze Turbane und schwarze Gewänder trugen und sich selbst Mahdi-Armee nannten, einen Aufstand im Süd- und Mittelirak, überfielen und töteten Soldaten der Koalitionstruppen und besetzten die Polizeistationen in ungefähr einem halben Dutzend Städten und in mehreren Bezirken Bagdads, einschließlich Sadr-City. Als die Amerikaner mit Panzern und Kampfhubschraubern zum Vergeltungsschlag ausholten, rief Sadr seine schiitischen Glaubensbrüder von seiner Moschee in Kufa, einer Stadt in unmittelbarer Nähe von Nadschaf, auf, den ausländischen Invasoren Widerstand zu leisten. Ein paar Tage später zog er sich in sein Haus in Nadschaf zurück, in eine Seitengasse ganz in der Nähe des Imam-Ali-Schreins. Mehrere Hundert Iraker und mehrere Dutzend Soldaten der Koalitionstruppen starben, bevor Sadrs Kämpfer von ihren gerade erst errungenen Posten verjagt wurden und nach Kufa und Nadschaf zurückkehrten.

Die Amerikaner verkündeten, dass Sadr selbst wegen Mordes an Khoei gesucht werde und dass sie ihn verhaften oder töten würden, wenn er sich nicht selbst stellte. Die US-Armee entsandte 1000 Soldaten, um Nadschaf einzukreisen. Sadr blieb aufsässig und forderte die Amerikaner heraus, in die heilige Stadt zu kommen und ihn zu holen. Sollten sie das wagen, so warnte Sadr, würde das einen heiligen Krieg in allen Teilen des Irak auslösen, was er sich eindeutig zu wünschen schien. Am Ende der zweiten Aprilwoche bot sich eine Reihe von Scheichs, religiösen Führern und anderen Persönlichkeiten als Vermittler an, und die Kämpfe ließen an Heftigkeit nach. Schiitische Politiker, einschließlich Abdulasis al-Hakim, versuchten, die Spannung zwischen den Amerikanern und Sadr im Süden abzubauen, während Imam Dhari und andere sunnitische Geistliche als Vermittler und politische Vertreter der sunnitischen Mudschaheddin auftraten, die in und um Falludschah agierten. Die verborgenen Widerstandsgruppen, die inzwischen entstanden waren, heizten die Spannung an, indem sie ungefähr 50 Ausländer entführten, darunter Entwicklungshelfer, Menschenrechtsaktivisten, Unternehmer, Soldaten und Journalisten. Einige Geiseln wurden nach ein paar Stunden freigelassen, aber die Entführungen gingen weiter. Insbesondere Staatsbürger der Nationen, die zur Koalition gehörten, waren weiterhin stark gefährdet.

Die imposante Kadhimijah-Moschee mit ihrer goldenen Kuppel, eines der wichtigsten schiitischen Heiligtümer im Irak, thront über dem gleichnamigen Viertel in Bagdad. Es ist eines der ältesten und attraktivsten Viertel der Hauptstadt mit breiten, von Dattelpalmen gesäumten Straßen, an denen alte Villen stehen. Im Umkreis der Moschee trifft man immer auf unzählige Pilger, sogar viele aus dem Iran, und in den Gängen des alten Basars, der für seine Goldschmiedearbeiten berühmt ist, wimmelt es von Kauflustigen. Ein breiter Fußgängerweg führt wie eine Promenade zur Moschee, und für gewöhnlich drängeln sich hier Menschen, denn er ist mit seinen Ständen für Eis und Erfrischungsgetränke ein beliebter Spazierweg für Familien mit Kindern, für schüchterne Paare und Pilgergruppen. Kleine Läden entlang der Promenade verkaufen Bonbons und eingelegten Blumenkohl, Oliven, Cashewnüsse, Pistazien, Teppiche und Wandbehänge mit eingewebten goldenen Inschriften aus dem Koran und Bildnissen von Imam Ali und Imam Husein, heroische Porträts, welche die verehrten Märtyrer als gut aussehende, kräftige Männer mit barmherzigem Blick darstellen.

Am Montag, dem 5. April, dem zweiten Tag von Sadrs Revolte, wirkte der Bereich um die Moschee im Vergleich zu den anderen schiitischen Vierteln der Stadt ungewöhnlich ruhig. Ich war bereits in Sadr City gewesen, wo eine große Menschenmenge auf einer Beerdigung in Rage geraten war, als sie uns westliche Ausländer erblickte. Ich war mit Samantha Appleton, einer jungen amerikanischen Fotografin, die mit mir zusammenarbeitete, und Franco Pagetti, einem italienischen Fotografen, unterwegs. Als die Menge außer Kontrolle zu geraten schien, beschlossen wir aufzubrechen. Wir fuhren nach Al-Shulla, einem weiteren schiitischen Viertel Bagdads, in dem ungefähr hundert Kämpfer vor Sadrs Parteibüro aufmarschiert waren. Sie hatten sich bis an die Zähne bewaffnet und sahen sehr grimmig aus. Auf der anderen Straßenseite sprang eine Gruppe von Männern und Jugendlichen auf dem rauchenden Wrack eines amerikanischen Militärfahrzeugs herum. Sie schwenkten ihre Dolche und brüllten. Von einem Hubschrauber aus war ein Haus beschossen worden, und immer noch erhob sich Rauch über seinem Dach. Wir zogen uns zurück, als auch hier die Menge ausrastete und eine Gruppe junger Männer auf unsere Fahrzeuge einhämmerte.

Auf dem Weg nach Kadhimijah hing eine schwarze Fahne über der Straße, auf der in englischer Sprache geschrieben stand: FRIEDE SEI MIT DIR, HUSEIN, HELD, DER DU DICH GEGEN DIE TYRANNEI ERHOBEN HAST. Als wir mit unserem Wagen die Busse der Pilger in der Nähe der Moschee erreichten, beauftragte ich unseren Fahrer Salam, anzuhalten und zu erkunden, ob wir willkommen seien. Salam war ein ausgebuffter, humorvoller Schiite, der gewöhnlich für Samantha arbeitete. Während meiner letzten Reise in den Irak im November und Dezember hatten Samantha und ich unsere Zusammenarbeit begonnen, und Salam war bei ihr geblieben und diente uns als Fahrer und gelegentlich als Dolmetscher. Er kehrte schnell wieder zurück und winkte uns heraus. Einige Männer in schwarzen Hemden und Hosen, die zur Mahdi-Armee gehörten, standen bei ihm. Sie waren bewaffnet. Wir wurden nur flüchtig begrüßt und gingen über die Promenade zu einem Husseinijah, einem schiitischen Gemeindezentrum, das zu Sadrs örtlicher Niederlassung umfunktioniert worden war. Ein paar hundert Meter weiter prangten die großen blanken goldenen Kuppeln der Moschee. Nur wenige Menschen hielten sich hier auf. An der Tür empfingen uns weitere Kämpfer. Im Innenhof herrschte ein Gewimmel von bewaffneten Männern und Jugendlichen, die alle schwarz gekleidet waren. Die meisten von ihnen trugen ein schwarzes Gewand, einen schwarzen Turban und einen schwarzen Bart. Er hatte eine griechische Nase und kluge Augen. Ich stellte auch fest, dass er gern lächelte. Schüchtern sprach er ein wenig Englisch, mit leiser, aber durchdringender Stimme. Er sagte, er habe kurze Zeit in Kanada gelebt. Er war 1998 ins Exil gegangen, nachdem Saddam Moqtada al-Sadrs Vater und zwei seiner älteren Brüder hatte töten lassen. Der verstorbene Imam Sadr sei sein spiritueller Mentor gewesen, weshalb der Muchabarat auch ihn töten wollte, sagte er. Also floh er in den Iran und später nach Syrien. Schließlich landete er in Vancouver, wo er zwei Jahre verbrachte. Nach dem Krieg war er im vergangenen Jahr in den Irak zurückgekehrt. Hasem rollte seine schwarzen Hosen hoch und zeigte mir eine Bandage am linken Bein. Er berichtete mir, dass er während der Schießerei zwischen Sadrs Männern und irakischen und amerikanischen Sicherheitsleuten am Tag zuvor auf der Sadun-Straße in der Nähe des Palestine gestürzt sei und sich verletzt habe.

Während wir uns unterhielten, fingen die Mahdi-Kämpfer draußen im Hof an, Sprüche zu skandieren, um Moqtada hochleben zu lassen. Ich fragte Hasem, ob jetzt ein regelrechter Aufstand begonnen habe. Er erwiderte kryptisch: »Wo auch immer die Amerikaner versuchen, die Sadr-Büros zu schließen, werden die Menschen sie verteidigen.« Ich stellte die gleiche Frage noch mal. Er schüttelte den Kopf und sagte: »Die Menschen handeln lediglich in Selbstverteidigung, aber wenn die US-Streitkräfte so weitermachen, wird es eine Intifada. Heute Morgen nannte Bremer Moqtada einen Gesetzlosen. Damit hat er die Kluft zwischen uns nur noch vertieft.« Ich fragte Hasem, was geschehen würde, wenn die Amerikaner versuchten, Sadr zu verhaften. Er lächelte und erwiderte: »Das können sie nicht.«

»Warum nicht?«

»Weil er von ungefähr 10 000 bewaffneten Menschen umgeben ist.«

Unser Gespräch wurde mehrmals von Männern unterbrochen, die hereinplatzten und Hasem Notizen überreichten oder ihm etwas ins Ohr flüsterten. Sein Handy klingelte ständig. Vor der Tür entstand Unruhe. Hasem erklärte mir, er müsse jetzt gehen. Offensichtlich näherte sich eine amerikanische Panzerkolonne Kadhimijah, und man ging davon aus, dass sie angreifen würde. »Sie werden es *versuchen*«, sagte Hasem, lächelte und runzelte die Stirn, als er sich zurückzog.

Zusammen mit Hajdar Husseini, einem von Hasems Männern, der Englisch sprach, ging ich den Weg zur Moschee hinauf. Er war Ende zwanzig. Mehrere Mahdi-Kämpfer begleiteten uns. Einer von ihnen trug ein Schwert, die übrigen Gewehre. Die Moschee war von amerikanischen Truppen am Abend zuvor geschlossen worden. Hajdar erklärte, dass die Amerikaner mit Panzern nach Kadhimijah gekommen waren und Stacheldrahtrollen um die Moschee gelegt hatten. »Seit Saddam sie 1991 geschlossen hatte, ist sie nun zum ersten Mal erneut unzugänglich gemacht worden«, bemerkte er vorwurfsvoll. Eine kleine Gruppe iranischer Pilger stand vor der Drahtabsperrung vor der Moschee und betete. Außerhalb des Stacheldrahtzauns auf einem kleinen Rasenstück lagen eine Frau und ein behinderter Junge, die vermutlich hergekommen waren, um ein Wunder zu erleben. Hajdar sagte: »Wenn man Benzin auf die Straße gießt und es anzündet, was geschieht dann? Es entsteht eine Explosion. Gestern Abend versuchten die Amerikaner das. Sie drangen mit Panzern nach Kadhimijah vor und versuchten, uns zu provozieren, damit wir auf sie feuerten, aber wir beherrschten uns. Wir wollen Frieden. Sie wollen uns provozieren und uns zu Terroristen machen. Sie haben die Moschee geschlossen. Aber wir haben nicht geschossen.« Nachdenklich fügte Hajdar hinzu: »Ich weiß nicht, was geschehen wird, aber ich will keinen Krieg. Wenn er erst mal beginnt, hört er nie wieder auf. Aber wenn sie darauf bestehen, sagen wir: Herzlich willkommen«.

Hajdar erzählte mir, dass er wie Hasem mehrere Jahre im Exil verbracht hatte – in Syrien, in der Türkei, in Jordanien und im Iran. Er war Student an der Sprachenschule der Universität Bagdad gewesen – er hatte Niederländisch studiert, sagte er – und musste sein Studium abbrechen, um zu fliehen. Sein Verbrechen bestand darin, einen Offizier der Saddam-Fedajin angegriffen zu haben. Allerdings erklärte er mir nicht, weshalb er das getan hatte. Hajdar kicherte: »Danach rannte ich weg.« Kurz vor Kriegsbeginn war er in den Irak zurückgekehrt und im Untergrund geblieben. Ich fragte ihn, wann er sich Moqtada al-Sadr angeschlossen habe. Hajdar blickte mich durchdringend an. »Am 9. April 2003, an dem Tag, als Bagdad in die Hände der Amerikaner fiel und Saddams Statue auf dem Fardus-Platz umgestürzt wurde.« Ich fragte ihn, warum er sich ausgerechnet für Sadr entschieden habe. »Sadr wünscht sich nichts sehnlicher als einen freien Irak«, erwiderte Hajdar. »Er will, dass wir in Freiheit leben. Die anderen politischen Parteien kümmern sich nur um ihre persönlichen Interessen. Es ist ihnen egal, ob die Menschen sterben, verwundet oder von den amerikanischen Streitkräften verhaftet werden.« Er warf den Amerikanern vor, dass sie eine sektiererische Trennung im Irak provozierten, weil sie für eine proportionale Vertretung im Regierungsrat gesorgt hatten. Er fügte hinzu: »Sie versuchten, einen Krieg zwischen Sunniten und Schiiten zu provozieren, aber das ist ihnen nicht gelungen. Wir alle sind Brüder. Wir alle« – und er starrte mich durchdringend an – »sind Iraker.«

Am nächsten Tag, am 6. April, fuhren Samantha, Franco und ich nach Kufa, wo sich Sadr angeblich in der Moschee verschanzt hatte, in der er gewöhnlich betete. Wir fuhren mit zwei Autos. Die Straßen waren voller schiitischer Pilger, die ihren Marsch – in manchen Fällen sogar den ganzen Weg von Bagdad aus – nach Kerbala begannen, wo in vier Tagen das Arbajin, ein religiöses Fest, stattfinden würde. Mit dem Arbajin wird das Ende der 40-tägigen Trauerzeit für Imam Husein gefeiert, die in jedem Jahr am Jahrestag seines Todes beginnt. Die Pilger waren meistens schwarz gekleidet und trugen Flaggen in verschiedenen Farben bei sich. Ich entdeckte eine Gruppe in wunderbaren allegorischen Kostümen, die ein Kamel mit sich führte, über das eine bunte Decke gebreitet war. In den Städten und Dörfern hatten die Einwohner entlang der Straße kleine Zelte und Stände errichtet, auf offenen Feuern große Töpfe mit Reis und Suppe bereitgestellt, um den Pilgern einem alten schiitischen Brauch folgend Essen, Trinken und ein Dach über dem Kopf anzubieten. Erstaunlicherweise waren auf der ganzen Straße keine amerikanischen Militärkonvois zu sehen.

Weit und breit gab es keine Anzeichen von Unruhe, und auch von Sadrs Kämpfern war nichts zu sehen, bis wir in einer baumbestandenen Straßenkurve außerhalb von Kufa auf einen Kontrollposten stießen, an dem ungefähr ein Dutzend oder mehr bewaffnete Männer standen, die zumeist mit Keffijehs maskiert waren und die typischen schwarzen Turbane der Mahdi-Armee trugen. Sie hatten die nervöse Energie und die flüchtigen Bewegungen ungezähmter Tiere und benahmen sich ziemlich wild. Sie drohten herannahenden Autos mit Panzerfäusten und Kalaschnikows. Wir schlossen uns einem Konvoi von sieben Krankenwagen des Rothalbmonds an, die soeben eingetroffen waren. Während wir warteten, begannen die Kämpfer, im Sprechchor Sadr hochleben zu lassen. Die Fahrer der Krankenwagen stimmten ein. Offenbar hatten sie beschlossen, sich mit den Aufständischen zu verbünden, und hatten ihre Ambulanzwagen nach Kufa gefahren, um ihre Dienste anzubieten. Die Fahrer wurden mit einer Handbewegung durchgelassen, dann umringten uns die Kämpfer. Man befahl uns auszusteigen. Salam erklärte, dass wir Journalisten seien. Nach einigem Hin und Her durften wir weiterfahren.

Wir fuhren über eine Brücke, die den Euphrat überspannte, und kamen an einer Gruppe Sadr-Kämpfer vorbei, die sie bewachten. Einer von ihnen trug eine kugelsichere Weste der US Army, auf der in gelben Buchstaben auf Englisch *Police* zu lesen war. Darüber stand etwas auf Arabisch. Salam erklärte, dass die arabischen Zeichen neu seien und »Mahdi-Armee« anstatt »Irakische Polizeikräfte« bedeuteten. Die Atmosphäre in Kufa war angespannt. Um Sadrs Moschee herum drängten sich seine Kämpfer. Wir beschlossen, nicht zu bleiben. Sadr war anscheinend nach Nadschaf gefahren, und wir fuhren hinterher, mussten aber erst an weiteren Kontrollposten vorbei, die rings um den Schrein von Imam Ali errichtet worden waren. Währenddessen gab Sadrs oberster Stellvertreter in einem kleinen Gerichtssaal in einer Seitengasse eine Pressekonferenz. Der Mann stellte allerlei Behauptungen auf, unter anderem die recht unglaubwürdige, dass Großayatollah Sistani Sadrs Aufstand seinen Segen gegeben habe. Als die Pressekonferenz zu Ende war, tanzten Mahdi-Kämpfer im Kreis und riefen: »Nieder mit Amerika, nieder mit Israel«, was Fotografen und Kameraleute aufnahmen.

Wir beschlossen, dass es das Beste sei, noch bei Tageslicht nach Bagdad zurückzukehren. Einer von Sadrs Stellvertretern schrieb uns ein paar Zeilen auf, die besagten, dass wir die Erlaubnis hätten, auf der Rückfahrt die Kämpfer am Kontrollpunkt außerhalb von Kufa zu fotografieren, doch als wir dort ankamen, waren nicht alle einverstanden. Sie brüllten herum und drohten mit ihren Gewehren. Samantha und Franco machten trotzdem ein paar Bilder, und als wir gerade weiterfahren wollten, tauchte ein älterer Mann auf, der offensichtlich ein ortsansässiger Scheich war. Erneutes Gebrüll und Gewehrschwenken war die Folge. Die Kameras wurden beschlagnahmt, wir wurden alle in unsere Autos gedrängt und nach Kufa zurückgefahren, wo Salam und der Scheich in der Moschee verschwanden, während uns die Kämpfer draußen mehr oder weniger feindselig

Ich saß in meinem Zimmer im Palestine, als mich Franco Pagetti ein paar Tage später von der Lobby aus anrief und mir berichtete, dass Hasem al-Arradschi gerade von amerikanischen Soldaten festgenommen worden sei. Hasem war gekommen, um einem italienischen Journalisten ein Interview zu geben, und als er das Hotel verließ, hatte ihn jemand als obersten Berater des flüchtigen Moqtada al-Sadr verpfiffen. Ich eilte hinunter und sah, dass Hasem von einer Menge drängelnder und durcheinander schreiender Menschen umringt war und ein Kordon behelmter amerikanischer Soldaten versuchten, ihn abzuführen. Obwohl das Getümmel um ihn herum immer chaotischer wurde, telefonierte er eifrig auf seinem Handy. Eine Gruppe von Scheichs mit Kopftüchern, die in einem Konferenzsaal des Sheraton an einem Treffen von Stammesführern teilgenommen hatte, mischte sich ein. Sie bahnten sich einen Weg durch die Menge und riefen, dass sie nicht zulassen würden, dass Hasem festgenommen wurde. Die amerikanischen Soldaten erklärten, sie hätten nicht vor, ihn festzunehmen, sondern wollten lediglich mit ihm »reden«. Nach ungefähr einer Viertelstunde schob sich die Menge, mit Hasem in der Mitte, in den Konferenzsaal, in dem die Stammesscheichs ihr Treffen abhielten. Hasem nahm Platz und versuchte weiter, auf seinem Handy zu telefonieren, während die Menge um ihn herumschwirrte, doch schließlich gelang es den Soldaten, ihn zum Aufstehen zu bewegen und ihn aus dem Saal zu bugsieren. Sie fuhren mit ihm in einem gepanzerten Mannschaftswagen weg.

»Kannst du dir überhaupt vorstellen, was jetzt passieren wird?«, bemerkten irakische Freunde mir gegenüber fassungslos. Sie rechneten im Laufe der nächsten Stunden mit heftigen Protesten der Schiiten in Sadr City und sehr wahrscheinlich mit Vergeltungsangriffen auf den Hotelkomplex. Hasems Festnahme war ganz eindeutig ein politischer Fehler. Schließlich hatte die Verhaftung eines anderen Beraters von Sadr erst zum Aufstand geführt. Ich rief John Burns an, um ihm zu berichten, was geschehen war, und ihn daran zu erinnern, dass es Hasems Anruf war, der zu seiner Freilassung geführt hatte. Burns versprach mir, sich sofort mit einigen höheren Beamten der amerikanischen Zivilverwaltung in Verbindung zu setzen. Wenig später wurde Hasem freigelassen, nachdem er zuvor jedoch zum amerikanischen Militärgefängnis am Bagdader Flughafen gebracht worden war, wo man ihn ärztlich untersucht, ihm seine Rechte und Pflichten als Gefangener vorgelesen und fünf Stunden lang in eine Zelle gesperrt hatte. Hasem berichtete später, dass schließlich ein hoher amerikanischer Militärbeamter aufgetaucht sei, ihm erklärt habe, er dürfe wieder gehen, und sich für die Festnahme entschuldigt habe, die seinen Worten nach ein »Missverständnis« gewesen sei. Hasem wurde zum Palestine zurückgebracht, gab ein paar Interviews und sagte, dass er alles in allem gut behandelt worden sei.

Ein paar Tage später waren in Sadrs Büro in Kadhimijah keine bewaffneten Männer, schwarze Uniformen oder Waffen mehr zu sehen. Auf dem Hof drängten sich Mahdi-Kämpfer, aber sie hatten sich »entspannt«. Hasem und ich scherzten über unsere sich entwickelnde Beziehung als Vermittler in Geiselangelegenheiten, und ich fragte ihn, welche Folgen es gehabt hätte, wenn er länger festgehalten worden wäre. Hätte es ein Wiederaufleben der Gewalt gegeben, wie wir alle befürchteten? Er nickte. »Als ich verhaftet wurde versammelten sich hier Tausende von Menschen und marschierten in Richtung Palestine. Andere scharten sich in Sadr City zusammen. Ich bin sicher, sie hätten mit den Amerikanern gekämpft, aber ich wollte das nicht.« Er sagte, er glaube, das »Problem« zwischen Sadr und den Vereinigten Staaten sei vom Tisch. »Heute Morgen hörte ich, wie Colin Powell im Fernsehen sagte, er wolle, dass die Mahdi-Miliz sich auflöse. Die Amerikaner sprechen mit gespaltener Zunge.«

Ich begleitete Hasem und eine große Schar seiner Anhänger zu den Freitagsgebeten in die Kadhimijah-Moschee, die wieder zugänglich gemacht worden war. Menschen, die einen Sarg schleppten, der mit einem grünen Tuch bedeckt war, gingen an uns vorbei. Sie kamen aus der Moschee, wo der Sarg gesegnet worden war. Hasem blieb stehen, murmelte ein paar Worte des Gebets aus Ehrerbietung gegenüber den Trauernden und ging dann weiter. Die Hüter der Moschee gaben uns den Weg frei, und am Eingang wurden wir von einem Mann, der eine Sprayflasche schwenkte, mit Rosenwasser bespritzt. Mehrere Tausend Männer saßen wartend in dem geräumigen Innenhof der Moschee, und als Hasem sich einen Weg durch die Menge bahnte, begannen seine Männer und die übrigen im Chor zu rufen: »Heil Moqtada, nieder mit Amerika, nieder mit dem Regierungsrat« und streckten ihre geballten Fäuste in die Luft. Die Gebete erwiesen sich als politische Kundgebung, nachdem zuerst Scheich Raed und dann Hasem das Wort ergriffen. Mehrere Männer hielten Bildnisse von Sadr hoch. Auf der anderen Seite des Hofs sah ich Gruppen iranischer Pilger kommen und gehen. Einige von ihnen würdigten die Kundgebung keines Blickes; andere blieben stehen, um zuzuhören. Nach ungefähr drei Stunden war sie vorüber, und ich wurde mit Hasems Gefolge aus der Moschee hinausgeschoben. Als ich den Bogengang zum Hof der Moschee erreichte, berührte ein Mann aus der Menge meinen Arm. Er stellte sich als Arzt vor und fragte mich in gebrochenem Englisch, ob ich Amerikaner sei. Als ich nickte, lächelte er. »Warum ist Amerika immer noch hier?«, fragte er neugierig. »Was kann Amerika im Irak noch tun?« Ich zuckte die Achseln. »Vielen Dank, dass Sie uns von Saddam befreit haben, das war okay«, sagte er. »Aber alle wünschen sich … dass Amerika jetzt einfach abzieht.« Dann schüttelte er mir die Hand. »Auf Wiedersehen«, rief er, und ich wurde von der Menge mitgerissen. »Danke.«

An jenem Abend kehrte ich in Hasems Büro nach Kadhimi-

Alle Fahrzeuge vor uns standen im Stau. Viele Fahrer waren ausgestiegen und deuteten auf eine Rauchsäule in der Ferne. Irgendetwas war bombardiert worden. Einige Fahrer kehrten um und fuhren über den Mittelstreifen zurück. Auch Salam entschied sich dafür. Die einzige Möglichkeit, nach Falludschah zu gelangen, war die alte Straße, die durch Abu Ghraib führt – die Gemeinde, in der das berüchtigte Gefängnis liegt. Ich wollte diese Straße aber nicht nehmen. Am Tag zuvor waren zwei Reporter der *New York Times* auf der gleichen Route mehrere Stunden lang festgehalten worden. Ich bat Salam, lieber zur Moschee der Mutter aller Schlachten zu fahren. Nach Saddams Sturz war die Moschee zur neutralen Mutter aller Dörfer umgetauft worden. Dennoch blieb sie eine Bastion der sunnitischen Muslime, die antiamerikanisch eingestellt waren und fürchteten, dass eine von Schiiten beherrschte Regierung die Macht im Irak übernehmen könnte.

Vor der Moschee, wo bewaffnete Männer Wache standen, parkten etwa zwölf Pick-ups und Autos, die mit Kisten voller Lebensmittel und Medikamente beladen waren. Außerdem entdeckte ich ein paar Krankenwagen des Rothalbmonds. Männer gingen auf und ab. Als wir heranfuhren, sahen wir neben uns einen Wagen anhalten. Ein junger Mann mit schmerzverzerrtem Gesichtsausdruck und blutbefleckter Kleidung wurde aus dem Wagen gehoben und ins Torhaus der Moschee getragen. Man sagte uns, er habe einen der Laster im Konvoi gefahren und sei von den Amerikanern beschossen worden.

Wir betraten den Bereich der Moschee, in dem Männer Hilfsgüter – Mehlsäcke, Fett und Reisbeutel – von einer Reihe kleiner Pick-ups, die kontinuierlich aus Bagdad eintrafen, auf große Laster umluden. Ein Pick-up war mit zwei schwarzen Flaggen geschmückt – Schiiten-Flaggen –, die wie Kampfbanner an den seitlichen Stützen flatterten.

Ein Iraker, der neben mir stand, sah meine Überraschung und bemerkte in gutem Englisch: »Sehen Sie das? Erkommt von einer schiitischen Moschee.« Er erklärte mir, dass Moscheen in ganz Bagdad sowohl von sunnitischen als auch von schiitischen Bürgern Hilfsgüter entgegennahmen und sie zur Moschee transportieren ließen, damit sie nach Falludschah gebracht würden. Er fügte hinzu: »Vorher hatten Sunniten und Schiiten keine gemeinsame Basis, aber jetzt gibt es eine. Das kommt daher, dass alle Iraker die Besatzung und die Demütigung durch die Soldaten leid sind, die in ihr Haus eindringen, sie ausrauben, ihre Frauen belästigen und ihnen Gewehre vors Gesicht halten.« Der Mann lächelte freundlich. Wir gaben uns die Hände. Er stellte sich als Muajed al-Muslih, 45, Chefingenieur der ehemaligen irakischen nationalen Fluggesellschaft, vor. Er sei auch Vorsitzender der Gewerkschaft der Piloten und Flugingenieure. Muslih fragte mich, ob ich Amerikaner sei. Als ich das bestätigte, lächelte er und erzählte mir, dass er in den 70er Jahren an der Oklahoma State University studiert und dort auch Englisch gelernt habe. Das sei eine »tolle Zeit« gewesen.

Muslih berichtete mir, dass er und die meisten Iraker sich über Saddams Sturz durch die Amerikaner gefreut hatten. Aber die hohen Erwartungen seien bitter enttäuscht worden. »Morgen, am 9. April, ist der Jahrestag des Falls von Bagdad, aber inzwischen sieht jeder darin den Tag, an dem die Befreiung des Irak beginnt.« Ich begriff, dass Muslih damit die *Befreiung von der amerikanischen Besatzung* meinte und sich der gleichen Bezeichnung bediente, die Präsident Bush für die Rolle der USA im Irak beanspruchte. Muslih fuhr fort: »Die Iraker haben nichts gegen die Amerikaner oder ihre Kultur, aber sie wollen nicht von amerikanischen Soldaten gedemütigt werden.«

Wir wurden durch schweres Maschinengewehrfeuer unterbrochen, das von der Straße nach Falludschah herkam, nur ein paar hundert Meter von uns entfernt. »Das sind die Amerikaner«, sagte Muslih, der das Kaliber der Waffen erkannte. Er setzte seine Überlegung fort: »Wissen Sie, die Iraker wollen keine Besatzungsmacht im Lande haben, und das wird immer so sein, weil die Iraker stolz sind. Sie wollen keine Niederlage hinnehmen.« Muslih äußerte lauter Meinungen, die ich schon von vielen Irakern gehört hatte: Was die USA im Irak anstellten, sei nicht ihre eigene Politik, sondern etwas, das von den Israelis inszeniert werde, die einen schändlichen Einfluss auf die Bush-Administration hätten, und das höchste Bestreben Israels sei es, den Irak zu zerstören, damit er den jüdischen Staat in Zukunft nicht mehr bedrohen könne. Muslih schüttelte den Kopf. »Wir alle wollten eine Veränderung, und wir wollten Gutes von Amerika. Aber die Amerikaner haben uns ihr hässliches Gesicht gezeigt. Hier stehen wir jetzt, Sie und ich. Ich bin Iraker und Sie Amerikaner, und wir können miteinander reden. Es besteht kein Unterschied zwischen uns. Aber Sie halten mir auch kein Gewehr vors Gesicht. Sie sehen die Menschen auf den Straßen. Wenn sie die amerikanischen Soldaten sehen, verhalten sie sich ruhig, sie sagen nichts, aber in ihren Köpfen und Gemütern sieht es anders aus. Sie empfinden viel Hass. Das liegt daran, dass man einem Volk nicht einfach seine Sicherheit nehmen kann, ohne ihm etwas dafür zu geben.«

Muslih meinte, eines der größten Probleme sei die fehlende Legitimität der Mitglieder des provisorischen irakischen Regierungsrats, die von der amerikanischen Zivilverwaltung ausgewählt worden seien. Viele Iraker glaubten nicht, dass sie in der Regierung wirklich vertreten waren. »Jeder hasst diese irakischen Typen im Regierungsrat«, sagte er. »Die meisten von denen haben 20 oder 30 Jahre außerhalb des Irak gelebt. Viele sind Diebe, die geflohen sind, nachdem sie ihre Verbrechen begangen hatten, und die mit der CIA zurückgekehrt sind. Die Amerikaner brauchen diese Leute nicht. Hier leben 25 Millionen Menschen, und viele von ihnen sind gute, qualifizierte Leute. Warum haben sie nicht unter diesen Menschen ausgewählt?« Die für den 30. Juni geplante Machtübergabe, sagte Muslih, sei keine Lösung des Problems. »Solange die amerikanische Armee hier im Land bleibt, ist das alles Unsinn! Die Iraker denken nicht einmal an dieses Datum. Sie wissen, dass lediglich die Gesichter wechseln werden, und das ist verdammter Unsinn.«

Nach kurzem Schweigen verblüffte mich Muslih, indem er hinzufügte: »Wissen Sie, einige von uns wünschen sich, dass die Amerikaner doch nicht so schnell abziehen, aber sie sollten sich benehmen. Glauben Sie mir, wenn ich sage, dass die meisten Iraker Freiheit und Demokratie wollen. Sie wollen eine gute Ausbildung und Gesundheitsfürsorge. Und sie wollen auch Beziehungen zu den Amerikanern, aber solange sich die Amerikaner nicht richtig verhalten, wird es Probleme zwischen uns geben.«

Nachdem wir die Moschee verlassen hatten, fuhr mich Salam zu einer kleineren Moschee, die nicht weit entfernt von seinem eigenen Haus im Viertel Al-Salaam stand, wo Sunniten und Schiiten friedlich nebeneinander lebten. Salam selbst war Schiite, hatte aber viele Freunde unter den Sunniten. Er erzählte mir, er habe ein gutes Verhältnis zum Imam der örtlichen sunnitischen Moschee Al-Suheil.

Es handelte sich um eine bescheidene Moschee, die von einer Mauer umgeben war, an der ein Bild von Scheich Ahmed Jassin, dem spirituellen Führer der Hamas, hing. Er war im März von den Israelis ermordet worden, und sein Tod war einer Verlautbarung zufolge von den Mördern der vier amerikanischen Unternehmer in Falludschah »gerächt« worden. Irgendwo hing auch ein Bild von Moqtada al-Sadr. Einige Pick-ups wurden mit Lebensmitteln für Falludschah beladen, und der Imam, Scheich Fadel al-Gaidy, ein bärtiger Mann mit Brille, dem Salam mich vorstellte, überwachte alles. Mehrere ältere Männer mit Kopfschals saßen am Eingang der Moschee auf Stühlen und schauten zu. Über ihnen flatterte ein Banner, auf dem in Arabisch zu lesen war: ALLE BÜRGER VON AL-SALAAM SENDEN LEBENSMITTEL, GELD UND MEDIKAMENTE AN DIE MUDSCHAHEDDIN VON FALLUDSCHAH UND RAMADI. Als ich mit Scheich Fadel sprach, umringten uns mehrere Männer und Jugendliche und hörten uns zu. Einer unterbrach uns aufgeregt und deklamierte: »Sunniten und Schiiten gehören zusammen. Falludschah ist überall im Irak.« Ich fragte Scheich Fadel, ob das stimme. Er nickte und erwiderte: »Die Beziehung zwischen Sunniten und Schiiten hat sich seit dem Sturz des Regimes verbessert, da sie einen gemeinsamen Feind haben.«

»Ist das ein heiliger Krieg?«, fragte ich.

»Ja«, erwiderte er und nickte. »Es ist ein heiliger Krieg.«

»Wie wird er enden?«

»Er wird enden, wenn die Amerikaner sich aus dem Irak zurückziehen.«

Ich fragte Scheich Fadel, was geschehen würde, wenn die Amerikaner Sadrs Forderung erfüllen und aus Falludschah abziehen würden. »Der heilige Krieg wird weitergehen«, erwiderte er feierlich. »Weil die Amerikaner das irakische Volk über die Gründe für die Besatzung des Irak belogen haben, weil sie eindeutig lange Zeit hier bleiben wollen und weil die Amerikaner versucht haben, Sunniten und Schiiten zu spalten.«

Wir wurden erneut von einem Mann unterbrochen, der auf uns zutrat und sagte: »Die USA sollten unser Land verlassen« und sich dann wieder zurückzog.

Der Scheich nickte. Er wandte sich wieder an mich und sagte: »Es ist genau wie 1920.« Natürlich spielte er auf das schicksalhafte Jahr der arabischen Revolte an, als die sunnitischen und schiitischen Stämme sich gemeinsam gegen die britische Kolonialmacht erhoben hatten. Scheich Fadel fügte hinzu: »Im letzten Jahr haben die Amerikaner viele irakische Zivilisten getötet, sogar Kinder, und sie haben viele Menschen ins Gefängnis geworfen. Sie wollen die irakische Zivilisation vernichten und das irakische Öl stehlen. Aber wir glauben, dass die Amerikaner ganz bestimmt unser Land verlassen werden, weil sich jetzt alle Religionen im Irak zu einer Macht vereinigt haben und weil das Wichtigste im Islam jetzt der heilige Krieg ist. Und weil sich keiner von uns vor dem Sterben fürchtet. Die Iraker können zwischen Wahrheit und Lüge unterscheiden. Die Amerikaner sind in den Irak gekommen und haben behauptet, wir hätten Massenvernichtungswaffen. Aber sie haben keine gefunden. Und nun behaupten sie, das Wesentliche sei, dass sie den Irak befreit hätten.« Scheich Fadel schüttelte angewidert den Kopf. Er sagte: »Die irakischen Muslime haben einen starken Glauben. Wir wollen demokratische Freiheiten, aber wir wollen auch den Islam.«

Am 14. April übergaben die Kidnapper von Falludschah ein Video an Al-Dschasira, das die Hinrichtung eines der vier italienischen Sicherheitsbeamten zeigte, die sie als Geiseln genommen hatten. Die so genannten Grünen Brigaden erklärten in ihrer Verlautbarung, dass sie den Mann getötet hätten, weil Silvio Berlusconi sich weigerte, einen Abzug der italienischen Truppen aus der Koalition ins Auge zu fassen. Der Mord an dem Italiener legte einen Schatten über den Aufenthalt aller westlichen Ausländer in Bagdad. Danach wurde unsere Bewegungsfreiheit noch weiter eingeschränkt. Eine ganze Reihe von Dolmetschern, die für Journalisten gearbeitet hatten, gaben ihren Job auf, und viele Fahrer, einschließlich Salam, weigerten sich, in bestimmte Gegenden von Bagdad zu fahren, geschweige denn die Stadt zu verlassen, da sie um unsere und ihre eigene Sicherheit fürchteten. Wie vor einem Jahr während der schlimmsten amerikanischen Bombardements wurde das Palestine unser einziger Zufluchtsort vor Gefahren. Doch dieses Mal waren die Gefahren noch größer.

Am Tag nach der Hinrichtung des Italieners wagte ich mich hinaus, um Ajad Dschamaluddin in seinem Haus am Tigris, im Südosten von Bagdad, zu besuchen. Dieser Stadtteil galt immer noch als relativ sicher und hatte zudem den Vorteil, von bewaffneten Männern streng bewacht zu werden. Hier hatten nämlich mehrere Mitglieder des Regierungsrats, wie zum Beispiel Dschalal Talabani und Abdulasis al-Hakim, ihre Häuser und Büros in der Nähe. Seit letzten Sommer hatte ich Dschamaluddin nicht mehr gesehen. Damals war er voller Optimismus gewesen, sich eine politische Basis zu schaffen und die Errichtung einer proamerikanischen säkularen Demokratie im Irak zu fördern. Ich war neugierig zu erfahren, wie es ihm in den vergangenen Monaten ergangen war und wie er die Dinge nun beurteilte.

Vor Dschamaluddins Haus standen noch mehr Bodyguards, als ich erinnerte, und außerdem gab es jetzt eine Barriere aus zementgefüllten Ölfässern, die näher kommende Autos zwang, ihre Fahrt zu verlangsamen. Hinter den Toren entdeckte ich mehrere neue Autos, darunter einen gepanzerten schwarzen Mercedes-Benz, der einst Kronprinz Hassan von Jordanien gehört hatte, wie mir einer von Dschamaluddins Beratern prahlerisch erklärte. Dschamaluddin besaß immer noch den Rolls-Royce, aber ich bemerkte, dass eine Staubschicht auf ihm lag. Mehrere Gärtner pflegten aufmerksam den kurzen grünen Rasen. Dschamaluddins Sicherheitsbeamte brachten mich hinter das Haus in den zum Fluss gelegenen Garten, in dem er in einer Ecke des steinernen Hofs auf einem Plastikstuhl saß. Neben Dschamaluddins Schilfgras-Mudhif schossen Wasserfontänen aus einem gefliesten Springbrunnen empor. Beete mit blühenden Rosen und Gardenien säumten die Fußwege. Ich bemerkte, dass der Metallzaun entlang des Flussufers höher gezogen und mit irgendwelchem Dachmaterial bedeckt worden war, so dass man den Fluss nicht mehr sehen konnte. An beiden Ecken des Gartens befanden sich zur Flussseite zwei Wachtürme mit be-

amerikanischen Angriff auf Nadschaf und sagte, er glaube, sie sollten ihren Plan aufgeben, Sadr als Khoeis Mörder zu verhaften. »Zu diesem Zeitpunkt ist die Stabilität des Irak wichtig, nicht der Mörder von Khoei. Wenn die Amerikaner so weitermachen, gibt es nur noch mehr Gewalt, und das Blut weiterer unschuldiger Menschen wird vergossen werden. Damit entsteht noch mehr Hass auf der Seite der Iraker gegenüber den Amerikanern, und davor habe ich Angst. Schon jetzt gibt es überall zu viel Hass; Gott möge verhüten, dass dieser Hass weiter geschürt wird. Es ist sehr schwierig, im Irak die Demokratie einzuführen, denn die Demokratie ist ein amerikanisches Produkt. Wenn die Amerikaner gehasst werden, werden auch ihre Produkte gehasst.«

Die Perlhühner begannen zu kreischen und machten ein fürchterliches Getöse. Dschamaluddin hielt inne und blickte zu ihnen hinüber. Dann lachte er. »Die Perlhühner stimmen mir zu.«

Ende April verließ ich den Irak über den Bagdader Flughafen, der immer noch in der Hand der Koalition war. Die meisten Straßen, die aus Bagdad herausführten, waren vom US-Militär abgeschnitten worden, und es hatte keinen Sinn, nach Jordanien zu fahren, da die Straße an Falludschah vorbeiführte, wo immer noch gekämpft wurde und viele der Ausländer entführt worden waren.

Auf dem Weg zum Flughafen kamen wir an dem ausgebrannten Wrack eines amerikanischen Armee-Tankwagens vorbei. Er hatte zu einem Konvoi gehört, der ein paar Tage zuvor überfallen worden war. In letzter Zeit wurden viele der Koalitionskonvois aus dem Hinterhalt überfallen. Auf der Straße, die zum Abu-Ghraib-Gefängnis und weiter nach Falludschah führte, waren noch mehr Tankwagen, Panzer und Humvees zerstört worden. Viele amerikanische Soldaten und Unternehmer waren getötet, mehrere waren entführt worden.

Am militärischen Kontrollpunkt für Fahrzeuge außerhalb der Start- und Landebahn des Flughafens begann sich ein amerikanischer Soldat wegen einer Kleinigkeit über einige Iraker in einem Auto aufzuregen. Sie schienen Angestellte der amerikanischen Zivilverwaltung zu sein, aber er beschimpfte sie heftig und befahl ihnen auszusteigen. Sie wirkten verblüfft und sehr eingeschüchtert. Er fuhr fort, sie lautstark anzuschnauzen. Ein anderer Soldat trat hinzu, um ihn zu unterstützen. Ich konnte nicht mehr verfolgen, was weiter passierte, da ich mein Flugzeug erwischen musste. Nach dem Start flog die Maschine spiralförmig nach oben, um Flugabwehrraketen zu vermeiden.

Ein oder zwei Tage später wurden die ersten Fotos veröffentlicht, die den sadistischen Missbrauch und die sexuelle Demütigung irakischer Gefangener durch amerikanische Soldaten im Abu-Ghraib-Gefängnis darstellten. Am 11. Mai, während sich der Skandal noch ausweitete, wurde auf einer Internetseite die Enthauptung von Nicholas Berg gezeigt. Berg, ein 26-jähriger amerikanischer Zivilist, trug einen orangefarbenen Overall, der aussah wie die Overalls der verdächtigen Terroristen, die in Guantánamo festgehalten wurden. Berg schaute direkt in die Kamera, er kniete vor einer Gruppe bewaffneter und maskierter Männer. Einer der Männer erklärte, Bergs Hinrichtung sei die Vergeltung für die gefolterten Iraker von Abu Ghraib. Dann trennte er Bergs Kopf mit einem großen Messer vom Rumpf. Später wurde die kopflose Leiche auf einer Autobahn im Westen von Bagdad gefunden. Berg war ein Kommunikationsexperte aus Pennsylvania, der in den Irak gereist war, um sich nach Arbeit umzusehen, und der auf dem Höhepunkt des Aufstands versucht hatte, aus Bagdad zu fliehen, auf dem Weg zum Flughafen jedoch als Geisel genommen wurde. Berg wurde vermutlich am 9. April entführt. Ein Jahr war da seit dem Fall Bagdads vergangen. Aber es schien, als ob Bagdad keineswegs gefallen war – oder vielleicht immer noch fiel.

NACHWORT

Mitte Juni 2004 rief Ala Bashir mich an und teilte mir mit, dass Samir Chairi endlich aus dem Gefängnis Abu Ghraib entlassen worden war. Samir hatte man Ende Februar nach sieben Monaten in Gewahrsam wieder auf freien Fuß gesetzt, doch er war schwer krank und fast zwei Monate lang bettlägerig. Als es ihm allmählich besser ging, nahm er mit Bashir Kontakt auf und teilte ihm mit, dass er immer noch keine Ahnung hatte, wieso man ihn festgehalten hatte.

Bashir selbst lebte in Doha, der Hauptstadt des arabischen Emirats Katar, wo er sich seit seiner Ausreise aus Bagdad die meiste Zeit aufgehalten hatte. Da ich im Begriff war, nach Bagdad zurückzukehren, um über die »Machtübergabe« durch die Koalitionstruppen an die frisch ernannte irakische Übergangsregierung zu berichten, plante ich einen Zwischenstopp in Doha ein.

In der heißen und stickigen Stadt am Persischen Golf traf ich Ala Bashir in einem Gästehaus, das Scheich Hassan gehörte. Der Scheich war ein Cousin des herrschenden Emirs und hatte Bashir nach Doha eingeladen, damit er dort als plastischer Chirurg arbeitete. Bashir teilte mir mit, er habe den lukrativen Arbeitsvertrag abgelehnt, den ihm der Scheich angeboten habe, und sich stattdessen dafür entschieden, von Fall zu Fall Operationen zu übernehmen, um sich eine größere Autonomie zu bewahren. Zwar war er betrübt über die Trennung von seiner Familie in England, doch genoss er den freien Zugang zu einem Kunstatelier, das dem Scheich gehörte. Bashir zeigte mir stolz eine Reihe von Gemälden, die er gemalt hatte: dunkle, surreale Werke mit seinen unfehlbaren Markenzeichen: Raben und Masken. Er nannte die neue Serie »Die Masken Kains« und erklärte, dass sie sich mit dem ewigen menschlichen Ringen zwischen Gut und Böse und mit dem Verhältnis zur Macht auseinander setze.

Bashir erzählte mir, dass Samir Chairi vor einigen Tagen Bagdad verlassen habe und sich jetzt in Amman aufhalte. Da ich ohnehin als Nächstes dorthin flog, riefen wir Samir an. Er klang sehr erfreut über die Nachricht, dass ich kommen würde, und wir verabredeten, uns zu treffen. Als Samir zu mir ins Hotel kam, sah ich, dass er viel dünner war als bei unserer letzten Begegnung und dass seine Augen eingesunken waren. In den folgenden Stunden erzählte Samir ausführlich von seiner Tortur. Seine Verhaftung im Juli 2003 war ebenso gewaltsam wie unerwartet für ihn gekommen. Amerikanische Soldaten hatten das Haus umstellt, die Tür eingeschlagen, ihn aus dem Bett geholt und ihm sofort Handschellen angelegt. Dann rammte ein Soldat Samir den Gewehrkolben in die Seite und brach ihm dabei ein paar Rippen. Seither hatte er Schwierigkeiten beim Atmen.

In der Haftanstalt beim Flughafen, wohin man ihn zuerst zum Verhör brachte, erlitt Samir einen schweren Herzinfarkt. Er wurde von amerikanischen Militärärzten gerettet, die ihm erste Hilfe leisteten. Anschließend wurde er in ein militärisches Kriegsgefangenenlager in Umm Kasr geschickt, weit im Süden. Dort blieb er zwei Monate lang und erlitt zwei weitere Infarkte. Dann wurde er nach Abu Ghraib gebracht, wo er fünf Monate lang blieb, bis er eines Tages, ohne Vorwarnung, entlassen wurde. Als er Abu Ghraib verließ, hatte er nichts am Leib außer einem Krankenhauskittel und einer Decke. Samir konnte nicht in sein eigenes Haus gehen, das inzwischen gründlich geplündert worden war, sondern ging stattdessen zum Haus seiner Eltern. Samir weinte, als er sich daran erinnerte, wie er, nach drei Monaten in Haft, erfahren hatte, dass sein betagter Vater gestorben war.

Samir empfand keine echte Verbitterung gegenüber den

Amerikanern. Sie hätten ihn in Abu Ghraib nicht gefoltert, sagte er, auch wenn er Gerüchte über die Missbräuche gehört habe, zu denen es in einer Sondereinheit gekommen war. Er äußerte sich freundlich über mehrere amerikanische Offiziere, die sich ihm gegenüber menschlich verhalten hatten. Doch er war immer noch verwirrt und verletzt wegen der schrecklichen Lebensbedingungen in den Gefängnissen, die ihm unnötig primitiv und erniedrigend erschienen waren. Jeder irakische Häftling, den er getroffen habe – auch jene, die vor ihrer Verhaftung gar nichts gegen die Amerikaner gehabt hatten –, hätte den Entschluss gefasst, die Besetzer nach der Entlassung in irgendeiner Form zu bekämpfen.

Samir war in jeglicher Hinsicht ein gebrochener Mann, auch wenn er tapfer versuchte, das zu verbergen. Er war 52 Jahre alt und hatte einen Doktortitel in Verfassungsrecht, aber er lebte jetzt im Exil, heimatlos, mittellos und krank. In der Haft hatten ihm die Soldaten sämtliche Ersparnisse abgenommen, und er hoffte verzweifelt, dass ihn eine jordanische Universität als Juraprofessor einstellte. »Was immer sie mir anbieten«, sagte er, »werde ich annehmen.« Eine Rückkehr in den Irak kam für Samir nicht in Frage. Er war wegen seiner Arbeit für Saddam ein gezeichneter Mann: Sein Name war auf einer veröffentlichten Liste von Leuten aufgetaucht, die eine militante schiitische Gruppierung für Attentate ausgewählt hatte. Samir machte sich sehr große Sorgen um die Zukunft des Irak. Er sagte weiteres Chaos und einen Bürgerkrieg voraus, falls amerikanische Soldaten im Land blieben. »Wie wollen die Amerikaner dann mit der Lage fertig werden?«, fragte er. »Werden sie in die Städte und Dörfer zurückkehren und sie wieder zerstören? Das können sie nicht, weil die irakische Bevölkerung – die noch vor einem Jahr so froh war, dass sie ihnen Saddam vom Hals geschafft hatten – sie jetzt nicht mehr haben will.«

Korrekturvorschläge mit einer wunderbaren Mischung aus Takt und Humor präsentiert hat.

Für ihre standhafte Kameradschaft in schwierigen Zeiten möchte ich sehr herzlich Paul McGeough und John Burns danken. Bei meinen zahlreichen Reisen in den Irak sind auch viele andere Menschen mir mit Freundschaft und Solidarität begegnet. Dazu zählen Walid Abdulmadschid, Samantha Appleton, Ala Bashir, David Blair, Giovanna Botteri, Sungsu Cho, Tamara Daghestani, Adam Davidson, Jérôme Delay, Adriana Dergam, Patrick Dillon, Robyn Dixon, Francis Dubois, Thomas Dworzak, Farnas Fassihi, Jeffrey Fleishman, Suzanne Goldenberg, Patrick Graham, Jan Hartman, Tyler Hicks, Haitham al-Husseini, Salaar Dschaff, Saad Nadschi Dschawad, Kimberly Johnson, Amal Dschuburi, Ranja Kadri, Larry Kaplow, Samir Chairi, Juri Kosyrjew, Melinda Liu, Dumeetha Luthra, Matthew McAllester, Salih Mehdi, Merhdad Mirdamadi, Salam al-Muhammadawi, Wamidh Nadmi, Craig Nelson, die verstorbene Elizabeth Neuffer, Bob Nickelsberg, Rod Nordland, Farah Nosh, Heathcliff O'Malley, Franco Pagetti, Scott Peterson, Pablo Ruperez, Marla Ruzicka, Nasser al-Sadun, Faruk Sallum, Moises Saman, Fran Sevilla, Adel Scheichly, Ali Schukri, Michael Slackman, Wendell Steavenson, Tara Sutton, Scott Wallace und Iva Zimova.

Mein Dank geht auch an Soheila und ihren Mann Abu Ahmed für ihre Gastfreundschaft; an Issam, weil er mich jedes Mal bei den Fahrten zwischen Bagdad und Jordanien gut durchgebracht hat, und an Abdullah, einen vollendeten Gentleman aus dem Sudan, für seine Aufrichtigkeit und beispiellose Arbeitsmoral. Mein Dank für den unbekannten Raumreiniger im Bagdader Hotel Sheraton lässt sich gar nicht in Worte fassen. Unmittelbar nach dem Fall Bagdads fand er einen Umschlag, der 10 000 Dollar in bar enthielt und den ich in meinem nicht gemachten Bett zurückgelassen hatte, er rührte ihn aber nicht an. Das ereignete sich zur selben Zeit, als Bagdad schamlos geplündert wurde, und trug erheblich dazu bei, mir den Glauben an das Gute im Menschen zurückzugeben. Ich möchte ferner Jane Scott-Long und Pam Williams für ihre Hilfe im Hintergrund danken sowie Joel Simon vom Committee to Protect Journalists für seine unablässigen Anstrengungen im Namen aller Journalisten im Irak.

Meine tiefe Wertschätzung an Vanadia Humphries und Tony Heaton, weil sie uns mehrfach während meiner längeren Abwesenheiten von zu Hause ausgeholfen haben. Und, wie immer, meinen innigen Dank an Erica, Bella, Rosie und Máximo.